22,50

D0297106

Fatale ambitie

Nichola McAuliffe

FATALE AMBITIE

Uit het Engels vertaald door Lidy Pol

UITGEVERIJ DE GEUS

Oorspronkelijke titel *The Crime Tsar*, verschenen bij Bloomsbury
Oorspronkelijke tekst © Nichola McAuliffe, 2003
Nederlandse vertaling © Lidy Pol en Uitgeverij De Geus bv, Breda 2004
Omslagontwerp Helma van Bergeijk
Omslagillustratie © Katrin Thomas
Foto auteur © Conway van Gelder
Druk Koninklijke Wöhrmann bv, Zutphen
ISBN 90 445 0414 2
NUR 305

Verspreiding in België via Libridis nv, Industriepark-Noord 5a,
9100 Sint-Niklaas

Voor
Don Mackay, die het Geloof had,
Misty Spring, die de Hoop had,
Mary McAuliffe, die haar hele leven de Liefde had,

en voor
Liz Calder, die het manuscript had

DEEL EEN

Er was geen verschil tussen het bloed. Moslimbloed of christenbloed. Het stroomde nog steeds door de goten. De neerstriemende regen spoelde het straatvuil van die dag naar de rioolputten, die vol zaten met sigarettenpeuken, carterolie en plastic bekertjes. De bloederige modder vervolgde zijn weg, op zoek naar een plek om in weg te kruipen.

Maar ze bleven proberen elkaar te vermoorden. Een honkbalknuppel verbrijzelde een oogkas, een kapmes doorkliefde een arm. Twee knapen, die in het duister van de storm niet van elkaar te onderscheiden waren. Aangevuurd door een brullende menigte. De bliksem lichtte de gezichten op, de donder overstemde moeiteloos het geschreeuw. Nog meer bliksemflitsen met stroboscoopeffect, die de slagen van het kapmes en de knuppel er even onschuldig uit lieten zien als een scène uit een Keystone Cops-film. De regen spoelde het bloed van hun gezichten, het haar plakte aan hun hoofden.

Een auto lag op zijn kop, als een blikken schildpad die met een woedend gebaar op zijn rug was gesmeten. De benzinetank was met een straatkei opengebeukt. Het vuur brandde zo fel dat het twintig minuten lang de stortregens weerstond voordat het flakkerend doofde in een poel van zwarte modder.

Maar de jongens bleven doorvechten. Afrikaan tegen Aziaat. Zwart tegen bruin. Nike tegen Reebok.

'Naar mij! Naar mij! Naar mij!'

Ze was nog jong, en klein van stuk. De gummiknuppel sloeg met alle kracht op haar ronde schild. Met gesloten vizier, maar tussen de slagen door schoof ze het omhoog, omdat de regen haar het zicht belemmerde. Inspecteur. Vrouw in oproersituatie. De mannen van haar eenheid kwamen op haar nauwelijks hoorbare geroep aansnellen. Mannen die vroeger bij het speciale patrouilleteam hadden gezeten, totdat naamsverandering onvermijdelijk was geworden na buitensporig geweld tegen meerdere ongewapende individuen. Lange Romeinse schilden, scheenplaten, helmen, en louter spierkracht duwden de menigte terug. Slechts de dikte van een blauw serge uniform scheidde hen van het geteisem tegenover hen.

Vanaf de zijkant zou ze ertussen kunnen komen om de kemphanen te arresteren. Terwijl de wijk weer door een bliksemflits werd verlicht, rukten haar jongens op om hun jongens in te rekenen. De twee groepen jongeren vormden nu één grote groep die zich tegen de politie keerde. Er werden straatstenen losgewrikt en weggegooid. In het bovennatuurlijke geraas van donder en bliksem vielen de door de stenen geraakte lichamen tegen de grond en werden, zonder zich daarvan bewust te zijn, weggesleept. De enige realiteit was de regen. De beste politiemensen ter wereld. Maar niet vannacht. De kracht van de elementen leek hun lichamen te zijn binnengedrongen, waardoor ze zich niet bewust waren van de ergste storm in vierhonderd jaar.

Nog meer politiemensen vielen, en hun Boadicea bleef hen aansporen, maar ze hadden nu geen aansporing meer nodig. Ze wilden botten horen kraken en verlangden ernaar lichamen onder hun laarzen te vertrappen.

De groep vocht terug met bakstenen en messen, en ten slotte met de benzinebommen, die ze eigenlijk tegen elkaar hadden willen gebruiken.

Daarna ging het harder regenen en sloeg de wind het water in hun gezichten, in hun ogen. De slagregens doofden de kinderachtige vlammen zodra de flessen om de agenten heen stukvielen.

Er ontstond verwarring. Mensen vielen om, omdat ze door de kracht van de storm niet in staat waren om overeind te blijven. En er was plotseling angst, niet voor hun medemens maar voor de bijbelse kracht van de elementen, die hen als afval in de zondvloed heen en weer smeet.

Maar God zond geen Mozes om de rivieren van bloed te scheiden.

Een Pakistaanse jongen van een jaar of vijftien werd tegen een steigerpaal geblazen. De paal boorde zich in zijn gezicht als een rietje in een milkshake.

Dakpannen vielen; hoofden en schouders werden verpletterd.

De aarde barstte open alsof de doden ontwaakten.

Iedereen rende nu, terwijl de storm, als een boze ouder, zijn geduld verloor.

Ze probeerden dekking te zoeken, maar merkten dat de wind tussen de lelijke gebouwen in de wijk zich samenbundelde tot een wervelwind, waardoor ze tegen de muren werden gedrukt en alle lucht uit hun longen werd gezogen.

Velen zakten ter plekke in elkaar, voorovergebogen als in gebed, het uitschreeuwend tegen de god die hun het meest nabij stond. Maar de storm voerde hun stemmen weg. God was ergens anders.

Alleen de duivel luisterde.

De bliksem sloeg in in de parterreflat tegenover de pub, blauwe vlammen kronkelden omhoog. Vlammen die de regen niet kon blussen. En onder de vlammen bedekten olieachtige rookspiralen het opkomende gras dat ooit een tuin was geweest.

En net als de woestijn die zelfs na jaren van droogte in staat is weer te gaan bloeien, roerde zich ook daar weer vreemd leven.

In donder en bliksem, en in regen.

'Wat zei je?' vroeg Jenni. 'Over adoptie?'

'O… niets. Ik klets maar wat', antwoordde Lucy, terwijl ze er spijt van had dat ze een onderwerp had aangesneden dat haar zo aan het hart lag en Jenni volkomen koud liet.

'Het zou je toch niet lukken. Jij bent er waarschijnlijk te oud voor en Gary… Nou ja, Gary is…' Zelfs Jenni kreeg, hoewel andermans gevoelens haar totaal onverschillig lieten, de woorden 'een wrak' niet over haar lippen en koos voor het tamelijk conventionele 'invalide'.

Lucy had haar wel een klap in haar mooie gezicht willen geven. Ze verfoeide Jenni's schoonheid. Jenni met een i. Volmaakt kapsel, volmaakte nagels, bijpassende echtgenoot en kinderen. Mooi. Bij fel licht misschien wat rimpelig in de hals, maar Jenni duldde geen fel licht.

'We dachten niet aan adoptie. Ik zei alleen… dat het leuk zou zijn om kinderen te hebben.'

Jenni luisterde niet. Waarom zou ze ook? Het gesprek ging niet over haar.

Lucy zuchtte. 'Hoe is het met Tom?'

Daarmee waren ze weer op Jenni's terrein. Haar echtgenoot. De hoofdcommissaris. Haar kinderen. De kinderen van de hoofdcommissaris. De vrouw van de hoofdcommissaris. Ze hield van de macht die bij de titel hoorde, hoewel die plaatselijk, dus zeer beperkt was, wat haar frustreerde.

'Zoals je weet zet hij zich altijd voor meer dan honderd procent in. Hij heeft het nu natuurlijk wat gemakkelijker, maar toen hij het korps overnam, was het een zootje. Maar je kent Tom Shackleton.'

Ze noemde hem altijd bij zijn volledige naam. Een vreemde mengeling van gepoch en onzekerheid. Hij was succesvol. Zij waren succesvol. Maar ergens had ze er geen idee van wie haar man was. Wat er omging in de lege ziel van deze politieman. Door hem steeds weer bij zijn volledige naam te noemen, kwam hij voor haar tot leven.

Lucy zag hem in gedachten altijd als een bleek en bang jongetje ineengedoken in een hoek van een grote, kille zaal zitten.

Toen Lucy haar aandacht weer op Jenni richtte, ratelde deze nog steeds door over de Chef. Over zijn toewijding aan haar en hoe ze hem af en toe met een ruk aan zijn halsband tot de orde moest roepen.

'Echt, Lucy, als ik naar die man kijk ben ik ontzettend trots op hem.' Ze keek in de spiegel naar Lucy. 'Maar dat zeg ik natuurlijk niet tegen hem.'

Lucy vroeg zich af waarom niet. Waarom zou je iemand genegenheid onthouden? Misschien gaf het Jenni een gevoel van macht. Lucy zag voor zich hoe ze hem wekelijks kleine porties goedkeuring toestopte, als zakgeld. Welverdiend, maar met tegenzin gegeven.

Jenni zat aan de ontbijttafel van haar modelkeuken met vinylvloer, esdoornhouten kasten en granieten werkbladen, haar onberispelijke make-up bij te werken. Om te gaan winkelen. Lucy had de restanten ervan op haar kussenslopen aangetroffen, waaiertjes van mascara. Het was fascinerend om te zien hoe Jenni haar potloden en borsteltjes altijd in dezelfde volgorde neerlegde, en de kleuren altijd in dezelfde volgorde en met volstrekt identieke streken aanbracht. En hoe ze na afloop de borsteltjes kritisch afveegde en teruglegde in haar make-uptasje. Lucy zag er een ritueel en orde in, terwijl haar eigen leven uit chaos, improvisatie en lapwerk bestond.

'Heb je er ooit over gedacht om vreemd te gaan?' vroeg Jenni, terwijl ze Lucy met een vreemde, starende blik in de spiegel aankeek.

'Nee... Ik geloof niet dat ik het zou kunnen opbrengen om telkens mijn benen te moeten scheren.' Waarna ze een stilte liet vallen die precies lang genoeg was om duidelijk te maken dat ze het volgende slechts uit beleefdheid vroeg. 'Jij wel?'

'Ben je mal.' Als Jenni twintig jaar jonger was geweest, had ze kuiltjes in haar wangen gekregen en gegiecheld alsof er zilveren belletjes in haar stem hadden doorgeklonken. Maar ze was rond de veertig. Ouder dan Lucy, hoewel ze er beter uitzag. Jenni begon te blozen, maar op charmante wijze.

'De Chef zou me vermoorden. Ik zou meteen mijn spullen kunnen pakken. Bovendien is hij zo veeleisend. Ik zou er waarschijnlijk niet eens de energie voor hebben.'

Jenni keek Lucy koket aan, in de hoop dat die er in gedachten scènes vol zweet en lust bij zou zien. Lucy deed alsof ze onder de indruk was, hoewel ze wist dat ze al zes jaar geen seks hadden gehad. Hij had het nooit omschreven als: de liefde bedrijven.

'Maar...?' Lucy maakte de vraag niet af en keek haar oprecht geïnteresseerd aan, zoals je kijkt als je een kevertje in een glas limonade ziet vallen. Zou het hem lukken het rietje te vinden en omhoog te klauteren?

'Nou...'

De pootjes probeerden greep te krijgen op het wit-roze rietje.

Jenni draaide zich naar haar om, haar lachende, rode mond tekende zich scherp af tegen haar tanden.

'Nou...' zei ze nog eens.

Lucy kon haar wel slaan, maar ze zei zacht en net dringend genoeg: 'Kom op, Jenni, mij kun je het toch wel vertellen.'

'O, ja, dat weet ik.' Haar loyaliteit werd afgewezen, van tafel geveegd. Ze was tenslotte niet meer haar gelijke nu ze hier schoonmaakte. Geen echte vriendin meer.

'Hoe moet ik het zeggen...' Weer dat puberale wachten en gegiechel.

Lucy's handen jeukten.

'Hij zit in de politiek. Hij is politicus.'

Lucy keek haar aan.

Jenni zag haar starende blik ten onrechte voor belangstelling aan. In werkelijkheid was het ontzetting. 'Een heel, heel belangrijk politicus.'

'Aan welke kant staat hij?'

'O, de onze, liefje. *New Labour – New Lover.*' Ze lachte om haar eigen grap. 'Geen woord hierover, Lucy. Ik had het je eigenlijk niet moeten vertellen.'

'En heb je… eh…?'

'Nog niet. Maar… ik ben aan het oefenen. Geen tarwemeel, alcohol of zuivelproducten. En in mijn horoscoop stond dat me een periode van intensieve activiteit te wachten stond.'

Ze straalde. Kon bijna niet wachten tot het zover was. Daarna ging ze weer verder met het zorgvuldig aanbrengen van haar make-up.

Lucy sloeg haar met de lege, doffe blik van een onzeker schaap gade en dacht terug aan de middag, maanden geleden, toen Tom haar had verleid. Ze kwam hem een kop koffie brengen in zijn studeerkamer. Jenni had er geen tijd voor, omdat ze met haar dochter Tamsin aan het bellen was. Tamsin, Jacinta, Chloe en Jason. Het ambitieuze equivalent van Tracy, Michelle, Kylie en Wayne.

Hij had koffie op het schoteltje gemorst toen hij het van haar aannam, en er lief verlegen op gereageerd. Lucy had gezegd dat haar dat ook altijd overkwam en naar hem geglimlacht. Hij beantwoordde haar glimlach. Niet zo'n zelfverzekerde stoere glimlach die fotoredacteuren graag zagen, maar een verlegen optrekken van de mondhoeken met het hoofd iets gebogen. Een nederig lachje.

Toen Lucy zich omdraaide om weg te gaan, legde hij rustig zijn handen op haar schouders en begon hij haar oor en wang te kussen. Lucy bleef roerloos staan. Sinds ze elkaar voor het eerst ontmoet hadden, waren haar fantasieën over Tom Shackleton zo vaak door schuldgevoelens verdrongen, maar nu… nu… Hij zei dat hij haar borsten wilde zien en ermee wilde spelen. Maar op een merkwaardig formele, gekunstelde toon. Even raakte ze in paniek, omdat hij dan haar beha zou zien, grauw van het wassen, samen met de sokken van haar man. Maar hij had zijn ogen gesloten. Ze vroeg zich af of hij het zou merken als ze wegging en haar lichaam achterliet.

Zonder haar aan te kijken vertelde hij over de seksloze jaren na de geboorte van zijn kinderen. Die sliepen bij Jenni in bed en eigenden de weinige tederheid die ze te geven had voor zich op. Voor haar was seks slechts een middel om haar doel te bereiken.

Ze keek naar een foto van zijn jaargroep aan de politieacademie van Hendon, toen hij zijn hand naar haar nek bracht. Terwijl hij haar vasthield, stevig maar niet zo dat het pijn deed, week hij iets achteruit. Ze dacht dat hij haar wegduwde, maar toen voelde ze zijn andere hand achter op haar dij. Ze bewoog zich niet, bleef doodstil staan, concentreerde zich op de foto, en hoopte dat hij door zou gaan. Ze herkende hem niet tussen al die lage helmen en glimmende jonge gezichten. Heel langzaam schoof hij haar rok omhoog en haar slipje naar beneden.

Vroeger, toen ze nog klein was, werd haar onderbroek ook zo naar beneden geschoven, omdat ondergoed nog te ingewikkeld was voor kleine vingertjes. Het voelde vreemd geruststellend. Hij kwam weer dichterbij, sloeg zijn rechterarm voor haar langs, pakte met zijn andere hand haar linkerschouder en drukte zijn gezicht tegen haar nek en wang. Daarna boog hij haar iets voorover, zodat haar gewicht op zijn arm rustte. Ze voelde zich veilig, beschut, ingekapseld door hem. Toen fluisterde hij, weer op die formele toon: 'Mag ik?' Lucy vond het maar een rare vraag nu ze met haar blote billen tegen hem aan gedrukt stond, maar voordat ze kon zeggen: 'Natuurlijk' of 'ga je gang', of iets dat even subtiel was en indruk op hem maakte, was hij al zacht bij haar naar binnen geglipt zonder dat ze weerstand bood. Heel lang bewogen ze geen van beiden.

Lucy kreeg visioenen van ongebruikte condooms en apocalyptische gevolgen, en was verbaasd dat het haar niet kon schelen.

Hij bewoog snel, niet met van die trage stoten zoals in liefdesromannetjes, maar bijna met de snelheid van een konijn. Heftig pulserend. Lucy bleef in dezelfde houding staan.

Toen hij klaarkwam, begon hij alleen sneller te ademen. Lucy kon zijn gezicht niet zien, maar voelde hoe hij haar zacht onder haar oor kuste toen hij zich terugtrok. Omdat ze niet wilde dat hij haar losliet, legde ze haar hand tegen zijn wang.

Ze stond op haar benen te trillen toen ze haar slipje omhoogtrok en haar rok gladstreek.

Woorden leken niet op hun plaats.

Jenni was nog steeds aan het bellen toen ze met Toms lege kopje de keuken weer binnen kwam.

Uren na haar gesprek met Jenni, toen de verpleegsters haar man naar bed hadden gebracht, realiseerde Lucy zich waarom ze zo kwaad was geweest. Omdat Jenni wilde dat ze het wist van die politicus. Het ging haar niet om de affaire, maar om de mogelijkheid er ruchtbaarheid aan te geven. Gold het tegenwoordig dan niet meer dat je zweeg over overspel? En Lucy was de enige aan wie Jenni het kon vertellen, omdat ze Jenni dankbaar moest zijn.

Toen haar man, Gary, ziek werd en Lucy hem thuis ging verzorgen, had ze haar oude leven vaarwel gezegd en was hun wereld er heel anders gaan uitzien. Ze waren buiten de samenleving komen te staan, krap bij kas maar niet armlastig, en niet wegwijnend in een achterstandswijk, dus echt buiten de samenleving stonden ze eigenlijk ook niet.

Gary had zich er niet bij neergelegd. Hij had eerst thuis kinderen bijles gegeven en, toen hem dat te veel werd, 'virtuele' wiskundelessen via internet. Hij discussieerde over Mozart als prerevolutionaire humanist in een chatroom waar Mozart overwegend als politiek subversief werd beschouwd. Gary had zich nooit geconformeerd aan de publieke opinie, het kon hem niet schelen hoe andere mensen over hem dachten, maar Lucy, die weinig gevoel van eigenwaarde had, trok het zich heel erg aan als ze merkte dat anderen geen hoge dunk van haar hadden.

Lucy, de vrouw van een zeer succesvol en populair schoolhoofd, die in opdracht gebrandschilderde ramen maakte, zou zich nooit door Jenni uit de hoogte hebben laten behandelen, of hebben laten afpoeieren. Maar ze had een ander stempel opgedrukt gekregen en zag zich als een dame in nood, die niet meer dan goedbedoelde minzaamheid verdiende. 'Die arme Lucy' maakte nu schoon bij Jenni en Tom, en deed de boodschappen. Ze was geen dienstmeisje, dat niet, maar ook niet meer hun gelijke.

Het enige wat haar man echt boos maakte, was dat ze de marte-laares uithing en haar kunst verwaarloosde. Hij had haar aangemoe-digd ambitieus te zijn en in zichzelf te geloven, en begreep het niet dat ze zich vrijwillig als voetveeg liet gebruiken. Hij wilde verhuizen, zodat ze weer aan het werk kon. Het was al erg genoeg dat hij veranderde, dat was met zijn ziekte onvermijdelijk, en daarom was het belangrijk dat zij bleef wie ze was. Maar hij zag niet hoe haar enthousiasme verzandde in neerslachtigheid, en begreep niet dat ze het gemakkelijker vond om los te laten dan zich vast te klampen aan een leven waarvoor ze zonder hem de moed miste. Het idee een supervrouw te moeten zijn schrikte haar zo af dat ze zich geleidelijk, als een vis die op de bodem van de zee leeft, had laten wegzinken, en ze vond nu steun in het uitziften van puin in de levens van anderen. Ze was geen hoogvlieger, zoals Gary en de Shackletons, en ze was vaak in paniek geraakt bij de gedachte gelijke tred met ze te moeten houden. Omringd door haar stukjes gekleurd glas voelde ze zich veiliger. Gary's ziekte was, al zou ze het nooit toegeven, een opluch-ting voor haar geweest, maar had wel het verlangen in haar gedoofd om schoonheid te creëren.

Ooit waren ze politieman, maatschappelijk werkster, kunstenares en schoolhoofd geweest. Gelijken. Bevriend, maar niet zo dat het intiem dreigde te worden. Jenni verdacht Gary en Lucy er altijd van dat ze met de Shackletons probeerden aan te pappen, alsof ze Toms snelle carrière wilden gebruiken om hun eigen sociale status te verhogen. Het ging Jenni's verstand te boven dat Gary en Lucy gewoon bevriend met hen wilden zijn, en dat Gary in het onderwijs evenveel aanzien genoot als Tom bij de politie. Volgens Jenni was iedereen op iets uit. Lucy had gemerkt hoe belangrijk het voor Jenni was dat ze haar plaats kende, toen Jenni haar een keer had horen zingen. 'Wat een gekrijs', had ze lachend gezegd. Lucy had zich gekwetst gevoeld, maar dat was niet Jenni's bedoeling, ze had ge-woon haar positie en die van Lucy duidelijk willen maken.

Maar Lucy kreeg nu bankbiljetten van tien pond in haar jaszak gestopt. Of in haar schort. Jenni kon het zich veroorloven om gul te zijn, ze kon alleen niet delen. En nu ze niet meer met Lucy hoefde te wedijveren, kon ze haar ook weer veilig aardig vinden.

'O Lucy, lieverd… zou je dat willen doen? De bestekla even schoonmaken? En de plinten afstoffen? Ik heb iets voor je gekocht bij Harrods. Ik dacht dat de dagcrème van La Prairie wel iets voor jou was.'

Altijd op die toon, de toon die ze voor 'die arme Lucy' reserveerde.

Lucy zat in de woonkamer op de bank, die ooit mooi was geweest maar nu, net als de rest, zorg en aandacht behoefde, aan haar vader en Tom Shackleton te denken. Voor haar vader zou ze door het vuur zijn gegaan, maar hij zou haar alleen maar van uitsloverij hebben beticht. Ze had altijd gehoopt dat hij haar geborgenheid zou geven, dat hij haar zou opvouwen en in zijn zak zou stoppen, maar hij had nooit echt van haar gehouden. Ze had met haar komst zijn geordende leven in de war gestuurd. Misschien had hij meer van haar gehouden als ze een jongen was geweest, of net zo knap als Jenni. Maar Shackleton had bij Lucy troost gevonden. Of had hij gewoon van haar hunkering naar liefde geprofiteerd? Ze wist dat ze nog altijd de glimlach najoeg van een man die al tien jaar dood was.

Het werd donker, maar ze deed het licht niet aan. Ze keek naar het huis van Jenni en Tom aan de overkant, met de met grind bedekte oprit en de smeedijzeren hekken: 'We moesten ze wel laten plaatsen, Lucy: uit veiligheidsoverwegingen. De Chef is het doelwit van aanslagen.'

En van seksueel gefrustreerde overbuurvrouwen op donzige pandaslippers.

Ze at haar rijstpudding verder op, zo uit de plastic beker.

Gary naar bed brengen putte haar altijd uit, ook al was ze niet veel meer dan toeschouwer bij het verwisselen van de katheter, het wassen en het optillen. De indringende geur van talkpoeder. Als ze aan Gary's overlijden dacht, was dat een van de dingen waar ze naar uitzag: het weggooien van die medicinale talkpoeder. En de incontinentieluiers, het plastic schort en de rubberen handschoenen.

Ze herinnerde zich hoe Gary op partijvergaderingen van de Labour Party altijd hartstochtelijk had gesproken over de zorg voor minderbedeelden, voor wie in het Engeland onder het bewind van dat waanzinnige vrouwspersoon geen plaats was geweest.

Ze waren er alle vier van overtuigd geweest dat de revolutie zou komen, en zagen niet hoe ver ze van hun oude idealen waren afgedreven. Hoe besmet ze waren geraakt. Hoe hun baan, auto en ambities hun leven waren gaan bepalen.

Nu waren Gary en Lucy de minderbedeelden en betekenden de boeken die ze hadden gelezen, de muziek die hij had gespeeld op de vleugel, die nu stilgevallen was en vol stond met medicijnen, en hun aspiraties, niets meer. Ze waren in een vacuüm terechtgekomen.

De donkerblauwe Jaguar van de Chef stopte voor het hek. Zijn chauffeur Gordon, een saaie man, die niet voor zijn plezier boeken las en zelden om er iets van op te steken, drukte op de knoppen en reed de wagen langzaam naar de voordeur. Lucy zag Jenni's man uitstappen en voelde een buiteling van opwinding in haar buik.

Hij droeg een duur pak en zijn schoenen hadden van Gucci kunnen zijn. Ze voelde weer zijn adem in haar hals, zijn zachte lippen, zijn wimpers op haar wang.

De buitenverlichting ging uit. Hij was in huis bij Jenni. Ze vroeg zich af of hij een whisky-soda zou nemen. Of Jenni hem uit zou foeteren omdat hij het glas in de afwasmachine had gezet. En ze vroeg zich af of Jenni vanavond 'Diana na zou doen', zoals haar oudste dochter, Tamsin, het noemde. Of de stemmingswisselingen, waaraan de Prinses van Wales naar verluidt ook geleden had, Shackleton tot een avondje pappen en nathouden zouden veroordelen.

Gary's bel rinkelde. Ze ging bij hem kijken. In wat ooit hun eetkamer was geweest, stonden nu een ziekenhuisbed, een rolstoel en de andere stille getuigen van een langzame dood. Gary's rug deed pijn.

'Lucy, wil je me even omhoogtrekken? Sorry.'

'Verontschuldig je toch niet steeds! Klaar?'

Ze pakte hem onder zijn oksels vast. De bedoeling was zó aan hem te trekken, dat zijn rug een comfortabeler houding aannam. Als de pijn heel erg was, zette ze hem met rolstoel en al in het busje en reed ze over verkeersdrempels heen. Gary zat dan achter haar de mars uit *The Dam Busters* te brullen, terwijl de tranen van pijn hem over de wangen liepen, tot er door het gebonk in zijn wervels iets verschoof. Maar dit was een andere methode: ze moest zijn rug nu langzaam uitrekken. Door plotselinge bewegingen kon hij een spastische aanval krijgen.

'Wat heeft hij?' had Jenni gevraagd toen hij voor de zoveelste keer op school was gevallen.

'Multiple sclerose.'

'O, dat had mijn oom ook.' Ze betrok altijd alles op zichzelf. 'Ik heb toen een dieet voor hem gevonden: geen geraffineerde suiker, geen cafeïne, en gek genoeg geen sinaasappelen. Vraag me niet waarom. Hij heeft er jarenlang baat bij gehad. Daar moet je Gary ook op zetten. O, en ik zal zo'n geneeskrachtige kristal voor je kopen, die zijn fantastisch. En ik heb ook gehoord dat er een nieuwe tantristische meditatie is die wonderen verricht bij MS-patiënten. Ik zal mijn helderziende er eens naar vragen, die weet alles van dat soort dingen. En cannabis natuurlijk, maar dat heb je niet van mij gehoord.'

'Ja... ja', had Lucy botweg gezegd, te verlamd om zich gekwetst te voelen door Jenni's nonchalante reactie op Gary's doodvonnis en door de manier waarop ze zijn ziekte verpakte in new age-hoop.

Lucy was min of meer tot de conclusie gekomen dat geen enkel goed huwelijk gelukkig afliep. Maar dat was voordat ze ontdekt had dat loslaten ook tot een soort geluk kon leiden. Voordat ze haar werk had opgegeven, voordat ze Jenni dankbaar had moeten zijn. Voordat Tom haar aangeraakt, gekust, en verleid had.

'Daar gaat-ie dan!' Ze trok, en leunde daarbij met haar hele lichaam achterover. Gary hapte naar adem, zowel van pijn, als door het zien van haar inspanningen.

'Zo is het goed. Ja, ik geloof dat het zo goed is.'

Ze liet hem los en wachtte even wat zijn rug zou doen. Het afbrokkelen van de botten in zijn ruggengraat was ná de MS geconstateerd. Als extraatje, als een kleine dosis pijn erbij om hem nog duidelijker het verlies van gevoel in andere delen van zijn lichaam te laten ervaren.

Ondertussen trok ze de antistollingssokken verder over zijn opgezwollen en onwelriekende voeten, waarbij de huid zo ver oprekte dat ze met de gedachte speelde er met een naald in te prikken. Die voeten, die eens in bed de hare hadden gezocht. Zodat ze zich niet eenzaam zouden voelen.

'Beter zo?'

'Volmaakt.'

Hij glimlachte. Geen greintje zelfmedelijden, geen zweem van zieligheid. De (toenmalige) minister van Onderwijs van het schaduwkabinet had hem een opmerkelijk mens genoemd, maar hij had er zelf geen idee van hoe opmerkelijk hij was. Iedereen die Gary ontmoette, voelde zich na die tijd een gelukkiger mens. Ze keek naar hem en vroeg zich af hoe ze hem nog steeds een knappe man kon vinden, zoals hij daar bijna lachwekkend in zijn rode pyjama met blauwe biesjes voor haar lag. De man die vroeger in bed nooit iets had gedragen. Die zo trots was geweest op zijn lange, soepele lichaam. Nu leek zijn borstkas op een middeleeuwse soepkom, en zijn gerimpelde hals op die van een oude man. De huid van zijn gezicht spande zich niet langer om de botten maar was verzakt en trok zich bij de oren weer samen. Het ooit blonde haar was nu dun en kleurloos, als na een chemokuur, hoewel hij daarvan nog verschoond was gebleven.

Zijn ogen waren op de rozet aan het plafond gericht terwijl hij naar de pijn luisterde. Nog steeds glimlachend. Starend naar een wrede god. Hij ademde uit en was er zeker van dat de pijn weg was. Ontspannen. Ze leunde over hem heen en kuste hem. Lucy was met hem getrouwd voordat ze had ontdekt dat dankbaarheid voor genegenheid geen liefde was. Het had haar tijd gekost haar angst om afgewezen te worden te overwinnen en te leren dat ze geen smekelinge was aan wie af en toe emotionele concessies werden verleend. Ze was van hem gaan houden, gezonde gevoelens voor hem gaan ontwikkelen, hoe pril ook. Nu was ze bezig die kleine emoties op te bergen. Ze in een winterslaap te brengen. Zichzelf te beschermen tegen de dag waarop ze woedend in het zwart gekleed zou gaan.

'Ik ben toch zo gek op je!' Woorden van vroeger.

Hij glimlachte en wist dat het een leugen was.

'Vooruit, jij, ga televisiekijken. Laat me met rust.'

'Weet je het zeker? Kan ik nog iets voor je halen?'

'Nee… ga nu maar.' Ze verliet met tegenzin de kamer, maar wist dat hij alleen moest zijn om aan zijn uitputting te kunnen toegeven.

Ze ging voor de televisie zitten. Er begon net een politiek praat-

programma. De presentator was zo'n mollig type dat communica-
tiewetenschappen had gestudeerd, wat het bij Labour altijd goed
deed. Het debat ging over raciale spanningen en ordehandhaving in
de binnensteden.

'Bij ons is de woordvoerder van de Raad van Hoofdcommissarissen, Tom Shackleton, in wiens district de ordeverstoringen van
gisteravond zich voordeden. Goedenavond, meneer Shackleton...'

Weer die buiteling van opwinding in haar buik. Het zweet, de
trillende handen. Ze glimlachte bij de gedachte dat de pauselijke
zegen alleen werkte bij een live-uitzending. Tom Shackleton was op
band even effectief. Hij was in uniform, de lieveling van de roddelbladen, de smeris van het volk, de progressieve hoofdcommissaris
van wie je kon verwachten dat hij zich voor debat en openheid zou
uitspreken. Getipt als de volgende hoofdcommissaris van de Londense politie, als Labour de volgende verkiezingen zou winnen. Als?
Eigenlijk stond het zo goed als vast.

Ze vroeg zich af of Jenni's ambities voor haar man de aanleiding
waren voor haar mogelijke affaire. Jenni werd erdoor geobsedeerd
haar gezin op te stoten in de vaart der volkeren. Haar echtgenoot zag
ze daarbij evenzeer als een van haar scheppingen als haar kinderen.
Haar hysterische uitbarstingen waren niet het gevolg van een over-
maat aan emotie, maar een uiting van angst om de controle kwijt te
raken.

Tom zocht zijn heil in de mannelijke voorspelbaarheid van zijn
werk om aan de wispelturigheid van zijn vrouw te ontkomen. Lucy,
die zowel Gary als Jenni niet wilde bedriegen, had die dag in de
studeerkamer toen hij haar verteld had hoe zijn vrouw hem behandelde, kort voor therapeut proberen te spelen.

'Je moet wel veel van haar houden', had Lucy gezegd, hoewel ze
weigerde te geloven dat een sprookjeshuwelijk was wat het woord al
zei: een sprookje.

'Ik denk dat ik haar verafschuw', had hij zonder boosheid geantwoord. Er had zelfs iets van pijn in zijn woorden doorgeklonken.

Lucy keek naar hem op televisie en kon niet geloven dat die
krachtige, zelfverzekerde politiechef dezelfde man was die zo teder
en op verontschuldigende wijze met haar had gevrijd.

Jenni keek ook naar hem, het hoofd iets schuin. Tom zat in de leunstoel tegenover haar, de blik strak gericht op het televisiescherm. Er waren ondertussen meer mensen bij het interview aangeschoven.

'Hij ziet je niet voor vol aan', zei Jenni emotieloos. 'De BBC wil dat Geoffrey Carter Londen krijgt. De meesten die daar werken zijn oude studievrienden van hem.'

Tom zei niets. Hij zag dat de interviewer geïrriteerd raakte door zijn antwoorden. Door zijn pedante politietaal en zijn uniform. De andere deelnemers aan het programma waren intellectuelen. Bij dat soort babbelkousen heerste nog altijd een vooroordeel tegen politiemensen, hoe hoog in rang ze ook opgeklommen waren.

Hij wist dat Jenni gelijk had, de intelligentsia zou aan Carter de voorkeur geven. Carter was even redelijk en charmant als Tom Shackleton, maar was aan de universiteit van Oxford afgestudeerd. Cum laude in de theologie; hij was een begenadigd organist en momenteel hoofdcommissaris van het district dat grensde aan dat van Tom Shackleton.

Ook Shackleton had een graad, cum laude in de rechten. Behaald door studie in de avonduren en op verlofdagen, terwijl hij de rangen doorliep. Waar Jenni en Tom vandaan kwamen, waren Oxford en Cambridge slechts plaatsnamen geweest op de voorkant van reisbussen die vanaf de friettent bij het busstation vertrokken.

Geoffrey Carter sprak Frans, bracht zijn vakanties in de Provence en Toscane door en kwam uit een familie die er uiterst liberale denkbeelden op na hield. Een onalledaagse politieman die uitgesproken kritisch was tegenover voorspelbare ministers van Binnenlandse Zaken die de botte bijl hanteerden bij politiezaken. Hoffelijk, intelligent en populair bij de politici. Hij en Shackleton kenden elkaar al jaren van verschillende cursussen en lezingen in het land. Hun echtgenotes hadden samen gewinkeld en koffiegedronken. Ze konden het goed met elkaar vinden. Iedereen kon het goed vinden met Carter. Zelfs Jenni vond zijn vrouw, Eleri, aardig.

Toen Tom in de studio arriveerde liet de man die het programma had voorbereid, zich ontvallen dat ze eerst Carter hadden gevraagd, maar dat hij een vergadering had in Londen. Tom wist dat hij op Binnenlandse Zaken zat te roddelen. Nee, niet roddelen, zoiets vulgairs zou Geoffrey Carter nooit doen. Zou hij ook nooit hoeven te doen. Hij had charisma, een natuurlijke, ongedwongen charme, uitstekende manieren en een scherp verstand dat hem uiterst bekwaam maakte voor zijn werk. Shackleton had zich vaak inadequaat gevoeld, maar hij wist, als een haai die met een tijger geconfronteerd wordt, dat hij krachten bezat die de ander miste. En dat hij datgene waarin de ander uitblonk, moest zien te vermijden.

Het programma was afgelopen en terwijl Tom naar het nieuws keek, ging Jenni zijn eten halen: licht gegrilde kip, sla en een bolletje wilde rijst. Ze zette hun drankjes op het dienblad en bracht ze naar de woonkamer.

'Dank je', zei hij, terwijl hij naar het beeldscherm keek maar met zijn gedachten nog bij het interview was.

'Ik wil het wel op je schoot zetten, maar je buik zit in de weg.'

De hele dag was hij hoofdcommissaris geweest, meneer, heer en meester over zijn leengewest. Maar zij had hem zojuist gereduceerd tot een dikke man die zijn eten voor de tv geserveerd krijgt. Onbewust spande hij zijn buikspieren aan. Het maakte niet veel verschil.

'Ziet er lekker uit.' Shackleton zorgde er wel voor haar een compliment te geven; meestal had ze het te druk om voor hem te koken.

'Ach, het is maar een stukje kip', mompelde ze, maar hij had gezegd wat ze wilde horen.

Ze pakte haar drankje, ging zitten en keek naar hem terwijl hij at. Vrijwel onmiddellijk stond ze weer op om de kussens op de bank te schikken. Ze ging weer zitten. Nam een slokje van haar drankje.

Tom keek niet op toen ze daarna weer opstond om de al geordende kussen nogmaals te schikken.

'Hoe was je dag? Heeft Jason zijn huiswerk gemaakt?'

Hij hoopte haar af te kunnen leiden. Jaren van ervaring hadden hem geleerd dat het verschil tussen Jenni de attente echtgenote en Jenni de kritische kenau slechts één obsessieve gedachte was.

'Die interviewer zette je gewoon voor gek.' Uit Jenni's toon was duidelijk op te maken dat Tom beter niet kon antwoorden. Ze zette de televisie uit. De stilte die volgde was loodzwaar van woede.

Tom wist dat die woede uit angst voortkwam, maar dat maakte het er niet gemakkelijker op. Waar was ze ditmaal bang voor?

'Ik heb je toch gezegd dat ze dat zouden proberen te doen. Maar je wilde niet luisteren. Ze willen je pakken, T.'

Hij at door en wilde tegen haar zeggen dat hij Tom heette. Maar zij had dat altijd een wat alledaagse naam gevonden. Net als haar eigen naam, Monica. Ze had die zo gauw ze kon verruild voor haar middelste naam, tot verbazing van haar ouders, die niets begrepen van de mooie maar vreemde dochter die ze hadden grootgebracht. Deel uitmaken van de lage middenklasse was voor Jenni niet iets om trots op te zijn.

'Ik begrijp je niet. Echt niet.' Ze draaide langzaam haar glas rond op de leuning van haar stoel.

'Er valt ook niets te begrijpen, Jenni. Dat weet je toch. Dit is trouwens heerlijk. Dank je.'

Maar ze liet zich niet afleiden door zijn nederigheid.

Ze sprak met zachte stem. Tot zijn verrassing glimlachte ze een beetje, het hoofd iets schuin, terwijl ze hem lief aankeek.

'Je wilt hogerop, hè? Je wilt niet tot aan je pensioen hoofd-commissaris blijven met telkens een ambtstermijn van zeven jaar. Je hebt altijd gezegd dat je het anders wilde doen. En', ze boog zich voorover, 'dat kan alleen bij de Londense politie. Nietwaar?'

Hij liet zijn hoofd zakken. Geen ja en geen nee.

'Ik weet dat je het wilt, maar ik weet niet of je het in je hebt om het te krijgen.' Ze zei het heel voorzichtig, zonder enig venijn. 'Carter is favoriet, maar wij kunnen ze op andere gedachten brengen. Jij bent beter dan hij ooit zal worden.'

Dat kwam voor beiden te dicht in de buurt van een compliment om zich er nog gemakkelijk bij te voelen. Hij nam zijn toevlucht tot de whisky.

'Maar wat als we hen niet weten te overtuigen, Jenni?'

Dat had hij niet moeten zeggen.

'Dan verman je je en overtuigen we ze alsnog.'

Zijn schuchterheid maakte haar furieus: ze ziedde van verontwaardiging. De vermeende uitingen van minachting in het interview waren nu beledigingen geworden. Toen hun zoon Jason hoorde hoe ze haar stem verhief, deed hij zacht de deur van zijn kamer dicht, omdat hij wist dat zijn moeder een van haar buien kreeg. Toen hij van school kwam, was Jenni bezig geweest de gordijnen in de garderobe te stofzuigen. Iets wat ze meestal midden in de nacht deed, omdat ze nooit langer dan vier uur achterelkaar kon slapen.

'Waar zat je met je gedachten? Hoe kon je je zo door hem laten aftroeven?'

'Hij heeft me niet afgetroefd, overdrijf niet.' Toms stem klonk zacht, verzoenend.

Het maakte haar woedend.

'O… wat ben je ook een slappeling. Carter gaat er met Londen vandoor, en jij mag gevangenisplees gaan inspecteren. Waarom ga je niet eens bij iemand langs? Ga naar Londen, probeer wat invloed uit te oefenen.'

'Was het maar zo eenvoudig, Jenni.'

Verder kwam hij niet: het glas met dikke bodem waaruit ze wodka-tonic had zitten drinken, miste zijn hoofd op een haar na.

'Jezus, wat ben je ook een idioot. Kijk dan hoe je erbij zit! Waarom ben ik ooit met je getrouwd?'

Hij probeerde de situatie met lichte humor te redden. 'Omdat je van me hield?'

'Doe niet zo verdomde stom.'

Ze vloekte zelden, maar als ze het deed, articuleerde ze het woord op een speciale manier, langzaam, terwijl ze haar bovenlip licht optrok. Als een hond die angst rook.

'Hoe kun je nou houden van iemand zonder ruggengraat?'

Tom stond op, omdat hij geen zin had om de strijd met haar aan te gaan. Hij kende het verloop en wist dat ze niet zou ophouden voordat ze al zijn tekortkomingen had opgesomd: dat hij laf was, thuis geen poot uitstak, lomp was, geen ambitie had en zijn gezin verwaarloosde.

Hij keek naar haar terwijl ze zich steeds meer begon op te winden, door de kamer liep en haar keurig gerangschikte en afgestofte ornamenten en beeldjes verplaatste. Zou ze nog iets naar zijn hoofd gooien? Hij mocht dan groot van stuk zijn, maar onder haar scheld-kanonnades leek hij ineen te krimpen, hoewel van zijn gezicht niets af te lezen was. Hij vroeg zich vaak af waarom ze soms met dingen smeet, terwijl ze met haar tong veel meer schade kon aanrichten.

Haar favoriete kunstje was hem te vernederen en daarna, alsof er niets was gebeurd, met hem te willen vrijen. Dat hij daar onder die omstandigheden steeds minder van terechtbracht, bezorgde haar alleen maar meer kruit voor een volgende aanval. Even voelde hij zich ellendig, eenzaam, en verlangde hij ernaar dat ze zou kalmeren. Hij wilde dat ze teder en zacht was. Hij wilde zijn hoofd op haar borsten leggen.

'Luister je wel, klootzak?' schreeuwde ze.

'Ja', zei hij automatisch.

Nee, hij wilde zijn wang niet op háár borsten leggen, niet háár tepel bij zijn mondhoek voelen. Verbaasd realiseerde hij zich dat het Lucy's borst was die hij kon proeven. De lichte geur van zeep en deodorant. Sinds die vreemde ontmoeting in zijn studeerkamer had hij niet meer aan haar gedacht.

Hij had het bewust verdrongen: Lucy had hem onverwacht gelukkig gemaakt. Hij herinnerde zich hoe hij over haar heen gebogen had gestaan en haar had toegefluisterd: 'Jij zult me nooit pijn doen, hè?' Hij voelde zich opgelaten nu hij eraan terugdacht. Een vrouw vragen hem geen pijn te doen was zoiets als een schorpioen vragen niet te bijten.

Hij wantrouwde seks, was bang door zijn libido afgeleid te worden. Hij had een lichamelijke aandrang bevredigd, maar had na die tijd van zichzelf gewalgd. Tijdens de daad dacht hij nooit aan de vrouw, of het nu Jenni was of een van zijn zeldzame, heimelijke experimenten elders. Seks was iets dat hem was aangedaan, en nu deed hij het anderen aan. Hij wist dat Jenni bij het vrijen even emotieloos bleef als hij, maar hij wist ook dat ze ervan genoot hem na afloop hulpeloos en uitgeput te zien, al was het maar voor even. Zoals altijd gevend, maar niet delend.

Opeens drong het tot hem door dat het stil was geworden. Jenni was uitgeraasd en de trap op gestormd. Bij het weggaan had ze het licht uitgedaan, zodat hij nu roerloos in het donker stond.

Met Lucy was het anders. Zij had zich zacht en teder gedragen. Hij raakte zijn gezicht aan waar ze hem had gestreeld. Had ze erbij gehuild? Of verbeeldde hij zich dat maar? Hij keek naar het donkere raam aan de overkant. Ze keek terug zonder iets te zien.

'Lucy, lieverd… wat zou ik zonder jou moeten beginnen?'

Jenni straalde de volgende morgen toen Lucy in de woonkamer de scherven van een glas met dikke bodem van het vloerkleed oppakte.

'Nou… ik heb besloten een etentje te geven. Alleen de Chef en ik en onze vriend de politicus.'

Lucy keek op om te zien of er nog iets van de samenzweerderige intimiteit van gisteren op Jenni's gezicht te lezen stond. Er was niets te zien. Het masker van make-up was ondoorgrondelijk.

'En, Lucy… ik wil je een grote gunst vragen.'

Lucy zette een glimlach op die zei: 'Natuurlijk doe ik dat voor je.'

'Zou jij de vierde willen zijn?'

Het kwam zo onverwacht dat Lucy's glimlach bijna verdween. Omdat Jenni de korte aarzeling ten onrechte aanzag voor tegenzin, liet ze haar charme nog wat meer spreken.

'Gary kan je immers altijd bellen als hij iets nodig heeft. Zeg alsjeblieft ja, Lucy. Het is zo gênant als we niet met zijn vieren zijn. En zijn vrouw kan ik niet vragen, die woont te ver weg. Bovendien ziet hij haar alleen in het weekend en als het klopt wat ik over haar gehoord heb, is een weekend waarschijnlijk ook lang genoeg.'

'Nou… graag. Ja, dat lijkt me leuk', zei Lucy zacht. 'Ik ben in geen tijden uit geweest.'

'Ach… "een uitje" is een groot woord… maar je kunt tenminste je mooiste jurk aantrekken en wat make-up op doen. Ah, Jason… eindelijk. Kom, we gaan, ik wil niet te laat komen.'

Jason kloste de trap af op schoenen die zwaar genoeg waren om de Matterhorn mee te beklimmen. Jenni's zeventienjarige zoon, haar lieveling, was het tegenbeeld van zijn vader. Tom Shackleton had donker haar en bruine ogen, Jason was blond en had lichte, blauwgroene ogen. De sensualiteit in het gezicht van de vader was bij de zoon een mooie zachtheid, maar de kracht die van hun lichaam uitging, was bij beiden gelijk.

Jason keek naar zijn moeder en peilde haar stemming. Toen hij zag dat ze in een goede bui was, ontspande zijn gezicht en begon hij verlegen te glimlachen. Net zoals zijn vader, met het hoofd licht gebogen. Hij zag dat Lucy naar hem keek en bood haar iets van die glimlach aan.

Jenni pakte haar sleutels en handtas, en haar zonnebril, hoewel het bewolkt was en er regen voorspeld werd.

'Lucy, ik moet ervandoor nu. Ik moet Jason naar school brengen. Het etentje is donderdag. Schikt je dat? Mooi. Tegen halfacht. Goed?'

En weg waren ze. Alleen de vage geur van Allure van Chanel bleef achter. Donderdag. Over zes dagen. Zes dagen om drie kilo af te vallen, de binnenkant van haar dijen weer strak te krijgen, de rimpels in haar voorhoofd te laten weglaseren en een nieuwe jurk te kopen.

Ze knielde neer, begon met haar in gele rubberen handschoenen gestoken vingers de glasscherven van het vloerkleed op te rapen en kon zich niet meer voorstellen dat ze verontwaardigd was geweest over Jenni's ontrouw. Ze was vergeten hoe opgewonden ze zich kon voelen.

Jenni parkeerde de auto voor Jasons dure, particuliere school. Hij gaf zijn moeder een vluchtige zoen op haar wang. Ze beantwoordde die zoenen nooit, maar hij wist dat de hel los zou breken als hij ermee ophield.

Hij was zich er altijd van bewust hoe klein en broos ze was bij hem vergeleken. Het woord 'delicaat' leek bij haar te passen, en hoewel ze al in de veertig was, had ze een vrijwel volmaakte huid, die zelden aan de zon was blootgesteld. Hij legde onhandig zijn hand op haar smalle schouder.

'Pas op voor mijn haar, Jason.' Het was een milde berisping, meer uit gewoonte gezegd dan gemeend.

'Sorry, mem.' Toen de kinderen ouder werden, had 'ma' te ouwelijk geklonken en 'mammie' te lief, dus toen een collega van Tom haar bewonderend 'memsahib' had genoemd, was 'mem' als zoet alternatief geboren. 'Tot vanmiddag.' Hij wrong zich uit de auto en slenterde weg.

Het beeld van een oplettende roofdierenmoeder paste goed bij Jenni. Ze ging op een praktische, onsentimentele manier met haar kroost om, toonde nooit openlijk haar genegenheid voor ze en meed hun kleverige, kinderachtige omhelzingen.

Ze had ze lichamelijk altijd bruusk, maar nooit ruw behandeld.

Er was geen ruimte voor zachtheid en liefde, daarvoor was de wereld veel te hard. Liefde stond voor Jenni gelijk aan bezit. 'Mijn gezin', 'mijn man'. 'Mijn' was het eerste wat ze zei. En kritiek op haar kinderen duldde ze niet; zelfs Toms milde opmerking dat een van hen misschien niet helemaal aan de verwachtingen voldeed, kwam hem op een scherpe berisping en een dagenlang ijzig zwijgen te staan. Vooral Jason was tijdens Shackletons lange perioden van afwezigheid haar 'mannetje' geworden, aan wie ze haar bitterheid over de verwaarlozing door haar echtgenoot toevertrouwde. Jason was opgegroeid met de gedachte dat zijn vader haar wreed behandelde. Nu pas begon hij barstjes te zien in het gave beeld dat hij van zijn moeder had.

Jenni keek haar zoon na en was er trots op dat hij er zo goed uitzag. Hij was even knap als zijn vader, maar de kracht van Shackletons gezicht en lichaam was gefilterd door Jenni's broosheid. Ze was verrukt van de zuivere schoonheid die dit opleverde.

Ze rekte zich even uit en voegde de Volvo langzaam weer in het verkeer. Voor het stoplicht zocht ze afwezig naar haar zonnebril, zonder daarbij de waarderende blikken van de chauffeur naast haar op te merken.

Haar verfijnde trekken en vrouwelijkheid waren zelfs door de kooiconstructies van beide auto's heen nog voelbaar.

Jenni genoot er bijna evenveel van de vrouw van de hoofdcommissaris te zijn, vanwege de positie, de extraatjes, de erkenning en het respect, als van het mooi zijn.

Terwijl Tom zich langzaam had opgewerkt, had zij carrière gemaakt bij de kinderbescherming, waar ze een kalme, geslepen onverzettelijkheid had ontwikkeld, die onmisbaar was als je kinderen bij hun onbekwame ouders wilde weghalen. Het was een loopbaan waarvoor ze uiterst ongeschikt was, omdat ze geen enkele belangstelling of sympathie had voor mensen wier leven beheerst werd door onwetendheid, armoede en wreedheid. Maar met haar beperkte kwalificaties had het haar beter geleken maatschappelijk werkster te worden dan achter de kassa te gaan zitten. Omdat ze vastbesloten was geweest om aan de dagelijkse misère die ze in haar werk tegenkwam te ontsnappen, had ze zich snel opgewerkt en een bureaubaan gekregen, waarbij ze anderen kon begeleiden. Ze was zelfs zo succesvol in haar werk dat ze haar een onderscheiding hadden willen geven, maar die had ze geweigerd. Haar vastbeslotenheid om uit de schijnwerpers te blijven werd als bescheidenheid uitgelegd. Shackleton wist echter dat ze de onderscheiding uit wantrouwen geweigerd had. Volgens Jenni ging elke gift met een verplichting gepaard.

Ze moedigde Tom aan de leiding te nemen en uit te blinken, terwijl zij glimlachte en knikte en alles ondertussen achterdochtig met haar groene ogen gadesloeg. Om commissaris of hoofdcommissaris van een van de drieënveertig politiekorpsen van Engeland en Wales te worden, moest je eerst buiten je eigen regio gewerkt hebben. Dus toen Tom het aanbod kreeg om aan de andere kant van het land assistent-commissaris te worden, wist ze dat dit de ideale positie voor hem was om later triomferend als hoofdcommissaris terug te keren wanneer de huidige hoofdcommissaris, een aardige oude kerel met vijfendertig jaar politie-ervaring, maar zonder academische titel, met pensioen ging.

Ze aarzelde niet haar baan op te zeggen en met hem mee te gaan, om ervoor te zorgen dat hij de juiste mensen ontmoette en op de juiste plaatsen gezien werd. Een van die 'juiste mensen' die ze ontmoette en om haar vinger wond, was de uitgever van een plaatselijke krant, die maar al te graag haar eenzaamheid wilde verzachten terwijl Tom lange uren maakte en zijn delicate vrouw verwaarloosde. Zijn verliefdheid bracht hem ertoe haar te vragen een persoonlijk stuk te schrijven naar aanleiding van een nieuwsbericht over weggelopen pleegkinderen. Hij herschreef haar verhaal, waarna haar carrière als freelance journaliste en Lieve Lita begon.

Haar naam was nu bekend in toonaangevende kringen, en hoewel ze zelden zelf haar kopij schreef voor de roddelbladen of de serieuze kranten, werd ze 'De Trots van de Guardian' genoemd. Maar Jenni was niet dom. Ze wist dat ze zonder hulp niet kon schrijven, en nu ze de provinciale kranten was ontgroeid, zorgde ze ervoor tijdens de lunch over de beste (mannelijke) scribenten te kunnen beschikken.

Jenni had het onschatbare vermogen hen te laten voelen dat ze uniek, belangrijk, aantrekkelijk en onontbeerlijk waren. Ze keek dan altijd met een sluw, vertrouwelijk glimlachje naar hen op, en zei: 'Ik weet dat ik hopeloos ben, maar zou jij…?' En zij herschreven dan haar columns, hele pagina's soms, en waren dankbaar voor haar aandacht.

Ze zat in de auto en was zich nu wel bewust van de starende blik van de man naast haar. Automatisch deed ze haar kin omhoog, ook al was er van verzakking geen sprake, maar terwijl ze dat deed, was ze hem ook alweer vergeten.

Ze was met haar gedachten bij het probleem van haar man en zijn rivaal voor de baan van hoofdcommissaris van de Londense politie. Ze dacht na over hun gesprek na het televisie-interview. Als Tom die baan niet kreeg, wat bleef er dan over? De asresten van zijn ambitie en een baan als veiligheidsadviseur bij een of andere handelsbank. God verhoede dat hij anti-inbraakspullen moest gaan aanprijzen op televisie.

Maar Jenni was bovenal een vrouw die nederlagen vóór wilde zijn. Die prestaties van een ander benijdde voordat ze geleverd waren. Als Geoffrey Carter een obstakel vormde voor haar mans bevordering, dan moest dat uit de weg worden geruimd.

Jenni groette haar kapster met een stralende glimlach, die ze vooral te danken had aan de vakkundigheid van haar mondhygië-niste. De vervelende rit naar Londen, het parkeren van de auto, het oersaaie gesprek met de onhandige puber die haar haar waste, moesten allemaal doorstaan worden voordat kapper Clyde en co-lorist Tiny hun honingkleurige wolken van zachtheid konden creë-ren. Jenni bekeek zichzelf in de spiegel toen Clyde met haar bezig was. Terwijl hij babbelde, probeerde zij nog een tikje geamuseerder te kijken.

Automatisch begon ze het uiterlijk van de andere vrouwen in de salon te beoordelen: aardig gezicht, lelijke enkels, goedkope facelift, en stelde tevreden de tekortkomingen van de andere klanten vast. Maar toen kwam er een meisje binnen. Achttien jaar oud, misschien twintig. Duidelijk een mannequin. Eén meter vijfentachtig, rank als een renpaard en met een prachtig, gaaf gezicht.

Het meisje wierp een vluchtige, ongeïnteresseerde blik op de andere klanten. Die waren allemaal boven de vijfendertig, sommigen boven de veertig. Ze sloeg een tijdschrift open dat bestemd was voor irritante leeghoofden en bekeek de foto's. Die vluchtige, on-geïnteresseerde blik was ook voor Jenni bestemd geweest; ze voelde een golf van woede in zich opkomen. Zij was niet zoals die andere vrouwen, die langbenige meid was een concurrente van haar.

Ze wist dat ze door dit domme kind in het hokje 'te oud' was geplaatst. Jenni zag dat haar zorgvuldig gecultiveerde volmaaktheid in het niet viel bij het echt jeugdige en van nature stevige lichaam van het meisje.

Clyde zag Jenni's beheerste glimlach op haar gezicht bevriezen. Boven het geluid van de haardrogers uit mompelde hij: 'Anorexia. En zwaar aan de cocaïne. Ga maar eens naast haar staan, ze wast zich nooit.'

Hij trok een vies gezicht.

Jenni's glimlach ontdooide.

Clyde stookte het vuurtje nog wat op.

'Showt alleen nog confectiewerk nu. Zo jong al naar de verdommenis. Triest hoor…' Daar liet hij het bij.

Jenni ontspande zich.

De manicure, een alledaags, gedienstig meisje, begon met haar rechterhand, terwijl een ander voorbereidingen trof voor haar pedicure. Ze was met haar gedachten nu bij haar beoogde minnaar. Hoewel ze voorlopig niet van plan was met hem naar bed te gaan, als dat er al ooit van kwam, waren al deze voorbereidingen wel voor hem.

In een volgende regering zou hij zeker een vooraanstaande positie krijgen, als erkenning voor zijn loyaliteit natuurlijk, maar vooral vanwege de kalme, onopvallende manier waarop hij de politieke macht wist te beïnvloeden. Er waren maar weinig mensen van internationaal aanzien die niet-thuis gaven als hij belde. Hij was zeer rijk, had veel invloed en was voor een sceptisch publiek acceptabel. Een hoge functie lag in het verschiet.

Jenni dacht zonder enige hartstocht aan hem, aan hoe klein hij was, en hoe lelijk. Aan zijn buitengewoon charmante glimlach. Zijn vrijgevigheid en vele werk voor gehandicapten, sociaal zwakken en arme bejaarden. Hij was een Victoriaanse reus in een wereld vol oppervlakkige, door de media geobsedeerde dwergen.

Maar niets van dit alles maakte hem in haar ogen seksueel aantrekkelijk. En dat wist hij.

Ze had, toen hij haar met de sensualiteit van een putjesschepper had gekust, zijn overhemd losgeknoopt en haar lange, smalle vingers over zijn rug laten glijden. Haar afkeer van wat ze daar voelde, had ze met gegiechel gemaskeerd.

'O… boucléschouders… wat apart.'

Hij had zich meteen machteloos en verlegen gevoeld.

'Hou je niet van harige ruggen? Niet alle vrouwen doen dat.'

Ze zag de toekomst van haar man even scherp afgebakend voor zich liggen als de landingsbaan van een vliegveld.

'Ik ben er dol op. Confucius zegt dat een vogel niet nestelt in een boom zonder bladeren.'

Ze bukte zich om zijn nek te kussen. De slappe huid bewoog onder haar lippen. Hij was tevreden met haar antwoord en liet zijn handen over haar lichaam glijden. Toen hij haar probeerde te strelen, beet ze op haar tanden, en huiverde onder zijn aanraking. Hij verwarde dit met genot.

Jenni dacht niet aan Tom of aan de manier waarop híj haar aanraakte: kort en efficiënt. Zij dacht altijd alleen aan wat er op dat moment gebeurde. Jenni legde haar leven nooit onder een vergrootglas. Als er iets misging, dan kwam dat door de omstandigheden of door mensen die het op haar en haar gezin hadden gemunt, en als alles naar wens ging, dan hadden haar plannen hun vruchten afgeworpen.

Ze zwom als een grote, mooie vis door het leven, en liet zich daarbij leiden door haar instinct, nooit door haar verstand. Als ze iets tegenkwam dat niet aansloot bij wat ze al wist, verwierp ze het. De wereld kon goed met Jenni opschieten, maar Jenni kon met niemand opschieten. Ze had het wel geprobeerd toen ze jong was, maar was volledig in de war geraakt door wat mensen allemaal van haar verlangden. Maar nu had ze haar eigen wereld geschapen, waarin anderen slechts een bijrol vervulden. Door zelf de touwtjes in handen te houden, had ze zich eindelijk veilig kunnen voelen.

De mannequin deed haar arm omhoog om een lok haar uit haar gezicht te halen, zoals jonge actrices doen die serieus genomen willen worden. Jenni zag de lelijke dot haar onder haar oksel. Clyde zag het ook. Ze schoten beiden in de lach. Het meisje keek nietsvermoedend hun kant op.

'Oooh... mevrouw Shackleton... Ik ben vorige week naar een fantastisch medium geweest. Ongelooflijk. Ik had haar niets over mezelf verteld, echt helemaal niets...' Clyde haalde diep adem en boog zich dichter naar Jenni toe. 'En toch wist ze me alles over Jerry te vertellen. Ze heeft me zelfs een boodschap van hem gegeven.'

Jenni zette grote ogen op en was een en al oor. Jerry was zes jaar geleden aan aids overleden en sindsdien was Clyde van seance naar ouija-bord getrokken.

'Dat meen je niet', fluisterde Jenni. 'Vertel.'

Clyde vertelde haar op opgewonden toon over zijn geweldige nieuwe ontdekking, een Deens medium dat vlak bij de Tower Bridge woonde. Jenni vroeg voordat ze de salon verliet om haar telefoonnummer.

Lucy zette het inbraakalarm aan en draaide alle deuren van het huis op slot. Toen ze thuiskwam, zat Gary bij de achterdeur vanuit zijn rolstoel naar de eekhoorntjes te kijken die de resten van zijn ontbijt opaten. Toen ze binnenkwam probeerde hij de stoel om te draaien, maar zijn armen wilden niet meewerken. Ze probeerde hem niet te laten merken dat ze het gezien had. Tot nu toe had hij een elektrische rolstoel geweigerd omdat hij vond dat zijn huidige rolstoel hem fit hield. Maar hoewel hij zijn best deed, wisten ze beiden dat het niet langer ging. Elke week ging hij achteruit. Was er weer iets dat hij niet meer zelf kon doen.

De draagbare radio op de afdruipplaat stond afgestemd op BBC I. Zijn lichamelijke achteruitgang had zoiets onuitsprekelijk triests dat luisteren naar BBC 3 niet meer mogelijk was.

Op een middag waren ze bij toeval op een stuk van Elgar gestuit, maar de waardige, Engelse melancholie die erin had doorgeklonken was hun te veel geworden. Het was de enige keer dat ze samen hadden gehuild. Gehuild om een toekomst die onvermijdelijk was. Ze hadden de radio daarna op BBC 4 afgestemd, waarop even later echter een documentaire over de laatste dagen van een MS-patiënt werd uitgezonden. Nu stond hij permanent op BBC 1, omdat ze er dan zeker van konden zijn dat ze alleen muzikaal behang en gebabbel te horen kregen.

'Raad eens wat er gebeurd is?'

Gary keek naar Lucy en was blij dat ze zo vrolijk was, zo'n positieve uitstraling had.

'Wat? Is Jenni gaan doe-het-zelven?'

Lucy lachte. 'Nee… maar het is wel iets dat bijna net zo onwaarschijnlijk is.'

'Tom heeft een televisie-interview geweigerd.'

Lucy huiverde. Gary's bijnaam voor hem was: Tom 'ben ik in beeld' Shackleton.

'Nee', zei Lucy, terwijl ze water opzette. 'Een uitnodiging voor een etentje bij de Shackletons. Donderdag. Wat zeg je daarvan?'

Gary was aangenaam verrast.

'Dan moeten we de verpleegsters vragen of ze later willen komen. Denise vindt dat vast niet erg. En de rolstoel moet opgepoetst worden, ik wil de aanblik van Jenni's eetkamer niet bederven.'

Gary was opgewonden. 'Uitgaan' was gereduceerd tot eendjes voeren in het park. Een etentje zou een uitstekende gelegenheid zijn om net te doen alsof hij nog normaal was. Hij zat nu al uit te rekenen hoe lang hij nodig had om zich klaar te maken, en hoe lang hij zou kunnen blijven, voordat de pijn en vermoeidheid zouden toeslaan en hij terug zou moeten naar zijn gevangenis, de kamer op de begane grond.

De gedachte dat Gary ook uitgenodigd had kunnen zijn, was nooit bij Lucy opgekomen. Ze wist niet wat ze moest zeggen. Maar de uitdrukking op haar gezicht verraadde meer dan een beleefd 'Ik geloof niet dat jíj bent uitgenodigd'. Ze voelden zich beiden diep gekrenkt.

'Sorry. Mijn fout', zei Gary 'Natuurlijk moet je gaan. Een avondje uit zal je goeddoen.'

Lucy wist dat het te laat was om terug te krabbelen of iets opbeurends te zeggen. En ze wist ook dat ze ontzettend graag wilde gaan en dat het geen zin had voor martelaar te spelen.

'Alleen als je het niet erg vindt die avond alleen te zijn.'

Lucy zei het luchtig, ze wilde er niet aan denken dat zijn verwachtingen de bodem waren ingeslagen. Ze wist hoe erg hij de lange avonden nadat hij in bed was gelegd haatte. Niet in staat zich te bewegen tot hij er de volgende morgen weer uit werd getild. Ze draaide zich om en ging theezetten, uit angst dat hij van haar gezicht zou aflezen hoe graag ze bij Tom Shackleton wilde zijn. Dat Gary hem verachtte, maakte haar schuldgevoel over haar verliefdheid op hem alleen maar erger.

'Donderdag?' zei Gary. 'Dat komt eigenlijk heel goed uit, want dan komt Jeremy langs om over elektrische rolstoelen te praten. Je hebt gelijk, het wordt tijd dat we er een aanschaffen. Ik was het helemaal vergeten. Maar je hoeft er niet bij te zijn. Ik beloof je dat ik er niet een met pluchen dobbelstenen en gekleurde velgen neem.'

'Goed dan. Als je het zeker weet.'

Ze wist dat ze het te vlug gezegd had. Beschaamd ontweek ze zijn blik. Al haar liefde was voor hem. Veel was het niet, als het penningske der weduwe, maar het was allemaal voor Gary. Wat ze voor Tom voelde was niet meer dan een brandend verlangen naar opwinding dat haar de ene keer depressief maakte en dan weer in verrukking bracht.

'Wil je een koekje?' Gary probeerde de koektrommel open te maken.

'Dank je, nee.' Lucy pakte de trommel uit zijn handen en haalde het deksel eraf. 'Krijg ik een te dikke kont van, en dan pas ik helemaal niet meer in mijn zwarte jurk.'

Gary glimlachte en pakte een koekje. Lucy zou nooit weten dat hij het haatte dat ze het deksel voor hem van de koektrommel had gehaald. Of dat hij bijna in tranen was, omdat hij niet voor het etentje was uitgenodigd en er kennelijk niet meer bij hoorde. Maar zodra deze wolk van depressie zich vormde, duwde hij hem weg, boos op zichzelf omdat hij dergelijke gevoelens had toegelaten. Aan zelfmedelijden en wrok had Gary altijd al een gloeiende hekel gehad, en nu hij ziek was waren het vijanden geworden die hij dagelijks moest bestrijden.

Hij vertrouwde op God, iets dat Lucy zich niet kon voorstellen. Voor haar was God een wrede dictator, voor Gary iemand die lessen uitdeelde, lessen van vreugde en verdriet, die kansen boden op vooruitgang. Zijn snelle achteruitgang was zijn kruis, dat hij met kracht en haast met dankbaarheid droeg. Zijn lijden betekende dat iemand anders ervan verschoond bleef. Alsof er een rantsoenering van pijn was in de wereld.

Lucy ging naar boven naar de slaapkamer, en schaamde zich nog steeds voor haar ongevoeligheid jegens Gary. In de kamer, die nodig behangen moest worden en niet langer van hen beiden maar nu alleen van haar was, stond nog altijd de kleerkast met Gary's pakken. Drie jaar niet gedragen en nu te groot geworden.

Ze wist dat ze ze op een dag in plastic zakken zou stoppen en naar het Leger des Heils zou brengen of aan de vuilnisman zou meegeven. Maar nu nog niet.

Ze legde haar uitgaanskleren op bed: een zwart jurkje, een on-elegant broekpak en een zijden jurk van een bekende ontwerper die ze jaren geleden in een opwelling in de uitverkoop had gekocht.

Ze kleedde zich snel uit en bekeek zichzelf. Haar lichaam zag eruit zoals dat van de meeste vrouwen. Beleefd gezegd: peervormig. Het typisch Britse figuur. Eigenlijk slecht geproportioneerd, met een lang lijf en korte benen. Vanonder zwaarder dan vanboven. Lucy berustte in wat ze zag: moederlijk, gezet, niets bijzonders. Een praktisch lichaam, eerder gemoedelijk dan flitsend of chic.

Ze dacht aan Jenni met haar vloeiende lijnen en voelde zich lelijk en plomp. De wrede realiteit temperde haar opwinding over het idee om uit te gaan, dicht bij Tom te zijn en zich op te tutten.

Ze pakte het zwarte jurkje en stapte erin. Het kwam niet verder dan haar dijen. Ze nam niet de moeite het weer in de kast te hangen, maar gooide het meteen in de prullenbak naast het bed. Het broek-pak zag eruit alsof het in een tweedehandswinkel was gekocht. De zijden jurk hield ze een paar minuten in haar handen voordat ze hem aanpaste, omdat ze ertegen opzag zichzelf weer zo alledaags en onaantrekkelijk in de spiegel te zien.

Ze zag aderen op haar dijbenen die er tien jaar geleden nog niet waren, diepe lijnen in haar polsen, en een vergroeide teennagel. Ze voelde dat ze medelijden met zichzelf begon te krijgen en ging snel staan om de jurk aan te passen. Het was geen wonderbaarlijke gedaanteverandering, maar ze wist dat ze er goed in uitzag. Bleek turquoise, schuin geknipt, bijna een jaren-dertig-ontwerp, elegant, net over de knie. Schoenen. Welke schoenen?

Terwijl Lucy daar stond, kwetsbaar en onzeker, hoorde ze haar vader weer afkeurend mompelen: 'Til je voeten toch op, meisje. Niet zo klepperen. Kun je niet wat zachter lopen?'

Tut, tut, tut. Een geluid dat haar zelfs jaren na zijn dood nog het gevoel gaf weer een onhandige vijftienjarige puber te zijn. Die kritiek, dat gevit op haar als niemand het hoorde. Plotseling herinnerde ze zich weer dat ze eens een ongeluk had gehad. 'Moet je maar beter opletten. Ongelukken bestaan niet.'

Hij had haar naar het ziekenhuis gebracht, waar ze haar been eerst hadden geschoren voordat ze het verbonden hadden. Ze had zich toen voor het eerst voorgenomen niet onzeker te zijn. Dokters zagen zoveel mensen iedere dag en haar lichaam zag er goed uit, en verschilde niet van dat van andere mensen.

Ze maakte de verpleegsters aan het lachen en kwam haast triomfantelijk uit het kleedhokje. Ze had het er goed van afgebracht, zonder zich zorgen te hebben gemaakt over haar vuile voeten en ongewassen knieën. Pas toen ze weer in de auto zaten, zei hij: 'Het klonk alsof ze een varken aan het scheren waren.' Hij zei het niet op een venijnige toon, maar met een glimlach, en was zich er totaal niet van bewust dat hij haar een spiegel voorhield met zijn woorden.

Lucy was blij met haar zijden jurk. Ze zou nylons kopen en het kanten ondergoed aantrekken dat ze twee jaar geleden in de opruiming had gekocht. Ze borg het verleden op, samen met de jurk, en liep naar beneden om Gary's lunch klaar te maken.

Tom zat achter zijn bureau. Hij was de hele morgen bij een disciplinaire hoorzitting aanwezig geweest, die had geresulteerd in het oneervolle ontslag van een agent na een dienstverband van vijfentwintig jaar. Toen de hoofdcommissaris terug was in zijn Spartaans ingerichte kantoor, was hij de man al vergeten. Hij lunchte nooit en zat aan begrotingsoverzichten en misdaadcijfers te werken.

Het kantoor was groot en zijn bureau, tegenover de eiken deur, domineerde het vertrek. Zijn voorgangers, stijf in het uniform gestoken, keken vanaf de muur op hem neer. Het bureau zelf was vrijwel leeg. Op een telefoon en een presse-papier na. Achter hem stond een glazen vitrine waarin zijn eerste helm lag. Dat was het wel zo'n beetje. Geen foto's van Jenni of de kinderen. De kamer was, net als Tom Shackleton zelf, eenvoudig of somber, afhankelijk van hoe je over hem dacht.

Janet, zijn secretaresse, klopte discreet op de deur en kwam binnen. Ze was lang en had een opvallend melodische stem. Ze was altijd rustig, nam de Chef altijd in bescherming, maar hield ook altijd afstand. Toen hij hier net was, had een van de andere secretaresses zich over hem heen gebogen om hem iets aan te wijzen. Daarbij had hij het gewicht van haar ene borst tegen zijn schouder gevoeld en haar parfum geroken, dat goedkoper en lichter was dan dat van Jenni. De volgende dag was ze naar de verkeerspolitie overgeplaatst.

Als hij in functie was, grensde zijn ascetisme aan dat van een monnik. Hij liet zich door niets afleiden. Zijn korps vergeleek zijn discipline met die van een ss-officier.

Maar de meeste mensen met wie hij in contact kwam, wist hij voor zich in te nemen. Hij kon mensen het gevoel geven dat ze bijzonder waren, dat ze hun geheimen aan hem prijs konden geven, maar elke andere toenadering werd met koelheid beantwoord en meteen afgestraft. Of zoals zijn stafofficier het uitdrukte: 'Ga niet met Tom Shackleton naar bed, want hij zal je de volgende morgen niet meer respecteren.'

Zijn korps, een groot korps, had over het algemeen een hekel aan hem omdat hij dat gemoedelijke miste, en omdat hij zo graag in de schijnwerpers wilde staan. Maar de misdaadcijfers waren laag en zijn regio scoorde hoog op de schaal van uitmuntendheid, en dat zag de regering graag.

Janet kwam een stukje de kamer in, maar niet te ver.

'Meneer Vernon is er. Hij zegt dat het belangrijk is.'

Vernon was zijn plaatsvervanger. Niet al te intelligent, maar uiterst loyaal. Shackleton was daarom op hem gesteld, en ook vanwege zijn open, goedaardige karakter. Vernon stond al in de deuropening.

'Kom binnen, Jim.'

Shackleton ging staan en wees naar twee leunstoelen bij het raam. 'Ga zitten.'

'Dank u, meneer, ik zal het kort houden. Ik denk dat we een probleem hebben.'

Jim Vernon sprak de taal van de politieacademie van Hendon, monotoon en doorspekt met misplaatste woorden.

'Flamborough ziet er wat verdacht uit.'

'Niet alweer.'

Shackletons stem klonk berustend. Flamborough bestond oorspronkelijk uit twee wijken, Elgin en Forres. Door nieuwbouw en geknoei met districtsgrenzen waren ze echter samengevoegd tot één wijk, maar de slechte naam was gebleven. Flamborough stond nu dubbel zo slecht bekend als voorheen en had als enige wijk twee politiekorpsen die niet in staat waren er de orde te handhaven.

De plaatsvervangend hoofdcommissaris keek hem aan en wachtte op een teken dat hij door kon gaan. Shackleton knikte hem wat geïrriteerd toe.

'Ja, de situatie daar ziet er wat... verdacht uit. We dachten dat we de ruzie na die verdomde storm in de kiem hadden gesmoord, maar... nou ja, er schijnt iets aan voorafgegaan te zijn. Die Soedanese jongeren en die Pakis...' Hij zweeg, zag in gedachten de wetsartikelen over racisme voor zich, en corrigeerde zichzelf. 'En die Pakistaanse jongelui hadden drie maanden geleden ook al ruzie met elkaar. Rellen in de wijk, een paar auto's in puin en het kantoor van de Kredietvereniging is toen uitgebrand, niets ernstigs. Onze mensen zijn er meteen op afgegaan. Ze hebben de aanvoerders, tuig van de richel – sorry, meneer – ingerekend, maar toen het stof was opgetrokken, klaagden beide partijen over politiegeweld.'

'Ja, dat herinner ik me.'

Vernon was ergerlijk pedant.

Shackleton was op de lokale televisie verschenen om tegenover een panel van woedende ouders uit beide woongemeenschappen zijn mannen te verdedigen. Wat zij als jeugdige overmoed bestempelden, had ertoe geleid dat twee agenten steekwonden hadden opgelopen en dat een vrouwelijke agent sindsdien met een posttraumatische stressstoornis thuiszat. Maar de hoofdcommissaris van het volk had de confrontatie met charme en beloften het hoofd geboden. De zaak was gesloten. Tot gisteravond.

'Goed,' vervolgde Vernon, 'we werden dus weer naar de wijk geroepen. Een Soedanees jochie had een Pakistaanse jongen afgetuigd met een honkbalknuppel, waarop die met een kapmes op hem in begon te slaan, terwijl er een stuk of dertig anderen omheen stonden en ze aanvuurden. Het leek goddomme wel een hanengevecht.'

Tom was eraan gewend dat zijn plaatsvervanger hem dingen vertelde die hij al wist, maar Vernon was niet gewend aan een hoofdcommissaris die zich voor politiezaken interesseerde.

'Onze jongens kwamen tussenbeide – letterlijk – met die kleine vrouwelijke inspecteur in een glansrol. De jongens dachten dat ze ongesteld moest worden, zo fanatiek was ze.'

Shackleton lachte niet. Seksistische opmerkingen moedigde hij nooit aan.

Vernon ging gauw verder met zijn verhaal. 'Het was hondenweer' (alsof Shackleton dat niet wist). 'Enfin, we hebben die twee schooiers achter in het busje gegooid. De ambulance arriveerde en het Pakistaanse joch is toen onder begeleiding van twee agenten naar het ziekenhuis vervoerd, terwijl we de andere knaap mee naar het bureau hebben genomen. Bleek die Pakistaan bij aankomst in het ziekenhuis overleden te zijn, waarna dat andere joch in ons busje…'

Van Toms gezicht viel niets af te lezen, hij knikte alleen naar Vernon dat hij door kon gaan.

'…door het lint ging en door twee van onze jongens, misschien wat te enthousiast, in bedwang moest worden gehouden. Hij ligt nu in een coma en wordt kunstmatig beademd. We onderzoeken de zaak.'

Shackleton knikte weer. Hij zag waar dit naartoe ging.

'Nu wordt er rondverteld dat beide jongens dood zijn en dat de politie ze vermoord heeft. Je merkt in de wijk dat het vanavond tot een uitbarsting komt. Ze komen overal vandaan, Londen, Birmingham. Het probleem is dat de Soedanezen midden tussen de Pakistani zijn gedumpt in Flamborough, maar dat niemand erbij heeft stilgestaan dat die Soedanezen naar ons land zijn gekomen omdat ze niet met moslims konden opschieten. Christenen schijnen in Soedan een vervolgde minderheid te zijn. Ze zijn door verkrachting en marteling hard geworden. Sinds ze hier wonen is het hommeles, hoewel we tot nu toe de deksel op de ketel hebben weten te houden. Tot nu toe. Maar nu worden de messen geslepen. Er zijn al een paar bakstenen door winkelruiten gegaan, het gewone werk. Maar ze hebben nu tijd gehad om zich voor te bereiden. We zijn er vrijwel zeker van dat er vuurwapens in de wijk zijn. In ieder geval benzinebommen. Als het weer goed blijft, hou ik er rekening mee dat het daar oorlog wordt.'

Hij zweeg en keek Shackleton afwachtend aan. Maar Tom was met zijn gedachten bij de veldslag die nu onvermijdelijk leek.

'Ik denk', zei Tom rustig, terwijl hij op zijn linkerelleboog leunde en met zijn pink langs zijn wenkbrauw streek, wat hij altijd deed wanneer hij in gedachten verzonken was, 'dat ze elkaar weer in de haren zullen vliegen. Maar zodra wij ons in de wijk vertonen, zullen ze zich gezamenlijk tegen ons keren, net als gisteravond. Alleen is er deze keer geen weg terug voor ons.' Hij wachtte even en sprak toen op rustige toon verder. 'Herinner jij je de rellen van 1985 nog?' Niet voor Vernon of zichzelf, maar omdat woorden de angst reëler maakten. 'Heb je dat uniformjasje in het Black Museum wel eens gezien. Daar zitten meer dan twintig messteken in. 'Hij is er...' – Shackleton corrigeerde zichzelf automatisch, hoewel ze beiden wisten wie met die 'hij' bedoeld werd – 'ze zijn er nooit voor gestraft, en de agent die de leiding had werd geschorst. Om politieke redenen.'

Vernon kon niet nalaten er iets aan toe te voegen.

'Ja, meneer, maar hij werd onschuldig verklaard. Rechtszaal nummer een van de Old Bailey. Dezelfde beklaagdenbank als de vermeende moordenaar.' De nadruk die hij daarbij op het woord 'vermeende' legde, was allesbehalve subtiel.

Shackleton sprak verder, nog steeds op kalme, emotieloze toon. 'Ik wil zoiets niet nog eens meemaken.'

Er viel een korte stilte. De telefoon ging. Shackleton nam op.

'Tom Shackleton... Hallo, Geoffrey...'

Hij wierp een blik op zijn plaatsvervanger, die meteen naar de deur liep en gebaarde dat hij in zijn eigen kantoor was, voor het geval de Chef hem nodig had.

'Tom, dit kon wel eens heel onaangenaam worden. Een Soedanees-Pakistaanse oorlog in het grensgebied van onze regio's. Dat kunnen we niet gebruiken, toch?'

De toon van Geoffrey Carter was, zoals altijd, luchtig, bijna geamuseerd.

'Het kon wel eens eerder zij tegen ons worden', antwoordde Shackleton.

'Wat stel je voor, Tom?'

Tom vroeg zich af of Carter aan zijn verlof in Californië misschien de gewoonte had overgehouden om steeds de naam van degene met wie hij sprak te herhalen.

Carter vervolgde zonder Shackletons antwoord af te wachten.

'Ik ben de rest van de middag in vergadering, maar mijn plaatsvervanger houdt me op de hoogte. Zullen we om zes uur ergens afspreken? Praten we er dan verder over.'

'Prima', zei Tom en hij legde de telefoon neer.

Hij bleef roerloos achter zijn bureau zitten en concentreerde zich volledig op het probleem. Zijn gezicht kreeg de intensiteit van een roofdier dat voor het eerst zijn prooi ziet. Geoffrey Carter was favoriet bij de politici, een groot bestuurder, maar Tom Shackleton was de strateeg, de vechter, de haai. Hij drukte op de knop van de intercom. Janet antwoordde.

'Janet, zorg ervoor dat ik ieder uur, en zo nodig vaker, op de hoogte word gehouden van de toestand in Flamborough.'

Daarna begon hij, als een schaker, alle combinaties van zetten die hij kon doen en alle opties die hij had, zowel offensief als defensief, op papier te zetten. Het was een van de weinige pleziertjes die hij zich gunde.

Jenni was te laat bij Shepherd's, het toevluchtsoord voor politici tijdens lunchtijd. Ze was niet nerveus, het was haar bedoeling geweest om te laat te komen. Om hem te laten wachten en er zeker van te zijn dat de meeste tafels bezet waren, zodat haar binnenkomst door zo veel mogelijk mensen opgemerkt zou worden. Ze zag tot haar genoegen dat hun tafel zich achter in het restaurant bevond, zodat ze door een zee van bewonderende blikken en wuifhandjes moest. Ze beantwoordde ze met een zweverig, etherisch glimlachje, maar had moeite dat te handhaven toen ze zag dat hij er niet was. Ze ging aan het tafeltje zitten en bestelde een wodka-tonic. Ze had alles zorgvuldig beraamd, zodat ze de situatie meester kon blijven, maar deze kleine nederlaag, de angst om voor gek te staan, de angst dat hij niet zou komen en ze gedoemd was zich in het menu te verdiepen om spottende blikken te vermijden, maakte haar woedend.

Net toen ze met het laatste restje waardigheid dat ze nog kon opbrengen het pand wilde verlaten, kwam hij binnen. Ze was blij dat hij er verontschuldigend uitzag en zich haastte om bij haar te komen, zonder acht te slaan op de glimlachjes en begroetingen van de andere gasten. Hij werd gevolgd door een lange man, die door de geringe lengte van de Dwerg nog langer leek. Haar woede verdween op slag toen ze zag dat het de persoonlijk adviseur van de premier was.

'Jenni, het spijt me ontzettend. Kun je het me vergeven? Jeremy ken je wel, hè?'

Ze bleef hoffelijk.

'Alleen van reputatie. Wat leuk u te ontmoeten.'

Ze stak haar hand uit, en de man die naar verluidde de macht-achter-de-troon vertegenwoordigde, nam die met zichtbare bewondering aan.

'Mevrouw Shackleton. Aangenaam. Ik moet zeggen dat Robbie niet heeft overdreven toen hij zei dat hij met een engel ging lunchen.'

Het was zwaar overdreven, maar ze vond het heerlijk om te horen.

'Ik móést gewoon mee om u met eigen ogen te aanschouwen. We werden opgehouden, omdat Robbie hier zo nodig een oud vrouwtje moest helpen dat onder het standbeeld van Churchill was flauwgevallen. Tegen de tijd dat hij haar in een taxi terug naar Bromley had gezet, vooruitbetaald en al, had hij van de natie een Nobelprijs en van u een ernstige uitbrander verdiend. Ik hoop dat u hem niet te hard zult aanpakken. Het zit in zijn aard. De manken en kreupelen onder ons zullen u er dankbaar voor zijn.'

Jenni was erg van hem gecharmeerd. Ze gebaarde naar de Dwerg om plaats te nemen.

'Ik begrijp het. Echt. Komt u bij ons zitten?'

Jeremy's aandacht was al afgeleid.

'Mmm? Nee, nee. Ik zit aan die tafel daar. Lang niet zo interessant als hier, maar… leuk u ontmoet te hebben, mevrouw Shackleton. Ik ben een groot bewonderaar van uw man.'

En weg was hij, terwijl hij zich handen schuddend en wuivend naar de andere kant van het restaurant begaf.

Jenni wierp de nu vergeven Dwerg haar mooiste glimlach toe. Bijna onmiddellijk voelde ze hoe hij zijn been tegen haar dij drukte.

'Ik heb je gemist', fluisterde hij op een paar centimeter afstand van haar gezicht. Zijn lieve, zachte, lelijke gezicht was veranderd, alsof hij zich ontdaan had van een masker.

Ze rook zijn adem, ademde via haar neus uit en wendde bevallig, wat hij aanzag voor zedig, haar hoofd af. Jenni haalde een notitieboekje en een gouden pen uit haar tas.

'Ah…' zei hij, terwijl hij achteroverleunde tegen de muurbank. 'Zakenlunch, hè?'

'Ja, wat anders? De pleziertjes komen donderdag pas. Het etentje.'

Hij glimlachte, wat bij hem tot een hoogst opmerkelijke metamorfose leidde. De lelijkheid verdween en hij kreeg weer het gezicht van een heilige. Het gezicht met de zwarte baard, de grote, visachtige, bruine ogen die, als ze ten hemel werden geslagen, leken te bidden. Het was deze glimlach die toeschouwers het gevoel gaf dat ze schoonheid hadden gecreëerd. Deze glimlach waarmee hij, ondanks zijn rijkdom en onaantrekkelijke uiterlijk, de harten en stemmen van de overgrote meerderheid van zijn kiesdistrict had veroverd.

'O ja, daar verheug ik me op. Zei je niet dat je me aan de werkster wilde koppelen?' Hij keek haar een moment lang koel en onverschillig aan. 'Ik mag je niet plagen, hè, Jenni? Ik vergeet steeds dat je totaal geen gevoel voor humor hebt.'

Ze voelde hoe hij onder het tafelkleed met de lange vingers van zijn kleine hand haar knie vastpakte.

'Maar je hebt zoveel andere dingen te bieden…'

Jenni vond hem fascinerend, ook al had ze een afkeer van hem. Hij had nooit om vrouwen verlegen gezeten, hoewel hij een lichaam had dat grensde aan het weerzinwekkende, en zijn fraaie maatpakken en obsessieve zorg voor zijn uiterlijk zijn mismaakte lichaam en vreemde gelaatstrekken niet hadden kunnen verhullen.

In de Red Lion's bar en in die van het parlement werd vaak gefluisterd dat hij aan achondroplasie leed. Maar voor de roddelbladen, die het beestje nooit bij zijn naam noemden, was hij een dwerg. Niet een kleine, slechtgeluimde man, maar een dwerg. Een kobold, een lilliputter. Hij kende de litanie van namen voor zijn kwaal maar al te goed. Ze lagen als een bundel pijlen klaar om naar hem afgeschoten te worden. Maar wat men ook van zijn uiterlijk vond, hij was superintelligent, en hoe meer macht hij vergaarde, hoe meer vrouwen hem aantrekkelijk vonden.

Elke verovering was voor hem een kleine daad van wraak voor al die jaren dat hij de liefde van een vrouw alleen had kunnen krijgen door er contant en meestal vooraf voor te betalen. Nu had hij Tom Shackletons elegante vrouw om naar uit te zien.

Jenni merkte dat hij haar met een turende blik gadesloeg.

'Een stuiver voor je gedachten?'

Ze liet haar vraag vergezeld gaan van een onbewuste beweging van haar mond, wat hij heel opwindend vond. Hij pakte haar hand en trok die zacht onder het tafelkleed naar zich toe.

'Dit.'

Hij glimlachte om de korte flikkering van afschuw in haar ogen toen ze door de dure wollen stof van zijn pak heen zijn penis voelde. Het wakkerde zijn verlangen om haar te bezitten alleen maar aan nu hij wist dat ze hem net zo afstotelijk vond als alle andere vrouwen. Hij had een voorkeur voor vrouwen van knappe, succesvolle mannen, en Tom Shackleton was knap en succesvol. De duivel had zijn masker weer opgezet.

'Waarom wil je eigenlijk dat ik donderdag kom, Jenni? Kun je niet meer zonder mij?'

'Nee, ik wil dat je Tom leert kennen, dat is alles. Het is toch belangrijk dat je weet wie je beste mensen zijn? Voor later?'

'De prestaties van je man zijn algemeen bekend. Maar je hebt gelijk, het kan geen kwaad hem te leren kennen en zijn ideeën aan te horen.'

De ober kwam langs, reikte hun de menukaarten aan en wees hun op de specialiteiten van de dag, terwijl zij over onbenullige nieuwsfeitjes praatten. Toen Jenni een keuze had gemaakt, legde ze de kaart neer.

'En nu', zei ze, 'moet ik je echt gaan interviewen. Ik heb opdracht gekregen een diepgravend stuk over je te schrijven. O, en vind je het goed dat er een foto van je wordt gemaakt? Het wordt een groot artikel, een dubbele pagina met de foto in het midden.'

'Zo'n korrelig zwartwitportret waarop de haren op je neus te zien zijn?'

Omdat ze nog steeds gepikeerd was over zijn aantijging dat ze geen gevoel voor humor had, begon ze te lachen.

'Ja, zo een.'

'Neem maar contact op met mijn secretaresse.'

Jenni zette een kleine dictafoon op tafel. Hij keek er verbaasd naar.

'Hebben we die echt nodig?'

'Ach, die gebruik ik alleen omdat ik het steno niet machtig ben. Ik ben een hopeloze journalist.' Ze zei het met een ontwapenende glimlach.

Weer vroeg hij zich af hoe beweeglijk die mond zou blijken te zijn.

Jenni zag tot haar schrik duidelijk de begeerte op zijn gezicht en verbaasde zich er ook nu weer over wat een machtig wapen seks was.

Voor Jenni was volledige penetratie met al het gefriemel erom-heen op zijn best aerobics, maar meestal een oncomfortabele, on-hygiënische worstelpartij. Maar sinds ze had geleerd er spaarzaam gebruik van te maken, was het een nuttig hulpmiddel gebleken… Ze hoopte van deze man te krijgen wat ze wilde hebben, zonder zijn vingers op of in haar lichaam te moeten dulden. Er ging een lichte huivering door haar heen bij de gedachte.

'Koud?' vroeg hij bezorgd.

'Nee, er liep gewoon iemand over mijn graf. Zo… waar hadden we het ook alweer over? O ja… over jou. Leuk.'

Vanaf zeven uur belandde er ieder kwartier een bericht over de toe-stand in Flamborough op Tom Shackletons bureau. Een van zijn beste hoofdinspecteurs, Don Cork, codenaam Goud, was coördine-rend commandant. Ron Randall, codenaam Zilver, had ter plaatse de leiding. Geen bollebozen, maar ze hadden samen zestig jaar ervaring, van bestialiteiten tot grootschalige rellen. De berichten wezen erop dat er benzinebommen en allerlei soorten wapens, waaronder vuurwapens, de wijk werden binnengebracht. Er waren een paar auto's in brand gestoken en winkels geplunderd.

Grote witte bussen vol nerveuze jonge agenten, die popelden om in actie te komen, stonden her en der in Flamborough geparkeerd, en langs de frontlijn, de voornaamste toegangsweg tot de wijk. Die frontlijn was afgebakend met blauw-wit politielint, dat fladderde in de wind. Aan de ene kant van die breekbare barrière stonden flatgebouwen, met achter elk raam een paar ogen die naar de twee rijen geüniformeerde agenten keken, die roerloos aan de andere kant van het lint stonden Het was er spookachtig stil.

De voorste rij droeg geen wapens of bescherming, de achterste droeg zwarte beenplaten over donkere overalls, helmen met panoramavizier, gummiknuppels met lange handvatten en ronde Romeinse schilden.

Op instructie van Shackleton had de politie sinds vier uur op geen enkele telefoontje vanuit de wijk meer gereageerd. Hysterische wijkbewoners belden het alarmnummer, schreeuwden dat ze aan hun lot werden overgelaten en dreigden met aanklachten tegen de politie, want ze kenden hun rechten. De telefonisten wezen hun er niet op dat politie en brandweer niet wettelijk verplicht waren aan noodoproepen van het publiek gehoor te geven.

De media verzamelden zich en zorgden er met hun aanwezigheid voor dat de door testosteron gevoede agressie van beide kanten nu gegarandeerd was.

Aan de oostkant van de wijk, Carters territorium, stonden nog een rij agenten en meer bussen, en ook daar was lint gespannen.

Tom stond uit het raam te kijken. De hemel was doortrokken van rode strepen. Hij wist dat de ellende pas goed zou beginnen als het donker was. Wanneer alle televisieploegen ter plaatse waren, het publiek klaar zat en het gordijn opgehaald kon worden.

Janet klopte discreet op de deur en kwam binnen.

'Bbc en itv, Sky en de plaatselijke en landelijke pers zijn in de wijk gearriveerd. Meneer Vernon denkt dat de jongeren ze zelf benaderd hebben.'

Ongetwijfeld.

'Dank je, Janet. O, en ik wil erheen. Om negen uur. Maar niet met mijn eigen wagen.'

Als zijn gestroomlijnde zwarte Jaguar de wijk in kwam suizen, zou dat zeker tot moeilijkheden leiden en slecht zijn voor het imago van zorgzame hoofdcommissaris.

'Laat maar een patrouillewagen komen. Maar ik wil Gordon als chauffeur.'

Janet knikte en verliet zijn kantoor. Natuurlijk wilde hij Gordon. Die wezelachtige, fantasieloze Gordon, die maar om één reden aan Shackleton was toevertrouwd: omdat hij gewapend was.

Shackleton belde Geoffrey Carter op zijn rechtstreekse nummer. Hij nam meteen op.

'Carter.'

'Ik ga naar Flamborough, Geoffrey. Wil je mee?'

'Wat zijn je plannen?'

'Ach… ik denk dat we ons er wel uit kunnen praten. Jij toch ook?'

Carter lachte. 'O, ik denk dat we ons zelfs een nonnenklooster in en uit kunnen praten als het moet.'

Shackleton glimlachte. 'Zullen we dan om halftien afspreken vóór de Crown, de pub bij het station? Het is dan net donker.'

'In uniform?'

Shackleton zweeg even. Hij droeg een pak, op maat gemaakt, met een grijze zijden das, een wit overhemd en mooie schoenen. Hij probeerde de situatie in te schatten. De jongeren, die vanwege de aanwezigheid van de politie natuurlijk woedend waren, zouden iemand in burgerkleding niet verwachten en daarom meer geneigd zijn naar hem te luisteren.

Maar zijn eigen mannen zouden verwachten dat hij in uniform verscheen en aan dat tuig geen concessies deed. En het uniform stond voor gezag; gezag dat geen intimidatie toeliet, van geen enkel deel van de gemeenschap. Bovendien zou het in de media beter overkomen als ze zich in vol ornaat vertoonden.

'In uniform', zei hij. 'Met paradestokje en handschoenen.'

'En zo gauw mogelijk de pet af. Prima. Tot over veertig minuten dan.' Carter hing op.

Waar was hij in godsnaam mee bezig? Hij voelde zich net een jochie dat er zojuist mee had ingestemd om met de plaatselijke herrieschopper te gaan joyriden. Waarom had hij ja gezegd? Wilde hij er soms mee bewijzen dat hij net zo'n macho was als Tom Shackleton? Zoiets deden hoofdcommissarissen niet. Het was dwaas, riskant en niet volgens het boekje. Maar het was typisch Shackleton. En de adrenaline ging ervan stromen.

Als Carter één zwakte had, was het zijn menselijkheid. Toen hij nog plaatsvervangend hoofdcommissaris was, had hij het plezier van mannenvriendschap ontdekt nadat zijn eenheid een zaak had opgelost. Het drinken, het lichamelijke contact, de emotionele herinneringen aan gedeeld gevaar en, het belangrijkste, de gelijkheid.

Terwijl hij in rang opklom, was hij steeds op zoek gebleven naar die kameraadschap. Geoffrey Carter stond erom bekend dat hij nooit de verjaardag van een secretaresse vergat, dat hij ervoor zorgde dat zijn chauffeur genoeg rustpauzes kreeg onderweg en genoeg te eten. Dat hij zorgzaam was, zelfs als er geen camera of microfoon in de buurt was om zijn goede daden vast te leggen. Een van de verhalen die over Carter de ronde deden, was dat hij een oudere sergeant van een klein korps in een uithoek van het land had opgezocht toen diens zoon bij een auto-ongeluk om het leven was gekomen, om hem en zijn gezin bij te staan in hun verdriet.

Hoewel hij niet iemand was die er automatisch 'bij hoorde', was hij overal waar hij commissaris was geweest populair geworden en had hij de reputatie gekregen voor het onconventionele te kiezen als dat resultaten opleverde.

Shackleton, wiens natuurlijke omgeving eerder de kantine was dan het restaurant en wiens achtergrond eerder gekenmerkt werd door vechtsporten dan door ballet of opera, had een hekel aan de luidruchtige jovialiteit van de kleedkamer en het geklit van zuippartijen na een overwinning. Hij was een eenling wiens spectaculaire staaltjes van durf en moed enkel tot doel hadden zichzelf uit te dagen en te promoten. Betrokkenheid werd koste wat kost vermeden. Moesten er cadeautjes komen, dan was het Jenni die ze kocht en aanbood, omdat hij dat gepaster vond.

Eén keer, na een lunchafspraak, waarbij hij Gordon in de auto had laten wachten, had het vrouwelijke raadslid met wie hij de lunch had genuttigd gevraagd of Gordon al gegeten had. Shackleton had haar verbaasd aangekeken en zijn hoofd geschud. Waarop de vrouw, zo luid dat iedere voorbijganger op straat het kon horen, had geroepen: 'Krenterige schoft dat je bent!' Gordon was ervan geschrokken, maar was er ook heimelijk blij om geweest. Shackleton vond dat ze niet goed wijs was en leerde zijn lesje niet. Hij voelde zich alleen voor zichzelf verantwoordelijk.

Shackleton opende de deur naast zijn bureau en ging zijn kleedkamer binnen. Keurig gestreken overhemden en uniformen hingen op houten kleerhangers. Hij wist niet dat Lucy die stuk voor stuk had geperst en de stoom erin had geblazen alsof hij er zelf in had gezeten. Als hij het wel had geweten, zou hij het pijnlijk hebben gevonden.

Hij trok zijn uniform aan met de zorg van een priester die zich voor de mis kleedt. Hij bekeek zichzelf in de spiegel. Van de opwinding die hij voelde was op zijn gezicht niets te zien. Andere mannen voelden zich zo bij het vooruitzicht de nacht met een mooie vrouw door te brengen: geprikkeld, want alles was mogelijk.

Carter was er nog niet toen Gordon de patrouillewagen voor de vervallen pub aan de rand van Flamborough tot stilstand bracht. Shackleton stapte uit. Het was donker en de straat zag er naargeestig uit, hoewel dit door de oranje straatverlichting wat verhuld werd.

Shackleton had voor de Crown gekozen, omdat het een Caribische en Ierse pub was. De stamgasten waren niet erg gesteld op de politie, maar nog minder op Afrikanen en Aziaten, die betrekkelijke nieuwkomers waren en die ze ervan betichtten hun vuilnis in de voortuin te dumpen en verantwoordelijk te zijn voor de meeste criminaliteit in de wijk.

De klanten, voor het overgrote deel mannen, maar er waren ook een paar vrouwen bij, waren al wat ouder. De mannen werkten in de bouw of zwart, door in villawijken voortuinen te plaveien en te betegelen. 's Zondags naar de kerk en vrijdags een stevige knokpartij na sluitingstijd. Zoals gewoonlijk zaten de oudste mannen in de gelagkamer domino te spelen.

Shackleton keek de wijk in. Het was griezelig rustig, geen bhangra- of bongomuziek, die uit flats of auto's schalde. Geen geschreeuw van tieners. Niets. In de verte zag hij een lichtflits, die gevolgd werd door een harde knal.

'Daar gaat een auto de lucht in', merkte Gordon op. Hij was niet bang, maar trilde als een windhond. Vechten of vluchten. Bij Gordon was het altijd vechten.

Shackleton zag opeens dat er voor de flat tegenover de pub drie zwarte vrouwen zaten. Het was een vreemd gezicht. De bewoonsters hadden een gedeelte van het kale grasveldje voor zich opgeëist. Het was afgezet met potten die gevuld waren met bloemen, klimop en heesters. Allemaal van plastic.

Tegen de muur van de flat stonden olievaten, gootsteenbakken en zelfs een oude wc-pot met nog meer plastic bloemen in felle kleuren die nergens in de natuur voorkwamen. Een van de vrouwen was ze zorgvuldig aan het afstoffen en spoot luchtverfrisser op de bloemen die volgens haar niet meer geurden. De twee andere vrouwen zaten op tuinstoelen met een vijfliterfles frisdrank met sarsaparillasmaak tussen hen in.

'Hallo, meneer Shackleton. Alles goed met u?'

Hij was verbaasd dat hij met zijn naam werd aangesproken; hij wist dat hij deze vrouwen niet kende, maar liep naar hen toe om er helemaal zeker van te zijn. De vrouw die gesproken had was de dikste van de drie. Ze zat, met de knieën gespreid vanwege haar dikke dijen, met een brede glimlach op haar ronde, glanzende gezicht voor zich uit te kijken.

Op haar hoofd droeg ze een roze strooien hoed zoals meisjes die vroeger op school droegen, alleen waren die van vilt gemaakt en was deze van plastic. Eigenlijk droeg ze de hoed ook niet, maar leek hij op haar hoofd te zijn neergestreken. Om de rand zat een breed lint van een donkerder kleur roze, dat aan de achterkant in een platte strik was gelegd.

Shackleton vroeg zich af wat het het eerst zou begeven, de stoel of de dunne stof van haar jurk, die slechts met moeite haar reusachtige boezem en buik wist te omvatten. Haar omvang had zoiets rudimentair seksueels en haar diepe decolleté zag er zo schaamteloos uitnodigend uit dat hij zijn hoofd moest afwenden. Hij voelde zich onbeholpen en belachelijk, maar bovenal blank.

Zij mocht dan dik en voluptueus zijn, de vrouw die naast haar zat was mager en tanig. Zij had haar benen ook gespreid, maar had hoge, stevige kuiten en lange enkels, met daaronder brede, platte voeten, die in nog bredere, plattere schoenen gestoken waren, die aan de zijkant waren uitgelopen.

Die voeten waren over elkaar geslagen en rustten op hun zijkant. Haar benen waren broodmager en haar gezicht was zo ingevallen dat het Shackleton deed denken aan een doodshoofd met twee gekruiste knekels eronder. Ze zei niets, maar knikte vriendelijk. Haar lange, benige handen, tanig geworden door gebrek aan verzorging en de zon, waren driftig aan het haken. Op een krant naast haar voeten lag een stapel onderleggers en antimakassars.

Shackleton keek haar aan en zag aan de scherpomlijnde, diep-liggende oogkassen en haar vale huidskleur dat haar dood nabij was. Hij wendde zijn ogen af en keek naar het vuur dat ze in een metalen kinderbadje hadden aangelegd. De derde vrouw hield op met af-stoffen, draaide zich om en keek hem aan.

De gevoelens die de dikke vrouw en het doodshoofd in hem hadden wakker gemaakt, werden vervangen door gevoelens van angst bij het zien van haar gezicht. Het was diepzwart, een Afrikaan-se tint die de vriendelijke warmte van de Cariben miste. Lei-blauw-zwart met diepe inkepingen in de wangen, drie aan iedere kant.

Haar gelaatstrekken leken qua afmetingen en verhoudingen in niets op die van blanke mensen. Ze zag er zeer vreemd uit, een onverwachte verschijning. Maar het waren vooral haar ogen die Shackletons afkeer opwekten, hoewel hij zijn blik er niet van af-wendde. Die leken precies op kaurischelpen, die bij Afrikaanse beelden als ogen werden gebruikt. Alsof het ooglid over de oogbal heen was getrokken en met grove steken was dichtgenaaid.

Even kreeg hij de neiging om dichterbij te komen en ze los te trekken om de echte ogen eronder te kunnen zien. Maar toen wendde ze haar ernstige, ebbenhouten gezicht met de ogen die hem zo verwarden af en ging ze verder met stof afnemen. Daarbij boog ze zich vanuit haar middel en met gestrekte benen voorover, en Shackleton realiseerde zich dat ze minstens twee meter lang was en zo slank en soepel als een jonge den. Hij had nog nooit een menselijk wezen gezien dat er zo anders uitzag en hem zo in verwarring bracht.

'Komt u voor de rellen, meneer Shackleton?'

De dikke vrouw glimlachte nog steeds, met volmaakt witte tanden die op een rij grafstenen leken.

'Ik hoop dat die ons bespaard blijven', antwoordde hij, terwijl hij nederig zijn hoofd boog.

'Nee, Thomas, nee...'

Ze lachte nu, lachte naar hem, geluidloos bijgestaan door het doodshoofd naast haar.

'Je rekent erop... je rekent erop, mijn kind.'

En hij voelde zich op dat moment ook weer een kind. Een kind dat op een leugen was betrapt.

Geoffrey Carters Rover arriveerde terwijl de vrouwen nog steeds meewarig naar hem gniffelden. Shackleton, die weer vaste grond onder de voeten voelde, draaide zich abrupt om en liep naar hem toe, blij dat hij van de vrouwen verlost was.

'Ik geloof niet dat de Rover een goed idee is', zei hij toen Carter uitstapte.

'Nee... daar kon je wel eens gelijk in hebben. Ik vraag mijn chauffeur wel of hij hier wil wachten. Dan gaan we verder met jouw auto.'

Toen ze naar de patrouillewagen liepen, voelde Shackleton dat de vrouwen hem nakeken. Zijn nekharen gingen ervan overeind staan. Hij wreef er met een geïrriteerd gebaar overheen en ging toen voorin, naast Gordon, in de auto zitten. Carter nam op de achterbank plaats.

Langzaam reden ze de wijk in. Bij elke straathoek zagen ze politiebusjes staan, jongens in uniform, gespannen, klaar voor de strijd, niet veel anders dan de jongens die in de wijk woonden. En agenten met hun honden naast zich, geduldig wachtend. En daarna de zwarte ruggen van de oproerpolitie, de benen gespreid, roerloos.

Shackleton gaf Gordon een teken dat hij moest stoppen. De drie mannen stapten uit. Inspecteur Ron Randall haastte zich naar hen toe. Hij was Zilver, de man die ter plaatse de leiding had als de narigheid begon. Beide chefs glimlachten alsof het een ontmoeting op de officiersclub betrof. Carter schudde hem de hand en moest zich licht vooroverbuigen om iets tegen hem te kunnen zeggen. Randall was even lang als Shackleton, had het gespierde lijf van een marathonloper en zag er naast de andere chef bijna broos uit. Hij was rank gebouwd, had een smal gezicht en ogen met lange wimpers, wat hem de bijnaam Bambi had opgeleverd binnen het korps.

Ze vertelden hem dat ze wilden proberen met praten de crisis te bezweren. Randall was ontsteld; volgens hem zouden deze twee paradepaardjes de situatie alleen maar verergeren. Hij probeerde ze op andere gedachten te brengen en daarna over te halen om gewapende agenten mee te nemen.

Hun gezichten stonden ernstig en ze leken aandachtig naar hem te luisteren, maar hij wist dat ze de kans om in de media te komen belangrijker vonden dan voorzichtig te zijn. En dat beiden het niet ambieerden om hypotheekvrij en met een goed pensioen stil te gaan leven.

Randall wendde zich van hen af en zond via zijn radio een bericht door aan Goud, hoofdinspecteur Don Cork.

'Meneer Shackleton en meneer Carter gaan er alleen op af. Ze willen onderhandelen. Wij moeten ons terughoudend opstellen. Ik herhaal: de hoofdcommissarissen willen dat we ons terughoudend opstellen.'

Randalls overtuiging dat als het misging dit tot rassenrellen in het hele land zou leiden, bleef onuitgesproken, maar werd wel door Cork gehoord. Randall dacht terug aan een hoofdcommissaris in Essex, die tijdens de belegering van een pub had aangeboden de plaats van een gijzelaar in te nemen, maar hier ging het niet om moed, maar om reclame maken voor zichzelf. Goud daarentegen zag duidelijk welke onaangename gevolgen dit voor zijn eigen carrière zou hebben. Als het uit de hand liep en er een onderzoek kwam, zou híj verantwoordelijk zijn.

'Goud aan Zilver. Gelast meneer Shackleton en meneer Carter hier niet, ik herhaal, niet mee door te gaan.'

'Daarvoor is het te laat', antwoordde Randall.

Even bleef het stil. De radio kraakte. Toen doorbrak de stem van Goud luid en duidelijk de zwaarbeladen stilte.

'Wat een stelletje dilettanten.'

De twee chefs liepen, met Gordon in hun kielzog, zwijgend naar het politielint. Toen ze het aanraakten, weerklonk er door de lege straten een vreemd gejammer en het geluid van metalen buizen die tegen beton werden geslagen. Ritmisch, angstaanjagend.

Shackleton zag vanuit zijn ooghoek iets bewegen, te laat om ervoor uit te wijken. Vlak voor hun voeten sloeg een brandende melkfles gevuld met benzine neer. De vlammen verspreidden zich over het asfalt. Een goedkeurend gebrul van de onzichtbare vijand volgde. Toen kwamen ze tevoorschijn. Er verschenen jongens op daken, trottoirs en in deuropeningen, met zakdoeken en sjaals voor het gezicht. Eén groepje begon aan een geparkeerde auto te duwen en te trekken omdat die in de weg stond. Ze zwermden er als een legertje mieren omheen en in een mum van tijd lag hij op zijn kop. In lichterlaaie.

Carter en Shackleton keken zwijgend toe. Achter hen stond een cameraploeg met een geluidsman die een lange hengel vasthield waaraan een potsierlijke, in pluizig bont gehulde microfoon hing.

'BBC, meneer', mompelde Gordon.

Shackleton knikte. Hij bukte zich rustig en dook onder het lint door. Carter deed hetzelfde, gevolgd door Gordon. Twee agenten hielden de cameraploeg tegen, maar Tom draaide zich om en wenkte hen mee te komen.

'Zij alleen', zei hij.

Toen het groepje onder het lint door was, liepen Shackleton en Carter kalm naar de jongelui en de brandende auto. Randall sloeg hen gade, en wist niet of hij hen moest bewonderen of verachten. Hij had zich in gedachten al bij de dood van de chefs en de verschrikkelijke nasleep daarvan neergelegd. Híj zou degene zijn die het armageddon begon. Zijn radio kraakte in afwachting van een commando. Het commando dat de aanzet zou vormen tot een rassenoorlog in heel Engeland.

Iemand gooide een halve baksteen die vlak voor de chefs langs scheerde. Daarna volgde er nog een. Achter Shackleton gaf iemand een schreeuw. Hij keek om: de geluidsman was geraakt, de steen was tegen zijn scheenbeen gekomen. Shackleton liep verder zonder zijn pas in te houden. Hij was in zijn element, het enige moment waarop hij zichzelf kon zijn. Zonder angst, zonder gedachten, alleen die stoot adrenaline en algehele ontspanning.

Carter, die naast hem liep, beefde van angst vanwege het gevaar waarin ze verkeerden, en was zich bewust van elke blik en elke hand-beweging. Terwijl Shackleton zich kalm voelde als een atleet vlak voor een belangrijke wedstrijd, had Carter last van plankenkoorts.

Drie gemaskerde jongelui, gewapend met messen en honkbal-knuppels, kwamen op hen af. Carter begon bijna te lachen. Het leek ook wel erg veel op die beroemde scène uit *High Noon*. Net zo melodramatisch.

Achter de drie gemaskerde jongelui liepen zes anderen, toen zeven, tien, twintig. En allemaal gewapend. Shackleton zag dat het zowel Soedanezen als Pakistanen waren. De politie had de strijdende partijen al verenigd. Opeens flitste er een gedachte door zijn hoofd, zo snel dat hij hem bijna niet waarnam: hij vroeg zich af hoe het voelde om aardig gevonden te worden.

De menigte was nerveus, onzeker, gevaarlijk. De politieagenten stopten op ongeveer anderhalve meter afstand van de aanvoerders. Meteen werden ze omringd. De cameraman draaide om zijn as, legde elk verborgen gezicht op video vast en deed toen een stap opzij om te filmen hoe de hoofdcommissarissen oog in oog met de relschoppers stonden.

Shackleton bracht langzaam zijn hand omhoog, zette zijn goud-gerande pet af en schoof die samen met zijn stokje onder zijn arm. Even later volgde Carter zijn voorbeeld. Daarna trok Shackleton, even bedaard, zijn zachte, bruine handschoenen uit. Carter deed hetzelfde.

Met de rituele gespannenheid van samoerai overhandigden ze hun petten, stokjes en handschoenen aan Gordon, zonder daarbij hun ogen van de jongens af te houden. Het leek alsof ze hun wapens afgaven. Shackleton wist welk psychologisch effect deze 'ontwape-ning' had.

De aanvoerder kon Shackletons strakke, starende blik niet langer verdragen.

'Wat wil je nou, verdomme? Vuile smeris.'

'Mijn naam is Tom Shackleton. Ik ben hoofdcommissaris van dit district, en dit is mijn collega Geoffrey Carter. Hij is hoofdcommissaris van het aangrenzende district.'

De uitdrukking op zijn gezicht werd zachter, hoewel het nauwelijks waarneembaar was.

'We willen weten wat jullie grieven zijn. Waarom jullie dit doen. Zodat we jullie kunnen helpen.'

Stilte. Toen schreeuwde iemand vanachter uit de groep, overmoedig geworden omdat zijn anonimiteit gewaarborgd was: 'Vermoord ze! Vermoord de schoften!'

De camera draaide in de richting van de stem.

'Gijzel ze!'

Deze suggestie viel meer in de smaak bij de meerderheid. 'Ja... hou ze hier', klonk het instemmend uit hun kelen. 'Dan moeten ze wel luisteren.'

De opwinding ging van de een op de ander over, tot de groep jongeren één schreeuwende menigte was geworden. De kleine groep in het midden voelde hoe de stemming veranderde.

Carter voelde het angstzweet koud langs zijn armen en benen lopen. Er werden handen naar hem uitgestoken. De camera werd tegen de grond geslagen. Shackleton werd bij zijn armen gegrepen en hard met een honkbalknuppel in zijn knieholtes geslagen. Carter werd geveld door een klap tegen zijn slaap.

Gordon, die angstvallig zijn pistool verborgen hield, gaf zich over en zei dat hij rustig mee zou komen. De relschoppers vonden dit geweldig en een paar van hen begonnen hem minachtend te schoppen. Gordon kromp ineen, schijnbaar van pijn, maar in werkelijkheid om zijn wapen te beschermen. Ze pakten de petten, handschoenen en stokjes van hem af en deelden die uit aan hun makkers. De televisieploeg bracht de gevallen camera in veiligheid en werd ruw opzij en achteruit geduwd.

Randall, die zijn manschappen niet durfde inzetten, omdat dit de situatie alleen maar zou verergeren en gevaar zou opleveren voor de chefs, stond hulpeloos toe te kijken. Wat hij daarbij riep, zou na die tijd tot de vaste kantinekreten gaan horen: 'Idioten! Verdomde idioten! Arrogante klootzakken!'

Toen de menigte uitgeraasd was, werden Shackleton, Carter en de cameraploeg naar het wijkgebouw geloodst. Er werden haastig wat plastic stoelen van een stapel gepakt en daarop werden ze neergeplant. De jongeman die zich als leider van de groep leek te ontpoppen, beval de cameraploeg te blijven filmen.

'Goed...' zei hij net iets te luid. 'Dit is wat we willen... We willen gerechtigheid. De politie heeft twee jongens uit onze wijk vermoord, en wij eisen gerechtigheid.'

Een instemmend gebrul klonk op.

'Dus jullie blijven hier tot we die krijgen.'

'Prima', antwoordde Tom op redelijke toon. 'Maar... hoe heet je?'

De jongen zweeg achterdochtig en zei toen: 'Ali. Zeg maar Ali.'

'Nou, Ali', ging het naadloos verder. 'Dan vind ik wel dat je moet weten dat één van hen, Sammi, niet dood is maar in het ziekenhuis ligt. Zijn toestand is ernstig maar niet kritiek.'

Dit zorgde voor grote opwinding. Sommigen geloofden hem, anderen schreeuwden luidkeels: 'Leugenaar!' Ali deed mee en schreeuwde dat, zelfs als dit waar was, de andere jongen nog steeds dood was door schuld van de politie. Iemand gaf Tom een klap tegen de zijkant van zijn hoofd en spuugde in zijn gezicht. Hij stak zijn hand in zijn zak en haalde er een smetteloze, katoenen zakdoek uit. Lucy had er een druppeltje van haar parfum op gedaan, maar Tom rook het niet toen hij het speeksel van zijn wang veegde.

'Ik wil met meneer Qureishi praten.'

'U praat alleen met ons.'

Hij glimlachte. 'Je bent toch niet bang? Laat me met hem praten. Je weet dat hij geen partij kiest. Hij is toch de geestelijk leider van jullie gemeenschap?'

Dit veroorzaakte opschudding: hoe durfde dit blanke symbool van de gevestigde orde de Pakistanen als moslims tot de orde te roepen? De christelijke Soedanezen uitten hun woede al even luidruchtig.

Shackleton verhief zijn stem om erbovenuit te komen.

'Jullie geloven toch niet wat ik zeg. De uitslag van de autopsie van de andere jongen is bekend, maar jullie willen geloven dat het moord was. Ik kan jullie niet van mening doen veranderen. Jullie willen de waarheid niet horen. Laat imam Qureishi en ouderling Joseph dan uitmaken of ik lieg.'

Een oorverdovend 'nee' klonk op. Een van de jongens had een blik benzine en goot de inhoud ervan over de chefs uit. Hij werd meteen door anderen, die schreeuwden dat ze een sigaret aan hadden, tegen de grond gewerkt. Het ontaardde in anarchie. Ali had de situatie niet meer in de hand. Achter in de zaal stonden twee groepen oudere vrouwen wezenloos toe te kijken.

Terwijl Carter aan de schouderstukken van zijn uniform van zijn stoel werd gesleurd, waarbij er zilveren knopen over de vloer rolden, baande een oude man met baard, gekleed in een lang hemd, een wijde, katoenen broek en een bruine, gebreide muts op zijn witte haar, zich een weg door de zaal. Hij werd gevolgd door een oude man in een wit gewaad, wiens ovale Modigliani-gezicht de donkere, verfijnde trekken van de Soedan vertoonde. Hun komst leek de menigte nog meer op te hitsen.

'U hebt hier niets te zoeken.'

'Er is hier geen plaats voor oude mannen.'

'Ga thuis televisiekijken, opa.'

Maar de stemmen klonken niet meer zo zelfverzekerd, niet meer zo fel.

De oude mannen liepen naar Carter en Shackleton toe.

'Hoofdcommissaris…'

Shackleton stond op. Carter volgde zijn voorbeeld.

'Ah, en meneer Carter. Hoe gaat het?'

De vier mannen schudden elkaar de hand.

Shackleton vroeg belangstellend: 'Meneer Qureishi, hoe gaat het met u? En met de rest van de familie?'

'Zoals u ziet', antwoordde de oude man droog, 'zijn mijn klein-zoons hier.'

Hij liet zich met zijn magere lichaam op een van de stoelen neerzakken.

Ouderling Joseph knikte maar zei niets. Hij ging waardig zitten en wisselde een blik met meneer Qureishi, die zacht maar op ferme toon begon te praten.

'U hebt de grieven van de jongelui gehoord. Zij denken dat de politie uit moordenaars bestaat. Dat het leven van een Aziatisch of Afrikaans kind minder belangrijk is dan dat van een blank of zelfs Caribisch kind. Van die zwarten kun je verwachten dat ze herrie schoppen, maar wij doen zoiets niet, wij willen een rustig leven. We zijn vredelievend, hebben een buurtwinkel en sturen onze kinderen naar de universiteit. Deze jongelui zijn echter anders. U weet dat van de rellen in Bradford. Ze hebben ons geduld niet. Voor hen bent u de vijand.'

Tom wachtte tot de oude man was uitgesproken en zei toen even zacht, en op redelijke toon: 'Ik kan u verzekeren, u allemaal verzekeren dat dat niet het geval is. Zoals meneer Qureishi en ouderling Joseph weten, hebben meneer Carter en ik sinds onze komst hier er alles aan gedaan om de betrekkingen tussen de politie en uw twee gemeenschappen te verbeteren.'

'En heeft dat gewerkt?' klonk er een stem vanachter uit de zaal.

'Blijkbaar niet', zei Tom zonder een zweem van ironie. 'En daar bied ik mijn verontschuldigingen voor aan. Ik betreur de dood van Mohammed ten zeerste en mocht een van mijn mannen daarvoor verantwoordelijk zijn, dan zal ik niet rusten voordat hij zijn gerechte straf heeft gekregen.'

Hij wachtte even om te zien of zijn woorden effect hadden. De meerderheid leek te luisteren, maar hij had aan de zijkant van de zaal een groep naar buiten zien lopen die er niet van onder de indruk leek te zijn. Terwijl hij verder praatte, registreerde hij waar ze zich bevonden en wat ze droegen. Hij was er zeker van dat ze niet uit de wijk kwamen.

'Ik heb hier het voorlopige autopsierapport van Mohammed. Als u dat wilt, lees ik het voor.'

Er klonk geschuifel. Een oudere vrouw in een vale, grijs-bruine *salwar kameez* kwam naar voren; ze droeg er een vormeloos, polyester vest overheen. Een Soedanese vrouw, al even vaal van kleur door het leven in Groot-Brittannië, hield haar bij de arm. De jongens weken voor hen uiteen.

Meneer Qureishi zei: 'Mohammeds moeder. Sammi's tante.'

De Pakistaanse vrouw voelde zich niet op haar gemak en liet de andere vrouw met tegenzin los. Shackleton en Carter zwegen beleefd. De hoofdcommissarissen in hun uniformen staken ver boven de twee sepiakleurige vrouwen uit. Carter leidde Mohammeds moeder zonder haar aan te raken naar zijn stoel. Ze nam aarzelend plaats. Sammi's tante ging naast ouderling Joseph staan; haar gezicht was een rimpelloze versie van het zijne. Shackleton haalde het rapport tevoorschijn en vouwde het open. De nieuwkomers, die zagen dat de agressie afnam, begonnen te jouwen.

'Het is allemaal gelul.'

'Niet naar hem luisteren.'

'Hij zegt maar wat.'

Maar ze werden tot stilte gemaand. Shackleton begon voor te lezen: 'Enkele kneuzingen aan de zijkant van hoofd en gezicht, die doen vermoeden dat zowel hoofd als gezicht in aanraking zijn gekomen met een hard voorwerp. Schedelbreuk met ronde inkeping boven het rechteroor. Rechterkaakbeen verbrijzeld. Doodsoorzaak: zware hersenbloeding, veroorzaakt door slagen of slag op het hoofd met een stomp voorwerp, mogelijk een slagbal- of honkbalknuppel.'

Er viel een diepe stilte.

Shackleton vervolgde op innemende toon en zo rustig mogelijk.

'Ik geloof dat Mohammed nodeloos is gestorven en zal alles doen wat in mijn vermogen ligt om te achterhalen of een van mijn mannen voor zijn of Sammi's verwondingen verantwoordelijk is. Ik geloof dat Mohammed tijdens het gevecht gewond is geraakt, en niet door toedoen van mijn mensen. En dat de genoemde kneuzingen niet ernstig genoeg waren om als aanwijzing te dienen voor de ernst van de onderliggende botbreuken en daarom over het hoofd werden gezien. Ik geloof niet, hoewel ik weet dat sommigen van u…'

Hij wachtte even en keek de zaal rond: alle donkere ogen waren strak op hem gericht. Hij wendde zijn hoofd af en richtte zich rechtstreeks en op vriendelijke toon tot Mohammeds moeder.

'Ik geloof werkelijk niet dat hij stierf nadat hij tegen een muur was gegooid of door mijn mannen was geslagen.'

De aanvoerder van de jongelui viel hem in de rede.

'Wacht eens even: slagbal- of honkbalknuppel? Waarom dan geen gummiknuppel? Zo eentje met een zijhandvat?'

Shackleton keek hem strak aan.

'Omdat er een houtsplinter in de wond is achtergebleven. Een houtsplinter met verfresten. Wapenstokken van de politie zijn van mahoniehout en dat splintert niet. En ze zijn bovendien voorzien van een rubberlaag. De wapenstokken met zijhandvat die we tegenwoordig gebruiken zijn van polycarbonaat. Niet van hout. Een wapenstok van polycarbonaat kan dus onmogelijk een houtsplinter in een wond achterlaten. Ik zal echter niet rusten voordat ik weet onder welke omstandigheden de twee jongens precies gewond zijn geraakt.'

Hij zweeg. Zijn stem was zo zacht geworden dat zijn toehoorders zich naar voren moesten buigen om hem te kunnen verstaan. De meesten luisterden nu.

Carter stond nu op en begon op vriendelijke, terughoudende toon te praten. Zonder te haperen en met overredingskacht sprak hij over de gevaren van onderlinge ruzies en hoe die de aandacht afleidden van het echte probleem: racisme. Hij drukte de jongeren op het hart hun vijandschap voor elkaar te overwinnen en de haat niet te laten voortwoekeren in hun gemeenschap.

'Er is al genoeg haat van zwarten jegens blanken en blanken jegens zwarten, van zwarten jegens Aziaten en blanken jegens Aziaten; deze kleine wijk is niet gebaat bij het in stand houden van vooroordelen. Sterker nog, het is waanzin jonge levens te verwoesten vanwege religieuze vooroordelen. Velen van u zijn hiernaartoe gekomen omdat u in eigen land vervolgd werd om uw geloof. U hebt daarvoor veel achter moeten laten. Intolerantie zou een van die dingen moeten zijn.'

De ouderen knikten, de jongeren reageerden niet.

'U hebt een aanleiding gevonden om u gezamenlijk tegen de politie te keren. Uw haat heeft u samengebracht. Zou dit niet een goede basis kunnen zijn voor een beter onderling begrip waarbij in de toekomst, met geduld en veel praten, ook de politie een rol zou kunnen spelen?'

Carter zei dit omdat hij er heilig in geloofde. Dit was voor hem de reden geweest om bij de politie te gaan. Zijn woorden hadden, in tegenstelling tot die van Shackleton, niets afstandelijks of bereke-

64

nends. Carter was echt bezorgd en dat maakte hem kwetsbaar.

Shackleton sloeg de menigte gade terwijl Carter sprak. Hij luisterde niet en dacht niet na: zijn geest verkeerde nog steeds in een toestand van dierlijke alertheid, die geen abstracte gedachte of afleiding toeliet. Instinctief wist hij dat het gevaar dat de menigte in een moordzuchtige bende zou veranderen, was geweken. Hij zag dat Carter was gaan zitten en dat de oude man nu aan het woord was. Zijn stem zou de doorslag geven.

Hij prees Shackleton en Carter, omdat ze zich er in het verleden voor ingezet hadden om bruggen te bouwen. Shackleton keek naar zijn schoenen. De oude man waarschuwde hen en nederigheid leek daarbij de juiste houding te zijn. Hij knikte bij ieder punt dat meneer Qureishi aanroerde. Shackleton wist dat ze gewonnen hadden, toen hij zag hoe enkele jongelui hun maskers afdeden en stil wegliepen. Er hing een ontspannen sfeer in de zaal.

Hij ging staan, klaar om na enkele woorden van verzoening en nederige excuses te vertrekken. De televisiecamera was op hem gericht, maar er was geen greintje triomf van zijn gezicht af te lezen. Een groepje jongelui bij de deur leek het te irriteren dat de vrede gesloten dreigde te worden. Een van hen, een krullenbol met een zonnebril over de hoofddoek die zijn gezicht verborg, haalde nonchalant een sigaret tevoorschijn en stak die aan. Shackleton sloeg hem gade.

Na er een trek van te hebben genomen, nam hij de brandende sigaret langzaam, als in slowmotion, tussen duim en wijsvinger en schoot hem naar Geoffrey Carter toe, die zich net vooroverboog om ouderling Joseph een hand te geven. De sigaret vloog met een boog door de lucht en belandde op Carters broek die met benzine doordrenkt was.

Carter gaf een kreet, als een hond die kort blaft, en stond meteen in lichterlaaie. In de griezelige stilte die erop volgde, sloeg Shackleton in een potsierlijke omhelzing zijn armen om Carter heen om de brandende kleren met zijn eigen lichaam te doven. Beide mannen vielen op de vloer bij hun pogingen om de vlammen te doven. Na een paar seconden van totale verbijstering begon iedereen te schreeuwen en jasjes, sjaals en zelfs een vloerkleed over de twee brandende mannen heen te gooien. De televisieploeg filmde het allemaal.

Vanonder de komisch uitziende hoop kleren sijpelde rook en klonk zacht gekreun. Gordon trok de kleren en het kleed van de twee mannen af. Shackleton had zijn armen en benen nog steeds stijf om Carter heengeslagen, als een parodie op een seksuele omhelzing. Een geur van verbrand vlees en haar steeg op van hun lichamen, een geur die Gordon aan geroosterd varkensvlees deed denken.

'We moeten een ambulance bellen', zei hij met zijn platte York-shire-accent.

'Nee', zei Shackleton zacht. 'Ik geloof niet dat dat nodig is, wat jij, Geoffrey?'

Carter, die duidelijk pijn had, probeerde rechtop te gaan zitten. 'Nee... Nee.'

Shackleton pakte Carters ene arm, Gordon de andere, en zo trokken ze hem overeind.

'Ik denk', zei Shackleton, terwijl hij de zaal rondkeek met een blik van: probeer ons maar eens tegen te houden, 'dat het tijd is om te vertrekken. En jullie moesten ook maar naar huis gaan. Rustig, en vreedzaam.'

Er viel een stilte, vervuld van nieuwe haat. Niemand verroerde zich. Shackleton werd voor het eerst onzeker, bijna bang. Hij had erop gerekend dat hun verwondingen en hun kwetsbaarheid een vrijbrief waren om de wijk te verlaten, en dat de crisis daarmee op een natuurlijke wijze bezworen was. Hij wist dat het een meesterzet zou zijn, als twee verbrande maar dappere politieagenten een nu vreedzame wijk uit zouden wandelen. Niet door berekening of onpartijdigheid, maar zoals een dier weet dat drukkende hitte de voorbode van regen is. Maar het weer sloeg niet om. De atmosfeer leek alleen maar drukkender te worden.

Sammi's moeder, die tot nu toe gezwegen had, verbrak de span-ning.

'Ga. Gaat u alstublieft.'

Carter mompelde: 'Dank u.'

Maar haar bijbelse gezicht bood geen troost.

'Ga en kom niet weer terug. Wij handelen het zelf wel af met onze jongeren. Doet u hetzelfde met uw mannen.'

Weggestuurd.

De twee mannen, hun prachtige uniformen gescheurd en verbrand, verlieten als eersten het wijkgebouw. Gordon en de televisieploeg volgden. Ze liepen terug naar het blauw-witte lint.

Het verblindende licht van de schijnwerpers werd op hen gericht. Shackleton wist dat zijn scherpschutters toekeken. Ze zagen de rijen met oproerpolitie, meer nu dan er bij aankomst waren geweest. De nieuwsteams en de commandanten die hen met ontzag gadesloegen.

Randall, die niets had kunnen doen zolang de chefs binnen waren, ziedde van woede om wat er had kunnen gebeuren: twee dode politiechefs en een hele wijk in rep en roer. En daarna het hele land in rep en roer. Rassenrellen in alle steden en lynchpartijen op het platteland. Hij kon het die kinderen niet kwalijk nemen dat ze hun verbittering en frustratie wilden uiten, maar hij nam het die twee arrogante hansworsten wel kwalijk dat ze hem de zwaarste uren van zijn leven hadden bezorgd. Als dit soort oelewappers in de eenentwintigste eeuw de politie moest leiden, dan was hij aan het eind van het jaar vertrokken. Ging hij nog liever bij een bewakingsdienst werken dan verantwoording te moeten afleggen aan zulke zelfingenomen egomaniakken.

Shackleton en Carter liepen kalm en onverstoorbaar, en zonder om te kijken, verder. Achter hen viel wat zo-even nog één grote, moordzuchtige bende was geweest uiteen in kleine groepjes jongelui die met het schaamrood op de kaken de duisternis verkozen. De meesten hadden beteuterd hun sjaals afgedaan. Hun moeders en zusters stonden in groepjes bij elkaar; alleen hun donkere ogen waren te zien.

Toen de chefs en de rest van de groep het fladderende lint bereikten, begon een van de Soedanese vrouwen vreemde, hoge, jodelende klanken uit te stoten. De andere vrouwen namen het over, alsof hun kreten door de wind werden meegevoerd. Dezelfde wind die hun kleren opwaaide, terwijl ze op het balkon en in de deuropening stonden van hun flats uit de jaren zestig en met hun kreten uiting gaven aan hun gevoel van hopeloosheid over een toekomst in dit koude, ongastvrije land.

Toen Shackleton Carter onder het lint door hielp, werden de

stemmen van enthousiaste journalisten steeds luider. De geruststellende aandacht van de media overstemde het eenzame geweeklaag van de vrouwen. Microfoons, camera's, bandrecorders, lampen, glimlachjes, opluchting. Het applaus na een grootse voorstelling.

Shackleton en Carter hielden een geïmproviseerde persconferentie. De journalisten raakten opgewonden bij het horen en zien van deze moedige politiemannen, die met praten een rel hadden weten te voorkomen. De vermoeide glimlach van deze mooie mannen zou de volgende morgen de voorpagina van elke krant sieren. De beschaafde manier waarop ze begrip toonden voor de grieven van etnische minderheden was een teken van vooruitgang. Bij de politie, en bij de maatschappij in het algemeen.

Randall en Gordon probeerden daarna twee ambulanceverpleegkundigen door het gewoel naar hen toe te leiden. Shackleton zag ze aankomen en leidde Carter bij hen weg. Het zou hun imago als pioniers geen goed doen als het publiek hen in een deken gewikkeld achter in een ambulance zag zitten.

'Dames en heren... wat meneer Carter en mij betreft is dit hoofdstuk gesloten. We hebben notitie genomen van de grieven van de bewoners van Flamborough en zullen er alles aan doen om de zaak op te lossen. Met ingang van morgen. Voor vanavond is het mooi geweest. Het is tijd om naar huis te gaan. Dank u.'

De kwetsbare, innemende glimlach die hij hun daarbij schonk deed alle harten smelten. Ze werden verblind door het flitslicht van de camera's. Carter stond naast hem, broos, verbrand maar vergevingsgezind. Elke slang en elke rat van elke krant wist dat hij het beeldverhaal van het jaar had binnengehaald.

Shackleton en Carter gingen voorzichtig op de achterbank van de patrouillewagen zitten. Gordon nam, stijf en formeel als altijd, achter het stuur plaats en bracht hen weg. Als sterren die na een triomfantelijke doch roerige première het theater verlaten. Het opruimen van de rotzooi werd aan anderen overgelaten.

De drie mannen zwegen tijdens de rit terug naar de pub. Toen ze in het donker voor de dichte kroeg uit de auto stapten, begonnen ze de pijn te voelen. Hun brandwonden waren rauw en bedekt met zwarte blaren. Shackleton was bang dat Carter flauw zou vallen. De donkerblauwe serge van zijn uniformbroek had zich in de huid van zijn benen gebrand. Nu de adrenaline was weggevloeid, sloeg de pijn in alle hevigheid toe.

Carter braakte, leunend op de motorkap van zijn auto. Zijn chauffeur ving hem op toen hij kreunend in elkaar zakte. Gordon had ervoor gezorgd dat de ambulance hen volgde en Carter werd snel de ziekenwagen binnengeloodst. Nu, buiten het zicht van de camera's, stortte hij in, rillend als gevolg van shock.

Shackleton stond door de openstaande deuren naar hem te kijken.

'Alles goed?'

Carters gezicht vertrok van pijn.

'Ja. Ga je ook mee?'

'Nee', zei Shackleton. 'Ik denk dat ik naar huis ga.'

De verpleegkundige sputterde tegen. 'Het spijt me, meneer, maar u moet die brandwonden laten verzorgen. U kunt beter met ons meegaan.'

Shackleton wilde hem slaan, zijn neus verbrijzelen en bloed zien vloeien. Hij wilde iemand pijn doen, en die sufferd in zijn groene jasje leek er de perfecte kandidaat voor te zijn. Die vlaag van gewelddadigheid, die behoefte om iemand pijn te doen. Hij glimlachte.

'Dank u voor de goede raad. Ik zal meteen de dokter bellen als ik thuis ben. Goedenavond. Geoffrey, wij praten morgen verder, maar volgens mij hebben we het er goed van afgebracht.'

De verpleegkundige sloot de deuren van de ambulance, waarbij hij opmerkte wat een aardige man Tom Shackleton toch was. Carter hoorde hem niet; hij was al buiten bewustzijn. Zijn chauffeur volgde met zijn auto de ambulance.

Gordon zat in de patrouillewagen. Het strakke, atletische lichaam nog steeds alert, de bruine, dierlijke ogen zagen alles. Als hij al ergens aan dacht, was dat niet van zijn gezicht af te lezen.

Hij had zijn wapen niet laten afpakken door dat stelletje nikkers. Gordon was geen racist: hij verachtte iedereen die de wet aan zijn laars lapte en noemde ze allemaal bij dezelfde naam. Vrouwelijke misdadigers waren potten, veroordeelde homo's flikkers of pedofielen, afhankelijk van het misdrijf, en alle anderen die als verdachten werden aangehouden, of ze nu uit Albanië of Zimbabwe kwamen, waren nikkers.

Maar dit gold niet voor collega's: dat waren dames, nichten of zwartjes, respectvolle benamingen uit domheid geboren. Benamingen die in gedachten gebezigd werden niet inbegrepen, want die konden niet worden gecontroleerd.

De pijn en vermoeidheid deden Shackleton smachten naar een borrel. Hij wilde zich net omdraaien en in de auto stappen, toen een stem hem tegenhield.

'Alles in orde, Thomas? Heb je je gevecht gekregen?'

De drie vrouwen keken hem aan. Ze zaten zich nu koelte toe te wuiven en het vuur in het metalen badje was omringd door flakkerende kaarsen. Kaarsen op schoteltjes, kaarsen in jampotten, grote exemplaren, gekleurde exemplaren, enorme paaskaarsen en rijen verjaardagskaarsjes. Het was een vreemd, maar fascinerend gezicht. Onwillekeurig liep hij naar hen toe.

'Kom verder! Kom verder!'

De dikke vrouw grinnikte en wenkte hem in de lichtcirkel te komen.

'Francine… haal mijn verbandtrommel eens. Kom hier, Thomas, ga zitten, ga zitten!'

Sinds het verhaal op het avondnieuws was geweest, voelde Lucy zich misselijk. Ze had gezien hoe de benzinebom vlak voor Toms voeten was neergekomen, hoe hij door een paar jongens werd geduwd en geslagen, en daarna naar een laag gebouwtje werd geleid, omringd door een woedende menigte. Trillerige beelden, die uit de hand waren gefilmd. Gary had een handvol coproximaltabletten ingenomen, die de pijn echter niet hadden verzacht, waarna hij het geprobeerd had met een paar glazen whisky. Nu lag hij rusteloos te slapen.

Lucy was blij dat ze haar angst en bezorgdheid niet hoefde te verbergen. De beelden van de gewonde Tom deden haar zo hevig naar hem verlangen dat ze zichzelf hoorde kreunen terwijl ze de borden van het avondeten aan het afwassen was. Een bloedende, hulpeloze, gewonde Tom wond haar meer op dan een gezonde, dominante Tom. Ze keek naar beneden, maar zag daar niet het donkere afwaswater of de etensresten die erin ronddreven, maar zijn grote ogen die naar haar opkeken, vol vertrouwen, vol verlangen.

Lucy trok de stop eruit; ze was zich bewust van haar dwaasheid, maar kon die niet onderdrukken. Ze voelde zich weer een puber. Haar leven leek weer even onvervuld als toen ze zestien was, haar dromen leken weer even bevrijdend en haar behoefte aan romantiek leek weer even wanhopig. Met een bord in de hand, gewikkeld in een droogdoek met lentebloemen, liet ze zich huilend op de vloer zakken. Huilend en steeds zijn naam herhalend: 'Tom... o, Tom... O god, Tom... Tom.'

Maar zelfs nu, op een dergelijk dramatisch moment, dempte ze haar stem en onderdrukte ze haar snikken. Ze sloeg haar hand voor het gezicht en jammerde: 'O god, Tom, ik verlang zo naar je.'

Als hij op dat moment was binnengekomen, haar gekust had en met zijn tong langs haar lippen had gestreken, zou ze nog steeds het bleekwater op haar vingers hebben geroken waarmee ze het aanrecht had schoongemaakt. Ze zou nooit loskomen van zichzelf. Ze snoof de zwembadgeur op, stond kalm op en waste haar handen met geparfumeerde zeep.

Hoewel ze alleen was, voelde ze zich opgelaten. Alsof ze zich belachelijk had gemaakt. Erger nog, met zichzelf te koop had gelopen, zoals haar vader zou zeggen. Ze vond dat ze zich niet zo had moeten laten gaan en hekelde haar gebrek aan zelfbeheersing. Van puber was ze nu de ouder geworden. Tenslotte voelde ze die dingen niet echt voor Tom. Het was gewoon verveling. Als ze een hobby had, zou ze niet steeds aan hem hoeven te denken. Golf bijvoorbeeld, of volksdansen bij de Weight Watchers. Ze pakte een pen uit de schaal op de keukentafel en schreef zijn naam op: Tom Shackleton. Daarna schreef ze er, met aaneengesloten letters, haar meisjesnaam, Lucy Campion, overheen. De stemmen uit haar kindertijd vertelden haar in koor niet zo onnozel te zijn en zich te vermannen. Ze schudde haar hoofd om de stemmen te verdrijven en pakte een doosje lucifers uit de keukenla. Ze legde het stukje papier met hun vervlochten namen op een schoteltje, streek een lucifer af en hield die bij het papier.

Terwijl ze dit deed en een bezweringsformule verzon, sloot ze een akkoord met God: als het papier opbrandde zonder dat er een spoor van hun namen achterbleef, zouden ze samen verder gaan. Zoals ze ook een akkoord sloot met de schikgodinnen als ze zichzelf met haar vingers tot een climax bracht. Als ze klaarkwam zonder zijn gezicht voor zich te zien, zou ze hem in werkelijkheid nooit meer in zich voelen.

Iedere dag voerde ze een reeks rituelen uit, zoals niet op de scheuren in het trottoir stappen. Kleine bijgelovigheden om zich ervan te overtuigen dat Tom Shackletons vrijpartij met haar geen vergissing was geweest, die eerder medelijden dan verachting verdiende. Ze moest wel geloven dat het nog een keer zou gebeuren, als het niet uit liefde was, dan uit genegenheid.

Het zwart verkoolde veertje papier vertoonde geen wit, geen woorden. Als ze geen ekster zag, zou alles goed met hem zijn. Als de naam 'Tom' die avond in de aftiteling van een televisieprogramma voorkwam, zou hij veilig zijn en zouden ze samen verder gaan.

Ze schudde haar hoofd en zette de kinderachtige gevoelens van frustratie en verlangen van zich af. Ze voelde zich een beetje opgelaten, alsof iemand had gezien hoe ze op de keukenvloer had zitten huilen om een man die ze nauwelijks kende, en als een middeleeuws keuterboertje akkoorden had zitten sluiten met een kille, afstandelijke god.

Ze ging naar de woonkamer, zapte langs de televisiekanalen op zoek naar meer nieuws over Tom Shackleton en stopte een lege videoband in de recorder, hoewel haar verstand haar ingaf dit niet te doen. Maar waarom niet? Lucy had al drie banden van hem, waarop hij over van alles en nog wat praatte: van porno tot diefstal van aardappelen uit volkstuintjes.

Janet had Jenni thuis gebeld toen de Chef in Flamborough was aangekomen. Ze wist dat hij er niet aan had gedacht zijn vrouw te bellen.

Toen de telefoon ging, zat Jenni in bad de herinneringen aan haar lunch met de Dwerg van Chipping Camden van zich af te wassen. Ze had lavendelolie en een druppel rozemarijn aan het badwater toegevoegd, het eerste ter ontspanning, het laatste als desinfecterend middel. Aromatherapie en een spirituele douche.

Niet dat hij veel meer had kunnen doen dan zichzelf een erectie aan te praten. Het was hem gelukt zijn vingers tot aan het strakzittende kant van haar slipje te krijgen tussen het hoofdgerecht en de koffie, maar verder niet. Als Jenni niet zo vertrouwd was geweest met het feit hoe mannen konden veranderen bij het vooruitzicht seks te hebben met een onbekende vrouw, zou ze misschien geïntrigeerd zijn geweest door de schizofrene Dwerg. Maar ze was er al voordat haar leeftijd in dubbele cijfers werd uitgedrukt, van op de hoogte geweest dat een stijve pik geen geweten had.

Ze lag in haar bad met zachte rondingen, in haar verzonken badkamer, aan de toekomst te denken. Haar man zou lid van het Hogerhuis worden. Werkend lid van het Hogerhuis. Ze zouden uitgenodigd worden op Chequers en Sandringham, niet als verplicht nummer omdat hun naam op de rol stond, maar als goede vrienden en raadgevers.

Eens zou de dag komen waarop Tom en zij aardig konden zijn. Hoe succesvoller ze waren, hoe meer ze konden geven. Maar Jenni gaf nooit grote sommen geld uit.

Jenni, als altijd op haar hoede voor zelfgenoegzaamheid, verplaatste haar gedachten naar de lijst van machtigste mensen in het land, die ze onlangs in een krant had zien staan. Haar man was niet in de top-driehonderd voorgekomen. Geoffrey Carter wel. Die had connecties met de regering. En zijn vrouw Eleri had ongewild aan de hoge notering bijgedragen, omdat ze nog familie van Lloyd George was.

Frustratie en voldoening vochten in haar hoofd om voorrang, maar geen van beide zegevierde.

De telefoon rinkelde. Ze liet hem driemaal overgaan. Dat deed ze altijd. Misschien bracht het geluk, bovendien wilde ze niet te gretig overkomen. Ze nam op en zei behoedzaam: 'Hallo?' om de beller ertoe te verleiden aardig tegen haar te zijn.

'O... hallo, mevrouw Shackleton, sorry dat ik u stoor.'

Jenni wist dat Janet een goede secretaresse en assistente voor haar man was. Een aardige, simpele ziel, die geen bedreiging vormde en wier leven draaide om haar bejaarde moeder en haar stacaravan in Rhyl, maar ze irriteerde Jenni. De meeste vrouwen irriteerden haar, maar van Janets monotone verontschuldigende stemgeluid gingen haar witgepolijste vullingen helemaal los zitten.

'Wat is er, Janet. Heeft Tom zich weer misdragen?'

Ze maakte altijd grapjes met het personeel, omdat ze wist dat dit gewaardeerd werd.

'Meneer Shackleton is naar een... eh... nou ja...'

Lieve hemel, gooi het er toch gewoon uit, dom wijf.

'Nou, het is een soort rel, geloof ik. Het zal wel op het nieuws komen.'

'Als mijn man erbij betrokken is, komt het op het nieuws.' Jenni liet er een samenzweerderig lachje op volgen. 'Dank je, Janet. Hoe is het met je moeder?'

'Ach, alzheimer, hè', zei Janet. 'Dan weet u het wel.'

Ze zei het luchtig, als altijd erop bedacht dat anderen de ellendige waarheid niet willen horen. Maar op Jenni kwam ze over als een slechte amateurtoneelspeler die kans zag om steeds de klemtoon op de verkeerde lettergreep te leggen, waardoor elke grap of kwinkslag bij voorbaat de mist in ging.

Jenni bleef echter vriendelijk en lachte toch maar.

'En of ik het weet, Janet. Je bent zo dapper.'

'Nee, mevrouw Shackleton, dat ben ik niet. Maar niettemin bedankt. Goedenavond.'

'Goedenavond, Janet.'

Ze legde de telefoon neer. Meteen ging hij weer.

De stem van haar dochter klonk hoog en opgewonden. 'Mem... Heb je pappa op het nieuws gezien? Ze gooien molotovcocktails naar hem. God... wat háát ik de politie. Waarom is hij niet gewoon accountant geworden of zo?'

Jenni rees als een Afrodite van het nieuwe millennium uit het bad op, met in de ene hand de telefoon en in de andere de afstandsbediening.

'Omdat hij politieman wilde worden, zodat hij dingen kon veranderen. Dat weet je.'

Of omdat hij liever zelf met stront gooide dan ermee bekogeld te worden, zoals Jason het eens had geformuleerd, wat hij beter niet had kunnen doen. Ze herinnerde zich weer de pijn in haar hand nadat ze hem een klap had gegeven, en de witte afdruk van haar hand op zijn wang, die daarna rood was geworden.

'O, god. Ik kom meteen naar je toe, je mag nu niet alleen zijn.' Tamsin verbrak de verbinding. Haar hysterische dochter kwam voor haar zorgen. Jenni vond haar emotionele reacties op alles vermoeiend, maar veroordeelde haar niet, wat ze trouwens bij geen van haar kinderen deed. Tamsin zou ongetwijfeld haar zoontje meebrengen, en ook haar zus optrommelen om mem te ondersteunen. Gelukkig was Chloe, haar meest neurotische spruit, in India om 'zichzelf te vinden'.

Jenni zette de televisie aan. Het verhaal had het landelijk journaal nog niet gehaald, alleen het plaatselijk nieuws, na een brandje in een frituurpan en een echtpaar dat al vijfenzeventig jaar gelukkig getrouwd was. Toen zag ze hoe de twee hoofdcommissarissen werden aangevallen en een smerig gebouwtje binnen werden gesleurd, en wist ze dat het echt nieuws was.

Ze wist dat dit een kans voor haar man was om zichzelf te bewijzen. Het hele land zou dit zien. Ging het mis, dan was het afgelopen met hem. Ze pakte een flesje rode nagellak en dwong zichzelf de lak volmaakt op te brengen.

Tegenover haar hysterische dochter, haar bezorgde dochter en haar apetrotse zoon zou ze zich voordoen als het koele middelpunt dat op alles een antwoord had.

Jenni bekeek zichzelf naakt in de passpiegel. Ze draaide zich om en streek met haar handen over haar billen en dijen. Geen cellulitis. Haar buik was ondanks de zwangerschappen nauwelijks dikker geworden. De vage aftekening van een zwangerschapsstreep bij haar heup werd 's morgens en 's avonds volhardend met zevensterolie ingesmeerd.

Hoe druk ze het ook had, ze maakte altijd tijd vrij om haar lichaam te inspecteren; voor haar was dat even kalmerend als meditatie. Ze streek de spieren onder haar gave huid glad. Ze fronste licht het voorhoofd toen ze zag dat haar ellebogen en knieën iets sneller verouderden dan de rest van haar lichaam. En was dat een rimpel daar in haar decolleté? Ze schudde heftig haar hoofd, en trok toen een dure broek en een wijde blouse aan. Het haar in een Griekse rol, wat glans op de lippen en klaar was ze.

Toen ze de woonkamer binnenkwam, ging de telefoon weer. Het was de Dwerg.

'Wat heb je toch een dappere echtgenoot. En ziet hij er niet knap uit!'

'Vind je? Het valt me niet meer op. Geef mij Geoffrey Carter maar…' Jenni's stem had een plagerige ondertoon gekregen.

'O, lijkt hij je wel wat? Windt hij je op?'

Ze had zitten vissen om erachter te komen of Carter meer in de gunst was dan Tom, maar had alleen slib opgehaald.

'Nee.' Had haar stem te scherp geklonken?

'Van een tekenfilmfiguur raak ik niet opgewonden. Daar is meer voor nodig. Dat weet je best.' Ze was zachter gaan praten om haar stem even intiem te laten klinken als die van hem.

'Ik hoopte al dat je dat zou zeggen.'

Ze kon de tevredenheid in zijn stem horen doorklinken.

'Ik ben benieuwd hoe jouw Tom dit aanpakt. De premier trouwens ook, dat weet ik. De Londense politie heeft binnenkort immers een nieuwe hoofdcommissaris nodig, en iemand die rassenkwesties niet uit de weg gaat, heeft bij hem en bij mij een streepje voor.'

Jenni slaakte een diepe zucht, een zwakke afspiegeling van Marilyn Monroe.

'O, ik zou je zo dankbaar zijn…'

'Dat weet ik, Jenni. Ik voel nu al hoe dankbaar je bent. Wat heb je aan?'

Zijn stem was veranderd. Dit was geen onschuldig geflirt meer.

'Niets', loog ze. 'Ik lag in bad. Gelukkig praat ik niet met je via beeldtelefoon.' Ze lachte en probeerde het gesprek weer een kokette wending te geven.

Hij was niet geïnteresseerd in hoffelijkheid.

'Ik wil je naakt zien. Ik wil over je rug pissen…'

De voordeur ging open en Tamsins zoontje vloog op haar af en riep: 'Oma, oma, optillen.'

Ze was er niet zeker van of ze hem goed had verstaan, maar er was geen tijd om het te vragen. Wat had ze ook moeten zeggen? 'Sorry, maar zei je nou echt net dat je over mijn rug wilde pissen?' Dat was belachelijk. En daarom zei ze: 'Nou, ik verheug me er nu al op. Tot kijk!' en legde de telefoon neer.

Haar tweejarige kleinzoon, Kit, wilde zich in haar armen werpen, maar Tamsin ving hem op voordat hij schade kon aanrichten. Het verbaasde Jenni altijd hoe destructief kinderen konden zijn; ze had ze dan ook nooit aangemoedigd haar als klimrek te gebruiken.

Jenni zette de televisie aan, waarna ze, voorzover hun beider temperament en de aanwezigheid van een hyperactieve tweejarige dat toelieten, de situatie besproken, tot het late nieuws begon. Het begon met de belegering en gijzeling, zoals het nu genoemd werd. Tamsin begon te huilen, overdreven te huilen, zoals altijd.

Jenni riep haar tot de orde.

'Hou op! Je maakt Kit nog overstuur. Kom maar bij oma zitten, lieverd.'

De kleine jongen, die opgelucht was dat hij de verantwoordelijkheid voor zijn onvoorspelbare moeder niet op zich hoefde te nemen, ging rustig naast zijn oma zitten, hoewel hij wist dat zij even wispelturig kon zijn als zijn moeder. Tamsin kon het drama dat ze zelf veroorzaakt had niet langer verdragen en verdween naar de keuken om een warme drank te maken.

Jenni voelde, terwijl ze naar de televisie zat te kijken, haar emoties als een slang door haar lijf kronkelen. Haar gedachten waren gevat in clusters van woorden, waar met een dolk op ingehakt leek te worden. Als Tom dit verknalde, was het met hem gebeurd. Uitgerangeerd. Het woord bleef door haar hoofd zingen, als bij een cd die was blijven hangen.

Ze haalde de dop van het flesje nagellak en trok langzaam het rode kwastje eruit. De laserstraal verplaatste zich en een nieuwe reeks woorden kwam vrij. Haar man was in wezen een aardig iemand, een goed mens, maar onontwikkeld, een onbeschreven blad. Ambitieus, maar niet doelgericht. In algemene zin had hij zijn succes te danken aan het feit dat hij verknocht was aan zijn werk; in specifieke zin aan Jenni's visie, haar gave om in de toekomst te kijken.

Maar ze betwijfelde of hij wist hoeveel er van de afloop van deze avond afhing. De woorden regen zich aaneen en vielen uiteen, terwijl ze een perfect streepje trok over het midden van de bleke nagel van haar wijsvinger.

Toen Kit zijn opa op televisie zag, sprong hij gillend en lachend, met de humorloze overdreven opwinding van een kind, op de kussens van de bank op en neer. Het flesje nagellak viel om, als door een zijwind gegrepen, en de rode lak liep over Jenni's roomgele linnen broek.

Jenni ontstak in woede. Ze pakte het jongetje bij zijn schouder. Hij was verlamd van schrik toen ze zich over hem heen boog. Hij kon niet huilen, zelfs geen adem meer halen en staarde omhoog naar Jenni's gezicht. Ze leek helemaal niet meer op zijn oma. Hij probeerde zich los te wurmen, zijn moeder te roepen, maar ze hield hem nog steviger vast.

Jenni was de realiteit ontglipt. Het kind op de bank was haar onverschillig geworden, een ding geworden, dat aan het uiteinde van een arm door een hand werd vastgehouden die ze niet meer als haar eigen hand herkende. Ze bewoog die hand naar zijn keel en hield die heel lichtjes vast, waarbij haar lange nagels zijn witte, tere huid nauwelijks beroerden. De angst van het kind was interessant. Zou het nog interessanter worden als ze hem meer pijn deed? Kon ze tegen haar natuur in gaan? Jenni was de grens tussen beschaving en de stinkende poelen der barbaarsheid nog nooit zo dicht genaderd.

Ze voelde een sterk, vreemd verlangen om lijden, om dood te zien. Haar hand jeukte, ze wilde weten hoe het voelde om het leven dat die hand omsloot te zien ophouden. Het schenken van leven had Jenni iedere controle ontnomen. Tijdens zwangerschappen en bevallingen had ze zich machteloos gevoeld. Gebruikt. Overgeleverd aan een hogere macht, net als dit doodsbange kind nu.

Ze wist dat als ze het leven uit hem kon wringen, hem nog meer pijn kon doen, ze in de toekomst nergens meer voor zou terugdeinzen. Dat ze zonder genot of afkeer kon martelen en doden, en verlost zou zijn van de beperkingen die de moraal haar oplegde. De toekomst zou vrij zijn van schuld en geweten.

Ze wist dat ze het kon. Het gaf haar een heel bevrijdend gevoel. Ze hoefde niet verder te gaan; het was haar keuze om dat niet te doen.

De stem van de gemeenschap, de dreiging van vergelding hielden haar niet tegen, ze koos er zelf voor omdat ze wist dat ze even gemakkelijk door kon gaan.

De telefoon ging. Ze lachte en kuste Kit, liet hem toen met een aai over zijn wang gaan en nam op. Het kind was te bang om te schreeuwen of te huilen en dook weg in de kussens, zonder zijn ogen van zijn oma af te houden. Ze lachte naar hem en streek met haar roodgelakte nagel over zijn neus. Hij zag er echt allerliefst uit. Ze herkende Toms zachtaardige kwetsbaarheid in zijn grote ogen. Die blik die haar tegelijk aantrok en tot razernij bracht.

'Hallo.'

'Jenni? Met Eleri. Wat hebben onze mannen zich nu weer in het hoofd gehaald?'

Jenni hoorde kinderstemmen en het geluid van de televisie op de achtergrond. Ze zag de huiselijke chaos al voor zich, en Eleri, voluptueus, op blote voeten en zonder make-up, gekleed in een overhemd van haar man en een broek met veel zakken.

'Ze willen ongetwijfeld de wereld van de ondergang redden.'

'Weet je Jenni, Geoffrey belde me voordat hij erheen ging. Hij had een voorgevoel dat het niet goed zou aflopen. Enfin, ik dacht als jij ook alleen thuiszit, dan heb je misschien wel zin om hierheen te komen. Je bent altijd welkom. Ik ben alleen met de jongens hier.'

Vreemd genoeg gingen Jenni's nekharen bij dit tuttige en hoogst ongepaste voorstel niet overeind staan. Eleri had iets heel warms over zich, en haar genegenheid voor Jenni en Tom was zo oprecht gemeend dat Jenni haar, ondanks haar aanvankelijke achterdocht, graag mocht. Ze was op Eleri gesteld zoals je op een domme, maar aristocratische Ierse setter gesteld kon zijn.

'O, Eleri, dat is echt heel aardig van je, maar mijn kinderen zijn net gekomen. En ik wil ook graag thuis zijn voor Tom, als het straks allemaal achter de rug is.'

Eleri had er alle begrip voor, en de twee vrouwen namen afscheid zonder hun werkelijke gevoelens over wat er gebeurd was te uiten. Jenni legde de hoorn neer en was Eleri al vergeten. Het jongetje zat nog steeds stijf van angst op de bank naar zijn oma te staren. Jenni glimlachte naar hem, ook al had hij haar geprovoceerd... Ze voelde plotseling een diepe genegenheid voor hem. Hij maakte tenslotte deel uit van de volgende generatie Shackletons. Tot de dynastie die zij had gesticht.

'Tamsin!' riep ze. 'Breng Kit eens wat koekjes. Ik ga even een andere broek aantrekken.'

Op televisie waren een jongen en een meisje fel met elkaar in debat over wat de jeugdige relschoppers met de twee hoofdcommissarissen zouden doen.

De drie vrouwen hadden Tom uit zijn jasje geholpen en de mouwen van zijn overhemd opgerold, en hem daarna op een stoel neergepoot. Deze vierde stoel was van hout en bestond uit een laag zitgedeelte met hoge rugleuning die in elkaar schoven. Hij was bang dat de stoel onder zijn gewicht zou bezwijken, maar deze zat verrassend comfortabel. De stoel dwong hem ertoe zich te ontspannen. De hemel was onbewolkt en de sterren straalden feller dan normaal. Het was een warme nacht. Droog. Goed weer voor een rel. Zijn verbrande huid deed pijn nu, een kloppende pijn die maat hield met zijn hart.

De magere vrouw was de flat binnengegaan en teruggekomen met een plastic emmer en een uitpuilende boodschappentas waarop stond: HARRODS-SALE. Ze zette de emmer voor de dikke vrouw neer en ging op haar tuinstoel zitten, die gevaarlijk doorzakte. Ze vormden nu een cirkel, met de emmer in het midden.

De Afrikaanse vrouw stak zonder te glimlachen of met de ogen te knipperen haar hand in de boodschappentas en haalde er een fles olie uit. Er zat geen etiket op, maar toen ze de dop eraf haalde en een dun, goudkleurig straaltje in de emmer goot, rook het naar zachte, mediterrane geraniumbladeren. Een scherpe, zoete geur. De tanige vrouw haalde een bosje kruiden uit de tas, trok het aan stukken en gooide alles in de emmer.

Tom keek toe en zag dat het qatbladeren waren, een verdovend middel dat populair was bij West-Afrikanen. En illegaal. Hij wilde iets zeggen, maar had het gevoel van een afstand naar zichzelf te kijken zonder tot spreken in staat te zijn. Met een vaag gevoel van afkeuring sloeg hij de dikke vrouw gade, terwijl ze met zijn stokje de

80

bladeren door de olie roerde. Hoe kwam ze aan zijn stokje? En waar was Gordon? Hij moest naar huis. Jenni zou kwaad zijn.

Terwijl ze met haar grote, bruine hand in de olie roerde, voegden de andere twee vrouwen er meer dingen uit de boodschappentas aan toe. Een fles bronwater, poeders en de stinkende inhoud van drie plastic injectiespuiten.

Tom wist dat hij weg moest gaan, maar hij kon het niet. Hij had zich als jonge politieagent een keer vrijwillig laten hypnotiseren in een club, omdat hij erbij had willen horen. Het had niet gewerkt, maar hij had de hocus-pocus meegespeeld en gedaan wat de sjofele hypnotiseur van hem had verlangd. Na een poosje had hij er genoeg van gekregen, maar toen hij het podium wilde verlaten, had hij gemerkt dat hij niet overeind kon komen. Nu voelde hij weer diezelfde hulpeloosheid, terwijl hij aan de rand van deze roerige stadswijk met drie vrouwen rondom een plastic emmer zat.

De vrouwen zongen zacht boven het brouwsel, dat een weerzin-wekkende geur verspreidde, die tegelijk iets vreemd aantrekkelijks had. Tom probeerde zich te herinneren waar hij de geur van kende. Opeens wist hij het weer. Het was de scherpe, doordringende geur die hij tussen vrouwenbenen had geroken. Troostend en afstotelijk tegelijk, en zo sterk dat hij die bijna kon proeven.

De Afrikaanse vrouw ging achter hem staan, leunde over zijn schouder en pakte met haar lange, elegante vingers zijn polsen vast. Hij voelde haar wang tegen de zijne en verbaasde zich erover hoe zacht die was. Hij kon de verleiding niet weerstaan, deed zijn arm omhoog, hoewel ze zijn pols nog steeds vasthield, en raakte haar gezicht aan. Hij kon niet zien wat hij aanraakte, maar het voelde als de schubben van een dode vis. Koud en glad de ene kant op, vlijmscherp de andere kant op. Verschrikt trok hij zijn hand terug. De vrouwen lachten.

'Hier', zei de dikke vrouw, terwijl ze haar grote lijf naar hem toe keerde, zodat hij de diepe spleet tussen haar borsten kon zien. De bovenste knopen van haar jurk waren eraf gesprongen en het dunne katoen was opengevallen. Ze schepte een handvol slurry uit de emmer. De greep van de zwarte handen om zijn polsen verstevigde zich. Hij voelde angst, maar die angst leek niet uit hemzelf te komen.

De vrouw stak zijn verbrande handen naar voren en hij zag hoe de andere twee het brouwsel op zijn huid smeerden. Het gaf meteen verlichting, voelde koel aan, alsof hij tijdens een warme nacht in katoenen lakens werd gewikkeld.

'Zo, Thomas…'

De dikke vrouw glimlachte tegen hem terwijl ze zijn handen vasthield. Die van haar waren groter.

'En nu dit opdrinken…'

De magere vrouw doopte een jubileumbeker van het koninklijk paar in de emmer en lengde de inhoud aan met Britse sherry uit een fles die naast haar stoel stond. Hij verzette zich niet en dronk het op.

'Luister goed naar ons, Thomas.'

De drie vrouwen keken hem aan, waarna de dikke vrouw, nog steeds glimlachend, nog steeds ruim in het vlees, vervolgde: 'Er is een mooie toekomst voor je weggelegd, Thomas. Je zult krijgen wat je wilt.'

'En wat je verdient', voegde de magere vrouw eraan toe. Haar stem klonk droog en breekbaar.

De Afrikaanse vrouw sprak met zo'n zwaar accent dat hij bijna niet verstond wat ze zei.

'Dat is niet hetzelfde. We vertellen hem over zijn dromen. Niet over zijn nachtmerries.'

'Breng hem niet in de war.'

Het grote, warme, bruine gezicht voor hem zag er vriendelijk, hartelijk uit. Zij wilde niet dat hij overstuur raakte. Hij voelde haar genegenheid voor hem. Haar moederlijke zorg. De zorg waar hij altijd naar had verlangd, maar die hij had leren wantrouwen. Hij wilde vragen stellen. Hij wilde een glas water. Hij wilde melk met een wolkje… nee, een kop thee. Melk met een wolkje thee had hij als kind gedronken, op die zeldzame momenten dat zijn moeder hem troost bood. Een kop thee was beter. Hij wilde weg. Het lukte niet.

'Wat wil je, Thomas?'

Shackleton vond het moeilijk de woorden te formuleren. Als in slowmotion zei hij: 'Hoofdcommissaris, Londense politie…'

Hij kon de uitdrukking op het gezicht van de vrouwen niet

ontcijferen. Hun gezichten zagen er gesloten uit, alsof ze hem niet gehoord hadden.

'Ik wil... hoofdcommissaris worden.'

Ze knikten.

'Maar... Carter is favoriet. Geoffrey Carter...'

Hij voelde zich niet dronken, alleen ver verwijderd van alles, alsof hij zichzelf door een omgekeerde telescoop zag. Dit moest een droom zijn, want hij vertelde nooit iemand wat hij wilde of waarnaar hij verlangde. Aan niemand. Jenni vertelde hem wat hij wilde.

De Afrikaanse vrouw met het blauwzwarte gezicht en de lege ogen bracht haar gezicht vlak bij het zijne.

'Carters verhaal is niet jouw verhaal. Jij wilt wat jij wilt, hij krijgt wat hij krijgt.'

De gezichten van de andere twee vrouwen kwamen ook dichterbij.

'Wees dus voorzichtig, Thomas, let erop dat je in je eigen verhaal blijft. Dwaal niet af naar dat van een ander, want je verknalt je toekomst ermee. En daar komt ellende van. Dood in je ziel. Hoor je wat ik zeg, Thomas? Hoor je me? Het loon der zonde is de dood.'

Hun stemmen klonken even veraf als die van een verpleegster door een narcose heen, maar ze riepen wel beelden op van zijn toekomst. Ze hadden hem zijn verlangen laten uiten en met het vrijkomen van zijn woorden was dat verlangen concreet geworden. Zijn ambities hadden nu postgevat in donkere bomen, als eksters, kraaien en roeken.

Gordon belde aan. Lucy keek vanuit haar donkere woonkamer toe. Ze zag Shackleton niet in de auto zitten. Ze had op de televisie gezien hoe er een eind aan de belegering was gekomen. En hoe Tom zijn ernstig verbrande collega onder het blauw-witte lint door had geholpen. Ze had hem horen praten, voorzichtig maar onverschrokken, en de opluchting in zijn stem gehoord. En nu stond zijn auto daar. Maar Tom zag ze niet.

De voordeur ging open, Jenni praatte even met Gordon en daarna liepen ze met zijn tweeën, gevolgd door Jason, Tamsin en Jacinta, naar de auto. Lucy stond als verlamd toe te kijken, toen ze

Shackleton langzaam van de achterbank trokken. Ze leken zo'n hecht gezin dat ze zich buitengesloten voelde, onbelangrijk. Ze droegen hem naar binnen. De buitenverlichting ging uit. Lucy kreeg het gevoel alsof ze door zwart glas probeerde te kijken.

Binnen was ondertussen een ruzie aan de gang over wat er met Tom moest gebeuren. Jenni was ervan overtuigd dat hij dronken was en walgde van hem. Gordon probeerde haar gerust te stellen en zei dat hij ziek en uitgeput was. En Jason, die zijn brandwonden had gezien, stond erop dat de dokter gebeld werd.

'Jezus... hij stinkt een uur in de wind. Waar is hij geweest?'

Gordon gaf geen antwoord. Alles wat hij tegen mevrouw Shackleton zei, zou toch verkeerd zijn; dat was het altijd.

'Toe, angsthaas, zeg op, hoe komt het dat de Chef zo stinkt?'

Gordon gaf zijn beste imitatie van een doofstomme met leerproblemen.

'Goed, breng hem maar naar boven, naar de logeerkamer. Die stank gaat overal in zitten. Komt het van dat spul op zijn handen? Jacinta, haal wat water en was je vaders handen. Wie heeft dat erop gesmeerd? Een dokter? Ach, waar maak ik me ook druk om.'

Gordon keek haar na terwijl ze de trap op rende en volgde haar met Tom die hij bijna moest dragen. Met het hoofd van de Chef op zijn schouder probeerde hij het zuur van het zoet te onderscheiden in mevrouw Shackletons woorden. Zoals gewoonlijk lukte hem dat niet. En zoals gewoonlijk hield hij zijn mond.

Jenni zette in de bedompte kamer meteen de ramen open. Gordon begon Shackleton uit te kleden, omdat hij dacht dat hij in bed gestopt moest worden.

'Laat hem met rust.' Jenni realiseerde zich dat het te scherp klonk. Dat ze uit haar rol was gevallen.

'Sorry, Gordon, ik doe het wel. Ga jij maar naar huis. Ga maar. Het is een lange, zware dag geweest, nietwaar?'

Gordon knikte en glimlachte, en was blij dat hij weg mocht. Hij wilde niets liever dan zijn pistool afdoen en een borrel nemen. Het enige wat hem die avond echt angst had aangejaagd, was de vrouw van de Chef.

Jason passeerde Gordon op de trap en probeerde beleefd te zijn, maar Gordon was al weg voordat hij zijn moeders gebrek aan goede manieren kon compenseren.

Toen Jason de kamer binnenkwam, zat Jenni van een afstandje naar Tom te kijken. Hij lag wijdbeens op bed, zijn overhemd half losgeknoopt. Hij transpireerde en mompelde iets.

'Dronken', zei Jenni.

'Nee, dat geloof ik niet, mem. Kijk dan naar hem, hij is ziek. Kijk dan.'

Maar Jenni bleef met de armen over elkaar zitten waar ze zat. Ze wilde hem wel aanraken, maar kon het niet. De geur die hij verspreidde, had ze eerder geroken. De adem van de Dwerg had zo geroken. De geur van vrouwen.

Jason drong niet verder aan, omdat hij wist dat het geen zin had. Hij kleedde zijn vader uit en trok het donzen dekbed over hem heen. De verbrande handen legde hij er voorzichtig bovenop. Aan de zijkant van zijn vaders gezicht en op zijn oor zaten ook blaren. De meisjes kwamen binnen met water en een vreemde selectie geneesmiddelen uit Jenni's verbandtrommel: voetpoeder voor atleten en ontsmettingsalcohol.

'Ik heb de dokter gebeld. Het antwoordapparaat staat vol met boodschappen en de fax loopt bijna vast', zei Jacinta, een praktisch meisje van negentien met een breed achterwerk en dikke enkels, dat een opleiding volgde voor toneelmeester aan een toneelschool waarover Jenni kon opscheppen.

Ze liet zich naast haar vader op het bed neerzakken en begon vaardig en onverstoorbaar zijn handen te wassen in de kom met koud water die Tamsin vasthield. Ze merkte echter algauw dat met de zalf ook de huid losliet. Het water kleurde rood van het bloed. Ze hield ermee op. Voelde zich misselijk worden.

Jason zag wat er gebeurde.

'Laat maar, Jacinta. Wacht maar tot de dokter er is.'

De kinderen voelden zich opgelaten. Hun moeder worstelde zoals altijd met haar eigen tegenstrijdige gevoelens en was onbereikbaar voor ze. Nu Tamsin Kit naar bed had gebracht, kon ze huilen zoveel ze wilde en zich als een Griekse weduwe laten gaan. Jacinta en Jason zaten ieder aan een kant van hun vader en probeerden hem te kalmeren en verkoeling te geven.

Het kostte die twee geen moeite om van Tom Shackleton te houden. Geen complicaties, geen voorwaarden. Het was stil in de kamer, op Tamsins zachte gesnik na, ieder was met zijn eigen gedachten bezig.

Jenni wist dat de boodschappen en faxen van de radio, de televisie en de kranten afkomstig waren, omdat ze een interview met haar man wilden. Ze had de telefoon met opzet niet meer opgenomen sinds ze met Eleri had gesproken. Vannacht zou ze een schifting maken. Morgenvroeg zou hij een held zijn of een aanfluiting.

Jenni dacht terug aan haar korte gesprek met Gordon. Had hij niet gezegd dat Carter naar het ziekenhuis was gebracht? Dat hij er slecht aan toe was? Mooi. Dan zou hij morgen nog niet op de been zijn en zou Tom alle interviews doen en in de schijnwerpers staan. Zwak en in het verband, maar dat zou juist volmaakt zijn. Jenni wist dat ze morgen de Dwerg moest bellen om er zeker van te zijn dat de juiste mensen over hem werden ingelicht en het partijapparaat voor haar aan het werk ging. Voor haar en Tom.

De dokter kwam, wat Jenni de gelegenheid gaf om de boodschappen af te luisteren. Het waren er veel en ze klonken veelbelovend. De laatste was van een televisieproducent die vertelde dat de cameraploeg die tijdens de belegering met Tom was meegelopen, over ongelooflijke opnamen beschikte. Iedereen zou er versteld van staan. Ze zouden de hele nacht opblijven om de beelden te monteren.

Jenni leunde tevreden achterover, maar waakte voor zelfgenoegzaamheid. Ze hoopte dat hij morgenvroeg zover was opgeknapt dat hij een kort telefonisch radio-interview kon doen. Alleen serieuze radioprogramma's, geen ontbijttelevisie. Geen dom geklets op gekleurde sofa's. En daarna zou hij zijn opwachting kunnen maken in de nieuwsbulletins die tussen de middag werden uitgezonden.

Verband zou goed staan, bedacht ze. Misschien moest ze teruggaan naar boven om te kijken of de dokter het ook aanbracht. Maar ze was blij dat alles op video stond; als haar man daarop net zo charmant en overtuigend overkwam als anders, dan zou hij onweerstaanbaar zijn. Maar tegen hem zeggen dat ze trots op hem was, zou van zwakte getuigen. Haar goedkeuring mocht nergens uit blijken.

Interviews en kernachtige uitspraken waarmee meer dan een dag gevuld kon worden. Ze stond op, borg de faxen op en keek automatisch in de spiegel om te zien hoe ze eruitzag. Daarna liep ze naar boven.

De dokter was Toms logge lichaam, dat willoos op bed lag, nog steeds aan het onderzoeken.

'Hij lijkt gezond te zijn. Is alleen diep in slaap. Alsof hij gedrogeerd is.'

'Niet dronken dus?' vroeg Jenni alsof haar man geheelonthouder was. 'Sorry, dokter, ik maakte maar een grapje.'

'Eh... mevrouw Shackleton, hebt u dat spul op zijn handen gesmeerd?'

De dokter keurde het duidelijk af, maar hij was een vervanger, het was niet aan hem er iets van te zeggen.

'Nee, dokter. Het zat er al op toen hij thuiskwam.'

De man was opgelucht, maar ook wat bezorgd.

'Het is alleen zo dat eh... Nou ja, ik weet niet wat voor zalf het is, maar als ik het eraf haal, richt ik alleen maar meer schade aan. Ik doe er dus voorlopig alleen een verband omheen zodat er geen infecties ontstaan. En ik zal hem nog een injectie geven. Hij is toch niet allergisch voor antibiotica?'

'Nee, nee, natuurlijk niet. Wat denkt u, dokter, zou mijn man morgen weer beter zijn?' Waarna ze met haar liefste glimlach vervolgde: 'Er is namelijk veel belangstelling van de media.'

'O, ja, ik denk dat hij morgen wel weer de oude is. Ik weet niet wat hij heeft ingenomen, maar hij is er flink van onder zeil geraakt. Maar dat is juist goed. Als hij wakker was geweest, zou hij veel pijn hebben geleden.'

De dokter vertrok met achterlating van pijnstillers en een recept. Jacinta liet hem uit. Tamsin was al uitgeput naar bed gegaan. Haar waren de emoties over het hele gebeuren te veel geworden. Ze was verknocht aan haar vader en had echte tranen gehuild. Zij speelde geen toneel.

Jacinta wachtte tot alles rustig was in huis, voordat ze stilletjes terug zou gaan naar haar flatje in Earls Court dat ze met een andere studente deelde. Haar zus sliep en haar moeder dwaalde door het huis om de aanval voor de volgende morgen voor te bereiden. Jason zat naast zijn vader, dacht nergens aan, maar was te moe om naar bed te gaan.

Jacinta keek hem aan. Ze glimlachten naar elkaar: twee gezonde mensen in een gezin van kneusjes. Ze wilde haar vader een zoen geven, maar durfde het niet. Hij vermeed intimiteiten als hij wakker was en daarom leek het haar, nu hij sliep, helemaal ongepast.

Meteen nadat de ambulance was weggereden, had Carters chauffeur Eleri gebeld. Ze klonk kalm, maar hij wist dat het schijn was. Zoals altijd vroeg ze hoe het met hem ging, of er niemand anders gewond was, en ze leek geen haast te hebben het gesprek af te breken. Hij wilde haar ophalen en naar het ziekenhuis brengen, maar dat weigerde ze: zijn dag was lang genoeg geweest, hij moest naar huis gaan. Ze zou zelf wel iets regelen.

Haar buurvrouw, een al wat oudere weduwe, bood meteen aan om op te passen, en Eleri reed zelf naar het ziekenhuis.

Carter had een kalmerend middel gekregen en zijn brandwonden waren verbonden. Eleri stond over hem heen gebogen, streek over zijn haar en huilde zacht. Ze hield niet alleen van hem, maar aanbad hem.

'Uw man is heel moedig.'

De verpleger nam zijn bloeddruk op en voelde zijn pols, wat hij de rest van de nacht zou blijven doen.

'Anderen zouden het eerder dwaas noemen', zei Eleri. 'Ik weet niet of ik hem moet omhelzen of slaan.'

De verpleger, die er grauw van vermoeidheid uitzag en naar koffie en sigaretten stonk, keek Eleri vanonder zijn lange wimpers aan, waardoor hij er plotseling als een travestiet uitzag.

'Nou, meid, ik zou het wel weten.'

DEEL TWEE

E en aanval van droge hoest haalde Gary vroeg uit zijn slaap. Te vroeg. De dag zou langer duren dan normaal. Hij draaide zijn hoofd om op de opeengehoopte kussens om te zien waar zijn drankje stond. Achter de pillen, bovenop de Scrabble-doos. Mooi. Hij kon erbij, hij hoefde Lucy niet wakker te maken. Hij keek er even naar. Het stond links van hem. Als hij zijn linkerarm gebruikte, zou hij er gemakkelijk bij kunnen komen. Maar zou hij zijn hand ook kunnen draaien om het te pakken?

Het kopje stond achter hem, wat betekende dat hij het in een backhandgreep zou moeten nemen. Nee. Hij was er zeker van dat dit te riskant zou worden; het water zou op de vloer terechtkomen, waardoor Lucy twee klusjes te doen kreeg. Maar als hij zijn arm uitstak tot de achterkant van zijn hand het kopje raakte, en dan probeerde zijn hand op te heffen en achter het kopje te leggen, net als die grijpertjes op de kermis, dan zou het hoofdeinde van het bed in de weg zitten. Bovendien zat er een deksel op het kopje waaruit een gebogen rood-wit rietje stak – de blauw-witte, de kleuren van zijn sportclub, waren uitverkocht geweest – maar het stak er zo ver boven uit dat hij zijn hand er niet overheen zou krijgen.

Nieuwe strategie bedenken.

Hij keek naar het kopje. Zijn mond was plakkerig, droog, en er zat opgedroogd slijm en waarschijnlijk bloed op zijn voortanden. Zijn tandvlees bloedde altijd, poetsen en flossen kostten nu te veel moeite om het goed te doen. Hij streek met zijn tong langs zijn tanden. Hij werd nu geobsedeerd door het water, het kopje, het rietje.

'Ach, het is een symptoom van de ziekte', zei de specialist.

Een symptoom. Obsessie. Opgenomen in de lijst, net als blind worden en lichamelijk verval.

Als hij zijn rechterarm gebruikte, zou hij veel verder moeten reiken en zijn hele lichaam mee moeten laten draaien. Maar het betekende wel dat hij het kopje van voren kon vastpakken.

Hij legde zijn linkerhand op de rand van het bed. Hij voelde de gladde rubberlaag onder het katoenen laken. Het kostte hem een paar minuten om zijn krachten te verzamelen. Dit zou een missie worden die in één keer moest slagen. De zijkant van de matras vastpakken met zijn linkerhand, zich opheffen en omdraaien en tegelijkertijd doelgericht zijn rechterarm uitslaan en zijn hand om het kopje leggen.

Daarna zou hij even pauzeren en overwegen hoe hij het kopje mee moest krijgen. Het gefluister in zijn hoofd begon: maar als hij nu misgreep? Of uit bed viel? Wat dan? Wat dan? Hij greep de matras vast en trok zich op. Zijn rechterhand kwam op het nachtkastje terecht, maar vijf centimeter verwijderd van het kopje.

Mooi. Gary bleef een paar seconden hijgend liggen, als een zeehond die het strand op kwam, en liet zijn hand op het kopje neerploffen. Het schoof weg. Een klein stukje maar. Als een meisje dat tegenstribbelde. Zachtjes. Zachtjes. Hij dwong zijn trage vingers om het kopje te aaien, te kietelen, om het in zijn handpalm te krijgen. Hij kreunde van inspanning toen hij contact maakte met het oortje.

Maar wat nu? Hij kon geen kant op. Zijn linkerarm zat klem onder zijn lichaam en hij had niet meer de kracht om op zijn rug te gaan liggen en het kopje rechtop te houden. Een paar minuten bleef hij zo liggen. Het zweet was hem ondertussen uitgebroken. Hij dacht aan *Lawrence of Arabia* en de scène waarin ze bij het Aambeeld van de Zon wegrijden. De dorst. En die kleine waterzakken van geitenleer. Zelfs Peter O'Toole zou zich hier niet uit weten te redden, dacht hij.

'Verdomme, ik wou dat ik een kameel had.'

Hij zei het hardop en merkte dat zijn stem zachter klonk dan zijn gedachten. Hij begon te giechelen. Nog een symptoom. Hulpeloos lachen als je tot de ontdekking komt dat je eenvoudige dingen niet meer kunt doen. Kom op, kerel, denk na.

Goed.

Als ik met mijn tanden de mouw van mijn pyjamajasje vastpak, daarna mijn rechterarm optil en tegelijkertijd mijn hoofd met een ruk naar rechts draai, waardoor immers een derde van mijn lichaamsgewicht in beweging komt, moet ik met een beetje wind in de rug en de tussenkomst van een aantal heiligen, op mijn rug terechtkomen. Met het kopje water in mijn hand en zonder te morsen. Nou, kom op dan, blijf daar niet liggen. Vijf, vier, drie, twee, een...

Gary beet in de mouw van zijn pyjamajasje en tilde zijn arm op. Het was een goed plan. Zo effectief zelfs dat hij bijna aan de andere kant uit zijn bed was gevallen als daar geen muur was geweest. Maar het lukte hem niet zijn rechterarm in bedwang te houden toen deze voor zijn lichaam langs een boog maakte. Het deksel met het gestreepte rietje erin vloog van het kopje en kwam op zijn slof terecht. Het water wilde niet zover gaan en maakte een omgekeerde buiklanding op zijn borst.

'O... verdomme... verdomme, shit, klote, klote.' Gary lag in de koude nattigheid. 'Jezus, nu heb ik verdomme ook nog het Tourette-syndroom.'

Het was zeven uur. Hij had zevenenveertig minuten lang geprobeerd het water te pakken. Nu had hij het.

De televisie aan het voeteneinde van zijn bed floepte aan. Het had de wekkerradio moeten zijn, maar Lucy had met de instellingen geknoeid en niemand had de moeite genomen ze te veranderen. Het duurde even voordat hij zich realiseerde wat hij zag. Hij had het drama dat zich de vorige avond had voltrokken nog niet gezien en dit waren beverige, uit de hand gefilmde beelden vanuit een wijk-gebouw. Maar hij had wel de naam 'Shackleton' gehoord.

'...waar twee hoofdcommissarissen gisteravond gegijzeld werden. We praten later in het programma met een van hen. De andere ligt met zware brandwonden in het ziekenhuis. Nu eerst over naar Dodie voor het weer.'

Gary verbaasde zich erover dat hij vurig hoopte dat het Tom Shackleton was die de zware brandwonden had. Maar, nee. Lucy die met een gewonde Tom Shackleton dweepte, zou nog erger zijn. Haar moederinstinct sloeg altijd op hol bij gewonde jonge hondjes.

Gary had zich nooit verdiept in Shackletons oppervlakkigheid en nam aan dat Lucy's passie voor hem te maken had met zijn knappe uiterlijk en afstandelijke houding. Als hij met zo'n akelige tante als

Jenni getrouwd was, zou hij zich ook zo afstandelijk gedragen, dacht Gary bij zichzelf. Hij glimlachte. Arme Lucy, ze deed zo haar best om haar passie voor deze man verborgen te houden.

Had ze maar iemand anders gekozen. Iemand aan wiens brein af en toe wat poëzie ontsproot. Iemand met een ziel. Gary was er niet zeker van of Shackleton zijn ziel verkocht had of er nooit een had gehad. Was het jaloezie? Gary lag in zijn natte pyjama op bed, niet in staat zich te bewegen, en proefde het wegrotten van zijn lichaam in het vuil op zijn tong en dacht: ja, ik ben strontjaloers.

Die rotzak heeft alles wat ik wil hebben. Inclusief mijn vrouw. Hij draaide zijn hoofd met een ruk opzij en probeerde het beeld van hen tweeën, terwijl ze de liefde bedreven, kwijt te raken. Hij hield zielsveel van Lucy, maar vroeg zich af waarom Tom Shackleton haar wilde hebben? Omdat hij het kon. Zoals een hond zijn eigen ballen kon schoonlikken.

Het brein dat zich zo graag met Proust had beziggehouden, worstelde nu met beelden vol seks van zijn vrouw en zijn buurman. Hij walgde van zichzelf. Van het leven. Lucy wist het niet, maar hij had genoeg pijnstillers en antidepressiva opgespaard om zichzelf van het leven te beroven.

Zes weken geleden, toen Lucy weg was om Jenni's ego op te poetsen, had hij ze allemaal ingenomen, wat bijna een halfuur in beslag had genomen. Daarna was hij op de dood gaan zitten wachten. Maar het enige wat er kwam, was diarree. In zulke grote hoeveelheden dat diverse akkers ermee besproeid hadden kunnen worden. Door de diarree waren de verdovende middelen niet in zijn lichaam opgenomen, en in plaats van een romantisch dood lichaam dat als Marat in zijn badkuip over de rand van zijn rolstoel gedrapeerd lag, had ze bij thuiskomst een vloerkleed aangetroffen dat bespat was met verschillende tinten bruin en een geur verspreidde die maanden daarna pas zou verdwijnen.

Gary had gelachen tot hij er bijna misselijk van was geworden. Opgeven kon niet. Hij had een visioen van zijn god als een sigaarkauwende bokstrainer die hem de ring weer in duwde hoewel hij niet kon staan en dichtgeslagen ogen had, om nog een ronde te boksen tegen een ongeslagen wereldkampioen. Hij glimlachte.

Iedereen nam het op voor de verliezer.

Maar Lucy's verliefdheid had één voordeel: ze begon weer oog te krijgen voor haar uiterlijk, en was er weer trots op hoe ze eruitzag. Als Tom Shackleton de oude Lucy terug kon halen, dan kon en zou Gary ze beiden vergeven. Nee, hij zou ze sowieso vergeven. Dat zou zijn nieuwe uitdaging in het leven worden. Het zou hem afleiden van de verlammende verveling van zijn invaliditeit. Verlammend. Invaliditeit. Ha ha. Hij vond het leuk om met de gedachte te spelen dat het de saaie, monotone verveling van zijn invaliditeit was die hem verlamde, en niet de ziekte zelf. Hij overwoog een brief te schrijven naar *The Lancet*, de *British Medical Journal*, de *New Scientist*...

Op televisie werd de rechtstreekse telefoonverbinding met held en politieman Tom Shackleton nogmaals uitgezonden. Gary hoorde Lucy boven heen en weer lopen. Zijn gedachten dwaalden af naar de vraag of ze nou beter af was met hem of zonder hem.

'Goedemorgen.'

De deur ging open en zijn gedachten verbrokkelden.

'O, Lucy, ik heb een ongelukje gehad. Sorry. Maar het is water, de katheter lekt niet. Het is alleen maar water.'

Hij herhaalde de woorden snel. De uitdrukking op haar gezicht toen ze Shackleton op televisie zag, was hem niet ontgaan.

'Het zijn opnames van gisteravond toen hij gegijzeld werd. Mooie beelden wel, vind ik.'

Ze luisterde niet. Hij zag hoe ze de zachtheid in haar ogen probeerde te verbergen, de zachtheid die vroeger voor hem was geweest na het liefdesspel, wanneer ze vroeg: 'Heb je honger? Wil je een kop thee?'

Geen honger naar meer, niet echt, maar de hunkering bleef na afloop. Nu hunkerde ze vóór het liefdesspel. Dat hoopte hij tenminste. Misschien wilde Shackleton haar daarom – als hij haar al wilde – omdat vrouwen niet meer op die manier naar mannen keken, met die mengeling van zachtheid en aanmoediging die je alleen nog op kerstkaarten op het gezicht van de Madonna zag. De manier waarop ze Gary nu aankeek, was vermengd met medelijden. Als de Madonna na de kruisiging. Toen alles voorbij was.

Ze was bezig zijn pyjamajasje los te knopen en probeerde niet naar het scherm te kijken. Maar ze moest wel toen ze zijn stem hoorde. Rechtstreeks vanuit zijn huis.

'Herstellend van zijn verwondingen… heldhaftig… bescheiden… een voorbeeld voor zijn collega's.'

Lucy trok Gary overeind, zodat ze zijn jasje uit kon trekken. Ze wilde een knop omzetten in haar hoofd om haar gedachten aan Tom te verdrijven terwijl ze bezig was met Gary's arme, wegterende lichaam. Maar het lukte niet. Ze was bang dat haar gedachten aan Tom zo luid waren dat Gary ze door de dunne wand van haar schedel heen kon horen als ze zich te dicht over hem heen boog.

'Nee… Lucy. Laat maar. Wil je niet zien wat Tom te zeggen heeft? Ga even zitten.'

Het verbaasde Lucy dat Gary er geen idee van had welke gevoelens ze voor Tom koesterde; maar ze was blij dat hij het niet wist. Ze had het gevoel alsof ze met een bord rondliep waarop in neonletters stond: TOM SHACKLETON IS EEN OBSESSIE VOOR ME. Maar Gary vermoedde niets. En met een beetje geluk zou hij er ook nooit achter komen.

Ze ging op de rand van het bed zitten en trok een onverschillig gezicht. Misschien was hij nog thuis als ze er straks naartoe ging om schoon te maken. Wat trok ze aan? Een rok? Nee, dat was te formeel, en bovendien had ze geen glanzende panty's meer, alleen nog die saaie, bruine Amerikaanse panty's uit de supermarkt.

Ze besloot een spijkerbroek aan te trekken. Die had wel een elastische boord, maar dat hoefde hij niet te zien. Ze zou er een blouse over aandoen. Goed. Besluit genomen. Haar pronte achterwerk paste nog steeds in een maatje achtendertig en omdat ze haar werk grotendeels voorovergebogen of op handen en voeten deed, kon ze net zo goed pronken met wat ze had.

'Hij is goed, vind je niet? Heel gewiekst.'

'O, Gary…' Ze voelde zich gekwetst door zijn kilheid. 'Niet gewiekst, hij meent het echt. Rassenkwesties gaan hem aan het hart. Hij geeft om mensen, Gary.'

'Zeer gewiekst. Niet te gladjes. Echt heel geloofwaardig.'

Jenni's Dwerg zat bij de premier en zijn éminences grises. De vijf mannen keken naar het televisiescherm. Het Flamborough-verhaal werd de hele dag uitgezonden. Het was komkommertijd dus elk nieuwsprogramma begon ermee: de feiten, het commentaar, de hoop voor de toekomst. Van de ene op de andere dag was Tom Shackleton, van één van drieënveertig hoofdcommissarissen, het acceptabele gezicht van de politie geworden. Begripvol. Met compassie voor het landelijk politiewerk. De politieman van het volk. De krantenkoppen schreven zichzelf.

'Maar is hij ook volgzaam?'

De premier keek naar zijn adviseurs. Er zou over Shackletons toekomst beslist worden in deze kamer, door deze drie mannen, de grijze mannen achter de premier. De Dwerg dacht aan het rijmpje uit de tijd van Richard III: De Kat, de Rat en Lovell de Hond heersen soeverein over gans Engeland onder het Zwijn.'

Hij glimlachte.

'Ik denk het wel. Hij wil kampioen van de onderklasse zijn, maar nog liever succes hebben.'

'Hij is goed, hij is heel goed', zei de Rat, een man wiens lichamelijke kenmerken bijna even aantrekkelijk waren als die van de Dwerg. 'Meent hij dat van die kwesties? Hoe groot is zijn betrokkenheid?'

De Dwerg wachtte even voordat hij antwoord gaf.

'Nou, David, laat ik het zo zeggen, hij houdt er de juiste principes op na, maar mocht je een asielzoekersgezin willen onderbrengen in zijn verbouwde zolderkamer, dan zou hij zich wel eens kunnen bedenken.'

'Dat zouden we allemaal doen', zei de Hond grimmig. 'Maar als we nog meer van die lui toelaten, zal hij geen andere keus hebben.'

'Alan', zei de premier op milde toon. 'Wees voorzichtig, er is niet gecontroleerd op afluisterapparatuur. Enfin,' – zijn stem veranderde abrupt van toon – 'dat meen je niet serieus, neem ik aan?'

De Hond keek hem aan. De vreemde poppenogen van de premier waren kil, alert. Cynisme was aan de premier niet besteed.

'Nee. Natuurlijk niet.'

De Kat keek naar de Hond.

'Alan, grappen maken is vaak een teken dat we ergens echt in geloven.' Hij wachtte even, hij had hun aandacht. 'Ik ken Tom Shackleton al enige tijd en het klopt wat David zegt, hij is niet het type dat van aanpakken houdt. Hij wil zijn handen niet vuil maken, tenzij er een cameraploeg bij is. Emotionele betrokkenheid is niet zijn stijl. Het is werk voor hem, en als dat betekent dat hij baby's over de bol moet aaien en mensen moet paaien, dan doet hij dat. Hij heeft geen diepe overtuigingen of een ingewikkelde moraalcode. Hij draait gewoon zijn rondjes, elegant, snel, en zonder veel ophef. Het belangrijkste is dat hij sterkwaliteiten heeft. Kijk maar naar hem...'

Hij spoelde de band terug en draaide die nog een keer af: een glimlachende Shackleton, knikkend, bescheiden, met ingehouden trots.

'De mensen zijn gek op hem. Hij heeft wat Kennedy had. Wees eerlijk, hij is precies wat Londen nodig heeft.'

'Ja.' De Rat knikte. 'De waarnemend hoofdcommissaris heeft goed werk gedaan...'

'Was zijn bijnaam niet George?' onderbrak de Hond hem.

De Rat knikte kort en popelde om verder te gaan.

De premier trok zijn wenkbrauwen op.

De Hond vatte het op als een vraag.

'Naar het toneelstuk, premier. *The Madness of George III*.'

'En is hij dat?'

'Zo gek als een deur, premier. En ik heb gehoord dat hij van aanpakken houdt, vooral zijn vrouwelijke personeelsleden.'

De Rat maakte een beweging die, als hij echt een rat was geweest, op het schudden van zijn vacht geleken zou hebben, en sprak verder.

'Herinnert u zich de chaos nog toen hij het overnam? Hij heeft het goed gedaan, maar we hebben nu iemand nodig met charisma. Iemand die in de media goed overkomt.'

De Dwerg had op dit moment gewacht.

'Shackleton is de juiste man. Hij zet zich in voor alle goede doelen: rassenkwesties, drugs, misdaad...'

De Hond sprong er weer tussen.

'En wees eerlijk. Zolang je Britten het gevoel geeft dat je ze nodig hebt, vergeven ze je alles. Al onze helden zijn beschadigd. Niemand zal een standbeeld oprichten voor Michael Schumacher of Nigel Mansell. Nee, maar wel voor George Best en prinses Diana. Nou wil ik niet zeggen dat Shackleton een mislukkeling is, maar hij heeft wel dat kwetsbare waar huisvrouwen op vallen. En mannen begrijpen hem. Hij is een goeie keuze.'

De premier huiverde. Hij vertrouwde onvoorwaardelijk op het oordeel van de Hond, maar hij wou dat hij zich bij het vormen van zijn opinies niet alleen door opportunisme liet leiden.

'Zullen we hem Londen dan maar geven?'

Hij keek naar de Kat.

'Nou, daar zitten nog wel wat haken en ogen aan, maar ja, ik zou niet weten waarom niet.' De Kat zweeg even. 'Bedoel je dat hij een ridderorde wil?'

De Dwerg knikte.

'Hij zou liever in de adelstand verheven worden. Hij komt uit de lagere middenklasse, zoiets raak je nooit kwijt.'

'Oké. Goed. Dat is dan geregeld. Geef hem Londen maar…'

'Ja… de ridderorde krijgt hij er automatisch bij en wij gooien er nog een adellijke titel tegenaan zodra hij met mes en vork heeft leren eten.'

De Hond grinnikte om zijn eigen grap. De Kat en de Rat glimlachten. De premier vertrok geen spier en bleef oprecht bezorgd kijken. Hij ging staan.

'En de misdaadpaus?'

'O, Carter, beslist Carter.'

De drie wijze mannen waren het eens. Geen discussie. De premier verliet de kamer en haastte zich naar een kabinetsvergadering. Een jongensachtige glimlach speelde om zijn lippen.

De Dwerg vroeg terloops aan de Hond, alsof het zojuist bij hem opgekomen was: 'Misdaadpaus?'

'Heb jij het memo ook niet gekregen? Die verdomde secretaresse, ze is zwanger en het lijkt wel alsof haar hersens eruit gevallen zijn toen ze haar benen wijd deed… Ja, het Verenigd Koninkrijk verenigd. Een antimisdaadcoördinator. Het kabinet heeft plannen voor een soort FBI. Weet je nog dat we vorig jaar met dat idee hebben gespeeld? Schotland heeft er al mee ingestemd en Noord-Ierland heeft gezegd dat ze zullen meewerken. Echte groentjes.'

'Alle ernstige misdaden komen bij deze supereenheid terecht, die onder leiding staat van deze misdaadpaus. Met een directe lijn naar Europol en de rest. Hij kan in elke zaak, uit elke regio, de leiding overnemen. Dus alles wat ernstiger is dan afval op straat gooien, wordt zijn domein. Hij wordt een soort superagent.'

De Hond lachte. De Dwerg glimlachte. De Hond verbaasde zich weer over de vriendelijkheid van de man. Hoe kon iemand die zo open en eerlijk het goede nastreefde en zo aartslelijk was, het zo ver geschopt hebben? Maar ja, een mooi uiterlijk was nooit het kenmerk van een Britse politicus geweest.

'Behoorlijk machtige positie.'

'Gods eigen politieman, Robbie. Alle hoofdcommissarissen zullen zich tegenover hem moeten verantwoorden, behalve Noord-Ierland, die is aan niemand verantwoording schuldig. Nee, het idee is om alle beste politiemensen, alle beste inlichtingendiensten onder één dak te krijgen. De natuurlijke opvolger van de nationale recherchedienst. Goed idee, hè? Ga je mee naar de bar?'

De Dwerg schudde zijn hoofd. Er werd luidruchtig afscheid genomen. Zelfverzekerde stemmen, zelfverzekerde, machtige mannen. Toen de adviseurs de kamer verlaten hadden, stond Robbie – de Dwerg – MacIntyre door het glas-in-loodraam naar de Theems te kijken.

Hij hield van het interieur van het parlementsgebouw, hij hield van de stenen muren en de houten lambriseringen, maar hij hield vooral van de stille kracht die ervan uitging. Een besloten wereld maar met de blik naar buiten gericht. Het was zijn levensdoel om deel uit te gaan maken van die besloten wereld.

Hij hield ervan om rijk te zijn, om macht te hebben, maar hij hield er vooral van om geaccepteerd te worden. Om aardig gevonden te worden zelfs. In dit gebouw was hij geen lelijke dwerg die openlijk beklaagd of uitgescholden werd. Niemand hier zou hem naroepen: 'Welke rol speel je dit jaar in het kerstsprookje? Hé, Kniesoor, waar is Sneeuwwitje?' Zowel het een als het ander was hem deze week nageroepen, maar hij had geglimlacht en het weggewuifd.

De gedachten in zijn hoofd draaiden in het rond, net als het water beneden hem.

Jenni. Wanneer moest hij het haar vertellen? Waar zou haar broek letterlijk van afzakken? Het haar vertellen en hopen op dankbaarheid, of het haar niet vertellen en haar met zijn invloed aan het lijntje houden. Gemakkelijk keuze. Aan het lijntje houden. Hij glimlachte. Dus Carter zou de nieuwe topbaan krijgen en Jenni's plannetjes zouden voor niets zijn geweest. Hij grinnikte. Haar verdiende loon. En dat van haar Action Man-echtgenoot. Hij zou ze er beiden tuk mee hebben. Mooier kon het niet.

Lucy had zichzelf binnengelaten. Er was niemand beneden. Teleurgesteld liep ze naar de keuken. De koffiekopjes stonden op tafel, kruimels geroosterd brood lagen her en der, de deksel van de honingpot was eraf. Het rechthoekige werkblok ter grootte van een biljarttafel in het midden van de keuken zag er ongewoon rommelig uit. Een chef-kok zou in Jenni's keuken uit de voeten hebben gekund en haar magere pogingen om een lasagne of salade in elkaar te flansen met gemak overtroffen hebben.

De rommel betekende dat Tamsin en Kit er waren. Ze bukte zich om haar mandje met schoonmaakspullen onder het aanrecht vandaan te halen. Haar nette mandje met sprays en stofdoeken.

'Hallo.'

Lucy sprong zo abrupt op dat ze haar hoofd stootte.

'Ik... eh... ik hoorde je niet binnenkomen. Sorry.'

Waarom ze zich verontschuldigde voor het feit dat ze zich doodgeschrokken was, wist ze niet.

Tom stond over haar heen gebogen.

'Heb je je hoofd gestoten?'

'Nee... nou ja, een beetje.'

Ze rechtte haar rug. Hij droeg een trainingspak, maar geen schoenen. Het viel haar op hoe netjes zijn voeten eruitzagen, hoge wreven, bleke huid.

'Het is het enige wat ik aan kon krijgen.'

Hij hield zijn omzwachtelde handen omhoog.

'O, ja... hoe gaat het met je? Wat een toestand. Het moet vreselijk voor je zijn geweest. Ik heb de beelden, ik bedoel, de opnamen vanmorgen op de televisie gezien.'

Lucy hoorde zichzelf ratelen. Ze maakte zich volkomen belachelijk. Hou je mond, Lucy, zei een stemmetje in haar hoofd. Je verveelt hem. Hou je mond.

Hij glimlachte.

'Wil je… zou je een kop koffie voor me willen maken? Jenni is er even tussenuit geknepen om onze dochter en kleinzoon naar huis te brengen.'

Lucy brabbelde: 'Koffie. Ja, ja, natuurlijk. Zwart, geloof ik, hè? Met één klontje suiker?'

Alsof ze dat ooit nog zou vergeten, na de laatste keer dat ze hem koffie had gebracht. Ze merkte dat haar handen trilden toen ze de ketel via de tuit met water wilde vullen, zoals ze altijd deed. Een straal water kwam tegen haar blouse; die was meteen doornat. O, god, straks denkt hij nog dat ik het met opzet heb gedaan. Ze probeerde zich af te drogen met een theedoek. Hopeloos.

Ze haalde diep adem, haalde de deksel van de ketel en vulde hem nu goed. Het lukte haar het koffiezetapparaat aan de praat te krijgen en ze schonk koffie in zonder te morsen. Ze draaide zich om om het kopje aan hem te geven. Hij was verdwenen. Ze riep hem. 'Tom…? Tom, je koffie is klaar. Waar zal ik het neerzetten?' Ze voelde zich opgelaten dat ze zo beleefd deed, maar, zoals haar tante altijd zei, met iemand slapen betekende niet dat je formeel aan hem was voorgesteld.

'Hier, Lucy.'

Zijn stem kwam van boven. Uit de slaapkamer. Daar aangekomen, lag bijna alle koffie op het schoteltje. Ze goot de koffie terug in het kopje en klopte toen beleefd op de geopende deur.

'Kom maar binnen, Lucy.' De kamer rook naar aftershave, Czech en Speke 88 met iets van muskus erdoorheen. 'Wil je me even helpen?'

Hij had zijn trainingspak uitgetrokken en nu zijn uniformbroek en een open overhemd aan.

'Het is me gelukt de rits omhoog te trekken, maar de knoopjes krijg ik niet dicht.'

Hij zag er zo verloren uit dat Lucy haar armen om hem heen wilde slaan.

'En je sokken. Waar zijn je sokken?'

'Daar. In de la.'

Ze haalde er een paar dunne, zwarte wollen sokken uit en knielde voor hem neer. Hij zat op het bed. Het had iets symbolisch, iets sensueels om ze uit te rollen en aan zijn voeten te doen. Ze hield haar ogen neergeslagen.

'Het is lang geleden dat iemand dat voor me gedaan heeft. Dank je wel.'

'Ach, ik moet dit iedere dag voor Gary doen.'

Niet over Gary praten. Praat over hém.

'Hoe gaat het nu met je? Heb je veel last van je handen? Ze zullen wel erg pijn doen.'

Lucy, een ondervraging is geen gesprek.

'Het gaat prima. Dank je. Iemand heeft er zalf op gedaan voor me.'

Lucy pakte zijn glanzend gepoetste zwarte schoenen en schoof ze aan zijn voeten.

'Wie? De dokter?'

'Nee. Ik heb het Jenni nog niet verteld…'

Lucy keek op. Hij wachtte even en keek op haar neer. Ze hield haar adem in, bleef hem strak aankijken en hoopte vurig dat hij haar in vertrouwen zou nemen.

'Nee, drie vrouwen. In Flamborough. Ik geloof dat ze me een verdovend middel hebben gegeven.' Hij lachte omdat hij het idee absurd vond. 'En ze hebben iets op mijn handen gesmeerd. Ik ben daarna flauw gevallen, maar nu voel ik me goed. Geen pijn. Niks. Maar ik heb wel gedroomd. Dromen.'

Hij zweeg. Lucy wachtte. Ze merkte dat hij met zijn gedachten ergens anders was en haar had buitengesloten.

'Wat voor dromen?'

Ze zag iets aan hem dat ze niet eerder had gezien. Een zweem van twijfel. Van verwarring.

'Tom? Wat voor dromen?' Daarna zachter: 'Vertel het me, alsjeblieft.'

Hij ging staan maar liep niet weg. Ze nam aan dat hij wilde dat ze zijn overhemd dichtknoopte. Ze ging ook staan. Vlak voor hem. Haar vingers streken langs zijn huid terwijl ze langzaam de knoopjes dichtmaakte. Zijn borst was bedekt met fijne zwarte haartjes, zijn tepels waren klein en roze, hard van de kou, of van haar nabijheid. Een paar haartjes zaten eromheen. Net onder zijn hals zat een rood stipje, als van een balpen, waar een bloedvat geknapt was. Zijn huid was zijdeachtig zacht. Zoveel zachter dan haar eigen huid. Ze wilde hem ontzettend graag aanraken.

'Het klinkt gek… maar er waren drie vrouwen. Drie zwarte vrouwen, en ze voorspelden me de toekomst. Het was maar een droom. Vreemd.'

'Wat zeiden ze?'

'Niet veel. Alleen dat ik zou krijgen wat ik wilde hebben. Zoiets. Heel gek.'

Zijn overhemd was dichtgeknoopt. Ze pakte zijn stropdas.

'Kun je je een beetje vooroverbuigen? Bedankt.'

Zijn gezicht was nu bijna op gelijke hoogte met het hare. Ze kon de fijne haartjes op zijn jukbeenderen zien, de ruwere haren van zijn wenkbrauwen, het kleine litteken op zijn wang; was het van het scheren of had het een romantischer oorzaak?

'Het klinkt als een scène uit het Schotse toneelstuk.'

Hij keek verbaasd. '*Macbeth*?'

'Mijn tante vertelde me dat het ongeluk bracht als je de naam uitsprak. Ze werkte in het theater. Nou ja, ze verkocht kaartjes in het theater van Eastbourne.'

'Wil je het jasje even pakken? Het hangt in de kast.'

Hij zei het op matte toon. Afwijzend. Het onderwerp over de vrouwen leek afgesloten.

Lucy pakte het jasje, hielp hem erin en kreeg met moeite de knopen dicht en de riem vast. Als laatste veegde ze met beide handen de denkbeeldige stofjes van zijn schouders, onder de kroontjes en insignes van zijn rang. Haar ogen waren op gelijke hoogte met zijn lippen. Het was geen brede mond, de onderlip was iets voller en zachter dan de bovenlip. Ze moest wel omhoog kijken naar zijn ogen, of ze wilde of niet. Hij keek haar aan en zijn ogen, waarvan ze altijd had gedacht dat ze donkerbruin waren, bleken indigoblauw te zijn, een heel bijzondere kleur, met dezelfde diepte en structuur als een paar fluwelen slippers met monogram die ze een keer in een winkel in Jermyn Street had zien staan.

'Wat is er, Lucy?'

Ze bewoog zich niet, haar handen lagen nog steeds op zijn schouders, haar borsten beroerden de knopen van zijn uniformjasje.

'Je ogen… ze… hebben een andere kleur gekregen.'

Alsjeblieft, zeg, ze was zevenendertig en praatte als een idolate puber.

Hij fronste zijn wenkbrauwen.

'O… dan zal ik wel gelukkig zijn.'

Ze keek hem ademloos aan.

'Ze zijn als de zee, een diepe zee.' Een zee waar je in zou willen duiken, zodat het water in elke opening kon stromen, dacht Lucy bij zichzelf, maar toen herinnerde ze zich de laatste keer dat dit gebeurd was, in februari bij het strand van Coleraine. Ze had daarna drie weken in bed gelegen met pleuritis.

'Jenni zegt dat ze de kleur krijgen van een met chemische middelen vervuilde rivier. Ze zegt dat het een teken is dat ik gelukkig ben. En Jenni heeft altijd gelijk.'

Ze glimlachten en wisselden een blik van verstandhouding. Lucy bleef vlak voor hem staan, in de hoop dat hij iets zou doen. Ze verlangde er vurig naar dat hij haar zou kussen.

'Wat zeiden de vrouwen nog meer?'

'Niets. Het was maar een droom. Net als jij.'

Toen kuste hij haar. Plotseling. Door de manier waarop hij dit deed, wist ze dat hij het niet van plan was geweest. De stand van de mond klopte niet helemaal en de kus kwam iets te hard aan. Zijn lippen waren eerst gesloten en die van haar niet, waardoor ze zich ongemakkelijk ging voelen. Belachelijk. Maar ze pasten zich aan elkaar aan, hun tongen beroerden elkaar voorzichtig en trokken zich toen terug.

Zijn tong was vrij hard. Dat vond ze lekker, het wond haar op, ze vouwde haar lippen eromheen en duwde het midden van haar tong ertegenaan. De zachtheid van zijn lippen verbaasde haar. Niet week.

Nee, ze waren als kussens, meegevend maar stevig. Opeens werd ze onzeker van zichzelf. Hoe waren haar lippen? Een beetje droog? Een beetje dun? Ze deed een stapje naar voren, drukte zich tegen hem aan, maar er kwam geen reactie, geen tegendruk.

Ze hoorden op hetzelfde moment de voordeur open gaan. Hij draaide zich om en veegde snel zijn mond af, terwijl zij het koffiekopje pakte en naar de trap liep.

'Jenni... ik ben boven. Ik help alleen Tom even met zijn uniform.'

Lucy was onder aan de trap toen ze uitgesproken was. Jenni knikte alleen afwezig en liep met een stapel kranten en faxen die ze van de tafel in de hal had gepakt, naar boven naar zijn slaapkamer.

'Mooie verhalen in de derde editie. Voor de eerste editie was je net te laat, maar kijk...' Ze spreidde de kranten uit over het bed. 'De *Mail* is een beetje snibbig, maar de anderen zijn geweldig. Schiet op, Tom, je moet om kwart over twaalf bij de BBC zijn. Janet heeft alle namen doorgefaxt van mensen die jouw kant gekozen hebben. Dat is goed. Heel goed. Maak jezelf dus niet belachelijk in het nieuws van één uur.'

Tom zag hoe opgewonden ze was en hoe weinig hij daarmee te maken had. Hij zag hoe ze de kranten oppakte en weer neerlegde en de faxen doorbladerde. Haar gezicht was strak, hard. Dit was Jenni. De echte Jenni. Maar wat zou hij zonder haar zijn? Gelukkig? Telkens wanneer zijn gedachten afdwaalden naar een ander leven, verdrong hij ze. Rigoureus. Voor fantasieën was geen plaats.

Als hij ze wel toeliet, zou hij misschien gefrustreerd raken, gaan verlangen naar een emotioneel leven. En hij was bang, bang dat hij zonder het boetekleed van zijn ongelukkigheid en eenzaamheid minder efficiënt zou worden, zich minder goed op zijn doel zou kunnen concentreren. Op hun doel. Hij had maar met twee vrouwen een relatie gehad. Met zijn moeder en met zijn vrouw. Bij beiden was geen sprake van intimiteit geweest, maar nu hij in de veertig was, voelde hij soms laat op de avond een verlangen om dicht bij iemand te zijn. Om te praten. Om toe te geven aan zwakheden.

Maar zodra deze verraderlijke gedachten bovenkwamen, verdrong hij ze, hield hij ze even genadeloos in toom als zijn snel opkomende emoties. Hij had voor Jenni gekozen en zou de gevolgen daarvan dragen, wat gemakkelijker en comfortabeler was dan zich in een slangenkuil van emoties te begeven. Hij pakte onbeholpen zijn pet en handschoenen. Zijn stokje kon hij niet vinden.

'Ik ben klaar.' Hij keek uit het raam.

'Gordon is beneden.'

'Mooi zo.'

Jenni verborg zich niet achter een façade van vriendelijkheid in aanwezigheid van haar man, zoals je voor je huisdier ook niet de schijn op hoefde te houden. Ze liep gehaast de slaapkamer uit en de trap af. Tom volgde haar langzaam. Ze had niets gevraagd over de gebeurtenissen van de afgelopen nacht. Hij hoorde haar weer zeggen: 'Tom, als je iets wilt vertellen, dan hoor ik het wel. Het heeft geen zin je ernaar te vragen.'

Maar hij was vergeten hoe hij haar iets moest vertellen. Hij was welbespraakt en lang van stof, maar zei zelden iets. Niets dat het bange jongetje dat ineengedoken in de hoek van die grote zaal zat, weer uit zijn schulp kon halen.

Jenni zat op de achterbank van de Jaguar. Tom zag dat Lucy bij de voordeur stond. Hij knikte toen hij haar voorbijliep. Hij keek haar niet aan. Ze keek de auto na toen die wegreed. Toms hoofd was gebogen over de papieren die Jenni hem in handen had gedrukt. Ze bestond niet meer voor ze. Er was nooit een kus geweest.

Gary sloeg haar gade vanaf de overkant en voelde zich bedroefd. Niet omdat zijn vrouw als een spaniël een man nakeek die hij verachtte, maar omdat ze ongelukkig was. Maar als hij dood was en Jenni in een gekkenhuis zat, waar ze volgens hem thuishoorde, zou Tom Shackleton Lucy dan als zijn wettige echtgenote aannemen? Gary betwijfelde het.

'Zo', zei hij hardop. 'Niet de moeite waard om mezelf voor van kant te maken dus.'

Hij draaide zich om naar de computer en begon weer met een knokkel op de toetsen te slaan. Om iets te doen te hebben, was hij aan een artikel begonnen over de mogelijkheid dat Mozart aan het syndroom van Asperger had geleden. Nu moest hij het af zien te krijgen voordat hij zijn handen helemaal niet meer kon gebruiken.

Hij hoopte dat het gepubliceerd zou worden, dat het opgemerkt zou worden. Hij had de hoop nooit opgegeven.

De dagen daarna werden gevuld met interviews, fotosessies en telefoongesprekken. Shackleton vond alles leuk. Er was geen tijd om zijn gedachten de vrije loop te laten. Op woensdagavond was hij een van de bekendste gezichten en een van de populairste beroemdheden van het land geworden.

Op het hoofdkantoor van de Labour Party werd opgemerkt dat zijn herkenningsfactor bij het publiek nu achtenzeventig procent was. Goed voor een politicus, geweldig voor een politieagent die niemand achter in een politiebusje had laten doodgaan of in een drugszaak bewijsmateriaal achterover had gedrukt. Iedereen was het erover eens dat bij Tom Shackleton de presentatie belangrijker was dan de inhoud, dat hij politiek fotogeniek was en dé man voor Londen.

De Dwerg had Jenni sinds het oproer gemeden. Ze had hem proberen te bellen en hem zelfs een e-mail gestuurd, maar hij had er niet op gereageerd. Hij wilde dat ze snakte naar informatie, hoewel hij zich niet kon voorstellen dat Jenni Shackleton ooit ergens naar snakte, een woord dat hij ook privé graag gebruikte om de seksuele potentie van een vrouw in te schatten.

Maar hij wist dat ze wel zou snakken naar wat hij haar kon vertellen. Het was donderdag: die avond zou ze haar etentje geven. Hij lag in bed en dacht eraan. Dacht aan haar. Zou hij vanavond een kans maken? Terwijl haar man en de schoonmaakster erbij waren? Hij schudde zijn hoofd.

Waarom maakte hij zich zo druk? Hij wist dat ze, zodra hij haar in bed had gekregen, niet meer dan een overwinning zou zijn. Een van vele. Want meer dan overwinningen waren ze geen van allen geweest.

Hij keek opzij naar de bult die naast hem lag in bed. Zijn vrouw. Ze snurkte zacht. Hij keek naar haar met grote tederheid. Ze had een enorme kont en spataderen nu, maar hij zag nog steeds het meisje dat ze vroeger was geweest. Tweeëndertig jaar getrouwd, twee kinderen, evenwichtige, aantrekkelijke, populaire kinderen. Geen van tweeën behept met zijn handicap. Mensen van wie hij niet alleen hield, maar die hij ook graag mocht. Een groot huis in de stad, een groter huis op het platteland. Succes.

Ze genoot van haar kinderen, hield van haar honden en had hem zelfs tijdens hun ergste ruzies nooit lelijk, klein of mismaakt genoemd.

Ze was de enige vrouw die hij vertrouwde. Haar snurken werd luider. Ze zag eruit als een gestrande walrus. Hij voelde een golf van sentimentele genegenheid voor haar door zich heen gaan: haar intelligentie en onelegante alledaagsheid waren in zijn ogen allang schoonheid geworden. De grillige, streberige vrouwen die hij ritueel vernederde tijdens de seks hadden niets met haar gemeen.

Ze hadden elkaar ontmoet tijdens een debat, toen hij zestien en zij een bonenstaak van zeventien was geweest. Hij had zijn standpunten briljant verdedigd, maar had na die tijd, zoals gewoonlijk, het gegniffel van zijn mededebaters moeten verduren. Hij herinnerde zich weer hoe hij daar stond, alleen en gemeden vanwege zijn briljante geest en de mismaaktheid van zijn lichaam, met een glas kersenlimonade in zijn hand dat hij niet lustte, en net deed alsof hij de brandvoorschriften aan het lezen was. Hij was niet verder gekomen dan: 'In geval van brand…' door de tranen in zijn ogen. Zoals gewoonlijk zag hij de knappe meisjes als de wortel van het kwaad, terwijl ze hun domme vriendjes aanmoedigden tot nog grotere onnozelheid. Op een dag, dacht hij bij zichzelf, op een dag…

'Verdomd goed slotwoord. Wil je wat chips? O, ik heet Elizabeth, Lizie. Niet Lizzie. Lizie James.'

Ze had zijn kleine hand in haar grote hand genomen en naar hem geglimlacht. Hij had verwacht medelijden in die glimlach te zien, een begripvol mededogen waarmee ze kon opscheppen tegen haar ruimdenkende vrienden en welwillende ouders: 'O, mammie, ik ben vandaag zo aardig geweest tegen een dwerg.'

'Goed zo, lieverd! Heb je ook even zijn bochel aangeraakt? Dat brengt namelijk geluk.'

Maar ze glimlachte alleen tegen hem. En het enige wat hij zag in die grote blauwe ogen was bewondering. Hij had zich gewapend tegen elke vorm van minachting, maar was totaal onvoorbereid geweest op deze open, eerlijke blik vol puberale adoratie.

Terwijl hij nu naar haar keek en zijn vingers zacht over haar grijze haar liet gaan, herinnerde hij zich weer hoe wreed hij was geweest, hoe hij haar gedwongen had om akelig tegen hem te doen, om zich aan te passen aan het beeld dat hij van vrouwen had. Maar dat had ze niet gedaan. Ze had geduldig acht jaar gewacht tot hij tot inkeer was gekomen. Terwijl hij nu naar haar keek, kon hij zich niet meer voorstellen dat hij haar gestraft had voor wat hij had moeten doorstaan, maar ze had hem lang geleden vergeven en in ruil daarvoor had hij haar toegestaan zijn charme, zijn humor, die hij daarvoor alleen aangewend had om te kwetsen, en zijn rauwe gevoeligheid voor alles wat mooi was, te koesteren. Lizie had elke plek in hem geraakt voorzover die niet door wreedheid verstoord of verwoest was. Maar die andere poel des verderfs was alleen van MacIntyre en hoewel hij haatte wat hij deed, verlangde hij ook ergens naar de vernedering die het met zich meebracht.

Lizie wist niets van zijn seksuele escapades buiten haar grootmoeders hemelbed.

Hij boog zich naar haar toe en kuste haar zacht; een verdwaald haartje dat aan de epileertang ontsnapt was prikte in zijn wang.

Ze deed haar ogen open.

'Morgen, Vlekje. Snurkte ik?'

'Je snurkt nooit.'

Ze giechelde en ging rechtop zitten.

'Nee, en ik laat ook geen scheten, zeker… Moet jij vandaag niet in Londen zijn?'

Ze liet zich uit bed glijden, waarbij haar degelijke, geruite nachtpon omhoog kroop over haar stevige, Britse dijen. De slanke den van vroeger bestond allang niet meer.

'Ja, ik ga zo. O… en vanavond heb ik dat etentje bij hoofdcommissaris…'

'O, ja, Tom Shackleton. Die met dat vreemde gezicht. Te groot hoofd. Ziet eruit als een seriemoordenaar…'

MacIntyre verbaasde zich er steeds weer over hoe anders zijn vrouw de wereld zag.

'Ze zeggen dat hij knap is.'

Ze haalde haar schouders op. 'Ach, wat is knap. Nou... veel plezier.'

Ze gaven elkaar teder een afscheidszoen op de mond. MacIntyre overwoog even om het etentje af te zeggen en hier terug te komen, waar hij niet de Dwerg was, de machiavellistische plannenmaker of de verslinder van knappe echtgenotes. De gedachte verdween even snel als die opgekomen was.

Eens zou hij stoppen. Eens zou zijn geweten gaan spreken, eens zou hij er moe van worden om wraak te nemen en gewoon naar huis gaan. Niet alleen naar dit huis en deze vrouw, maar terug naar zichzelf. Thuis was Robert MacIntyre echtgenoot, vader en een zeer trouw maar bescheiden donateur van liefdadige doelen. Maar voorlopig moest hij in de slangenkuil van Whitehall en Westminster de Dwerg blijven: charmant, briljant, ondoorgrondelijk, fascinerend, geliefd, gehaat in sommige kringen, maar altijd gerespecteerd. De kant van zichzelf die hij werkelijk verachtte in die wereld, was dat hij anderen steeds een stap voor moest blijven. En het werkte verslavend om immoreel en zonder scrupules door het leven te gaan. Om zoveel macht over mannen te hebben... en over die frêle, streberige vrouwen.

'Geef de lama's een zoen van me. Tot vrijdag.'

Robert MacIntyres ene ik talmde in de warmte van Lizies verkreukelde nachtpon, terwijl zijn andere ik de deur achter zich dichttrok en in zijn auto met chauffeur stapte.

Hij had nog een dag vol vergaderingen voor de boeg voordat hij zich kon verheugen op het slipje van mevrouw de hoofdcommissaris. Hij opende zijn attachékoffertje en dacht pas weer aan haar toen hij om halfacht die avond bij haar aanbelde.

Lucy's week was een mengeling van opgetogenheid en neerslachtigheid geweest. Opgetogen na de kus, neerslachtig toen ze hem de volgende dag zag en hij geen goedemorgen zei. Opgetogen iedere keer als ze hem op televisie zag, of wanneer ze foto's van hem uit de krant knipte en in een oude schoenendoos legde.

Neerslachtig toen ze zag hoe weinig haar figuur na zes dagen veranderd was. Maar vandaag was het etentje. Ze stond vroeg op en wilde alles zo snel mogelijk aan kant hebben, zodat ze de hele middag met reinigingsmelk, gezichtsmaskers, peelingcrème en ontharingsmiddelen aan de slag kon. Ze had ook een paar harsstrips voor de bikinilijn gekocht, maar verheugde zich er niet op die uit te proberen.

Ze had gehoord dat sommige danseressen hun schaamhaar epileerden. Je kon het op één avond doen, voor de televisie, maar ze had geen goede epileertang. Crèmes en scheerapparaten hadden het nadeel dat ze stoppeltjes achterlieten, dus het moest harsen worden. Ze wist dat Tom er geen idee van had of ze nu wel of niet een volmaakt hartje van zacht haar onder haar slipje had, maar... het zou kunnen. Mocht het wonder gebeuren, dan wilde ze op alles voorbereid zijn.

Gary was een beetje grieperig toen ze bij hem ging kijken, en wat somber, wat hij normaal nooit was. Hij zei altijd dat sommige mensen met MS gevoelens van euforie hadden en dat hij een van die gelukkigen was. Hij zei altijd wat een geluksvogel hij was: dat hij naar de bomen kon kijken, naar muziek kon luisteren, parfum kon ruiken. Lucy geloofde hem natuurlijk niet, maar hij zette zelden zijn masker af. Ze keek op de klok. Halfacht. Nog twaalf uur. Morgen om deze tijd zou alles voorbij zijn. De telefoon ging.

'O, Lucy, lieverd. Wat ben ik blij dat je thuis bent!'

Waar zou ik anders moeten zijn? dacht Lucy.

'Lieverd, ik ben wanhopig. Wil je iets voor me doen? Je bent de enige wie ik het kan vragen.'

'Ja, Jenni', zei Lucy gehoorzaam.

Naast de telefoon lag een half opgegeten koekje. Ze moest het daar hebben laten liggen. Afwezig at ze het op terwijl Jenni doorratelde.

'De cateraars komen om negen uur, maar ik moet weg, en Tom en ik moeten vanmiddag naar een tuinfeest. Die zijn altijd zó saai, zachte puntjes en sandwiches met visspread, vreselijk...'

Ik wil er wel heen, dacht Lucy. Graag zelfs. Luisteren naar muziek van Gilbert en Sullivan en een grote hoed dragen. Waarom niet? Beter dan de uitwerpselen van je man met je handen uit zijn achterwerk te moeten knijpen.

'Er is namelijk een ramp gebeurd: ik ben de bloemen vergeten. Zou jij dat willen doen? Sorry dat ik je hiermee lastig moeten vallen. Ik doe het geld wel in de zak van je schort. Goed?'

Nee, Jenni, ik wil dat je die tien meter hiernaartoe loopt, bij mij aanbelt en me het geld geeft.

'Ja, dat is goed, Jenni.'

'Ik zal een lijstje neerleggen met wat ik wil hebben. Je weet wel waar de vazen staan, hè?'

'Ja, maar ik ben niet zo goed in bloemschikken.'

'Onzin, Lucy. Ik heb toch gezien wat je met een paar wilgentakken en een stuk oase kunt doen.'

Ze lachte. Lucy wist dat Jenni die zin gejat had van een comédienne, de aanhalingstekens stonden er bijna nog omheen.

'En wil je de cateraars binnenlaten? O, en zou je een potplant of zo bij Geoffrey Carter willen laten bezorgen, iets spectaculairs, iets exotisch, net als ik, je weet wel. Hij komt vandaag uit het ziekenhuis, de arme ziel. En misschien kun je er ook een bosje bloemen voor Eleri, zijn vrouw, bij doen. Hun adres staat wel in het boekje dat op het tafeltje in de hal ligt. Als het meer geld is dan ik achtergelaten heb, reken ik later wel met je af. Ik weet niet waar ik vandaag de tijd vandaan moet halen. Maar je kent mijn man...'

Nee, niet echt, Jenni. Was het maar waar.

'Ik ben je eeuwig dankbaar. O. daar is Gordon. We moeten weg. Tom heeft nog een paar vergaderingen. Altijd maar doorgaan, hè? Wat moet je toch met zo'n man?'

Hem met slagroom insmeren en aflikken, dacht Lucy, maar Jenni had de telefoon al neergelegd. Het probleem was opgelost. Het was niet nodig er nog meer tijd aan te verspillen, of aan Lucy.

Dank je, met mij gaat het goed, maar Gary is een beetje verkouden, niets ernstigs, maar wel heel vervelend voor hem. Je kent mijn man. Altijd maar doorgaan. Nooit opgeven. Zo moedig.

De telefoon zoemde in haar oor. Ze hing op. Als het tuinfeest een week eerder was geweest, waren ze er niet naartoe gegaan. Er kwamen zoveel uitnodigingen binnen, maar ze gingen nooit ergens naartoe. Maar nu was er een brief van het paleis gekomen met: 'Zijne Koninklijke Hoogheid nodigt u hierbij uit om...' en nu gingen ze opeens wel. Jenni moest er niet aan denken om niet te gaan. Dit was haar week. Carter was buiten beeld en haar man was aan de klim naar boven begonnen. Jenni wilde alles en kreeg ook alles.

Lucy voelde zich plotseling schuldig. Jenni had zo haar best gedaan om aardig te zijn. Aan iedereen mankeerde immers wel iets.

Lucy wist dat de hoeveelheid bloemen die Jenni wilde hebben ruwweg overeenkwam met het aantal dat het Golders Green Crematorium op een dag binnenkreeg, dus haar rustige middag zou een uurtje in de badkamer worden voor een beslagen spiegel. Ze streek over haar kin. Pukkel. Nou, pukkel was te bescheiden uitgedrukt, het was meer een tweede hoofd.

Misschien moest ze het etentje laten schieten, zeggen dat ze Gary niet alleen kon laten. Nee, ze zou gaan. Als Tom Shackleton van haar hield, zou hij die pukkel niet erg vinden. Als hij zich gedroeg zoals hij zich de afgelopen week had gedragen, zou hij het zelfs niet erg vinden als ze drie hoofden had, het zou hem niet eens opvallen. Ze zette haar gedachtestroom stil en spoelde de laatste gedachte een stukje terug. 'Tom Shackleton' en 'houden van' in dezelfde zin? Dat was een oxymoron.

'Gary, ik moet weg om Jenni's bloemen voor vanavond te halen. En het badzout is op, dus ik ga ook even langs de Body Shop. Moet ik nog iets voor jou meenemen?'

'Ja, een nieuwe. Eentje met een borstomvang van een meter en een lenige taille.'

Lucy lachte. Ze had het eerder gehoord, maar moest er altijd weer om lachen. Tom Shackleton maakte haar niet aan het lachen. Hij maakte haar alleen maar in de war en ongelukkig, dus waarom liet ze hem niet gaan? Ze trok een honkbalpet over haar ongewassen haren.

'Omdat ik dat niet wil', zei ze.

'Wat zei je?' riep Gary.

'Niets. Ik sprak mezelf alleen even bestraffend toe. Tot straks.'

Geoffrey Carters week had er heel anders uitgezien dan die van Tom en Jenni. De diepe brandwonden op zijn benen waren zeer pijnlijk. Er waren geen arrestaties verricht. Het OM vond dat er onvoldoende bewijs was om een vervolging in te stellen. Op de videobeelden was niet te zien dat de jongen de sigaret weggooide; verdere actie werd niet 'gepast' bevonden.

Gepast? Carter wist dat het de regering niet zou passen als de zaak slordig werd afgehandeld. De heldendaden van twee commissarissen en de waardige houding van de ouderlingen had voor veel kopij gezorgd. Engeland praat. De kaken bewegen houdt oorlogen tegen in de binnenstad. Arrestaties en vervolgingen zouden voor onrust zorgen. Het overzicht over het geheel vertroebelen en kritiek kunnen uitlokken. Hadden Shackleton en hij op die manier de wijk in moeten gaan?

Carter zag nu heel duidelijk hoe stom ze waren geweest en dat ze van geluk mochten spreken dat ze ermee weggekomen waren. Nu hij er weer aan dacht: Shackleton had iets waardoor hij zich ongemakkelijk ging voelen. Niet bang, angstig was een te groot woord voor wat hij voelde. Wat voelde hij dan wel? Bewondering? Ja. Afgunst? Een beetje, hij benijdde hem om zijn gebrek aan medeleven, om zijn gave nooit persoonlijk bij een zaak te betrokken te raken. Wat nog meer?

Carter zat in de hal van het ziekenhuis in een tijdschrift te bladeren en wachtte op zijn auto. Maar de advertentie voor tandpasta waar hij naar keek, drong niet tot hem door, het enige wat hij zag en voelde waren Shackletons armen om hem heen die de vlammen uitsloegen. Hij had hetzelfde gevoeld toen zijn mentor op het internaat, een krachtpatser die rugby speelde, hem een knuffel had gegeven toen zijn vader was overleden. Gekoesterd door het gezag, vader, grote baas, bescherming, warmte, genegenheid... stop. Hetzelfde gevoel dat hij vroeger had ervaren tijdens mannelijke drinkgelagen in de kroeg, als na sluitingstijd de deur op slot ging, waarbij gevaar en triomf emoties hadden losgemaakt die normaal verborgen bleven. Carter had nooit een homoseksuele relatie gehad, ondanks alle plagerijen die hij als jongeman had moeten ondergaan: mooie jongen, mietje, nicht... Eerst was hij er te bang voor geweest en daarna te ambitieus. Toentertijd bracht een homoseksuele politieman het niet verder dan wijkagent. Maar hij was niet homoseksueel. Nee, hij had nog nooit met een man geslapen, er ook nooit de behoefte toe gevoeld, maar soms, als hij met zijn vrouw de liefde bedreef, kwamen er ongevraagd beelden naar boven. Maar niet van Tom Shackleton. Nee. Nooit van Tom Shackleton.

Hij slikte nog steeds pijnstillers en had al twee nachten geen nachtmerries gehad, hoewel zijn dromen zeer levendig waren en hem verontrustten. Het moesten de medicijnen zijn, ja, die ruimden het onderbewustzijn op waarbij, net als bij een verstopte gootsteen, allerlei vreemde rotzooi naar boven kwam. Zijn geest leek erger verbrand te zijn dan zijn benen. Rauw. Had hij iets gezegd waarmee hij de aanval had uitgelokt? Had hij meer kunnen doen? Elke minuut, vanaf het moment dat hij onder het blauw-witte lint door dook tot hij kotsend over de motorkap van zijn auto hing, beleefde hij opnieuw.

Tom Shackletons bewustzijn mocht dan een woestijn zijn, dat van Geoffrey Carter was een regenwoud. Vol leven, waarin grote schoonheid en gevaarlijke duisternis elkaar bevochten. Hij wou dat het rustig werd in zijn hoofd, al was het maar voor een uur. Dat hij even in het kale, innerlijke landschap van Shackletons gevoelsleven kon vertoeven.

Zijn plaatsvervanger arriveerde om hem naar huis te brengen, naar zijn vrouw, zijn kinderen, zijn thuis. Naar het normale leven, dat hem wel van zijn demonen zou verlossen.

'Klaar, meneer?'

'Ja, dank je.'

Toen hij het ziekenhuis verliet, stonden er een paar journalisten op hem te wachten, broodschrijvers die er met tegenzin stonden. Een fotograaf wiens mobiele telefoon voortdurend overging, kreeg verwijten naar zijn hoofd geslingerd.

'Deze kant, hoofdcommissaris. Kunt u uw wandelstok even omhooghouden? Geweldig.'

Geklik van fototoestellen waarna de man naar zijn auto rende en telefonisch doorgaf dat hij nu op weg was naar een prijsuitreiking om een dronken voetballer voor de lens te krijgen.

De journalisten vroegen hem wat hij vond van de jongens die de brandbom naar hem hadden geworpen. Had het zijn houding tegenover etnische minderheden veranderd? Deze laatste vraag kwam van een kleine, vinnige tante van *The Voice*. Zijn chauffeur hield de deur van de auto voor hem open en zijn plaatsvervanger hield zijn elleboog vast, terwijl hij zich voorzichtig bukte en op de achterbank plaatsnam.

Een auto zwenkte voor hen langs en een televisieploeg sprong eruit, alsof ze een gewapend beleg in Afrika wilden verslaan. Ze droegen camouflagebroeken en mouwloze hessen met veel zakken. De regisseuse, een leeghoofdig type dat net een snelcursus journalistiek had gedaan, duwde Carter een microfoon onder zijn neus, terwijl ze tegelijkertijd haar lange haar naar achteren gooide.

Zijn benen deden pijn, hij voelde zich plotseling moe en wilde het liefst weer zo snel mogelijk in bed stappen en gaan slapen. Maar hij bleef beleefd en charmant. Ze wist dat hij het in zijn rol als martelaar op het vroege avondnieuws geweldig zou doen. Toen zijn auto wegreed, zei ze tegen de cameraman dat hij voor een politieman een vrij intelligente indruk maakte.

Carter had geen energie meer om te praten op weg naar huis. Zijn plaatsvervanger zat voorin en hield hem via het achteruitkijkspiegeltje in de gaten. De hoofdcommissaris was bij zijn personeel zeer geliefd, ze hadden zich allemaal zorgen om hem gemaakt.

'Alles is in orde, Danny.' Hij had gezien hoe zijn plaatsvervanger in het spiegeltje naar hem keek.

Danny die, sinds hij van de politieacademie was gekomen, al kandidaat was geweest om snel promotie te maken, had nu helemaal de wind mee, nu de politie er de voorkeur aan gaf om niet-blanke, getalenteerde agenten nog sneller te bevorderen. Hij was de eerste zwarte plaatsvervangend hoofdcommissaris en op weg om de eerste zwarte hoofdcommissaris te worden. Maar hij zou nooit te weten komen of hij dat geworden was omdat hij goed was.

Carter had tegen hem gezegd dat hij daar niet te lang bij stil moest blijven staan.

'Hoofdcommissaris worden heeft niets te maken met het feit of je een goede politieman bent. Je moet een goed politicus en een goede boekhouder zijn, je door niets laten afleiden en je eigen weg blijven volgen. Het heeft heel weinig te maken met gemeenschapszin of idealen.'

Danny wist dat Carter het nooit zo ver geschopt zou hebben als dat waar was, maar hij was een uitzondering. Danny bewonderde hem om zijn intelligentie en zijn overtuigingen.

'En Danny, als je het alleen wordt omdat je zwart bent, en niet omdat je goed bent, maak je vroeg of laat toch wel een fout en staan er genoeg mensen klaar om je een beentje te lichten.'

De auto stopte voor Carters huis. Danny hielp hem bij het uitstappen en liep met hem mee de treden op naar de in Regency-stijl uitgevoerde entree. Carter had zijn huissleutel al in de hand en keek naar de ramen van het huis. Danny interpreteerde de blik verkeerd en dacht dat hij bezorgd was. Maar Carter was teleurgesteld, nee, erger nog, hij had het gevoel dat ze zijn verjaardag vergeten waren, of dat hij eerste was geworden op de honderd meter sprint en niemand hem over de finish had zien komen. Hij had verwacht opgetogen gezichten voor het raam te zien, opgewonden kreten te horen, maar niet deze stilte.

'Zal ik even meegaan naar binnen, meneer?'

'Nee, Danny, dat hoeft niet. Bedankt.' Hij opende de voordeur. 'Jezus, wat is dat?'

Midden in de hal, je kon er onmogelijk omheen, stond de grootste potplant die Carter ooit buiten Kew Gardens had gezien.

'Goeie genade, het is een vleeseter. Zit er een kaartje bij? Denk je dat er een bom in zit?'

Danny overhandigde hem de kleine vierkante envelop.

'"Van Jenni en Tom. Beterschap."'

Hij keek naar zijn plaatsvervanger. Ze hadden beiden na de nacht van de belegering de ellenlange berichten over Tom Shackleton in de krant gezien, en de televisie-interviews, waarin hij op bescheiden wijze zijn dapperheid toegaf. Geoffrey Carters naam werd, in de eerste uren nadat ze vrij gekomen waren, nauwelijks meer genoemd. Op zijn best leek het alsof Shackleton zijn leven had gered, en op zijn slechtst alsof hij een sta-in-de-weg was geweest in een gevaarlijke situatie. De opnamen in het wijkgebouw waren zo gemonteerd dat je alleen een aangestoken sigaret zag en Shackleton die zich op de brandende Carter wierp om de vlammen uit te slaan.

Danny keek naar de plant.

118

'Mooi gebaar. Zo subtiel ook.'

Carter glimlachte. 'Mevrouw Shackleton zal hem wel gestuurd hebben.'

'Zet hem dan maar niet in uw slaapkamer. Anders wurgt hij u misschien nog in uw slaap.'

Ze keken naar het monster. Danny probeerde hem te verplaatsen. 'Kom, kom, Danny. Ze is toch best aardig.'

Danny kreunde. Carter nam aan dat het van inspanning was, en niet als commentaar op de kleurrijke mevrouw Shackleton.

Danny was een jaar lang Shackletons stafofficier geweest en diens dochter Tamsin was korte tijd verliefd op hem geweest Ze zat toen nog op school en achtervolgde hem voortdurend met verhalen over wreedheden thuis of viel zogenaamd in zwijm naast zijn auto. Iedere keer als zo'n bizar incident zich voordeed – volgens Danny was ze labiel – had hij het haar ouders verteld. Jenni had er altijd heel charmant op gereageerd, maar Shackleton had duidelijk gemaakt dat het vrouwenzaken waren waar hij zich niet in wilde mengen.

Toen besloot Danny's vrouw om van hem te scheiden. Ze had een relatie aangeknoopt met een politieman van een ander bureau en een van zijn collega's was zo attent geweest om een slipje van haar op het mededelingenbord te hangen met een aanschouwelijke foto erbij, waarop te zien was hoe ze het was kwijtgeraakt.

Ze haalde het halve huis leeg en nam de kinderen mee, waarna het bergaf met hem ging en hij regelmatig te diep in het glas keek. Hij was er uiteindelijk weer bovenop gekomen, maar toen was Jenni al tot de conclusie gekomen dat hij geschift was.

'Volgens mij is die Dan Marshall ietwat onstabiel', had ze in het voorbijgaan tegen een inspecteur van het politiekorps opgemerkt.

En hoewel ze het nooit met zoveel woorden had gezegd, wist Danny dat ze geloofde dat zwarte mannen nooit echt iets konden bereiken. Dat ze een aangeboren zwakheid hadden die dat verhinderde. Toen wist hij dat Jenni Shackleton net zo maf was als haar dochter. Dat er onder dat vernisje van ruimdenkendheid een provinciale geest schuilging, wat zich naar Danny toe vooral uitte in achterdocht en neerbuigendheid. Ze had nooit gedacht dat hij het tot plaatsvervangend hoofdcommissaris zou schoppen. Volgens haar was hem dat ook alleen maar gelukt omdat de politie voor *Question Time* een zwart gezicht nodig had.

'Zal ik straks nog even langskomen om te kijken of alles in orde is?'

Danny zette de potplant naast de paraplubak en liep naar de voordeur.

Carter stak zijn hand uit.

'Bedankt, Danny, dat is niet nodig, mijn vrouw…'

Danny keek om zich heen en daarna langs de trap omhoog.

'Is ze thuis, meneer?'

Carter zag er opeens wat verloren uit. Bambi.

'Ik dacht dat ze thuis was. Net als de jongens… Misschien zijn ze vergeten dat ik vandaag thuiskom. Maar maak je geen zorgen. Ze kunnen nooit ver weg zijn.'

'Zal ik anders blijven, meneer? Een kop thee voor u maken…?'

Danny zag dat zijn baas behoefte had aan gezelschap maar het niet durfde te zeggen. Zonder het antwoord af te wachten, deed Danny de deur van de woonkamer open. Het lawaai overviel hen op hetzelfde moment dat een kleine jongen op Carter afvloog.

'Verrassing!'

'Pappa… pappa… pappa.'

'Welkom thuis!'

Danny zag dat de hele kamer en de aangrenzende keuken vol hingen met vlaggetjes en spandoeken waarop stond: 'We houden van je, pappa' en 'Welkom thuis, held'.

Hij zag ook Carters andere zoon heen en weer wiegen, opgesloten in zijn eigen autistische wereldje, dat beheerst werd door vloeistof, van welke soort dan ook. Het was een obsessie voor hem. Danny wist dat geen enkel glas en geen enkele vaas of fles voor Alexander veilig was, want hij dronk alles leeg wat hij vond. Whisky, methanol en onverdunde vruchtensiroop waren allemaal al een keer uit zijn maag gepompt.

Hij leek Carter, die het kind op dezelfde manier begroette als zijn andere zoon, Peter, niet te herkennen. Peter was intelligent en levenslustig voor twee, alsof hij een tegenwicht wilde vormen voor zijn in zichzelf gekeerde broertje.

Eleri probeerde tevergeefs zowel op de kinderen te letten, haar man een zoen te geven en Danny welkom te heten.

'Ga zitten, Danny. Je blijft toch eten? We hebben gelatinepudding na, en blanc-manger.'

Peter was ondertussen bij Carter op schoot gekropen en schreeuwde: 'En chocoladeijs!!' Hij draaide zich om naar Danny. 'Maar dat is pappa's lievelingsijs, daar krijg jij niets van, dat is alleen voor pappa.'

De jongen begon op en neer te wippen op zijn vaders dijen. Eleri zag het gezicht van haar man van pijn vertrekken en tilde Peter snel van zijn schoot en stuurde hem naar boven om de welkomstgeschenken op te halen die het kind voor zijn vader had gemaakt.

Danny voelde zich opgelaten toen Eleri op de armleuning van Carters stoel ging zitten en zijn gezicht begon te strelen, dat er plotseling heel vermoeid uitzag. Ze zag er aantrekkelijk uit met haar weelderige, kastanjebruine haardos die ze met enorme hoeveelheden hairspray in bedwang probeerde te houden. Haar gezicht was bedekt met sproeten, ze had mooie, schuinstaande bruine ogen en om haar lippen lag altijd een glimlach. Ze was zowel moederlijk als sexy, vond Danny, maar obsceen zou ze nooit worden. Niet zoals die wilde mevrouw Shackleton. Hoe was hij in godsnaam op die gedachte gekomen?

'Nee, ik kan maar beter gaan. Maar bedankt voor het aanbod. Ik zie u dan wel weer over een paar dagen, meneer. Ik kom er wel uit.'

'Ja, graag, Danny... Eleri zal me tegen die tijd overvoerd hebben met custardpudding.'

Hij draaide zich om om weg te gaan, maar werd bijna tegen de grond geslagen door Alexander, die plotseling van een zombie in een razend, bijtend wild dier was veranderd. Hij gaf geen enkel geluid toen hij Danny aanviel. Elerie trok de jongen met zoveel geweld van hem af dat hij bang was dat Alexander zijn armen zou breken, maar hij zag algauw dat het de enige manier was om met de jongen om te gaan.

'Te veel opwinding. Sorry. Als hij eenmaal zo'n woedeaanval heeft, kunnen we weinig meer doen. Het spijt me verschrikkelijk. Je komt er wel uit, hè?'

Danny wilde maar al te graag vertrekken. Hij vond Alexanders autisme weerzinwekkend, hoewel hij zich schaamde voor deze gedachte. De jongen had iets onmenselijks over zich. De Carters waren echter dol op hem. Danny voelde zich ellendig dat hij niet iets van genegenheid voor hem kon voelen.

Peter daarentegen was een totaal andere jongen. Hij rende met zijn vaders geschenken de trap af toen Danny bij de voordeur stond. Zoals altijd verspreidde hij blijdschap waar zijn broer voor onrust zorgde. Hij glimlachte naar Danny, zei hem goedendag en verontschuldigde zich ervoor dat hij hem geen hand kon geven vanwege de pakjes.

Nadat de beleefdheden naar tevredenheid waren volbracht en Danny was vertrokken, gaf hij Carter zijn armvol geschenken, terwijl een gillende Alexander in de keuken met Eleri aan het vechten was. Dinosaurussen van eierdozen, tekeningen op grijs ruitjespapier en een raket gemaakt van een plastic fles waar afwasmiddel in had gezeten.

Toen Danny in de auto stapte, waren zijn gedachten nog steeds bij het gezin, bij de twee jongens die niet op hun ouders leken. De zonen die Eleri niet had kunnen krijgen omdat haar eierstokken niet in orde waren.

Zij en Carter hadden elkaar op de universiteit ontmoet, zij was eerstejaars geweest en hij was bijna afgestudeerd. Ze was verliefd op hem geworden omdat hij zo menslievend van aard was en zo'n tedere schoonheid bezat, en hij op haar omdat ze zich zo waardig en kalm gedroeg.

Ze waren algauw getrouwd en hadden jarenlang pleegkinderen gehad, van alle nationaliteiten. Kort nadat Ceausescu was afgezet en de toestand zich daar verbeterd had, was Eleri naar Roemenië gereisd, waar ze in een weeshuis twee Roma-jongetjes had aangetroffen, onder de luizen en aan hun lot overgelaten. Buitenechtelijke zigeunerkinderen voor wie geen hoop meer bestond. Ze deelden een roestig ledikantje, lagen vastgebonden aan de stijlen weg te kwijnen en verkeerden lichamelijk en geestelijk in een deplorabele toestand. Eleri, die heel graag kinderen wilde hebben, en Geoffrey, die haar heel graag gelukkig wilde zien, konden de jongens na een tweejarig gevecht met de Engelse bureaucratie mee naar huis nemen. Twee mooie, glimlachende cherubijntjes die ze overlaadden met liefde en eten in de overtuiging dat dit genoeg zou zijn om een eind te maken aan hun nachtmerries, het heen en weer wiegen en het eindeloze gestaar naar hun handen.

Peter paste zich verbazend snel aan, hij was op tienjarige leeftijd de beste van zijn klas en zeker van een plaats op een goede middelbare school. Maar Alexander, die een jaar jonger was, was opgehouden met glimlachen toen hij achttien maanden oud was, en had nog nooit een woord gezegd. Hij maakte alleen geluiden, geluiden die Danny in de oren klonken als het gekrijs van een chimpansee. Angstige kreten die angst aanjoegen.

Hij wist niet wat hij gedaan zou hebben als een van zijn eigen kinderen zo was geweest. Ja, hij wist het wel. Hij zou weggegaan zijn in plaats van met zo'n beschadigd kind verder te leven. Hij wou dat hij een beter mens was, maar kende zichzelf goed genoeg om te weten dat hij waarschijnlijk nooit zou veranderen.

Binnen vroeg Carter zich ondertussen af hoe hij ooit gelukkig had kunnen zijn zonder deze twee heerlijke monsters. Hij was de enige die contact had met Alexander. Elerie probeerde het wel, ze probeerde iedere dag hem lief te hebben, maar vond het iedere keer weer verschrikkelijk als er geen respons kwam. Ze had nog nooit een knuffel of een zoen van hem gehad of zijn hoofd slapend op haar schouder gevoeld; het leek alsof ze voor een agressieve, onzindelijke hond zorgde. Maar ze zou het blijven proberen.

Later die avond lagen de jongens, elk aan een kant van hun vader, in de leunstoel te slapen. Alexander zocht, wanneer hij moe was, altijd bescherming bij zijn vader. Eleri zat op de vloer met een beker warme chocolademelk. Ze was er niet meer jaloers op dat Alexander zo gehecht was aan haar man, maar ze bleef hopen dat hij op een dag ook tegen haar aan zou kruipen.

Ze was stil geweest die avond. Carters pogingen om na het eten een gesprek met haar te beginnen, hadden slechts eenlettergrepige antwoorden opgeleverd. Hij had haar gevraagd wat er aan de hand was, maar ze was er niet op ingegaan.

Hij had zich zijn thuiskomst heel anders voorgesteld. Een beetje heldenverering zou leuk zijn geweest. Een beetje liefde en genegenheid. Ze was tot nu toe een engel geweest, zowel tijdens de nasleep van de belegering als in het ziekenhuis.

Toch had de veiligheid van zijn gezin zijn onzekerheid en verwarring als een krachtige pijnstiller tot rust weten te brengen.

Hij lag met zijn wang tegen Alexanders haar weg te doezelen toen Eleri zei: 'Kom op. Tijd om naar bed te gaan. Alle drie. Naar boven! Nu!'

Onder luid protest nam Peter zijn broertje mee naar boven om hun tanden te gaan poetsen en hun pyjama's aan te trekken. Eleri trok Carter overeind, deed de lichten uit en controleerde of de voordeur op het nachtslot zat. In de hal bleven ze staan. Carter sloeg zijn armen om haar heen, liefdevol en tevreden.

Hij haalde diep adem en voelde zich voor het eerst sinds de belegering, sinds hij zo dicht bij Shackleton was geweest, weer schoon. Het leek alsof de man hem met iets geïnfecteerd had. Belachelijk. Hij hield het zachte lichaam van zijn vrouw tegen zich aan gedrukt.

'O, Eleri. Ik hou toch zoveel van je.'

Het antwoord kwam als vanzelf. En hoewel ze dicht tegen hem aan stond, voelde hij toch enige afstandelijkheid.

'Ik ook van jou. Heb je de plant gezien?'

'Ja, ik brak mijn nek er zowat over. Wat ga je ermee doen?'

'Ik weet het niet, Geoff… maar we kunnen hem niet wegdoen. Stel dat ze langskomen. Je weet hoe Jenni is, ze wil hem beslist zien.' Om niet al te ondankbaar over te komen, voegde ze eraan toe: 'Maar het is goed bedoeld; bovendien heeft ze mij een grote bos lelies gestuurd.' Ze keek naar de vleesetende plant. 'Hij kan daar wel blijven staan. Maar mooi vind ik hem niet. Jij wel? Hij doet me aan een sprookje van Grimm denken.'

'Mmm.'

Hij luisterde niet naar haar, maar kuste haar en vlijde zich tegen haar weelderige, uitnodigende lichaam aan. Opeens duwde ze hem weg. Haar gezicht was vertrokken en ze probeerde haar tranen terug te dringen. Het lukte niet. Ze begon te huilen, te roepen en bijna te lachen.

Carter was er volkomen door van zijn stuk gebracht.

'Eleri... wat heb je? Wat is er aan de hand?'

'Wat is er aan de hand? Jij... jij... O, ik haat je... Ik haat je. Nee, dat meen ik niet... maar hoe kon je dat nou doen? Je had wel dood kunnen zijn. Kijk dan hoe je eruitziet. Kijk dan wat ze met je hebben gedaan. Het was niet eens jouw taak... je had er nooit naartoe moeten gaan. Je had aan ons moeten denken... aan je gezin. Maar je werk, dat verdomde werk moest weer op de eerste plaats komen. Het is het niet waard. Kijk dan hoe je eruitziet. Hoe kon je dat nou doen? Waarom? Waarom...?'

Ze liet zich uitgeput tegen hem aan vallen. Peters bezorgde gezicht verscheen boven aan de trap en Alexander begon te jammeren en heen en weer te wiegen. Carter stelde hen gerust.

'Er is niets aan de hand. Mammie is een beetje van streek, morgen is alles weer goed. Ze is alleen een beetje moe.'

'Nee, dat is ze niet', klonk het op gedempte toon vanonder zijn kin. 'Ze is zwanger.'

De tijd vertraagde en de ruimte tussen de zojuist nog opeengepakte seconden vulde zich met kalmte, liefde en warmte. Er had zich een wonder voltrokken, maar er waren geen woorden, geen kreten van verrukking of vreugde die konden uitdrukken wat hij voelde. Het leek alsof ze plotseling midden in een besneeuwd landschap stonden, geen zuchtje wind, geen wolkje dat de sereniteit van de sterrenhemel verstoorde. Gedempte stilte en pure volmaaktheid. Carter wist niet meer wat hij moest zeggen. Pas na een poosje zei hij: 'Weet je het zeker? Hoe ver ben je heen?'

'Op de dag van de belegering was het twaalf weken. Ik had de champagne al in de koelkast gezet. Ik kon het je niet eerder vertellen. Voor het geval het misging. Maar na drie maanden is het zeker, zegt men.'

Carter kon geen woord uitbrengen. Niets in zijn leven was hiermee te vergelijken. Hoofdcommissaris worden niet, misdaadpaus worden niet, niets. Alleen dat kikkervisje dat groeide in de vrouw die hij nu veel te dicht tegen zich aan gedrukt hield, telde nog. Zijn eigen kind. Hun eigen baby.

Hij wist dat het een meisje zou worden. Een meisje van wie hij de geschaafde knieën beter zou zoenen, een meisje dat haar vader al haar geheimen zou toevertrouwen. Een meisje dat hij op haar trouwdag naar het altaar zou begeleiden. Dit was de enige droom die hij nog had, een droom die even onwaarschijnlijk had geleken als het winnende doelpunt in de finale van het wereldkampioenschap voetbal. Hij keek stralend omhoog naar de twee bezorgde gezichtjes tussen de spijlen van de trapleuning. Peter grijnsde, opgelucht dat alles in orde was, en kalmeerde Alexander.

Ze liepen zonder een woord te zeggen naar boven. Eleri moest aan de Maagd Maria denken die het nieuws van haar zwangerschap voor zich had gehouden. Ze had dat nooit begrepen, maar nu wist ze precies waarom ze dat had gedaan.

Peter sloeg verlegen zijn armen om zijn moeder heen. Carter trok Alexander naar zich toe en sloot iedereen in zijn armen. Hij zou zich dit moment later als het gelukkigste moment van zijn leven herinneren.

De realiteit zou tot morgen moeten wachten. Hij wist dat de toekomst nu geen uitgemaakte zaak meer was. Maar vanavond…

Carter wilde zijn gezin niet loslaten en reikte over hen heen naar het knopje van de overlooplamp om deze uit te doen. Hij keek naar beneden naar de plant.

Die zag er nu prachtig uit.

Om zes uur was Lucy geplukt en opgemaakt, als een kalkoen die klaar was om de oven in geschoven te worden. Ze had een nieuwe kleur oogschaduw op en keek telkens in de spiegel om te zien hoe die stond.

Jenni's bloemen waren geschikt en ze had theegezet voor de cateraar, die de maaltijd zou bereiden.

'Waarom doe je je jurk niet uit? Hij kreukt anders nog als je gaat zitten.'

Gary verbrak de stilte die over hen neergedaald was. In Lucy's hoofd was het echter niet stil. De tegenstrijdige gedachten in haar hoofd waren oorverdovend. Wensen. Hoop. En dat ene woord, 'Tom', dat steeds herhaald werd.

'Ja, je hebt gelijk. Ik ben veel te vroeg klaar.'

Ze ging naar boven en trok een vormeloze jurk aan, die ze jaren geleden gekocht had toen ze dacht dat ze zwanger was. Ze kon hem nu aantrekken zonder aan die paar weken terug te denken. Was dit werkelijk het opwindendste dat ze sindsdien had meegemaakt? Ze probeerde zich andere voorvallen te herinneren terwijl ze de zijden jurk weer op de zachte, lila kleerhanger hing.

Haar leven zag er opeens armoedig en saai uit. Een bestaan op de grens van het zijn. In minder dan een minuut was de roes van hoop en verwachting overgegaan in erkennen dat alles vergeefs was. Wat mocht ze van deze avond verwachten? Elke hoop vervloog toen ze de opties tegen elkaar afwoog.

Lucy, je bent niets bijzonders. Je bent een gewone vrouw, niet mooi en getrouwd met een aardige man met een ziekte die onomkeerbaar is. Maak jezelf niet belachelijk. Maar waarom niet? Als alles toch al vastlag, als er toch niet aan het onvermijdelijke viel te ontkomen, dan kon ze zichzelf net zo goed wijsmaken dat het geluk haar toelachte. Ja. Waarom nam ze niet meteen een overdosis, dan had ze het maar gehad.

Ze wist heel goed dat Jenni haar er niet echt bij wilde hebben, dat ze slechts als dekmantel fungeerde voor Jenni en haar politicus. Waarschijnlijk kende ze geen andere vrouwen die naar haar etentjes konden komen zonder een bedreiging te vormen. Gelukkig had ze altijd Lucy nog, die zo zielig en saai was dat zelfs de soep meer aandacht trok dan zij.

De gedachten raasden in een neerwaartse spiraal door haar hoofd. Ze moest ze een halt toeroepen.

Ze ging op bed zitten, pakte de roze, pluchen olifant die Gary haar, toen ze elkaar net kenden, met kerst had gegeven en begon een vlecht te maken van de belachelijke toef nylon op zijn kop.

'Het zit namelijk zo', zei ze hardop, om haar gedachten te verdringen. 'Noddy wil graag de grasmaaier van Grootoor lenen. Vol optimisme verlaat hij zijn huis, maar als hij bij het huis van Grootoor aankomt, heeft hij al duizend redenen bedacht waarom Grootoor "nee" zal zeggen en hem zal vernederen. Om hem voor te zijn, zegt Noddy daarom zodra Grootoor de deur opendoet: "Val dood, Grootoor."'

De uitdrukking op het gezicht van de roze olifant veranderde niet. Lucy liet zich lachend achterover op het bed vallen bij de gedachte dat zij zo strijdlustig op Jenni's voordeur zou bonzen en 'Val dood, Jenni' zou roepen wanneer ze opendeed. Ze zei het nog een keer: 'Val dood, Jenni', en moest weer lachen. En daarna nog een keer. Ze moest zo hard lachen dat ze er buikpijn van kreeg, waarbij ze de roze olifant tegen zich aan gedrukt hield. De bel van de voordeur bracht haar terug naar de werkelijkheid. Een werkelijkheid die tenminste mogelijkheden bood en waarin de toekomst nog niet als de dienstregeling van een bus was uitgestippeld.

De verpleegsters stapten, zoals altijd goedgeluimd, de hal binnen. Deze twee, Denise en Mel, waren Gary's favorieten. Ze flirtten altijd met hem en maakten hem aan het lachen. Toen Lucy zag hoe ze met Gary omgingen, voelde ze zich schuldig dat ze niet dankbaarder was voor wat ze bezat. Terwijl ze water voor de thee opzette voor zijn meiden ('Mokken, graag, Lucy. Mel en ik drinken alleen bij begrafenissen thee uit kopjes.'), vroeg ze zich af waarom ze zich steeds weer door dit soort gevoelens liet meeslepen.

Een minuut van opgetogenheid, daarna neerslachtigheid en woede en nu schuldgevoelens. Ze keek in de chromen fluitketel naar haar zorgvuldig opgemaakte gezicht. Je zou het niet zeggen als je die schaapachtige blik zag, dacht ze bij zichzelf, waarna ze de thee klaarmaakte en naar binnen bracht.

Gary hing boven zijn rolstoel in een draagriem die aan een mobiel hijsapparaat bevestigd was. Het ding had zevenhonderd pond gekost, maar in theorie konden ze nu op vakantie en hoefden ze op de plaats van bestemming alleen maar een plaatselijke verpleegkundige in te huren. Natuurlijk hadden ze dat nooit aangedurfd. Bovendien konden ze zich, nu ze het apparaat gekocht hadden, geen vakantie meer veroorloven.

Denise dreigde dat ze hem daar zou laten hangen terwijl zij thee gingen drinken, waarna ze alle drie in lachen uitbarstten. Gary zag er zo hulpeloos uit dat het leek alsof hij gevaar liep uit het tuig te vallen. Lucy keek naar hem. Kon ze maar genoegen nemen met wat ze had. Tevreden zijn. Dankbaar zijn. Kon ze maar de telefoon pakken en tegen Jenni zeggen dat Gary zich niet goed voelde, dat zijn verkoudheid erger was geworden. Dat was niet gelogen ook. Als ze niet naar het etentje ging, kon ze morgen misschien beginnen aan een leven zonder Tom Shackleton, zonder ontevredenheid en dit onrustige verlangen naar opwinding.

Misschien moest ze een cursus gaan volgen aan de Open Universiteit, of aan amateurtoneel gaan doen. Een leuke hobby. Iets om niet te hoeven denken aan dat enorme gevoel van leegte, dat grote, gapende gat. Aan Tom Shackleton.

'Gary, hoe is het met je verkoudheid?'

'O, het wordt erger', zei hij opgewekt, terwijl hij langzaam op zijn bed werd neergelaten.

'Hoefde ik nu maar niet weg vanavond. Dat zou ik helemaal niet erg vinden. Echt niet.'

Ze hoopte vurig dat hij 'ja, blijf maar thuis' zou zeggen. Ze raakte in paniek. Ze zag de avond opeens voor zich als een deur tussen twee dimensies. Als ze erdoorheen ging, zou ze niet meer terug kunnen. Niets zou meer hetzelfde zijn.

Gary nam een slokje van zijn thee en doopte daarna een van de koekjes erin die Denise had meegebracht.

'Nee, ga maar. Ik zei toch dat ik het vanavond eens uitgebreid over rolstoelen wil hebben.'

'O, heet dat tegenwoordig zo als je een stel meiden op bezoek krijgt', bulderde Mel. 'Je houdt dus een orgie vanavond.'

'O, mag ik ook komen?' Denise zei het zo luid dat het klonk alsof ze over het lawaai van een feestje heen moest schreeuwen. 'Ik neem de babyolie wel mee.'

Gary genoot.

'Ik denk dat ik beter uit de voeten kan met pluggen en schroeven.'

Lucy wilde meedoen aan de lol. Het mocht misschien vals en geforceerd overkomen, maar het was veilig. Ze wilde dat ze haar erbij betrokken. Maar voor Gary was het goed dat ze er geen deel aan had, dit was iets van hem. Hij stond in het middelpunt van de belangstelling bij deze twee vrouwen. Ze kenden zijn lichaam beter dan Lucy; ze hadden een band, ze waren van hem. Lucy herinnerde zich van haar stage als ziekenverzorgster hoe die band met een zieke echtgenotes het gevoel kon geven dat ze buitengesloten werden. De onvoorwaardelijke liefde van patiënten voor hun verpleegkundigen. De ongecompliceerde genegenheid tussen vreemden.

'Wordt het geen tijd dat je je weer omkleedt, Lucy? Kunnen Mel en Denise je jurk ook even zien.'

Lucy glimlachte en zei: 'Ik loop nog even naar de overkant om te zien of alles in orde is.'

Jenni en Tom waren om vijf uur terug van Buckingham Palace. Ze hadden plakjes opgerolde cake met jam gegeten en even gebabbeld met enkele leden van de koninklijke familie, die beleefd nieuwsgierig naar het incident in Flamborough geïnformeerd hadden en beleefd bezorgd naar Toms brandwonden. Jenni was in haar nopjes geweest toen een prinses met hoed haar verteld had dat ze regelmatig Jenni's krantenartikelen las. Een aantal staatssecretarissen had kennis met hen gemaakt.

Jenni was zeer tevreden. Haar man werd met respect behandeld. Hij was tenslotte haar creatie. Ze stond toe dat hij haar hand vasthield in de auto terug naar huis. Het gaf Shackleton een geruststellend gevoel. Maar het was nooit een voorspel tot verdere intimiteit. Ze keurde goed wat hij deed en dat maakte zijn leven een stuk gemakkelijker.

Lucy klopte verontschuldigend op de deur. Een stralende Jenni liet haar binnen. Ze was blij Lucy te zien, was een en al lof en liep over van dankbaarheid. De cateraar was in de keuken bezig en er hing een sfeer van blijde verwachting in huis. Tom liep naar boven om zich om te kleden en knipoogde vanaf de trap naar Lucy, een grappig, samenzweerderig knipoogje dat haar aan het giechelen maakte. Lucy ging de keuken in om te kijken of ze nog iets kon doen. Ze had nog geen zin om naar huis te gaan en wilde de herinnering aan die guitige knipoog nog even vasthouden. Toen ze de keuken weer verliet, zag ze dat Jenni de flessen drank aan het inspecteren was, ze pakte ze een voor een op en zette ze daarna weer neer. Tom kwam de trap weer af en voelde dat de stemming was omgeslagen. Als de ijskoude lucht die uit een openstaande vrieskist opstijgt. Jenni pakte twee flessen en wendde zich woedend tot hem. Tom knipperde met zijn ogen en verwachtte de flessen ieder moment naar zijn hoofd geslingerd te krijgen. Lucy bleef in de deurope-ning staan en durfde zich niet te verroeren.

'Waar is het gemberbier?'

Zoals altijd viel Jenni hem aan op een moment dat hij, de succesvolste politieman van het land, de lieveling van de media, de man van roemrijke daden, er totaal niet op voorbereid was.

'Welk gemberbier?'

'Ja!' siste ze triomfantelijk. 'Inderdaad, welk gemberbier? Er is geen gemberbier. Want dat heb jij opgedronken. Toch?'

Hij wist niet wat hij erop moest antwoorden en nam te veel tijd om erover na te denken.

'Sukkel! Wat sta je nou te kijken? Waarom heb je me niet verteld dat het op is?'

Zoals altijd kwam hij haar tegemoet.

'Ik ga wel wat halen. Nu meteen.'

De cateraar, die de keuken uit was gekomen, voelde zich niet op haar gemak door deze woede-uitbarsting.

'Ik heb wel wat gemberbier in de auto', zei ze.

'Bemoei je er niet mee', beet Jenni haar toe.

De cateraar schrok van haar woorden en ging terug naar haar hors d'oeuvres. Lucy keek hulpeloos naar Shackleton, maar die wendde alleen zijn hoofd af en zette zich schrap voor de volgende uitbarsting. Hij voelde zich diep vernederd, een gevoel dat als de geur van ongewassen kleren om hem heen leek te hangen.

'Waarom zeg je dat niet? Ongelooflijk…'

Jenni schreeuwde nu, in onsamenhangende bewoordingen. Haar woedeaanvallen namen de laatste tijd steeds meer toe, maar hij vond het te voorbarig om te zeggen dat deze scheldkanonnades een teken waren dat er iets ernstigs met haar aan de hand was. Hoewel hij haar soms haatte, dacht hij ook vaak nog met weemoed terug aan de tijd toen ze net samen waren en ze zijn geliefde, tedere Jen was. Nu gaf Lucy hem die tederheid, maar hij wist wat er zou gebeuren als hij haar in vertrouwen nam. Hij keek naar haar, zoals ze daar ineen-gedoken in de deuropening van de keuken stond, alsof ze het liefst door de grond wilde zakken, en getuige was van zijn lafheid. Hoe kon een vrouw liefde of respect opbrengen voor een man die te slap was om zich tegen zijn eigen vrouw te verzetten? Jenni was bezig hem te vernietigen en Lucy maakte deel uit van het proces van vernedering.

Door het leed dat Jenni hem aandeed, had hij zich steeds meer op zijn werk gestort. Lucy was een luxe die hij zich niet kon veroorloven. Hij pakte zijn autosleutels.

'Ach, zelfs dat kleine eindje lopen naar de winkel is hem te veel. Geen wonder dat je zo dik wordt.'

Ze schreeuwde nog steeds toen hij de deur achter zich dichttrok.

Hij reed niet naar de dichtstbijzijnde winkel, maar naar een grote, drukke supermarkt, waar hij in de rij zou moeten staan achter moeders met winkelwagentjes die volgeladen waren met voordeelverpakkingen pizza's en luiers. Tijd winnen met één kratje gemberbier. Zelfs het gezeur van onopgevoede kinderen was beter dan het geschreeuw van zijn vrouw.

Toen hij de auto weer op de oprit parkeerde, keek hij naar de overkant van de straat. Hij zag Gary en de verpleegsters lachen en met het hijsapparaat dollen. Lucy, die hem minuten geleden nog had aangekeken met die tedere blik in haar ogen die hem pijn had gedaan, hield nu twee mokken in haar hand. Ze kon niet weten dat die tederheid hem meer pijn deed dan Jenni's woede-uitbarstingen. Shackleton zag haar ook lachen. Had ze het aan Gary verteld? Verkneukelden ze zich om die arme Tom Shackleton die bij zijn vrouw onder de duim zat? Ze zag er zo gelukkig uit. Hij benijdde hen omdat ze zoveel warmte uitstraalden. Hij wilde deel uitmaken van het plaatje, zoals hij als kind deel had willen uitmaken van de afbeeldingen op kerstkaarten. Zich door liefde omringd weten. Hij benijdde Gary om zijn vrouw, zonder zich ervan bewust te zijn dat zij het enige was wat hem gebleven was van een leven dat ooit even succesvol was geweest als het zijne.

Zodra Tom het huis had verlaten, werd Jenni weer rustig. Terwijl ze zich omkleedde voor het eten dacht ze aan Tom en aan zijn onvermogen om initiatieven te nemen. Het ging niet alleen om gemberbier, maar om alles. Ze borstelde haar haar en werd weer kwaad bij de gedachte hoe hij haar met zijn laksheid tot dit soort acties dwong.

Maar toen keek ze in de spiegel. Ze wist dat ze er buitengewoon mooi uitzag. Alles was in gereedheid gebracht voor de avond die voor haar lag. De tafel was perfect gedekt, het huis zag er prachtig uit. Gary had het ooit omschreven als Yorkshire-chic, waarbij hij had moeten denken aan zijn moeders voorliefde voor gereproduceerde grandeur en objets d'art van Franklin Mint.

Het beste nieuws van de dag tot nu toe was dat ze zojuist een redacteur van een landelijk dagblad aan de lijn had gehad, die haar gevraagd had of ze haar man een diepte-interview wilde afnemen. Ze zette de woedeaanval en haar ontevredenheid met Tom uit haar hoofd. Het was zijn eigen schuld, hij bleef haar uitdagen.

Af en toe kwam ze in de verleiding om te onderzoeken waarom ze hem aanviel, zoals ze iedere maand haar borsten onderzocht. Eén keer had ze daarbij haar moeder voor zich gezien die met gebalde vuisten haar vader sloeg. Hij had zich niet verweerd. Ze had de blik daarna nooit weer naar binnen gericht.

Als je mooi was, hoefde je niet aardig te zijn. Ze hoefde zich niet af te vragen waarom ze geworden was zoals ze was en daar lering uit te trekken. Zalig zij die aardig waren, want hun zou de aarde toebehoren, maar pas nadat zij die mooi waren en macht hadden er genoeg van hadden.

Ze bestudeerde haar gave gezicht in de spiegel. Ze was nog steeds verbaasd over de buitengewone kracht die ze uitstraalde. Soms vroeg ze zich af of ze te vroeg met Tom was getrouwd. Of ze niet had moeten wachten, een grotere vis aan de haak had moeten slaan.

Nee. Een grotere vis had ze niet kunnen omvormen. Het speet haar dat ze tegen hem geschreeuwd had. Maar dat kon ze niet tegen hem zeggen. Ze durfde niet toe te geven dat ze het steeds moeilijker vond om haar uitbarstingen in bedwang te houden.

'Nou ja,' herhaalde ze hardop, terwijl ze naar haar lippen keek in de spiegel, 'het is zijn eigen schuld.'

Halfacht. Ze moest naar beneden. De Dwerg zou zo komen, en Lucy. Hopelijk droeg ze iets dat meer tot de verbeelding sprak dan die vormeloze tent waarin ze was weggegaan. Arme, saaie Lucy. Ze glimlachte. Ze was zeer gesteld op Lucy. Gary's ziekte had het beste in haar naar boven gebracht. Daarvóór had Jenni altijd een beetje het gevoel gehad dat Lucy met haar wedijverde, dat ze haar kalme intelligentie als wapen gebruikte tegen Jenni's vurige schoonheid. Maar nu was Lucy gewoon een lieve, wat melancholieke vriendin. Geen bedreiging. Tom en zij moesten echt iets voor ze doen.

Er werd gebeld.

Tom liep naar de voordeur, de flesjes gemberbier stonden ondertussen bij de whisky.

Jenni, die wist dat ze eruitzag als een plaatje, bleef halverwege de trap staan en nam een elegante pose aan. Tom opende de deur. Het was Lucy. Jenni ontspande zich, liep naar beneden en zoende Lucy langs beide wangen. Dit was Lucy, de gast, niet Lucy, de werkster.

Tom nam haar jas aan en Jenni was vol lof over Lucy's jurk. Tom zag hoe de stof zacht over haar borsten viel en hoe mooi rond haar achterwerk erin uitkwam.

'Wil je een glas champagne, Lucy?'

Of ze een glas champagne wilde? De laatste keer dat ze echte champagne had gedronken, geen Spaanse cava of bubbels uit Nieuw-Zeeland, maar echte, Franse champagne, was na de verkiezingen van 1997 geweest. Zij en Gary hadden op de nieuwe wereld, op een nieuw begin gedronken. Ze had het gevoel gehad alsof na twintig jaar mist de zon weer was gaan schijnen.

'Graag, Jenni. Dat lijkt me heerlijk. Dank je.'

Ze pakte het glas met de lange steel van haar aan en nam een slokje. De belletjes waren piepklein, duur.

'O, Jenni, wat een traktatie.'

'Je verdient het', zei Jenni, terwijl ze Lucy in haar arm kneep. 'Je bent zo'n engel. En kijk eens naar die bloemen, Tom, zien ze er niet fantastisch uit? Dat heeft Lucy gedaan.'

'Heel mooi', zei Tom, waarbij hij Lucy een blik toewierp die haar bijna een orgasme bezorgde. Ze onderdrukte het gevoel en nam nog een slokje. De scène van een paar uur geleden was vergeten. Dit was kalm vaarwater, niets deed meer denken aan de eerdere storm.

'Wie is je andere gast, Jenni? Ik geloof niet dat je me dat verteld hebt.'

'Nee? Robert MacIntyre.'

Lucy was onder de indruk. Op de lijst van machtigste mensen in

Groot-Brittannië van de *Sunday Times* stond hij op de achtste plaats. Jenni had met hem beslist een grote vis aan de haak geslagen.

'Tom, geef Lucy de knabbels eens aan. En vergeet de dipsaus niet, die is werkelijk verrukkelijk.'

Toen Lucy een stukje selderij pakte, kwam haar hand met die van Shackleton in aanraking. Ze had ook graag van die lange, rood-gelakte nagels als Jenni gehad.

Tom dacht juist hoe mooi het was om een vrouwenhand te zien zonder klauwen waar het bloed van af leek te druipen.

Ze zaten over koetjes en kalfjes te praten. Lucy maakte een opmerking over Toms jasje van fijne wol, dat er heel chic en heel duur uitzag. Hij droeg er een mooi zijden overhemd onder. In de kleur van de zee. Of chemisch afvalwater.

Om tien over acht werd er gebeld. Jenni, die haar masker van gastvrouw had afgezet terwijl ze zaten te praten, toverde meteen weer haar diamanten glimlach tevoorschijn. Ze was hartelijk, grappig en volkomen ontspannen geweest. Aangenaam gezelschap. Lucy dacht: als ze altijd zo was, zou Tom nooit meer naar een andere vrouw kijken.

Jenni liep naar de deur en liet Lucy alleen met Shackleton. Terwijl ze in de ongemakkelijk stilte die viel haar moed verzamelde, legde ze haar hand op zijn mouw.

'Sorry... van zo-even', was alles wat ze kon bedenken.

Hij reageerde alsof hij heet water over zich heen had gekregen. 'Ik ben het gewend', zei hij kortaf.

Tom ging staan toen Jenni de Dwerg voorstelde. Shackleton torende zo ver boven hem uit dat hij bijna iets bovenmenselijks kreeg. Lucy ging ook staan, ze voelde zich wat ongemakkelijk.

'Aangenaam kennis met u te maken', mompelde ze, terwijl ze neerkeek op de lelijkste man die ze ooit gezien had.

Robbie keek haar aan en zag een vriendelijk, weinig opwindend gezicht met een heel mooie mond. Een mond die gemaakt leek om zich aan te passen...

'Champagne, Robbie?' Jenni stond naast hem met een glas in haar hand.

'Heerlijk. Bedankt. Sorry dat ik zo laat ben. De premier wilde me nog spreken. Daar kon ik niet onderuit.'

En zo babbelden ze verder tot kwart voor negen, toen de cateraar Jenni een teken gaf dat ze aan tafel konden. Lucy had nauwelijks iets gezegd en vanuit haar champagnecocon van zelfverzekerdheid geglimlacht en geknikt. Ze was niet dronken, bij lange na niet, maar de belletjes waren wel in haar knieholtes gaan zitten. Jenni kwam elegant uit haar leunstoel omhoog. Lucy ging gewoon staan, waarbij ze net iets te ver vooroverboog. Toms blik viel op haar onschuldige decolleté. Lucy zag het en werd vuurrood, niet zo'n onschuldige blos als in liefdesromannetjes, maar zo rood als een biet, vlekkerig rood, zoals ze eruitzag na het hockeyen.

Jenni leidde haar Dwerg al de eetkamer in en zag het niet. Ze liep vlak naast hem, haar hand een paar centimeter van zijn rug verwijderd. Lucy liep voor Tom. Ze voelde dat hij achter haar liep en hoopte dat hij haar zou aanraken. Toen ze zich omdraaide en naar hem glimlachte, zag ze dat haar hoop vergeefs was. Ze liep alleen verder naar de eetkamer. MacIntyre keek achterom naar haar en ze kreeg vreemd genoeg opeens zin om te gaan huilen, een gevoel dat ze snel onderdrukte. Zijn blik was niet medelijdend of sympathiek geweest, maar gewoon begrijpend. Hij begreep hoe het was om Lucy te zijn. En zij herkende zichzelf in Robert MacIntyre. Hij liep bij Jenni vandaan alsof ze lucht voor hem was geworden.

'Lucy, neem me niet kwalijk. Ik dacht dat Tom met je meeliep. Mag ik?'

Hij kwam naast haar lopen en begeleidde haar naar de tafel. Attent, charmant. Als een balletdansende kabouter dartelde hij om de tafel heen. Toen hij Lucy's stoel naar achteren schoof, keek hij haar aan en weer was ze zeer geroerd door zijn blik. Er lag zoveel tederheid, zoveel medegevoel in. Ze raakte zijn hand aan bij wijze van dank. Hij trok zijn arm niet terug, zoals Tom eerder had gedaan, maar beroerde lichtjes haar vingertoppen. Een klein gebaar.

Lucy had gehoord van MacIntyres legendarische charme en charisma, maar had ze smalend 'de wapens van een professionele politicus' genoemd.

Nu zag ze dat ze zich vergist had.

Ze was al in de greep van een obsessie, anders was ze misschien wel verliefd op hém geworden.

De Dwerg had gezien hoe dit arme eendje in haar slechtzittende jurk naar Shackleton had gekeken. Hij had de situatie goed ingeschat en zichzelf in Lucy herkend. Hij wierp haar een vluchtige glimlach toe. Even had Lucy het gevoel alsof ze naar een beroemd kunstwerk keek. Maar toen draaide hij zich, na een blik van verstandhouding, om naar zijn gastvrouw.

Jenni's smaak liep uiteen van volmaakt tot rampzalig. Van stapels gerangschikte *Hello!*-tijdschriften op het toilet tot bloemetjesbehang aan de muren. Van Lladro-ballerina's tot antieke klokken. Van mooie vloerkleden tot hotelmeubilair. Aan niets was te zien dat Shackleton ergens de hand in had gehad.

De eettafel paste ook in dit beeld. De glazen zagen er elegant, groot en duur uit en zouden er in al hun eenvoud prachtig uit hebben gezien, als er niet een brede gouden sierrand omheen had gezeten. Het middenstuk van de tafelversiering, een ratjetoe van oud zilver en geslepen glas versierd met draken, zou volmaakt zijn geweest als Jenni niet besloten had er nog een grote bos uitwaaierende tuberozen bovenin te zetten.

Toen ze ging zitten, realiseerde ze zich dat het te groot was voor de tafel, ze konden elkaar niet zien. Zonder haar belangstelling voor het gesprek van de Dwerg te verliezen, verwisselde ze het voor een paar kandelaars die op het dressoir stonden.

Maar op de servetten en het tafelkleed was niets aan te merken. Het tafelkleed hing tot op de grond waardoor hun benen en voeten verborgen bleven in de geborduurde plooien.

Het praten over koetjes en kalfjes zette zich voort en werd steeds onbeduidender.

'Woon je in Londen, Robert?'

Lucy hoorde zichzelf praten en kon zich wel voor het hoofd slaan dat ze hem zo'n banale vraag had gesteld.

'Ik heb een huis en een appartement in Londen, maar ik woon in Gloucestershire', zei de Dwerg, terwijl hij een plak olijfbrood pakte. Waarom konden mensen niet gewoon wittebrood op tafel zetten in plaats van ciabatta en bruinbrood met harde pitten. 'Mijn vrouw fokt lama's. Ik was er gisteravond nog, hoewel ik er meestal alleen in de weekeinden naartoe ga.'

'Hebben jullie ook schapen?'

Jenni keek naar Lucy. Hoe kwam die stomme trut er in godsnaam bij om over schapen te beginnen?

'Nee. Maar de lama's hebben wel vriendschap gesloten met de plaatselijke vos.'

Jenni begon de draad kwijt te raken.

'Sorry, Robert... Schapen? Lama's? Vossen?'

Ze wierp Lucy een minzame blik toe, om aan te geven dat ze er begrip voor had dat hij probeerde haar niet al te snuggere vriendin bij het gesprek te betrekken. Hij had haar eerst niet gemogen omdat ze Tom Shackletons zelfvoldane echtgenote was, maar nu verachtte hij haar om wie ze zelf was. Hij voelde een zweem van verlangen. Een zweem van verlangen om...

'Ja, Jenni. Lucy slaat de spijker op zijn kop. Lama's zijn uitstekende waakhonden. Als je er één tussen een kudde schapen zet, hoef je niet bang meer te zijn dat ze door roofdieren worden aangevallen.'

De steek onder water was net diep genoeg geweest, nu kon hij balsem op de wonde aanbrengen.

'We zouden er in het Lagerhuis ook wel een paar kunnen gebruiken.'

Iedereen begon te lachen. De rimpels waren gladgestreken.

'Weet je dat het me vanavond maar een uur gekost heeft om hier te komen.'

'Dat is geweldig...' antwoordde Jenni opgewekt, terwijl de caterar discreet het hoofdgerecht opdiende.

'Dank u.' Jenni was gracieus, charmant. 'Ik denk niet dat we u verder nog nodig hebben vanavond. Het zag er fantastisch uit.'

Ze kon zich nog net inhouden om te zeggen: u komt er wel uit, hè? De cheque ligt op de schoorsteenmantel.

Lucy keek naar de tafel en wist dat ze morgen het grootste gedeelte van de dag bezig zou zijn met opruimen. Met het volladen en leeghalen van de afwasmachine, en het opbergen van alle spullen. Vrijwel meteen nadat de deur gesloten was, begonnen Tom en Robert over politiek en politiezaken te praten.

'Wat is volgens jou het beste voor Londen als Ingram met pensioen gaat?'

Tom ontspande zich zichtbaar. Dit was zijn domein. Hij stak meteen van wal met een lang, goed doordacht verhaal zonder haperingen. 'Ik denk dat Londen een geval apart is. Ik bedoel…' Daarna was hij niet meer te stoppen.

Hij zweeg alleen af en toe voor het effect, waarbij zijn rustige stem en de oprecht serieuze toon die erin doorklonk, fascinerend om te horen waren. De Dwerg was onder de indruk. Niet van de inhoud van Shackletons betoog, dat hij nogal warrig vond, maar van de boeiende manier waarop hij het bracht. Hij bespeurde bij deze man, die hem met zijn intense, verleidelijke blik in zijn ban hield, dezelfde kracht die hij zelf bezat. Maar de kracht van Shackleton was gevaarlijker. Hij realiseerde zich dat zelfspot deze man vreemd was. Dat zijn gedachten zich slechts binnen de grenzen van zijn eigen wereldje bewogen.

In de loop van de avond werd het hem steeds duidelijker dat niets Tom Shackleton van zijn ambitie om hoofdcommissaris van de Londense politie te worden, zou afhouden. Hij ging niet naar het theater of de opera, had weinig kijk op kunst en vrijwel geen kennis van muziek. De Dwerg vond het fascinerend. Hij had nog nooit iemand ontmoet met zo'n arm gevoelsleven. Ergens benijdde hij hem erom. MacIntyre kon nog steeds tot tranen toe geroerd worden door een mooie zonsondergang of een stuk van Mozart.

'Wat lees je op het moment?'

Lucy schrok. Niemand had haar in de afgelopen twintig minuten aangesproken, en zelfs toen was het alleen om te vragen of ze de dillesaus door wilde geven.

'Ik… ik heb *The Quantum Theory* bijna uit.'

De Dwerg was onder de indruk.

'Werkelijk? Ik kon er eerlijk gezegd niet doorheen komen.'

'Dat lukte mij eerst ook niet, maar nu ik zoveel thuis ben… Ik…' Ze begon haar zelfvertrouwen te verliezen. 'Ik vond dat ik het in ieder geval moest proberen. Maar of ik alles ook echt begrijp, is een tweede.'

Toen MacIntyre zag dat ze onzeker werd, nam hij het over.

'Mij boeide vooral het idee van de parallelle tijd. Omdat ik vaak het gevoel heb dat ik me daarin bevind.'

'O, ja. Sinds mijn man gehandicapt is…' Lucy wachtte even. Misschien was dit geen geschikt onderwerp om tijdens Jenni's etentje aan te snijden. Ze keek naar haar gastvrouw. Jenni's glimlach was bemoedigend, maar in haar ogen was toch een zekere kilheid te bespeuren. 'Ach… nou ja… laat ook maar.'

Ze zweeg, maar MacIntyre wilde haar nog niet laten gaan.

'Ik denk dat ik weet wat je bedoelt, Lucy. Officieel ben ik ook gehandicapt.' Iedereen maakte de gebruikelijke, tegenstribbelende geluiden. 'O, ja, achondroplasie is een handicap. Het zal je verbazen hoeveel beroepen ik niet mag uitoefenen. Dat van politieagent, bijvoorbeeld. Ik zou nooit hoofdcommissaris kunnen worden, Tom. Niet dat dát nou zo'n ramp is. Maar parallelle tijd… ja, als je gehandicapt bent, of spastisch, waar ik ook vaak voor word uitgemaakt, hoewel dat theoretisch onjuist is,' – Jenni huiverde – 'word je buiten de gewone tijd geplaatst. Met een handicap bevind je je niet alleen in een parallelle tijd, maar zelfs in een parallel universum.'

Hoewel hij in afgemeten zinnen sprak en zonder te haperen, merkte Lucy dat het hem moeite kostte om over zijn handicap te praten. Zoals zij het moeilijk vond om over haar jeugd te praten. Maar haar jeugd was haar niet aan te zien. De woorden die ze haar vroeger nageroepen hadden, kon je iedereen naroepen, maar de woorden die ze MacIntyre nageroepen hadden, waren alleen op hem van toepassing.

'Het is niet gemakkelijk, dat zal je man ook wel ontdekt hebben. Jammer dat hij er vanavond niet bij kan zijn. Ik weet zeker dat hij en ik elkaar een hoop te vertellen hadden gehad.' Hij was zich ervan bewust dat Jenni zich zeer ongemakkelijk voelde. En Tom? Moeilijk te zeggen, maar MacIntyre vermoedde dat hij ook niet lekker in zijn vel zat. 'Maar het heeft ook zijn voordelen: je mag overal je auto parkeren.'

Lucy lachte, waarbij haar servet van haar schoot gleed en op de vloer viel.

De Dwerg bukte zich en pakte het op. Toen hij het Lucy teruggaf, wierp hij haar weer die bijzondere glimlach toe, die haar ook nu weer bekoorde. Ze wilde het boek graag verder met hem bespreken en praten over handicaps en illusies en…

Hij wendde zich tot Tom.

'Heb jij het boek ook gelezen, Tom?'

Tom schudde argwanend zijn hoofd en vroeg zich af of het een strikvraag was, om domme Bromsnor in de val te laten lopen. Maar dat was niet het geval. De Dwerg zou nooit iemand op deze manier proberen af te troeven, daarvoor was hij veel te slim.

'Nee. Port?'

'Een klein glaasje.'

Jenni keek hoe de twee mannen om elkaar heen draaiden. Elkaar aftastten. Hoe goed haar man het deze week ook had gedaan, ze wist dat hij in intellectueel opzicht niet aan Geoffrey Carter kon tippen. Die had *The Quantum Theory* wel gelezen, dat wist ze zeker. Ze voelde kwade gedachten in zich opkomen en begon haar bestek recht te leggen. Als ze haar messen, vorken, lepel, glazen en servet recht kon leggen zonder dat een andere gedachte zich aan haar opdrong, zonder dat ze Carter een andere dolksteek vol haat toebracht, dan zou alles goed komen. Zou er geen schade berokkend zijn. Jenni legde haar armen op tafel en balde haar vuisten. Ze wilde zo graag dat deze man, die Toms ambities, haar ambities, kon waarmaken of dwarsbomen, onder de indruk was van Tom. Ze drukte haar nagels in haar handpalmen om de gedachten te verdringen.

Robert MacIntyre wist waarom hij hier was, maar liet niet merken dat de uitslag al bekend was en, neergeschreven in een vertrouwelijk memo, in zijn binnenzak zat. De vrouw van de hoofdcommissaris kreeg die uitslag niet te horen voor een bord ragoutpasteitjes van Sainsbury.

Nu hij voldoende wist over Shackletons gevoelsleven, ging hij vakkundig op luchtiger onderwerpen over. Dingen die hij in het verleden had meegemaakt, gênante momenten. Door een paar grappige verhalen te vertellen over de tijd dat hij net in het Lagerhuis zat, gaf hij Shackleton de gelegenheid om zich te ontspannen en zelf ook herinneringen op te halen.

De Dwerg was verbaasd. De serieuze, overtuigende politieman veranderde in een schooljongen. De aanmoedigingen van zijn toehoorders en de wijn en de port hadden een grappige verhalenverteller in hem naar boven gehaald, wiens humor vrij aards en af en toe zelfs gewaagd was. En hij had zo'n aparte lach, alsof hij zich die nog van vroeger herinnerde, alsof die sinds zijn pubertijd niet veranderd was.

Lucy hoorde die lach en het wakkerde haar gevoelens voor hem alleen maar aan. Moederlijke gevoelens. Jenni vond het een domme lach. Bovendien had ze er een hekel aan als hij schuine verhalen vertelde. Vooral het verhaal van de Italiaanse politiecommissaris met zijn abnormaal grote geslachtsorgaan. Het hing van clichés aan elkaar en iedereen barstte gegarandeerd geschokt in lachen uit. Verhalen uit de tijd dat hij net bij de politie werkte in Zuid-Londen. Kantinecultuur. Zijn feestnummer.

Lucy lachte ook, hardop, tot ze opeens iets voelde. Eerst dacht ze nog dat het per ongeluk gebeurde, maar toen werd het nadrukkelijker. Shackleton had zijn voet tussen haar enkels geschoven. Terwijl ze naar hem bleef luisteren, draaide ze haar lichaam iets naar hem toe, alsof ze een en al oor was. Dankzij de alcohol vond ze de moed om zijn knie tussen haar benen te klemmen. Ze drukte hard en voelde zijn reactie, een snelle vibratie die haar deed denken aan het snelle, lichte ritme van zijn liefdesspel. Hij bleef zonder haperen doorpraten.

De Dwerg was nu in zijn element en begon een verhaal te vertellen over een van zijn collega's, waarbij hij woorden gebruikte die in een seksblad niet misstaan hadden.

Terwijl Lucy de knie van Shackleton tussen haar benen geklemd hield, was het Robert MacIntyre gelukt om zijn linkerhand tussen de benen van Toms vrouw te schuiven. Verborgen onder het tafelkleed streken en gleden zijn vingers over de zware zijde van Jenni's dure broek. Nu haar afkeer voor hem door de wijn enigszins was afgenomen, draaide ze gewillig heen en weer en sloeg daarna lichtjes haar benen over elkaar.

Om elf uur had MacIntyres chauffeur al een halfuur staan wachten. Maar MacIntyre leek geen haast te hebben.

'Zo Lucy, vertel me eens wat over jezelf.'

'Nou, ik... Er valt niet veel te vertellen, eigenlijk. Ik maak schoon...'

Ze was verbaasd toen Jenni haar onderbrak.

'Lucy is een zeer getalenteerd kunstenaar. Ze maakt gebrandschilderde ramen. Wij willen graag dat ze er voor ons ook een maakt. Ja, hè, Tom?'

Tom knikte en glimlachte naar Jenni met een uitdrukking op zijn gezicht, alsof ze het idee al uitgebreid besproken hadden.

MacIntyre was verrast door mevrouw Shackleton. Hij had haar altijd een vierentwintigkaraats kreng gevonden, maar vermoedde nu dat ze slechts bladgoud was. Interessant… Maar hij zag wel dat het niet zo moeilijk was om je grootmoedig voor te doen tegenover Lucy. Zij was lood, het arme mens, en probeerde niet bij de betoverende Shackletons achter te blijven.

Een intrigerende avond.

Even voor middernacht stond de Dwerg op van tafel en zei dat hij echt moest gaan. Jenni had iedereen naar de zitkamer willen manoeuvreren, maar de gesprekken waren zo vloeiend in elkaar overgelopen dat ze er niet tussen had willen komen.

Jenni ging ook staan, ze was tevreden. De avond was een succes geweest.

'Goedenacht, Lucy.' MacIntyre pakte haar hand. 'Hier is mijn visitekaartje. Bel mijn secretaresse maar eens, ik weet zeker dat mijn vrouw belangstelling heeft voor een van je kunstwerken.'

'Maar ik doe eigenlijk niets meer.' Lucy nam haar toevlucht tot onbeholpenheid.

Hij trok haar naar zich toe en fluisterde: 'Haal jezelf niet zo naar beneden, Lucy.'

Om middernacht gaf de minister van Binnenlandse Zaken zijn gastvrouw buiten op de stoep een afscheidszoen. De chauffeur zag in het licht van de buitenlamp dat hij haar daarbij even in haar borst kneep. De gastheer, die aan de andere kant van haar stond, zag het niet.

'Goedenacht, Tom, en nogmaals bedankt voor de fijne avond. Jenni? Geweldig. Ik zie je morgen.'

Ze keek hem verbaasd aan.

'We moeten nog iets afmaken.'

Ze wist nog steeds niet waarover hij het had. De wijn.

'Het interview.'

Het leek alsof haar hersens dienst hadden geweigerd en nu lang-zaam weer op gang kwamen.

'Ach, natuurlijk, Robbie. Sorry. Hoe laat?'

'O, zo vroeg als je wilt, op mijn kantoor.'

Op kantoor was: het Lagerhuis. Op mijn kantoor was: het appartement aan Russell Square.

'Ik heb je vast nog een heleboel te vertellen', zei hij, terwijl hij in de auto stapte.

'Dat geloof ik meteen', antwoordde Jenni, terwijl ze hem een kus toewierp.

Ze zou morgen krijgen wat ze hebben wilde. En hij wist dat hetzelfde voor hem gold.

Toen Tom en Jenni weer in huis waren, begon Lucy de tafel af te ruimen.

'Laat maar, Lucy. Doe dat morgen maar. Neem nog iets te drinken. Er is nog wel wat champagne overgebleven.'

'Nee, dank je, Jenni. Ik moet naar huis, kijken of alles goed is met Gary. Heel erg bedankt voor de mooie avond.'

'Ik loop wel even mee naar de overkant.'

Tom liep naar de voordeur, opende die en bleef op de stoep staan.

Lucy raakte ervan in de war en wilde iets zeggen in de trant van: dat hoeft niet, of dat is niet nodig, toen Jenni haar toefluisterde: 'Hij wil naar buiten om winden te laten. Dat doet hij altijd. Ik wil niet dat hij het in huis doet. Dat stinkt verschrikkelijk.'

'O… oké.'

Jenni lachte en gaf Shackleton een tikje, zoals je bij een oude, maar geliefde hond deed die stonk.

Lucy wist niet wat ze moest zeggen. Ze pakte haar jas, zoende Jenni langs beide wangen en vertrok.

Tom liep naast haar, de spanning tussen hen was een meter dik.

'Wie had ooit gedacht dat winderigheid ons nog eens van pas zou komen?' zei hij.

Lucy giechelde.

'Voordeur of achterdeur?'

Lucy keek hem aan.

'O, achterdeur maar.'

Om daar te komen moesten ze door een smalle steeg, geflankeerd door hoge struiken, die door een ouderwetse straatlantaarn werd verlicht. De muur van het huis van de buren was een blinde muur. Geen ramen die uitzicht boden. Niemand kon ze zien. Beiden voelden zich verlegen. Tom had zijn handen op de rug. Ze liepen zo langzaam mogelijk.

Lucy wou dat ze een paar mentholsnoepjes in haar tas had gedaan. Ze graaide tussen de rommel in haar zakken naar een oud pepermuntje. Haar vingers kwamen daarbij in aanraking met een stift lippenbalsem die zachtheid en glans garandeerde, maar ze wist niet hoe ze de balsem aan moest brengen zonder dat hij het merkte. Bovendien, als hij haar kuste, zou hij het waarschijnlijk niet lekker vinden om met vaseline met aardbeiengeur besmeerd te worden. Ze streek met haar tong langs haar lippen. Een beetje droog. Ze deed het nog een keer. Het gesprek was stilgevallen. Ze voelden zich ongemakkelijk in elkaars gezelschap.

'Heb je nog last van je handen, Tom?'

Het was het enige wat ze kon bedenken wat niet impliceerde: Tom, kus me, trek mijn kleren uit en doe al die dingen met me waar ik al aan denk sinds…

'Nee.'

'Ruik die jasmijn eens. Lekker, hè?'

Lucy hoorde zichzelf praten. Waarom kon ze niet gewoon haar mond houden, stil en mysterieus overkomen, en hem het woord laten doen?

Tom daarentegen wilde juist praten. Hij begon haar te vertellen welke strategie hij, als hoofdcommissaris van politie, wilde gaan volgen in de achtergestelde woonwijken van zijn regio. Hij wist dat Jenni meteen zou zeggen: 'Hou toch op met dat gezeur, Tom. Dat wil Lucy helemaal niet horen.'

Maar hij kon er niet mee ophouden. Hij wist niet wat hij anders moest zeggen. Hij wilde alleen zijn met deze vrouw, maar niet zo. Niet zo dat hij moest praten. Hij keek haar aan en verwachtte een vervede blik in haar ogen te zien. Een blik die hem sinds zijn pubertijd al achtervolgde.

Maar ze keek hem aan alsof hij een gedicht voorlas. Ze zag er lief en weerloos uit. Ze was niet bedreigend of veroordelend. Hij bleef staan. Ze deed hetzelfde en keek hem nog steeds vriendelijk aan, haar mond iets geopend.

'Sorry… van toen.'

Lucy was in de war. Hij had haar allang moeten kussen.

'Sorry?'

'In de studeerkamer… Het spijt me. Het was… een vergissing.'

Lucy geloofde haar oren niet. Werden de beste, opwindendste vijf minuten van haar leven afgedaan als een vergissing?

'Volgens mij was het geen vergissing.'

Ze klonk redelijk, alsof ze hem vertelde dat de verkeerde krant bezorgd was. Ze wilde helemaal niet redelijk klinken, ze wilde hem toeschreeuwen dat hij haar niet als een vergissing kon afdoen.

'Ik ben gek op je.'

Ze bood hem de woorden aan als een kind dat een bos verwelkte madeliefjes aanbood.

'Ik ook.'

Ik ook? Wat betekende dat? Ik ook? Tom voelde zich een dwaas. Hij huiverde en bereidde zich voor op een scheldkanonnade. Maar die kwam niet. Lucy keek hem nog steeds aan alsof hij de aartsengel Gabriël was die haar een blijde tijding had gebracht. Hij was volkomen uit het lood geslagen. Hij had gerekend op een strenge, vlijmscherpe berisping, maar niet op bewonderende blikken. Lucy had ook niet begrepen wat hij bedoelde met 'ik ook', maar voor haar was dit moment te belangrijk om zich druk te maken om de betekenis van woorden.

'Ik kan maar beter gaan.' Tom zei het wel, maar hij maakte geen aanstalten om te vertrekken.

'Ja, Jenni zal zich afvragen waar je blijft.'

'Nee, dat denk ik niet.'

Er viel een stilte. Het moment waarop hij haar zou moeten kussen, waarop de violen zouden moeten inzetten en op het witte doek de woorden 'einde' in een hart verschenen.

'Welterusten dan', zei Lucy.

Ze wendde zich van hem af en zocht in haar tas naar haar huissleutel.

Had ze hem weggestuurd? Hij wist niet goed wat hij moest doen en bleef staan.

'Ja. Welterusten.'

Lucy vond haar sleutel, maar bleef naar beneden kijken omdat haar ogen vol tranen stonden.

'Is alles goed met je?'

Lucy kon geen antwoord geven en zocht nu in haar tas naar een papieren zakdoekje dat nog niet door intensief gebruik in een keiharde bal was veranderd. Ze had een lopende neus en durfde hem niet aan te kijken. Eindelijk vond ze een vel keukenrolpapier en snoot haar neus.

'Ja, ja. Prima.'

Ze keek op en probeerde over het gegolfde bloemetjespapier heen naar hem te glimlachen. Haar mascara was uitgelopen en ze zag eruit alsof ze twaalf was. Ze borg de vochtige prop papier op.

'Het... voor mij was het geen vergissing. Dat is alles. Ik... wilde het.'

Toen kuste hij haar. Niet omdat hij vurig naar haar verlangde, maar omdat hij niet wist wat hij anders moest doen. Het was een tedere, voorzichtige kus. De eerste kus sinds ze ontdekt hadden dat ze genegenheid voor elkaar voelden. Hij hield van haar warmte, haar zachtheid. Van de manier waarop ze hem de leiding gaf. Bij Jenni reageerde hij onbeholpen. Hij had altijd het gevoel dat ze hem een cijfer gaf, maar dat hij nooit boven een vijf uit kwam. De kus was voorbij.

'Ik wil het graag nog eens proberen. Dat wat er in de studeerkamer is gebeurd.'

Lucy zei het met haar gezicht tegen zijn borst gedrukt en terwijl hij zijn armen om haar heen geslagen hield. Ze durfde hem niet aan te kijken voor het geval hij 'nee' zou zeggen op die zachte, onverbiddelijke toon waarop ze hem eerder had horen praten. Die toon waarin spijt doorklonk, maar geen belofte dat hij van mening zou veranderen.

'Ik ook.' Weer dat 'ik ook'. 'Ja... Lucy. Sorry. Ik moet gaan nu. Maar ik wil je weer zien. Hoe weet ik niet. Maar...'

Verder kwam hij niet. Ze zag dat hij het er moeilijk mee had, onzeker naar woorden zocht.

'Het is goed. Ik begrijp het wel.'

Ze bleven nog een paar minuten dicht tegen elkaar staan. Hij streek over haar haren en zij had haar armen om zijn middel geslagen en haar handen plat op zijn rug gelegd waardoor ze zijn lichaamswarmte voelde.

'Goed.' Hij trok zich los. 'Welterusten, en hou je goed.'

'Jij ook… Tom.'

Hij draaide zich om en liep snel de steeg uit. Ze keek hem na en voelde zich gelukkiger dan ooit.

Tom bleef doorlopen tot hij bij het hek van zijn huis was. Hij dacht niet aan Lucy. De zachte, meanderende dagdromen over Lucy waaraan hij zich had overgegeven toen hij haar in zijn armen had gehouden, waren ruw verstoord. In plaats van haar vriendelijke blik zag hij nu de dichtgenaaide ogen van de Afrikaanse vrouw voor zich. Hij opende zijn ogen, maar zag ze nog steeds. Voelde weer de angst die hij gevoeld had toen hij daar gezeten had, bij die drie… Ja, wat waren het eigenlijk? Die drie vreemde flatbewoonsters.

Hij zag dat het licht in huis uit was. Jenni was al naar bed. Het kostte haar een uur om haar make-up te verwijderen en alle gels en crèmes aan te brengen die ervoor moesten zorgen dat ze volmaakt bleef. Hij was nooit welkom als ze dit ritueel uitvoerde. Hij wilde met haar praten, maar wist niet hoe. Hij wist dat hij met Lucy kon praten, maar de seks was er nu tussen gekomen. Hij kon niet naar haar teruggaan en om een kop koffie vragen.

En Jenni luisterde nooit. Hij had haar nog niets van zijn ontmoeting met de vrouwen verteld, hoewel hij dat wel had gewild. Zijn herinneringen aan de ontmoeting waren vaag, alsof het een droom was geweest. Hij zag de dichtgenaaide ogen weer voor zich en raakte die niet meer kwijt, alsof ze permanent op de binnenkant van zijn oogleden geprojecteerd waren. Angst ging over in woede toen hij de garagedeur opendeed en in de landrover stapte. De reservesleuteltjes lagen op de geheime plek. Hij startte de motor en reed, met veel te hoge snelheid, naar de rand van Flamborough.

Hij parkeerde de auto bij de pub en deed de lichten uit. Eerst dacht hij dat de vrouwen er niet waren. Er waren geen kaarsen, geen tuinstoelen en de deur was dicht. Hij wist niet waarom hij gekomen was en wilde net de motor weer starten toen de deur openging en de dikke vrouw in de deuropening verscheen. Het licht kwam van achteren, zodat hij haar gezicht niet kon zien, maar hij hoorde haar wel roepen.

'Thomas. Je bent terug. Kom binnen, kom binnen. We verwachtten je al.'

Waarom deed hij niet net alsof hij haar niet hoorde? Waarom ging hij niet naar huis? Hij opende het portier van de auto, stapte uit en liep naar haar toe. Ze straalde: een brede, uitnodigende glimlach.

'Kom binnen! Kom binnen!'

Hij liep het huis in, alsof hij ertoe gedwongen werd. De gang werd verlicht door een roze gloeilamp die schuilging onder een roze lampenkap met kwastjes. De muren hingen vol met kalenders. Tom zag er een paar uit de jaren veertig met blondjes in bikini, die op hun tenen stonden en glimlachend over hun schouder keken, en een paar met dames in halve crinolines. Er hingen kalenders met bloemen en met onschuldige, jonge poesjes. En op één kalender, die nog ouder was dan de anderen, stond: 'Een geschenk uit Noorwegen'. Door de tand des tijds was het jaartal echter vervaagd, waardoor het nu net leek alsof er 1400-zoveel stond.

Voordat hij ze beter kon bekijken, werd hij al de voorkamer in geduwd. De andere twee vrouwen zaten tegenover elkaar voor een elektrisch openhaardvuur met nepkolen. De haard brandde. Achter de oranjegeverfde plastic kolen brandde een 40 watt-lamp met een ventilatortje erboven, die de indruk moest wekken dat het een levend haardvuur was. Het flikkerende licht bewoog over de uitdrukkingsloze gezichten van de twee zwarte vrouwen, wat voor een vreemd effect zorgde.

'Kijk, Thomas is teruggekomen. Ga zitten, Thomas. Ga zitten.'

De stoelen aan weerszijden van het vuur waren protserige, met fluweel beklede leunstoelen met rode en goudkleurige franjes. Op de rug- en armleuningen lagen antimakassars in de vorm van Afrikaanse hoofden met lange halzen. Tom ging op de bijpassende bank zitten. De hele kamer stond vol met goedkope souvenirs uit alle delen van de wereld. 'Een geschenk uit Kampala', 'Groeten uit Beijing', en 'Hallo uit Dublin'. Toen zijn ogen gewend waren geraakt aan het licht in de kamer zag hij de dichtgenaaide ogen naar hem kijken. Weer die angst. Hij wendde zijn hoofd af. Het was drukkend heet in de kamer. De magere vrouw bood hem een glas sarsaparillalimonade aan. Hij wilde het niet, maar nam het toch aan.

'Zo, Thomas, wat wil je?'

Hij voelde zich een dwaas.

'Ik weet het niet. Ik weet niet waarom ik hier ben.'

'Kijk in het vuur, Thomas. Kijk…'

Hij keek en zag de ventilator boven de lamp heen en weer gaan. Meer niet.

'Hoor eens, ik geloof niet in al die waarzeggerij.'

Hij zweeg. In het vuur zag hij zichzelf in uniform. Maar de insignes op de pet en de knopen waren niet van zijn korps. Het waren die van de Londense politie. Hij zag zijn triomf, voelde de tevredenheid, zag de erkenning en bewondering in de ogen van de mensen. Hij voelde zich blij. Beter dan hij zich ooit had gevoeld.

'Is dat wat je wilt, Thomas? Zou je daarmee tevreden zijn?'

De blinde schelpogen wendden zich tot hem. De holle oogkassen van de magere vrouw.

'Hoger is er niet. Het is de topbaan.'

'Maar Thomas, als het dat niet was, zou je dan nog steeds tevreden zijn?'

'Dat begrijp ik niet. Wat bedoelt u?'

'Wees voorzichtig met wat je wilt, Thomas. Je drinkt je sarsaparilla niet op.'

Shackleton schudde zijn hoofd; hij dacht dat er misschien een verdovend middel in zat.

De dikke vrouw haalde haar schouders op en glimlachte nog steeds. Ze liet zich neerzakken op een versierd kamelenzadel waarop even tevoren nog een stapel tijdschriften had gelegen: de *Time* en de *National Geographic*. De gezichten van machtige mannen op de omslagen van het ene blad en de foto's van natuurrampen van die van het andere blad lagen nu her en der over het rode vloerkleed van nepbont verspreid.

'Wie bent u? U bent net...'

De dikke vrouw barstte in lachen uit en gaf hem een klap op zijn dij van plezier.

'Wij zijn met niets op deze wereld te vergelijken. Nietwaar, dames? Met niets op deze wereld.'

De drie vrouwen gierden nu van het lachen. Het geluid drong zich zo aan hem op dat het hem het denken en spreken onmogelijk maakte. Hij wilde weg, maar het lukte hem niet om op te staan.

'Hoe lang bent u hier al?' Hij zou hun namen in het kiesregister kunnen opzoeken, in de computer van de politie of bij de immigratiedienst kunnen opvragen...

'Jezus... hoe lang? Eens even kijken. Nou, laat ik zeggen dat we hier niet een leven lang zijn, maar voor eeuwig. Begrijp je wat ik zeg?'

Hij begreep het niet.

Ze legde haar hand weer op zijn dij.

'Ben jij een goed mens, Thomas? Een eerlijk mens?'

Shackleton knikte en voelde zich weer een kleine jongen.

'Daar ben je van overtuigd? Goed. Waarom ben je dan toch zo gemeen?'

'Ik... ik ben niet gemeen.'

Terwijl hij praatte, hoorde hij de stem van zijn moeder. Haar litanie van zijn fouten, haar afkeer van haar onhandige, lelijke, kleine jongen.

De grote zwarte hand sloot zich dichter om zijn been.

'Laat het verleden rusten, Thomas. Laat het los.'

'Dat kan ik niet. Door dat verleden ben ik geworden wie ik ben.'

'Ja, Thomas, een beer aan de ketting. Een beer die heen en weer loopt, steeds over hetzelfde stukje grond. Je bevindt je op een tweesprong, beste jongen. De plek waar ze vroeger zelfmoordenaars begroeven. Je zult moeten kiezen. Ja jij, Thomas, en niemand anders. Kom gerust weer langs. We zijn altijd thuis. Maar knoop dit goed in je oren.' Ze boog zich naar hem toe. De glimlach was nu verdwenen. 'Bezin je op je leven.'

Tom wilde vragen wat ze bedoelde, maar eigenlijk wist hij het wel. Zijn motto was om altijd concreet te blijven. Dat was het veiligst. Abstractie en verbeelding moesten vermeden worden. Als hij aan zijn ziel dacht, zag hij een luchtfoto voor zich van een netwerk van binnenwateren. Het hoofdkanaal bevatte helder, krachtig stromend water. Maar in de zijkanalen waren de sluizen verroest en stond het water stil. En nog verder van het hoofdkanaal verwijderd lagen grote poelen waarin het stilstaande water door wier was verstikt. Stinkend en brak door jarenlange verwaarlozing. Zo zag Tom Shackletons innerlijke leven eruit.

'Laat het water weer stromen, Thomas.' Ze pakte zijn arm. Ze was sterk genoeg om hem pijn te doen. Haar krachtige vingers begroeven zich in zijn vlees.

Hij huiverde.

'Luister goed naar me. Je kunt alles krijgen wat je wilt hebben, maar pas op voor het hout. Niet de messen of de kogels, Thomas, maar de staak in je hart zal jouw ondergang zijn. Blijf uit de buurt van het hout.'

Toen hij thuiskwam, was het rustig op straat. Het was vier uur in de morgen. Geen dramatische taferelen. Hij kon niet slapen en werkte daarom tot zes uur aan zijn verslagen, ging toen onder de douche, met de radio hard aan, om de nacht achter zich te laten. Hij had niet meer aan Lucy gedacht tot 'Bright Eyes' werd gedraaid als inleiding bij een nieuwsitem over konijnen. Ja, dat was ze, een trouw konijntje. Zijn gedachten aan haar gaven hem troost.

Lucy had gewacht tot Tom de steeg uit was voordat ze naar binnen ging. Het lukte haar niet het bruisende gevoel van openbarstende belletjes kwijt te raken. Ze wilde Gary alles in geuren en kleuren vertellen. Het gevoel van verrukking met hem delen. Ze deed de conga in haar eentje, terwijl ze de fles brandy, die overgebleven was van Kerstmis, pakte en voor zichzelf een glas inschonk.

Ze kon niet slapen. Nog niet. Ze was te opgewonden. Ze wilde elke seconde met Tom opnieuw beleven. Ze kon hem proeven en ruiken, en voelde zijn armen weer om zich heen. Zachtjes opende ze de deur van Gary's kamer.

Eerst dacht ze dat hij snurkte, maar toen besefte ze dat er iets vreemds aan de hand was met zijn ademhaling. Bij elke ademhaling probeerde hij een kuch te onderdrukken en daarna te slikken. Dan kreeg hij wel een vleugje lucht binnen, maar sloot de achterkant van zijn luchtpijp zich, waardoor zijn ribbenkast pompend op en neer bewoog om de lucht naar binnen te trekken. Ze deed het licht aan.

Gary lag op de vloer te midden van zijn pillen, de Scrabble-doos en de stapel sandwiches die ze voor hem had klaargemaakt. Zijn katheter was losgeraakt en de inhoud van de urinezak was over Gary en het vloerkleed gelopen. Lucy riep zijn naam. Ze knielde naast hem neer en probeerde hem wakker te maken. Zijn lippen waren blauw. Door zachtjes aan hem te schudden, kon ze zijn luchtpijp vrijmaken en slaakte hij een lange, haperende zucht.

Ze pakte de telefoon, die ook op de vloer lag, en belde een ambulance. Daarna hield ze hem in haar armen, probeerde zijn ademhaling te verlichten en moest huilen bij de gedachte aan zijn eenzame lijden. Waarom had hij haar niet gebeld? Omdat hij haar avond niet had willen bederven. De gedachte dat hij zo attent was geweest, maakte haar nog meer van streek. Terwijl zij bij de achterdeur de echtgenoot van een ander kuste, had haar eigen echtgenoot hulpeloos op de vloer gelegen.

Toen de ambulance arriveerde, had ze het met God op een akkoordje gegooid en hem beloofd dat ze Tom nooit meer zou zien, als Gary hiervan herstelde. Het was allemaal haar schuld. Ze had thuis moeten blijven. De zelfkastijding was compleet. Toen ze bij het ziekenhuis aankwamen, wist ze dat ze niet echt naar Tom verlangde. Het was een bevlieging geweest. Een verlangen naar opwinding om haar saaie leven wat op te peppen. Kijkend naar Gary's gezicht, dat bedekt was met een zuurstofmasker, zwoer ze dat ze nooit meer naar opwinding zou verlangen. Op dat moment had ze er alles voor over gehad om op een regenachtige middag in februari met Gary Monopoly te spelen.

Er was in het ziekenhuis geen bed voor hem vrij en niemand van het verplegend personeel leek ervaring te hebben met patiënten met multiple sclerose. Lucy bleef er maar op hameren dat hij een speciaal bed nodig had. Een dat doorliggen voorkwam en voor een goede bloedsomloop zorgde, zodat hij niet voortdurend gedraaid hoefde te worden wat het risico van spasmen verminderde. Ze werd glimlachend gerustgesteld, maar er werd niets gedaan. Gelukkig was hij nog steeds buiten bewustzijn en leed hij dus geen pijn.

De dokter die hem onderzocht zei dat het longontsteking was en dat hij 'minnetjes' was. Lucy had een bloedhekel aan die uitdrukking. 'Uw kat is minnetjes.' 'Die geranium ziet er wat minnetjes uit.' 'Uw man is minnetjes.' Maar ze was er niet de persoon naar om onbeleefd te worden, om iets vinnigs te zeggen tegen die hooghartige snotneus met zijn glanzende, nieuwe stethoscoop in zijn zak. Het enige wat ze voelde was verdriet en spijt.

Ze zat naast de brancard waarop Gary lag, aangesloten op allerlei slangen, en hield zijn hand vast. Ze hield van hem. Niet op die onnozele, meisjesachtige manier waarop ze van Tom hield, maar met een diepe smart, en in de wetenschap dat haar leven zonder Gary niets waard was. Ze wist dat ze Tom nooit zou kunnen krijgen, en zelfs als dat wel zo was, zou hij nooit aan Gary kunnen tippen. Maar was Gary voor zijn ziekte dezelfde man geweest die hij nu was? Hij had nooit een beroep op zijn betere ik hoeven te doen toen hij nog werkte en met anderen wedijverde om hogerop te komen. De Gary van nu was de man die overgebleven was toen baan en positie hem waren ontnomen.

En als Tom MS had gekregen en Gary's droom in vervulling was gegaan en hij parlementslid was geworden? Wat zou er dan van Tom zijn overgebleven? Lucy probeerde haar gedachten een andere richting op te sturen. Een richting die niet steeds bij Tom Shackleton uitkwam. Maar ze was in de greep van een ziekte die, net als griep, haar beloop moest hebben. Ze zou moeten wachten tot het voorbij was en hopen dat het niet, zoals gordelroos, zou terugkomen.

Ze had haar besluit genomen. Als Gary herstelde, zouden ze gaan verhuizen. Maar als Tom nu Londen toegewezen kreeg? Dan zouden ze ook verhuizen. Vergeet Tom, riep ze zichzelf toe. Hou op over die verdomde Tom Shackleton na te denken. Gary en ik gaan meteen verhuizen, misschien wel naar Cornwall. Het weer was daar goed. Of naar Sussex, Gary was altijd dol geweest op Brighton. Ja. Dat zouden ze gaan doen.

'We hebben een bed gevonden voor Gary.' De vermoeid uitziende verpleegkundige had haar professionele glimlach opgezet.

'Zo'n tachtig kilometer hier vandaan, in Kent. Het wachten is alleen nog op een ambulance die hem ernaartoe kan brengen.'

Lucy was in de war. Ze wist niet wat ze moest doen. Als ze met hem meeging, zou ze geen kleren en geen geld bij zich hebben. Maar als ze niet meeging en hij wakker werd, zou hij zich afvragen waar ze was. Ze wilde dat iemand haar hielp, maar wist niet om wat voor hulp ze moest vragen.

Ze had nog wat kleingeld in haar jaszak en toen ze aan het einde van de gang een telefoon zag, liet ze Gary's hand los en volgde de gekleurde strepen op de vloer. Rood naar de röntgenafdeling, blauw naar de zalen, geel naar de poli. Ze draaide het nummer. De telefoon ging vijf keer over voordat Tom hem opnam. Het was acht uur.

'Tom?'

'Met wie spreek ik?'

'Met Lucy.'

Hij liet een nerveus lachje horen.

'Goedemorgen. Ik ben bang dat je Jenni net gemist hebt. Ze is naar Londen.'

'O.'

Lucy hoorde in zijn stem niets meer terug van de intimiteit van de vorige avond.

'Het zit namelijk zo. Gary is ziek geworden. Longontsteking. Hij ligt hier in het ziekenhuis, maar er is geen bed beschikbaar en daarom brengen ze hem naar Kent, maar ik heb geen kleren en geen geld bij me. Ik wil hem echter ook niet alleen laten.'

Er volgde een korte stilte. Lucy wist dat hij er niet bij betrokken wilde raken. Dat het hem irriteerde.

'Sorry, Tom. Je wilde zeker net naar je werk gaan.'

'Ja, ik moet naar een congres in Birmingham.'

'Kun je dan alleen…' Lucy wist niet waar ze de kracht vandaan haalde om hem hiertoe over te halen. 'Mijn handtas brengen. Hij ligt op de koelkast. Ik was hem vergeten. De sleutel van onze voordeur hangt bij jullie in de keuken aan de haak.'

Ze wist dat vragen om kleren mee te nemen te veel van het goede was. Ze voelde nu al weerzin van zijn kant.

'Het spijt me dat ik je hiermee moet lastigvallen.'

'Ach, dat geeft niet. Ik doe het meteen. Laten we hopen dat Gary er weer gauw bovenop komt. Verder nog iets?'

Ja, Tom, ondanks alle beloften die ik God, Gary en mezelf in de afgelopen zeven uur heb gedaan, verlang ik nog steeds naar je en wil ik dat je me nu komt halen en verlost van al die ziekte en stank hier.

'Nee. Alleen mijn handtas. Bedankt, Tom.'

Nadat ze hem de gegevens van het ziekenhuis had doorgegeven, nam hij afscheid met een korte groet, gevolgd door een zacht: 'Hou je goed.'

Ze liep terug naar Gary. Nu zou ze Tom in ieder geval nog even zien. Snel dook ze het toilet in. Ze zag er niet uit. Ze waste haar gezicht en droogde het af met een papieren handdoekje. De huid begon meteen strak te trekken en te glimmen. Had ze maar wat gezichtscrème. En een kam. Ze zuchtte. Wat deed het er ook toe? Ze liep terug naar Gary die zacht lag te kreunen maar nog steeds buiten bewustzijn was. Om de twintig minuten kwam er een verpleegkundige langs om te kijken hoe het met hem ging. Zijn bloeddruk was laag, maar Lucy vertelde haar dat dit normaal was voor Gary. Zijn temperatuur was echter hoog.

Lucy zag een politieagent binnenkomen. Een van de vele agenten die de eerstehulpafdeling hadden aangedaan sinds zij daar had gezeten. Maar deze agent droeg haar handtas. Ze riep hem. Hij gaf haar de tas en ze tekende het bonnetje voor ontvangst. De jongeman maakte een vriendelijke indruk en, nee, hij had de hoofdcommissaris nooit ontmoet. Lucy was verbijsterd dat Tom niet zelf was gekomen. Ze was kwaad en voelde zich diep gekwetst. Maar na een paar minuten begon ze zijn gedrag alweer goed te praten.

En Jenni zou bij thuiskomst stapels vuile borden en vuile glazen aantreffen. En een eetkamer bezaaid met kruimels en kaarsvet. Lucy liet een verontschuldigende boodschap achter op Jenni's antwoordapparaat. Haar kinderjaren hadden hun sporen achtergelaten; ze was nog steeds banger om vrienden te verliezen dan als voetveeg gebruikt te worden.

De ambulance stond klaar. Gary werd er voorzichtig in geschoven en Lucy nam naast hem plaats.

Terwijl Lucy zich zorgen maakte over de afwas, werd Jenni een gunstige toekomst voorspeld door het medium van haar kapper.

Ze was iets te vroeg aangekomen bij het moderne, stenen huis aan een doodlopende steeg vlak bij Tower Bridge. Het eigenaardige wezen dat de deur opendeed, verzocht haar nog even geduld te hebben, terwijl zij de aflevering van *Star Trek* uitkeek.

Jenni nam plaats in de 'waarzeg'-kamer die tevens dienstdeed als zitkamer. Het medium concentreerde zich weer op de kleine televisie, terwijl Jenni verbaasd om zich heen keek. Aan weerszijden van de openslaande deuren met dubbel glas, die naar een vierkant grasveldje, compleet met droogmolen leidden, hingen zware gordijnen. De kamer stond vol met iconen van diverse religieuze signatuur. Mariabeelden naast voodoopoppen en enge houten beelden. Boeddha's en hindoegoden die behangen waren met rozenkransen, en pentagrammen en kruisen. Over het meubilair lagen goedkope Indische kleden gedrapeerd en brandende wierookstaafjes verspreidden een geur die aan studentenfuiven uit de jaren zeventig deed denken.

Star Trek was afgelopen en het medium, een potige Deense dame met lang blond haar met middenscheiding, zoals folkzangeressen het droegen, maakte kamillethee en ging zitten om aan de sessie te beginnen. Ze praatte een uur lang, non-stop, en zei precies wat Jenni wilde horen. Ze had zelfs een boodschap van gene zijde, waarin Jenni meteen de stem van haar grootmoeder herkende. Nadat Jenni aan het eind van de sessie haar vijfentwintig pond had overhandigd, pakte ze de handen van de vikingvrouw.

'En mijn man, krijgt hij echt die... promotie?'

'O, ja. Daar ben ik zeker van. En u zult beiden heel gelukkig worden. Let màar op. Als u over zes maanden terugkomt, zult u zeggen: "Ailse, alles wat je me verteld hebt is uitgekomen. Alles."'

Als Jenni wat kritischer was geweest, zou ze ontdekt hebben dat alles wat haar verteld was een bevestiging was geweest van wat ze zelf had gezegd. Maar ze was niet kritisch. Ze wilde het geloven. Ze wilde opgepept door magie naar haar afspraak met de Dwerg.

Ze reed naar Russell Square, zette haar auto in een schreeuwend dure parkeergarage onder een hotel en liep het laatste stukje naar het appartement van de Dwerg. Het was een prachtige dag en Londen werd overspoeld door hersenloze toeristen in afgrijselijke kleren die zich als kuddes wildebeesten lieten voortdrijven. Jenni wenste hun eenzelfde lot toe als de gnoes op de vlaktes van Afrika. Ze stuitte op een ondoordringbare muur Franse schoolkinderen. Hun monden hingen open van verveling en ze weigerden opzij te gaan. Jenni week echter voor geen enkele puisterige puber uit naar de goot.

'Pardon.'

Geen reactie.

'Pardon.'

Een beetje luider dit keer, maar nog steeds geen reactie. Ze glimlachte en begon aan een paar mouwen van designjacks te trekken.

'Excusez-moi. Parlez-vous anglais?'

Er volgde een korzelig koor van *oui*'en en *yes*'en.

Jenni straalde en zei op de luide toon die alle Engelsen aanslaan als ze tegen buitenlanders praten: 'Ga dan aan de kant, verdomme. Nu!'

Een zee van angstige kindergezichten week uiteen, alsof Mozes zijn stok had opgeheven, en Jenni liep triomfantelijk verder naar het appartement van de Dwerg.

Ze drukte op de knop van de intercom, hoorde zijn stem en daarna gezoem, waarna de deur openging. Ze liep naar binnen, bleef staan om haar onberispelijke make-up bij te werken en stapte in de lift. Hij stond al op haar te wachten toen de liftdeuren opengingen en werd meteen handtastelijk. Ze voelde zich net een hoer, alsof ze als een pizza was besteld. Ze ging het appartement binnen en wilde net een opmerking maken over het interieur, het uitzicht en het weer, toen hij haar omdraaide en zijn slangentong in haar mond duwde. Robbie MacIntyre was verdwenen. Dit was de Dwerg.

Zo liet hem even begaan, om niet onbeleefd over te komen, en trok zich toen terug.

'Robbie toch, goedemorgen.'

Hij bromde iets en begon haar uit te kleden. Van de hoffelijke, charmante gast van gisteravond was niets meer over. Zijn gezicht, normaal mooi van lelijkheid, was nu vertrokken van lust en vastberadenheid, en veranderd in een boosaardig, bloeddoorlopen masker. Ze wilde schreeuwen. Zijn zweterige handen lieten vlekken na op haar crèmekleurige, zijden blouse. En hij had haar linnen jasje op de vloer gegooid. Wist hij dan niet hoe gemakkelijk daar kreukels in kwamen?

'Robbie. Wacht even.'

Hij was geërgerd.

'Waarom? Ik heb iets wat jij wilt hebben en jij hebt iets wat ik wil hebben.'

Ze probeerde het met koketterie.

'Wat heb jij dan voor mij, Robbie?'

'Doe niet zo onnozel, dat past niet bij je. Wat ik je kan geven, kan ik je even gemakkelijk weigeren. Voor niets gaat de zon op, Jenni. Dat weet je.'

Jenni was nog nooit op deze manier door iemand toegesproken en overwoog om op te stappen. Bij een vrouw die het niet gewend was om mannen naar haar hand te zetten, zouden nu de alarmbellen zijn gaan rinkelen. Maar bij Jenni had nog nooit een man verder durven gaan dan zij had toegestaan; verkrachting en mishandeling overkwamen andere vrouwen, haar niet. Het medium had gezegd dat ze zou krijgen wat ze wilde hebben, maar ze had niet gevraagd op welke manier. Ze kon het zich niet veroorloven om de deur uit te lopen. Ze glimlachte naar hem vanonder haar wimpers, een blik die normaal gegarandeerd ontwapenend werkte. Niet bij hem. Hij sjorde aan haar blouse en schoof die omhoog alsof hij een dokter was die haar borsten wilde onderzoeken. Toen trok hij haar beha omhoog zodat haar borsten onder een opgerolde band kleren kwamen te hangen.

'Mooie tieten', zei hij terwijl hij ze vastpakte.

Daarna begon hij erin te bijten en eraan te zuigen. Jenni voelde zo'n walging dat ze haar adem moest inhouden. Het leek alsof ze levend werd opgegeten. Ondertussen schoof hij haar rok omhoog en trok haar panty en slipje naar beneden tot halverwege haar dijen.

'Panty's. Ik hou niet van panty's. Kousen. Ga naar de badkamer en doe kousen aan. Ze liggen in de la.'

Hij zei het terwijl hij in haar tepels beet. Vernederd maar blij van de pijn verlost te zijn, liep ze naar de deur die hij had aangewezen, terwijl ze haar slipje omhoogtrok en haar beha naar beneden. Ze dacht dat hij haar een moment alleen zou laten, een moment waarin ze de situatie weer onder controle kon krijgen en hem weer in Dr. Jekyll kon veranderen, maar dat had ze verkeerd gedacht.

'Nog steeds gek op me, mevrouw de hoofdcommissaris?'

Ze slikte. 'Natuurlijk. Deze?' Ze hield een paar zwarte kousen met jarretelle omhoog.

'Die kunnen ermee door.'

Hij sloeg haar zwijgend gade terwijl ze zich omkleedde.

'Alles uittrekken, behalve de kousen.'

Ze bekeek zichzelf in de grote spiegel die een hele wand besloeg en zag hoe hij haar vanuit een oosters aandoende stoel gadesloeg. Hij kwijlde al bij het vooruitzicht. Onmenselijk. Ze ging voor hem staan.

'Doe je schoenen weer aan.'

Ze gehoorzaamde. Toen ze rechtop ging staan, liet hij zich op zijn knieën vallen en begroef zijn gezicht tussen haar benen. Ze probeerde ze tegen elkaar te drukken, maar hij duwde haar dijen uit elkaar en deed met haar clitoris wat hij eerder met haar borsten had gedaan. Zijn abnormale tong ging steeds verder en dieper op onderzoek uit. Ze walgde van zichzelf toen ze een zweem van genot voelde.

Dat gevoel was echter meteen verdwenen toen hij haar beet, en hard ook. Ze gaf een gil. Ze moest hier weg, dit was het niet waard. Hij ging staan, pakte haar tepels tussen zijn duim en wijsvinger en trok er zo hard aan dat haar mooie borsten op lege huidzakken leken.

'Wil je dat je man hoofdcommissaris wordt of wil je dat Geoffrey Carter het wordt? Jij mag het zeggen.'

'Hoe weet ik of ik je kan vertrouwen? Misschien geef je de baan wel sowieso aan Carter.'

'Omdat ik je mijn woord geef. Maar als je weggaat, krijgt je man die baan alleen over mijn lijk.'

Ze keek hem aan alsof die mogelijkheid erin zat.

'Je woord?'

'Mijn woord.'

Ze slaakte een diepe zucht en gaf toe. Terwijl hij weer op haar lichaam aanviel als op een bord spaghetti, lukte het haar enigszins afstand te nemen. Ze sloeg hem via de spiegel gade en vond het fascinerend dat hij er zo volledig in opging. Hij wilde niet eens dat ze reageerde. Ze stond daar maar. Maar ze voelde wel dat hij geen erectie had. Ze wilde controleren of ze gelijk had, maar hij duwde haar hand weg, alsof ze hem stoorde.

'Ga in bad.'

Ze hoorde niet wat hij zei, zijn mond drukte tegen haar lichaam.

'Wat?'

'Ga in bad. Op je knieën, en vooroverbuigen.'

Ze deed wat hij zei en keek in het afvoergat. De grote kranen waren origineel Victoriaans. Het bad was van koud smeedijzer. En oncomfortabel. Hard, wit email.

Ze schrok toen ze het warme water op haar rug voelde. Toen rook ze het. De scherpe, zure geur van mannenurine. Het stroomde over haar rug en haar haar. Er leek geen eind aan te komen. Ze raakte in een soort shock. Ze kon niet meer denken, niets meer voelen, het alleen maar ondergaan. De douche hield eindelijk op. Stilte. Ze durfde zich niet te bewegen en sloot haar ogen. Haar knieën deden pijn. Ze vroeg zich af of Lucy de glazen op de juiste hoogte in de afwasmachine had gezet. Toen keek ze opzij.

Nu had hij wel een erectie. Omdat hij zo klein was, zwaaide die opgerichte penis op ooghoogte langs: hij was enorm, rood en paars van kleur, en absoluut weerzinwekkend. Ze wist dat ze zou moeten overgeven als hij het ding in haar mond wilde stoppen. Maar dat deed hij niet, hij wilde haar in de slaapkamer hebben. Stinkend en nat liep ze voor hem uit. Hij had zijn broek uitgetrokken, maar zijn overhemd en sokken nog aan. Hij moedigde zichzelf met zijn handen aan terwijl hij haar volgde.

'Ga liggen.'

Ze ging liggen.

'Draai je om.'

De woorden vormden zich in haar hoofd: nee. O, nee, alsjeblieft. Dat niet.

Ze had ooit een inwendig onderzoek gehad, uitgevoerd door een

Egyptische specialist in opleiding, en had daarna een klacht in moeten dienen omdat hij een rectale bloeding had veroorzaakt. Maar deze pijn was erger dan de pijn van het baren van een kind. Ze wist dat die pijn erger was, maar het gevoel van totale vernedering dat erbij kwam, maakte dit tot een ware hel van pijn.

Ze probeerde te schreeuwen maar kreeg niet genoeg lucht, omdat haar gezicht door zijn gewicht in het kussen werd gedrukt. Hij wrong zich in allerlei bochten, duwde en stootte alsof hij een wedstrijd wilde winnen. Terwijl hij nog tegen haar aan ramde, duwde hij zijn vingers met de lange nagels in haar vagina en wreef ze door de dunne huid heen hard tegen zijn penis. Toen kwam hij met een luide kreet van extase diep in haar, stotend tegen haar achterwerk. Ze moest haar handen om het hoofdeinde van het bed klemmen, omdat haar hoofd er anders tegenaan bonkte. Met een laatste kreun liet hij zich op haar rug neervallen en murmelde: 'Lekker geneukt, Jenni. Volgende keer nog beter, hè?'

Toen viel hij in slaap, nog steeds in haar. Ze had zich al die tijd slap gehouden, op geen enkel moment genot voorgewend, en zich afgesloten voor de afschuwelijke realiteit. Nu duwde ze hem van zich af, keek niet meer naar zijn afschuwelijke lijf, dat snurkend en languit op het bed lag, en rende naar de badkamer. Twintig minuten later stond ze nog steeds onder de douche, terwijl haar bloed het water rood kleurde.

Haar handen trilden toen ze zich aankleedde en ze moest gaan zitten om de knoopjes van haar blouse vast te maken. De spiegel die getuige was geweest van haar vernedering toonde een zelfverzekerde, mooie vrouw met licht blozende wangen. Aan haar gezicht was niet te zien wat er zojuist met haar gebeurd was. Maar de verscheurende pijn in haar onderlichaam was onmiskenbaarder dan een gebroken neus of een blauw oog.

Jenni ging de slaapkamer weer in, vastbesloten om hem kalm en beheerst tegemoet te treden. Alsof hij niets gedaan had dat ze al niet eerder had meegemaakt. Hij lag tegen de omhoog geschoven kussens, die nu besmeurd waren met haar lippenstift, en rookte een sigaar. Zijn gezicht zag er weer normaal uit, niet langer in de ban van het kwaad. Zijn gezicht had zelfs iets liefs, iets vriendelijks.

Hij was in een opperbeste stemming.

'Ik rook altijd een sigaar na een goeie maaltijd.'

'Ik moet ervandoor, Robbie. Sorry.'

'Vergeet je niet iets, Jenni?'

Een afscheidszoen? Een tedere omhelzing misschien? Jenni keek hem niet-begrijpend aan. Ze was niet in staat nog dichter bij hem te komen.

Hij stak zijn abnormaal lange hand onder de kussens.

'Dit. Als je hier zo-even niet zo had liggen genieten, had je het kunnen lezen.'

Hij overhandigde haar een vel papier.

'Memo. Vertrouwelijk. Betreft de aanstelling van de nieuwe hoofdcommissaris van de Londense politie. Wij zijn van mening dat de heer Thomas Shackleton...'

Jenni keek ernaar, maar kon niet verder lezen. Haar gezicht had hierop gelegen terwijl zij de ultieme vernedering onderging. Dit was haar loon. Dit was wat ze wilde. Ze zou dolblij moeten zijn. Ze zou zo tevreden moeten zijn als de weerzinwekkende Dwerg die daar in bed aan zijn ballen lag te krabben. Ze probeerde te glimlachen.

'Dank je, Robbie. Ik kom er zelf wel uit.'

'Ja, Jenni. We moeten het gauw nog eens doen. Wat jij?'

Hij knipoogde naar haar en wachtte tot hij de voordeur open hoorde gaan, voordat hij zijn vrouw belde.

Terwijl hij wachtte tot ze opnam, wreef hij peinzend over zijn lichaam, keek naar het bloed op zijn penis en voelde afkeer. Niet van wat hij gedaan had, maar van het oncontroleerbare verlangen dat hem verteerde, zodra een van die ambitieuze wijven besloot dat seks met hem een legitiem middel voor succes was.

Hij voelde afkeer omdat hij zichzelf niet in bedwang kon houden. Zijn excuus was dat hij alleen vrouwen neukte die dat wilden. Die erom vroegen. Die het verdienden. Nee, hij had er een afkeer van dat hij zich te veel door zijn verlangen liet leiden in plaats van door zijn verstand. Dat hij zich liet gaan.

Zijn vrouw nam de telefoon op.

'Ja, Lizie, ik denk dat ik vanavond thuiskom. Ik slaap toch het liefst in mijn eigen bed... ja, tot een uur of acht, negen dan. Gisteravond? O, ging wel. De gastvrouw was een beetje verkrampt, maar ik heb haar wel losgekregen. Ja...ik moet nog wat stukken doornemen, maar laten we er maar een rustige avond van maken. Hoe klinkt gebakken vis met patat je in de oren? Net als vroeger, toen we nog arm en jong waren... Ja, ik ook van jou, Lizie, hoewel het me nog steeds een raadsel is waarom je van me houdt. Dag.'

Het telefoongesprek had zijn gedachtestroom niet stilgezet. Hij herinnerde zich hoe hij op een dag op straat achter een jonge vrouw had gelopen. Lange, slanke benen, een rok die iets te strak zat en bij iedere stap even omhoogschoof. Een mooie kont, rond en hoog. Een slanke taille. Zelfverzekerd. Te zelfverzekerd met haar laptopkoffertje en oortelefoontje. Hij had toen een overweldigende drang gevoeld om haar bij haar lange haar vast te pakken en op de knieën te dwingen. Om haar rode mond om zijn penis te voelen. Om haar te zien kokhalzen en huilen...

Maar toen hij haar te dicht genaderd was, had ze zich omgedraaid en gezegd: 'Hé, pap, wat doe jij hier?'

Hij had zich wijsgemaakt dat elke vader wel eens zo'n moment meemaakte waarop hij zijn dochter als vrouw zag en in de war raakte van het verlangen dat hij voelde. Dat hij geraakt werd door de aanblik van haar borsten en de nabijheid van haar lichaam. Maar wat MacIntyre had gevoeld, was niet van korte duur geweest. Hij had gespeeld met de gedachte wat hij met haar wilde doen, maar zich getroost met de gedachte dat hij dat alleen bij een bepaald soort vrouw deed. Maar toen hij zich realiseerde dat zijn kleine meid precies dat soort vrouw was geworden, had hij zich nergens meer achter kunnen verschuilen. Nu was hij, wanneer hij er niet van in de ban was, bang voor zijn verlangen naar extreme seks.

Maar hij was met Jenni niet te ver gegaan. Eén keer had zijn voorkeur voor extreme seks hem een grote hoeveelheid geld en bijna zijn carrière gekost, maar in die tijd had de politie nog weinig geduld met vrouwen die beweerden dat ze verkracht waren, en zeker niet met vrouwen die opportunistisch genoeg waren om een paar duizend pond zwijggeld aan te nemen.

Hij zette de cd-speler aan en liet zich meevoeren door de muziek van Beethoven, terwijl hij naakt voor het grote raam stond en uitkeek over Bloomsbury, de rivier, de kathedraal van St. Paul en het hoge baken met knipperlicht in Canary Wharf.

Hij verlangde naar de troost van de biecht, maar wist dat dit te gemakkelijk was. Als hij werkelijk verlost wilde worden, zouden drie weesgegroetjes en een onzevader niet genoeg zijn.

Tom Shackleton zou nooit verteerd worden door een verlangen naar verloedering en bestialiteit. Maar hij zou ook nooit naakt voor het raam gaan staan en ontroerd raken door de schoonheid van prachtige muziek of door de fragiele skyline van Londen. Shackletons ziel liep op prozac.

De mazzelkont, dacht MacIntyre.

Toen Lucy thuiskwam was het donker. Gary had de hele dag geslapen, maar het ging niet beter met hem; ze had zelfs aan de houding van de verpleegkundige gemerkt dat het slechter met hem ging. Ze droeg nog steeds haar zijden jurk die nu als een vod om haar lichaam hing. Ze was doodmoe en had het gevoel alsof ze zich een week niet gewassen had. Zo moe zelfs dat ze geen zin had om te eten of naar boven te gaan om zich te douchen.

Het huis zag er nog precies zo uit als toen de ambulance was gekomen. Dat kon ook niet anders, maar toch had ze het gevoel dat er iets veranderd moest zijn. Zij was veranderd, maar de bewijzen van Gary's crisis waren er nog steeds om haar aan haar nalatigheid te herinneren. Ze ging op de rand van het bed zitten. Het was koud in de kamer. Niets was zo deprimerend als verlaten invaliditeitstoestellen. De lege rolstoel, het belachelijke hijstoestel, het logge bed met zijn primitieve drukknoppen.

Tien uur. Lucy besloot een paar uur te gaan slapen en daarna terug te rijden naar Kent. Met wat schone kleren. Toen zag ze Jenni.

Ze stond voor het raam naar buiten te kijken. Lucy zwaaide. Ze reageerde niet. Misschien was ze kwaad omdat Lucy het huis niet aan kant had gemaakt. Lucy pakte de telefoon. Hij ging over, maar Jenni verroerde zich niet. Jason nam op.

'Jason, sorry dat ik je stoor. Kan ik Jenni even spreken?'

Jason reageerde onbeholpen, aarzelend.

'Eh… ja… Ik zal kijken of ik haar kan vinden.'

Het klonk alsof hij zijn hand op de hoorn had gelegd. Lucy wachtte. Hij moest in zijn kamer zijn. Ze keek naar Jenni.

'Sorry, Lucy. Ze is er niet. Misschien is ze al naar bed gegaan. Ik… stoor haar liever niet als haar deur dicht is.'

'Bedankt, Jason. Dag.'

Jenni stond nog steeds voor het raam.

Jenni had geen tijd gehad om na te denken toen ze het appartement van MacIntyre had verlaten. Ze wilde ook niet nadenken en datgene wat er gebeurd was opnieuw beleven. Om zes uur had ze het gevoel dat alles in orde was. Ze zou naar huis gaan, de kleren die ze aanhad uittrekken en nooit weer aandoen. Ze zou een bad nemen en dat vieze mannetje van zich af wassen. Toen ze thuiskwam, voelde ze zich goed, zelfverzekerd. Niemand zou het ooit te weten komen. Het leek nu al alsof het nooit gebeurd was. Hoewel ze er een hoge prijs voor had betaald, was het het waard geweest. Vanwege het memo.

Ze liep bijna opgewekt de trap op naar de badkamer. Terwijl ze de knoopjes van haar blouse losmaakte, opende ze de badkamerdeur. Ze zag het toilet, het bidet, de douche, de spiegel.

Het bad.

Hoewel ze haar hand voor haar mond hield, kon ze het geluid dat zich naar buiten wrong niet tegenhouden. Nooit eerder in haar leven, waarin ze elke situatie de baas was, had ze zo onbeheerst gehuild, maar nu liet ze zich jankend tegen de muur van de badkamer vallen. Het geluid dat ze maakte klonk haar zo vreemd in de oren dat het leek alsof iemand anders het voortbracht.

Ze liet zich langs de muur naar beneden glijden en bleef ineengezakt op de vloer zitten. Ze gooide haar hoofd achterover in een poging de beelden in haar hoofd, die zich meedogenloos herhaalden, kwijt te raken. Ze bonkte met haar hoofd tegen de muur. De pijn leek te helpen. Ze deed het nog een keer. En nog een keer, tegen de koude tegels. Het gebonk en de pijn verdrongen het wellustige gezicht van de Dwerg en de penetrante geur van urine. Schreeuwend nu begon ze zich de kleren van het lijf te rukken. Ze ging staan en trok met een ruk haar bebloede slipje uit.

De aanblik van de opgedroogde, bruine vlekken deed haar verstijven. Dit was geen scène uit een film. Van schreeuwen en huilen zou ze niet schoon worden. Volledig beheerst nu liet ze het bebloede stuk kant in de badkuip vallen en liep naakt naar de slaapkamer. Ze begon in de lades te zoeken naar lucifers. Kalmte veranderde in paniek. Ze gooide de inhoud van de lades op de grond. Niets. Jasons kamer. In Jasons kamer lag een aansteker. Ze gooide zijn slaapkamerdeur open. Nachtkastje. Niets. Boekenkast. Niets. Woede ging over in hysterie. Ze begon te praten, een litanie van vloeken en scheldwoorden.

Tom en Jason waren even schuldig als MacIntyre. Ze was het slachtoffer van het mannelijke ego. Tom deed niets voor zichzelf. Dus moest zij het doen. Haar woede wakkerde aan en mondde uit in geweld. Jasons kamer moest het ontgelden, ze smeet zijn geluidsinstallatie tegen de vloer, scheurde zijn kleren aan flarden en stampte met haar voeten op het toetsenbord van zijn computer. Nadat ze haar zoons cd-walkman tegen de kast had gegooid, hield ze op.

Daar, midden op de vloer, lag een Zippo-aansteker. Jasons kostbaarste bezit. Hij nam hem zelfs nooit mee de deur uit, zo zuinig was hij erop. Aan één kant stond een foto van Humphrey Bogart uit *Casablanca*, een geschenk van zijn vader. Jason plaagde hem altijd met citaten uit diens films, zoals: 'Pak de gebruikelijke verdachten maar weer op.' Jenni raapte de aansteker op van de vloer en rende terug naar de badkamer.

Het vuile slipje lag in de badkuip zonder dat de vlekken te zien waren. Ze pakte het op en hield de geopende aansteker erbij. Er kwam een mooie grote vlam uit, groot genoeg om de smerige overblijfselen van haar vernedering te verbranden. De kant en zijde vatten snel vlam en brandden fel. Ze liet het slipje vallen en keek hoe het peperdure lapje ondergoed van de hitte ineenschrompelde en omkrulde. De vlammen doofden en het enige wat overbleef was een zwarte, kleverige asvlek.

Jenni kalmeerde, scheurde een velletje toiletpapier van de rol en veegde de asresten bij elkaar. Ze gooide alles in de wc-pot en goot er bijna een hele fles chloor overheen. Toen trok ze door. Er kwamen zwarte vlokjes bovendrijven. Ze trok nog een keer door. Nog steeds zwarte vlokjes. Ook nadat ze negen, tien, twaalf, twintig keer had doorgetrokken. Bij de vijftigste keer zag ze dat het water schoon bleef.

Ze was er zeker van dat het schoon was.

Rust. Het spookte niet meer in haar hoofd.

Rustig zette ze de douche aan en ging eronder staan, het kokend-hete water verbrandde bijna haar huid. Ze boende zich met een nagelborsteltje tot haar huid vuurrood zag en haalde ruw haar vingers door haar haar, nadat ze er een hele fles shampoo met amandelgeur over had uitgegoten. Het nagelborsteltje leek niet hard genoeg, Ze pakte een stuk puimsteen uit het medicijnkastje. Toen ze daarmee over haar rode, rauwe huid begon te wrijven, zag ze de fijne haartjes en huidschilfers van haar armen en benen vallen. Daarna ging ze verder met haar rug, vastbesloten ook daar de huid af te schrapen, die besmet was met de urine van de Dwerg.

Terwijl Jenni daarmee bezig was, kwam Jason de trap op rennen. Hij was na school naar crickettraining geweest, was als een hongerige labrador de hal binnengekomen, had zijn crickettas neergegooid en was meteen doorgelopen naar de keuken om een boterham met kaas en augurk te maken.

Hij verwachtte een e-mail van zijn virtuele vriendinnetje. Vanaf de trap zag hij dat de deur van zijn kamer openstond. Toen zag hij de kamer zelf. Even dacht hij dat er ingebroken was. Toen hoorde hij luide muziek uit zijn moeders slaapkamer komen. Misschien waren de inbrekers nog in huis. Hij opende de deur van zijn klerenkast, probeerde daarbij de ravage te negeren en haalde zijn oude cricketbat tevoorschijn. Met bonzend hart en de bat in de aanslag sloop hij naar haar slaapkamer om aan te vallen of zich te verdedigen.

De kamer was onaangeroerd. De deur met spiegel naar zijn moeders badkamer stond open en hij zag haar vage, naakte gestalte onder de douche staan. De muziek kwam uit haar stereo-installatie. Hij stond op een onbekende zender afgestemd en braakte mono-tone, trance-achtige muziek uit. Jason realiseerde zich dat zijn moe-der zo tekeer was gegaan in zijn kamer.

Op de vloer bij de badkamerdeur lag zijn Zippo. De bovenkant was eraf gebroken en de rest lag in stukken op het vloerkleed. Hij pakte alles voorzichtig op. Net als zijn vader hield hij meer van dingen dan van mensen; voorwerpen waren minder onvoorspelbaar. Wie aan zijn dierbare spullen kwam, kwam aan Jason. Hij hield de aansteker beschermend in zijn handen, verliet stilletjes zijn moeders slaapkamer en deed de deur achter zicht.

Daarna ging hij in de ravage van zijn eigen kleine wereld zitten, doodstil, tot de telefoon ging en Lucy naar Jenni vroeg. Hij had zijn moeder heen en weer horen lopen, en naar beneden horen gaan, maar kon het niet opbrengen haar onder ogen te komen. Hij wilde niet met haar praten. Hij twijfelde er zelfs aan of hij haar ooit nog wilde zien. Zijn zussen en hij hadden haar vreemde woede-uitbarstingen altijd door de vingers gezien, maar dit kon hij haar niet vergeven. Dit keer was ze te ver gegaan. Hij was zijn hele leven al haar vertrouweling, had altijd de klappen opgevangen en haar kant gekozen tegen Shackleton, maar nu zag hij dat hij slechts een pion was geweest en als wapen was gebruikt tegen de vader die hij verafgoodde.

Jenni staarde nietsziend uit het raam van de woonkamer toen Lucy op het glas tikte. Ze schrok, alsof iemand haar vanuit de verte iets had toegeroepen. Lucy. Wat deed Lucy daar? Ze merkte dat ze zich niet kon bewegen en keek haar alleen maar aan. Lucy hield haar sleutels omhoog en gebaarde dat ze binnen zou komen. Jenni reageerde niet. Een minuut later hoorde ze Lucy de deur open maken.

'Jenni…? Jenni, is alles goed met je?'

Jenni antwoordde niet.

'Kom je de boel opruimen?'

Jenni's stem klonk formeel, ze bleef met haar rug naar Lucy toe staan.

Lucy had Jenni nog nooit ongekapt en zonder make-up gezien, maar nu stond ze op blote voeten, gekleed in een badstof ochtendjas en met natte, ongekamde haren voor haar. Af en toe pakte Jenni een lok haar, rook eraan en begon er vervolgens aan te trekken. Na zes rukken legde ze de lok gerustgesteld over haar schouder. Even later deed ze hetzelfde weer.

Lucy ging achter haar staan en pakte haar voorzichtig bij haar ellebogen. Jenni verzette zich niet en liet zich door Lucy naar een stoel brengen. Toen begon ze zacht te huilen, alsof ze van een grote zorg verlost was.

'O, Lucy… Lucy.'

Lucy ging gehurkt voor haar zitten.

'Wat is er, Jenni? Wat is er gebeurd?'

Er kwam geen antwoord, alleen het zachte, bedroefde huilen was te horen. Lucy sloegen haar armen om Jenni heen en wiegde haar zachtjes heen en weer. Jenni verzette zich niet.

Toen het huilen minder werd, zei Lucy: 'Toe Jenni, vertel me wat er aan de hand is.'

Jenni vermande zich en trok zich toen los.

'Niets. Echt. De tijd van de maand.'

Lucy wist dat ze loog maar drong niet verder aan.

'Wil je iets drinken?'

Jenni knikte; ze vond het nog steeds moeilijk om te praten.

Lucy schonk een groot glas whisky voor haar in. Jenni hield niet van whisky, maar dronk het toch op.

'Sorry dat ik vandaag niet geweest ben. Gary moest naar het ziekenhuis.'

Ze zag dat Jenni niet luisterde. De whisky werkte snel: Jenni's gespannenheid verdween en maakte plaats voor slaperigheid. Lucy trok haar voorzichtig overeind en leidde haar langzaam de trap op. In de slaapkamer ging Jenni gedwee op de rand van het bed zitten, terwijl Lucy de gordijnen dichtdeed. Lucy probeerde haar te helpen bij het uittrekken van de badjas, maar Jenni hield die stijf om zich heen geslagen. Lucy drong niet verder aan. Zelfs in deze staat wilde Jenni niet dat iemand de tandafdrukken en zuigplekken op haar borsten en rug zag. Lucy legde Jenni's benen op het bed en trok het satijnen laken omhoog tot onder haar kin. Zonder make-up zag Jenni er jong en kwetsbaar uit. Ze fluisterde iets. Lucy boog zich dichter naar haar toe.

'Slaappillen. In de la.'

Lucy wilde protesteren, maar bedacht zich toen. Ze haalde de pillen uit de la en liep naar de badkamer om een glas water te halen. Overal lagen doorweekte handdoeken. Ze pakte ze op en gooide ze in de badkuip. Terwijl ze het glas vulde zag ze dat de spiegel stukgeslagen was met de hak van een Manolo Blahnik-schoen die nu geruïneerd in de wasbak lag.

Toen ze terugkwam in de slaapkamer sliep Jenni al, onrustig en met het voorhoofd licht gefronst. Lucy zette het glas water op het nachtkastje en legde de slaappil ernaast. Daarna deed ze alle lichten uit, op één lampje na, en verliet stilletjes de kamer.

Op het moment dat ze de deur dichtdeed, kwam Jason zijn kamer uit met een uitpuilende rugzak om zijn schouders. Lucy dacht dat hij huilde. Hij had duidelijk haast en wilde niet praten.

'Is alles in orde, Jason?'

'Ik ga bij een vriend logeren. Ik laat voor pa wel een briefje achter.'

Daarna denderde hij de trap af in zijn zware leren laarzen en lange overjas. Lucy volgde hem langzaam en hoorde de voordeur dichtslaan. Ze wist niet goed wat ze moest doen. Jasons briefje lag in de hal op de vloer, door zijn overhaaste vertrek was het van het tafeltje gewaaid. Ze pakte het op en legde het terug.

Het lichtknopje moest nodig met een natte doek afgenomen worden. Er zaten vieze vingervegen op. Moest ze blijven? Ze besloot de afwas te doen en liep naar de keuken. Het volladen van de afwasmachine en het schuren van de pannen had iets geruststellends. Het zette haar gedachten stil, het denken aan Gary en Tom, de vragen en twijfels, de verraderlijke beelden van Gary's dood en welke mogelijkheden deze bood. Ze was bijna klaar toen ze de voordeur onopvallend open hoorde gaan.

Tom.

Vlinders in haar buik. Waarom gebeurde dat toch steeds? Dit was niet het moment om naar hem te verlangen. Het was al na middernacht. Ze had zo snel mogelijk naar Gary terug willen gaan. Maar ze zou Tom eerst moeten vertellen wat er gebeurd was. Ze kon niet zomaar de deur uit lopen. Dat zou onbeleefd zijn.

'Jenni?' Toms stem klonk verontschuldigend. Zo klonk zijn

stem altijd als hij zijn vrouw aansprak, alsof hij er bij voorbaat van uitging dat hij iets verkeerds had gedaan.

'Nee, Tom. Ik ben het. Ik ben in de keuken.'

Ze trok snel haar rubberen handschoenen uit, maar liet ze per ongeluk in de gootsteen vallen. Ze zag hoe ze volliepen met het smerige, vette lauwwarme water en treurig naar de bodem zakten.

'O, verhip', zei ze machteloos.

Hij kwam met een vermoeid gezicht de keuken in en leek verre van blij verrast te zijn haar daar te zien.

'Lucy. Wat doe jij hier?'

'Ik was bijna klaar met opruimen en… Het gaat geloof ik niet zo goed met Jenni. Ik heb haar naar bed gebracht.'

Hij draaide zich om.

'Dan ga ik meteen bij haar kijken.'

Lucy voelde een steek van jaloezie om zijn bezorgdheid. Nee, bezorgdheid was wat Gary en zij voor elkaar voelden. Tom Shackleton verwachtte gewoon een scène en wilde die angstvallig binnen de perken houden.

'Ze slaapt. Ik denk dat je haar beter met rust kunt laten. Ze was erg overstuur.'

'Ze is altijd ergens van overstuur.'

Lucy was verbaasd. Hij had nooit eerder in haar aanwezigheid zijn masker laten vallen. In alles wat hij haar tot nu toe over zijn vrouw had verteld, had spijt doorgeklonken, geen bitterheid.

Hij liep naar de koelkast en schonk een glas bier voor zichzelf in, en daarna, zonder te vragen, voor Lucy een groot glas witte wijn. Ze volgde hem naar de woonkamer. Hij ging op de bank zitten.

'Hoe is het met Gary?'

Lucy stelde zich voor dat ze zich in zijn armen wierp en hem snikkend de gebeurtenissen van die dag vertelde, terwijl hij over haar haar streek en dingen zei die dierenartsen tegen oude honden met darmproblemen zeiden. Ze zag dat hij het alleen uit beleefdheid had gevraagd.

'Ach, zoals altijd', zei ze.

Hij knikte vaag. Lucy trok de gordijnen dicht, hoewel er voor eventuele nieuwsgierige voorbijgangers niets te zien viel.

'Jason logeert bij een vriend. Hij heeft een briefje voor je achtergelaten. Zal ik het voor je halen?'

Lucy bleef wat ongemakkelijk bij de deur staan.

'Nee. Kom even bij me zitten.'

Hij legde zijn arm over de rugleuning van de bank. Lucy ging zitten. Als hij nou een kus wilde, of meer, moest ze hem dan zijn gang laten gaan? Wanneer had ze voor het laatst haar tanden gepoetst? Voor het etentje. Ze had ondertussen vast tandvleesontsteking gekregen. En werkte haar deodorant werkelijk vierentwintig uur? Hoe zeker kon ze daarvan zijn? Ze zat op het puntje van de bank.

'Ach... Lucy...'

Ze draaide haar hoofd opzij en keek hem aan; zijn gezicht zag grauw van vermoeidheid. Hij wreef met de achterkant van zijn vingers lichtjes over haar wang. De aanraking had niets seksueels, alleen iets troostends. Misschien had hij ook een vieze smaak in zijn mond. Nou, als hij haar wilde kussen, kon ze misschien wel haar adem inhouden. Ze zette haar glas neer en leunde achterover. Zijn ogen vielen bijna dicht. Hij probeerde met zijn rechtervoet zijn linkerschoen uit te duwen. Toen hem dat gelukt was probeerde hij hetzelfde met de rechterschoen, maar zijn sok gleed steeds weg over het leer. Lucy bukte zich automatisch en hielp hem.

'Zweetvoeten. Sorry', mompelde hij.

Het enige wat ze rook waren dure schoenen. Verziendheid en reukloze voeten waren de voordelen van het ouder worden.

Ze ging weer zitten en pakte haar glas wijn.

'Proost.'

Ze zei het zacht, waarbij ze hem van opzij aankeek en verleidelijk probeerde te lachen. Zijn hoofd was op zijn borst gezakt. Hij was diep in slaap. Lucy keek naar hem terwijl ze een slokje van de heerlijke sauvignon nam. Jenni had de chardonnay afgezworen toen vrouwen die Giorgio-parfum droegen het gingen drinken in plaats van rum-cola. Hij snurkte een beetje. Dit maakte hem in Lucy's ogen nog aantrekkelijker en ze dacht dat ze misschien wel verliefd op hem was geworden. Moest ze hem niet wakker maken, naar bed sturen en hem eraan herinneren dat hij zijn tanden moest poetsen.

Ze wou dat ze het kon, dat dit het einde van een normale dag was voor Tom en Lucy Shackleton in hun mooie huis... Ze slaakte een beleefd zuchtje, zette hun glazen op een veilige plek en verliet het huis.

DEEL DRIE

D e verkiezingen domineerden het nieuws sinds de datum van de verkiezing bekend was gemaakt. Politici en journalisten kwamen er steeds weer op terug in de hoop het onderwerp levend te houden en de bevolking ervan te overtuigen dat de kans bestond dat de regering verslagen zou worden en de verhuiswagen op de morgen van de 22ste november bij Downing Street nummer 10 zou voorrijden.

Achter de schermen werd druk met de ellebogen gewerkt door degenen die dachten dat hun toekomst verzekerd was en degenen die wisten dat hun toekomst verkeken was en elders lag.

Jenni merkte dat ze steeds meer verzoeken kreeg om aardige stukjes te schrijven over veelbelovende types, meestal ijverige, jonge vrouwen bij wie nog nooit één originele gedachte was opgekomen terwijl ze hun bekertje gezonde vetvrije yoghurt leeglepelden. Jenni had sinds kort de landelijke linkse kranten de rug toegekeerd en zich geconcentreerd op haar natuurlijke achterban: de vrouwelijke lezers van de *Daily Mail*.

Ze zat in de Ivy met een bijzonder irritant nieuw parlementslid uit Birmingham. Het was niet haar bedoeling geweest een goede lunch aan dit ijverige, stralende jonge ding te verspillen, maar de dragonder met wie ze eigenlijk een afspraak had, was weggeroepen voor een spoedvergadering op het ministerie van Financiën, waarna Jenni haar hengel opnieuw had uitgegooid en deze ambitieuze meid aan de haak had geslagen, die volgens het persbericht 'een veelbelovende toekomst' tegemoet kon zien. Moge God haar daarbij helpen, dacht Jenni.

Ze zaten naast elkaar, op zo'n ongemakkelijke muurbank. De zon scheen door de gekleurde, ruitvormige ramen naar binnen en maakte mooie lichtjes, en de lievelingen van Londen zaten zelfverzekerd te bikken. De bar zat vol, en sommige mensen zaten aan de tafeltjes bij de deur te eten, in de armenhoek. Jenni zag ze binnenkomen, invloedrijk, beroemd, en allemaal dikke maatjes met de maître d'hôtel.

Het meisje naast haar zeurde maar door over hoe belangrijk het was om 'het partijprogramma trouw te blijven'. Een uitdrukking die volgens Jenni na de eerste regeringsperiode van Labour uit de gratie was geraakt. Maar misschien was de uitdrukking nu pas doorgedrongen tot de Black Country.

Toen ging de klapdeur open en kwam Robert MacIntyre binnen, in gezelschap van Geoffrey Carter. Jenni had MacIntyre in de weken na de ontmoeting in zijn appartement niet meer gezien. De tandafdrukken waren bijna verdwenen, maar ze voelde hem nog steeds bij zich naar binnen dringen... Haar gezicht verried niets, maar ze moest wel haar vork neerleggen, omdat haar handen trilden. Ze bleven bij het tafeltje van de maître d'hôtel staan, terwijl MacIntyre in het rond keek om zich ervan te vergewissen dat iedereen hem zag en peilde wie hem het hof zou maken voordat hij weer vertrok. Toen kreeg Carter Jenni in het oog. Hij wees naar haar. Het gezicht van de Dwerg lichtte op. Ze kwamen meteen naar haar toe. Ze voelde zich misselijk. Het onnozele kind naast haar deed het bijna in haar broek van opwinding.

'Jenni, wat een verrassing. Hoe gaat het met je? En met je man?'

Jenni gaf de juiste antwoorden en glimlachte.

'Je kent Geoffrey Carter natuurlijk.'

'Ja. O, Geoffrey, gefeliciteerd nog, geweldig nieuws. Een kleine Carter erbij. Je zult je er wel op verheugen om meer tijd thuis door te brengen. Er gaat toch niets boven die eerste jaren. Ze zijn zo snel groot. Wil je tegen Eleri zeggen dat ik later deze week bij haar langskom?'

'Dat zal ze leuk vinden. Ze heeft het niet gemakkelijk. Ze is niet meer de jongste en dan pas je eerste kind krijgen. Goddank hoeven wij mannen ons alleen maar te scheren, hè?'

Jenni lachte.

'Maar je ziet er goed uit. Ben je er weer helemaal bovenop? O, sorry, dit is Belinda Sharrow.'

De Dwerg overlaadde het arme schaap dat onnozel naast Jenni zat te glimlachen meteen met zijn charme.

'Belinda, natuurlijk, een van onze snelst rijzende sterren aan het firmament. Hou haar in de gaten, Jenni, ze gaat een grote toekomst tegemoet na de komende verkiezingen. Maar we moeten aan tafel

nu. Ik heb je nog een paar keer proberen te bellen, maar je zoon –
kan dat kloppen? – zei dat je een poosje naar een *health farm* was…
Daar moet je me alles over vertellen. Ik bel je wel. We moeten gauw
weer een afspraak maken. Aan onze laatste ontmoeting heb ik zulke
goede herinneringen overgehouden.'

'Mmm… ik ook.' Het klonk alsof ze het meende, maar haar
handen trilden en ze voelde het zweet langs haar lichaam lopen.

Belinda had niets gemerkt en kwetterde aan één stuk door.

'God, hoe kan iemand die zo lelijk is toch zo aantrekkelijk zijn?
Begrijp jij dat nou? Hij heeft me een paar keer gevraagd bij hem
langs te komen. Wat denk jij, moet ik dat doen?'

Jenni keek naar haar onnozel glimlachende gezicht.

'O, ja, dat moet je zeker doen. Het zal je carrière beslist geen
kwaad doen.'

'Nou, het gaat me niet zozeer om mijn carrière. Het gerucht gaat
namelijk dat hij een enorme piemel heeft.'

Ze lachte en keek naar de twee mannen. MacIntyre hief zijn glas
op. Carter glimlachte.

'Hij is ook om op te eten, vind je niet? Geoffrey Carter? Maar ik
heb gehoord dat hij nooit vreemd gaat. Erg jammer.'

'Ja', zei Jenni, terwijl ze hoopte dat ze haar mond zou houden of
geraakt zou worden door een vallende kroonluchter.

'Jouw man is ook hoofdcommissaris, hè?'

Jenni vond het niet leuk dat Belinda het deed voorkomen alsof
het een gewoon beroep was, net zoiets als buschauffeur, en dat ze zijn
knappe uiterlijk niet had genoemd. Ze mocht hem zelf misschien
niet willen, maar ze vond het leuk als andere vrouwen hem begeer-
den.

Belinda sprak verder, terwijl ze op weinig elegante wijze op haar
galette aanviel.

'Ik vond hem erg goed in *Question Time*. Maar Carter maakte ook
veel indruk. Geen wonder dat ze hem voor die nieuwe job willen
hebben.'

Jenni was nog steeds met haar gedachten bij MacIntyre en veegde
haar handen af aan het linnen servet.

'Welke nieuwe job?'

Ze vroeg het automatisch. Jenni dacht aan de 'health farm' waaruit ze kortgeleden ontslagen was. Een toevluchtsoord voor beroemde neuroten en verslaafden. Jenni was er als neuroot in gegaan en er als verslaafde weer uit gekomen.

'O, ik dacht dat je dat wel wist...'

Belinda had over het hele tafelkleed broodkruimels gemorst.

Jenni zette haar vingertop op een grote kruimel. Ze wilde het liefst het glas mineraalwater van het arme kind over haar slecht gekapte haar uitgieten.

'Nee, dat weet ik niet, Belinda. Ik popel van nieuwsgierigheid.'

'Nou, ik geloof niet dat ik een geheim verklap als... nee, dat weet ik wel zeker. Het schijnt dat hij favoriet is om een nieuw korps te gaan leiden.'

Jenni was nog steeds niet een en al oor.

'Wat bedoel je? Van een nieuwe regio of zo?'

'O, nee', zei Belinda, terwijl ze gretig haar salade aanpakte van de ober. 'Het is een nieuwe functie: net zoiets als hoofd van de FBI. Je weet wel... alle grote zaken komen bij hem terecht. Hij wordt een zeer machtig man. De hoogste politiechef van Groot-Brittannië. De misdaadpaus, noemen ze hem. Zo iemand is er nog nooit geweest. Wel een beetje riskant, als je het mij vraagt.'

De ober zette nog een schaal tussen hen in op tafel.

'Ah, frietjes, zalig. Hier Jenni. Schep op. Is alles goed met je? Je ziet zo wit als een doek.'

Jenni kon geen woord uitbrengen. Ze schudde haar hoofd, pakte haar handtas en liep kalm weg, achter de houten wand langs waar de obers druk in de weer waren, en daarna de trap op, langs foto's van louche vrouwen die sigaretten rookten, naar het damestoilet.

Een grote zwarte vrouw in een nylon overall schikte gele bloemen in een felgekleurde vaas. Jenni knikte. De vrouw keek haar met een stralend gezicht aan. Achter haar bij het open raam zat een oudere vrouw, ook zwart, maar broodmager. Jenni voelde paniek opkomen. Ze wilde alleen zijn, om weer tot zichzelf te komen.

Ze draaide de deur van het toilet op slot en ging zitten. In haar tas zat een flesje met pillen. De tas was niet groot, maar het flesje bleef zoek. Gefrustreerd gooide ze de inhoud van de tas op de vloer. Maar het flesje was nog steeds nergens te bekennen. Ze graaide tussen papieren zakdoekjes, agenda, parfum, cosmetica. Er zat geen opening onder de deur, het moest hier dus zijn. Maar het was er niet. Woedend en gefrustreerd gooide ze de deur open, tegen de tussenwand aan. Wat ze zag verraste haar zo dat ze bijna moest lachen. Voor haar stond een derde zwarte vrouw, zeker één meter tachtig groot, met een pokdalig gezicht en blinde ogen. Haar nylon overall was te kort en de mouwen kwamen tot net onder haar ellebogen. Net als de schurkachtige vriend van Olijfje hield ze het licht tegen en ze zag er akelig abnormaal uit.

Ze had het flesje met pillen in haar hand.

Jenni was te verbouwereerd om zich af te vragen hoe ze eraan gekomen was.

De hand van de vrouw deed Jenni denken aan de enorme hand van een gorilla. Opeens voelde ze zich beschaamd. Kon de vrouw zien dat ze haar in gedachten met een grote aap had vergeleken?

'Dank u wel', zei Jenni met een gepaste glimlach, terwijl ze het flesje aannam.

Ze deed de deur weer dicht. Drie toiletdames, hier leek sprake van overbezetting te zijn, ze moest niet vergeten er iets van te zeggen als ze wegging. Ze haalde de dop van het flesje. Eén pil? Twee pilletjes? Het waren immers maar kalmerende middelen en ze had er nu echt een, nee, twee nodig. Ze slikte de beide magische pillen door en bleef met gesloten ogen wachten tot ze begonnen te werken.

Jenni was midden in de nacht wakker geworden, nadat Lucy haar naar bed had gebracht, alleen en omringd door demonen die haar weer lieten ondergaan hoe hij zich bij haar naar binnen drong en zijn tanden in haar rug zette. Jammerend rende ze naar beneden. Daar aangekomen begon ze te schreeuwen en probeerde ze Robert MacIntyre van zich af te slaan. Met de logica der waanzinnigen dacht ze hem uit haar lichaam te kunnen snijden. Met een mes, een scherp mes.

Ze was in de keuken toen Tom wakker werd van het lawaai. Lucy zat niet meer naast hem. Omdat hij Jenni's hysterische uitbarstingen gewend was, haastte hij zich niet om uit te zoeken wat er dit keer aan de hand was. Toen hij door de hal liep, werd haar geschreeuw steeds

duidelijker verstaanbaar. Het was een aaneenschakeling van obsce-
niteiten. Er moest iemand bij haar zijn. Lucy. Ze gaf Lucy de volle
laag. Hij opende de deur. Even was hij in de war: hij zag bloed en hij
zag zijn vrouw met een groot mes op iemand of iets insteken, maar
Lucy zag hij niet. Toen pas zag hij dat Jenni het op haar eigen
lichaam had voorzien, dat het haar bloed was dat tegen de
keukenkastjes spatte.

Jenni kon zich nog herinneren dat hij haar had vastgegrepen,
waarbij het mes over de vloer scheerde, en dat hij zijn armen om haar
heen had geslagen, zoals je bij een geliefde of een gevaarlijke crimi-
neel doet. Ze wilde flauwvallen, maar haar geest had zich ertegen
verzet. Het ambulancepersoneel, jonge mensen die haar naam riepen
alsof ze zich aan de andere kant van een tunnel bevond, had haar
daarna, gewikkeld in een groene deken, in een rolstoel gezet.

Ze zou nooit vergeten hoe haar man op dat moment naar haar
had gekeken. Vol afkeer en medelijden. Een vreemde gedachte was
in haar opgekomen toen ze naar buiten werd gereden, in het licht
van het blauwe zwaailicht van de ambulance: Tom zou haar nooit
meer met enige genegenheid, en zeker niet met enig verlangen,
willen aanraken. Met één blik… kwam dat niet uit een liedje?
Met één blik had hij haar duidelijk gemaakt dat ze alleen nog
walging bij hem opriep.

Hij reed niet mee in de ambulance. Hij zei dat hij in de auto zou
volgen. Toen ze hem weer zag, deed hij afstandelijk, kon hij in zijn
beperkte emotionele vocabulaire geen woorden voor haar vinden.
Ze hadden haar badjas uitgedaan en haar een rugloos ziekenhuis-
hemd aangetrokken.

Ze wist dat hij de blauwe plekken op haar lichaam had gezien. Ze
wendde haar hoofd van hem af. Het had geen zin om Tom Shackleton iets uit te leggen; de tijd van praten was kort na hun trouwen al
voorbij geweest. De tijd van luisteren daarvoor al. Ze was te com-
plex, te angstaanjagend voor hem. En in haar frustratie over zijn
tekortkomingen was ze te vaak wreed tegen hem geweest om nu op
zijn medeleven te mogen rekenen. Nooit klagen, nooit uitleggen.
Een ongelooflijk stomme stelregel, die het symbool van hun huwelijk was geworden.

Tijdens Jenni's verloren weken in de kliniek waar ze, na een psychiatrisch onderzoek, naartoe was gebracht, had het haar verbaasd dat Lucy niet op bezoek was gekomen. Ze had besloten zich hierover gekwetst te voelen, totdat ze ontdekte dat Tom Lucy had verteld dat ze geen bezoek wilde hebben. Zelfs Tom kwam maar af en toe langs, wat onbeholpen en nooit lang, met schone kleren en verse bloemen. Ze konden weinig tegen elkaar zeggen dat geen oude wonden zou openrijten.

Tom voelde zich niet op zijn gemak bij zoveel mensen die de greep op de werkelijkheid bijna of geheel kwijt waren geraakt.

Lucy had gebeld om te zeggen dat Eleri Carter haar bloemen wilde sturen. Zou ze dat leuk vinden? Tijdens het gesprek werd het Jenni duidelijk dat Tom niet de hele waarheid had verteld over wat er gebeurd was, en dat heel weinig mensen wisten dat Jenni 'ziek' was. Ze was inderdaad verbaasd en nijdig dat Eleri het te weten was gekomen.

Jenni wist niet hoeveel Lucy wist, maar hield het fabeltje van de health farm in stand, en dat ze in zeewier gewikkeld werd en wortelsap dronk. Ze verzekerde haar dat ze gauw weer thuis zou zijn en dat het daarom niet de moeite loonde om op bezoek te komen. Lucy, lieve meegaande Lucy, nam er genoegen mee en beëindigde het gesprek met de belofte dat ze de besteklade zou schoonmaken.

De volgende dag, toen Jenni in de grote serre zat, omringd door versufte patiënten in witte hemden, verscheen Eleri. Jenni voelde zich eerst opgelaten en was boos dat Elerie haar in zo'n deplorabele toestand en onopgemaakt, aantrof. Maar haar agressieve reactie werd gauw getemperd door het serene, goede humeur van de andere vrouw. Ze straalde werkelijk in haar jurk, die veel weg had van een circustent, zodat iedereen kon zien dat ze zwanger was.

Eleri's zachte, Welshe stem en kalme aanwezigheid hielpen Jenni. Ze praatten over onderwerpen waar Jenni jarenlang niet aan had gedacht. Over ochtendziekte, die in Eleri's geval vierentwintig uur per dag doorging. Over aambeien, spataderen, verzakkende bekkenbodems en hoe groot Carters kans was om ooit weer van zijn huwelijksrechten gebruik te maken. Ze lachten om het gebrek aan waardigheid en de vernedering van het baren en vonden na een uur dat ze zich prima vermaakt hadden.

Jenni maakte geen bezwaar toen de andere vrouw voorstelde om nog eens langs te komen en verheugde zich erop om Eleri's steeds ronder wordende lichaam weer de serre binnen te zien waggelen, altijd met bloemen, of fruit, of onzinbladen.

Ze maakten er algauw een gewoonte van om met een doos bonbons onder handbereik en gillend van het lachen de horoscoop en de probleembrieven voor te lezen. Al het grillige raffinement viel van Jenni af en Eleri kreeg een zeer komische, bijzonder aantrekkelijke vriendin te zien, die zich volkomen natuurlijk gedroeg.

Maar Eleri had haar nooit anders meegemaakt. Ze had een kant van Jenni naar boven gehaald die niemand kende. Een klein hartje, dat door seks, jaloezie en wantrouwen in zijn groei was gestuit, was vijfentwintig jaar later op een verlaat meisjesachtige manier weer tot bloei gekomen.

Het regende op de middag toen het gesprek op echtgenoten en minnaars terechtkwam. Ze waren bezig met een eindeloos spelletje Monopoly en werkten zich door een doos bonbons van Harrods heen. Jenni was dol op Harrods, maar Eleri vond het er nogal vulgair. Zij was opgegroeid met een afkeer van geldsmijterij, maar voor haar vriendin vocht ze zich door de hordes toeristen en de schreeuwerige rijkdom heen.

'Was jij nog maagd toen je Geoffrey leerde kennen?'

Het was niet het antwoord dat Eleri verwacht had toen ze Jenni om de huur van Leicester Square had gevraagd, maar ze zei: 'Min of meer. Dat wordt dan tien pond.'

Jenni barstte in lachen uit.

'Min of meer? Wat bedoel je daarmee?'

Eleri hield koket haar hoofd schuin.

'Nou, omdat hij een condoom droeg. Dan telt het toch niet?' Ze wachtte even. 'Bovendien had hij geen erectie. En dan telt het volgens mij ook niet.'

Jenni knikte en overhandigde haar het geld.

'Daarna heb ik het, tot ik Geoff ontmoette, nooit weer geprobeerd. En jij?'

Jenni begon te lachen.

'O, ik geloof dat ik nooit maagd ben geweest. Tom wel.'

Eleri gooide de dobbelstenen. Vijf.

'Waarom vraag je dat?'

Jenni leunde achterover en zag er zelfs in haar badjas elegant uit.

'Ik heb…' Verder kwam ze niet.

Eleri wachtte.

'Al die stomme gesprekken die je hier moet voeren, dat is toch allemaal onzin. We doen wat we doen.'

Ze ging abrupt staan en gooide daarbij het bord van de lage tafel die tussen hen in stond. Eleri stak automatisch haar handen uit om het tegen te houden. Jenni leek het niet eens gemerkt te hebben.

'Het was zijn eigen schuld. Tom heeft alles aan zichzelf te wijten. Door zijn gedrag kreeg ik het gevoel geen kant meer op te kunnen. Je moest eens weten hoe hij vroeger naar me keek. God, zo verschrikkelijk, net een hond. Hij aanbad me, liep me overal achterna. Als hij die avond was thuisgebleven… Het was zijn eigen schuld. Die klotepsychiaters ook… Er zit verder niks achter.' Ze leek met zichzelf in gesprek te zijn, met een stem in haar hoofd. 'Geen trauma's, niks. Het is gewoon een wapen…' Ze was kwaad nu, kwaad van machteloosheid.

Eleri, die totaal niet geschokt was door Jenni's taalgebruik en ruwheid, zag een wanhopig, ongelukkig kind, dat ze wilde kalmeren en troosten.

'Slapen met mannen heeft niets, maar dan ook helemaal niets met eigendunk te maken. Dat is onzin. Grote onzin.' Ze praatte niet tegen Eleri, maar tegen de muren en de deur. 'Ik ben mooi… lelijke schoften dat jullie zijn. Ik ben niet zoals jullie. Ik ben anders…'

Ze deed een stap achteruit en bleef met haar been achter de stoelpoot haken, waardoor ze plotseling neerplofte, wat een komisch effect had. Maar Eleri lachte niet. Ze boog zich voorover naar haar vriendin en toen haar vingers Jenni's haar beroerden, werd ze rustig maar de woede bleef.

'Tom behandelde me alsof ik een porseleinen pop was. Het was zijn eigen schuld. Mannen willen alleen seks. Meer niet. Het betekent niets. Het is net zoiets als geld, Eleri, als je het uitgeeft, krijg je er iets voor terug.'

'Ach, Jenni… kom nou toch. Shhh. Dat meen je niet.'

Eleri streek over Jenni's haar. Jenni liet de andere vrouw haar gang gaan, ze had zich in zichzelf teruggetrokken.

Eleri praatte heel zacht, op een toon waaruit elke oordelende klank was verdwenen.

'Ik vind dat seks het kostbaarste is wat je bezit. Ik… ik kan me niet voorstellen… dat je het zomaar doet, zoals, zoals dieren. Ik zou het zonder liefde niet kunnen, Jenni.'

Jenni keek haar aan.

'Betekent het echt zoveel voor je?'

'Ja, omdat ik mezelf belangrijk vind.'

Jenni luisterde niet echt.

'Tom heeft het nooit uit liefde gedaan. Daartoe is hij niet in staat. Wist je dat? Hij heeft seks met je, maar hij geniet er niet van, Eleri. Onze kinderen waren voor hem niet meer dan een neukpartij.'

'En jij? Wat betekende het voor jou?'

'Hij houdt niet van vrouwen. Niet echt. O, hij houdt van tieten. Maar weet je wat hij doet? Hij legt zijn hand in je nek. Zo weet je dat hij een nummertje wil maken… Nee, ik heb het nooit ervaren zoals jij. Ik zou het niet eens willen. Seks is niet iets om sentimenteel over te worden, en met liefde alleen bereik je niets.'

Jenni zei het met zoveel minachting dat Eleri ervan schrok. Ze wist dat haar vrijpartijen met Carter waarschijnlijk wat bezadigd, wat saai waren, en dat hij wellicht de voorkeur gaf aan een opwindender liefdesleven. Maar ze wilde erover ophouden, er niet langer bij stilstaan dat haar bescheiden seksuele woordenschat misschien niet toereikend was. Dat liefde niet alles veranderde.

Ze ging op een ander onderwerp over.

'Wat zei de psychiater?'

Jenni pakte een sigaret. Eleri was verbaasd. Ze had Jenni nog nooit zien roken. De sigaret was, zoals te verwachten, extra lang en extra dun. Ze stak hem aan met een wegwerpaansteker die er totaal niet bij paste. Jenni nam de clichématige, lange trek van de sigaret, boog haar ene arm voor haar lichaam langs en liet de elleboog van de andere erop rusten. Ze duwde met haar pink haar haar naar achteren terwijl ze de sigaret tussen haar wijs- en middelvinger hield. Plotseling was ze het toonbeeld van Hollywood-chic uit de jaren veertig.

'Hij zei dat ik een lage dunk van mezelf heb, en vroeg of ik ooit van een borderline-persoonlijkheidsstoornis had gehoord.'

'Wat heb je geantwoord?'

'Dat hij dood kon vallen.'

Eleri bleef tien dagen weg, maar schuldgevoelens en haar oprechte genegenheid voor Jenni deden haar besluiten naar de kliniek terug te gaan. Haar zwangerschap vermoeide haar zo dat ze zich uitgeteld in de leunstoel tegenover Jenni liet neervallen. Jenni, die haar laatste woede-uitbarsting te boven was gekomen, bracht haar een kop thee en be-moederde haar. Het leek Eleri beter er niets van te zeggen; het zou immers gewoon een bijwerking van Jenni's medicijnen kunnen zijn.

Die middag vertelde Eleri haar dat Geoffrey eraan dacht eerder met pensioen te gaan, zodat hij meer tijd met haar kon doorbrengen en deze wonderbaby kon zien opgroeien. Ze werd somber en serieus toen ze vertelde dat ze onmogelijk zowel de zorg voor Alexander als voor een pasgeboren baby op zich kon nemen. Om maar te zwijgen van de mogelijkheid dat Alexander de baby zou kunnen aanvallen.

Jenni was geschokt bij de gedachte daaraan, maar Eleri zei alleen: 'Ik weet het, Jenni, het is afschuwelijk en ik wil er liever ook niet aan denken, maar het is iets waar we rekening mee moeten houden. Je weet dat hij veranderingen haat. Hij valt alles aan wat nieuw is. Het maakt hem bang, het arme schaap. Alles maakt die arme jongen bang.'

Er moest dus gekozen worden: een fulltime kindermeisje, Alex naar een tehuis, of Geoffrey bleef thuis. Hij kon natuurlijk de voorgeschreven dertien weken ouderschapsverlof opnemen, maar… was een hoofdcommissaris nog een werknemer? En zouden dertien weken genoeg zijn voor haar om het daarna alleen aan te kunnen? De zorgen begonnen haar boven het hoofd te groeien.

'Maar ik wil hem ook niet onder druk zetten, want het ministerie van Binnenlandse Zaken heeft er al een paar keer op gezinspeeld hem een andere functie te geven. Iets heel hoogs.'

Weinig kans, dacht Jenni. Ze wachtte tot Eleri uitgesproken was en zag haar beweeglijke, aantrekkelijke gezicht betrekken door nauwelijks onderdrukte paniek. Jenni kende niemand die zo doorzichtig was als Eleri.

Jenni's enthousiasme over Geoffreys plannen om met pensioen te gaan, verbaasde Eleri. Jenni vertelde haar in niet mis te verstane bewoordingen dat dit de beste oplossing was.

'Hij is immers al commissaris van een groot korps. Hoger kan haast niet. Ik bedoel, Londen is toch niet echt een uitdaging? Ja, meer geld en meer aanzien, en hij krijgt een lintje natuurlijk, maar eigenlijk is het alleen een groter korps. En jullie zouden moeten verhuizen. Of hij zou moeten forenzen. Nou, ik kan je verzekeren dat mijn huwelijk met Tom daar erg onder geleden heeft. Nee Eleri, dit is absurd. Hij moet gewoon ontslag nemen. De baby is veel belangrijker.'

Eleri was geroerd. Ze nam aan dat Tom ook veel gemist had van de eerste jaren van zijn kinderen.

'En lieverd. Ik wil niet flauw doen, maar je bent al eenenveertig.'

'Vierenveertig.'

Het lukte Jenni niet al te verschrikt te kijken. Je eerste kind baren op vierenveertigjarige leeftijd. Het arme mens had eerder psychiatrische hulp nodig dan zij.

'Nou, dat zou je niet zeggen. Maar, Eleri… je bent nu al doodmoe. Je kunt dit niet in je eentje. Je hebt zijn hulp nodig. Ik bedoel, als ik weer thuis ben, zal ik doen wat ik kan: op de jongens passen, bijvoorbeeld, zodat jij je handen vrij hebt voor de baby. Nee, niet tegensputteren. Ik kan goed overweg met Alexander. Ik moet alleen mijn eau de toilette van Versace thuislaten. En jij hebt geen familie hier die je kan helpen. Hoewel je van familie ook niet altijd op aan kunt. Nee, jij hebt Geoffrey thuis nodig. Vertel hem dat maar: dit is veel te belangrijk, dit mag hij niet missen.'

'Ik denk dat je gelijk hebt, Jenni. Ik wéét dat je gelijk hebt, maar ik kan die beslissing niet voor hem nemen.'

Jenni, die ervan overtuigd was dat de toekomst er weer rooskleurig uitzag en het verleden slechts een nare droom was geweest, liet haar laatste restjes achterdocht en behoedzaamheid varen. Eleri werd voor korte tijd haar beste vriendin.

Maar nu ze hier in het damestoilet van de Ivy zat...

Ze wou dat ze al het vertrouwen dat ze haar geschonken had, terug kon nemen. Al het naïeve geloof dat ze in handen van een vreemde had gelegd. Ze wou dat Carter dood was. Ze wou dat zijn onechte zigeunerkinderen dood waren, maar bovenal wou ze dat Eleri en haar ongeboren kind dood waren...

De pillen begonnen te werken. Ze was op de plek aangekomen waar pijn niet bestond, iets terzijde van de werkelijkheid. Waar wraak iets plezierigs was en niet het enige wat haar ervan weerhield om het hele restaurant bij elkaar te gillen.

Ze was er klaar voor om terug te gaan naar die afschuwelijke Belinda en de rest van het verhaal te horen. Ze opende de deur van het toilet. De grote, zwarte vrouw was verdwenen. Het leek erop dat ze vertrokken waren, want ze hoorde niets meer. Ze liep naar de wastafel en schrok toen ze de drie vrouwen zag staan. Ze glimlachte vluchtig naar hen, boog zich voorover om haar handen te wassen en keek toen in de spiegel, naar zichzelf en naar hen.

'U ziet eruit alsof u wel wat slaap kunt gebruiken. Van al dat denken aan die jonge grietjes.'

Jenni wilde tegen de dikke vrouw zeggen dat ze haar mond moest houden en zich met haar eigen zaken moest bemoeien. De pillen en haar goede manieren weerhielden haar daarvan.

'Dank u...' mompelde ze.

'Slaap. Balsem voor een gekwelde geest. Vindt u ook niet, mevrouw Shackleton? Dat slaap de balsem voor een gekwelde geest is?'

De drie zwarte gezichten glimlachten naar haar. Ze stonden achter haar. Te dicht achter haar. Jenni voelde paniek opkomen, zelfs door de roes van de kalmeringsmiddelen heen.

'Wie bent u? Wat doet u hier?'

De vrouwen bleven glimlachen.

'Ontwar die kluwen van zorgen! Laat u er niet door leiden!'

Het was de magere vrouw die het zei, waarbij in haar stem de aftakeling van het ouder worden duidelijk doorklonk. Ze legde haar vogelklauwhand op Jenni's arm. De huid leek op dun, uitgedroogd papier. Ze gluurde met haar bloedhondenogen naar de anderen. Die glimlachten nu niet meer, maar keken ernstig en knikten naar elkaar, alsof ze het erover eens waren dat dit voor Jenni de enige manier was om zichzelf te redden. Daarna, alsof een gebedsdienst ten einde was gekomen, gingen ze weg, waarbij de dikke vrouw een hoed pakte en die met een pen op haar hoofd vastzette.

Jenni wilde ook weg, maar wilde niet samen met de vrouwen de trap af. De deur ging open en Jenni schrok. Belinda kwam binnen.

'Is alles goed met je, Jenni? Je was zo lang weg.'

'Ja… Ik was met die vrouwen aan het praten.'

'Welke vrouwen?'

'Die drie… zwarte dames, schoonmaaksters, geloof ik… Je moet ze op de trap zijn tegengekomen.'

'Nee, ik heb niemand gezien.' Belinda keek haar medelijdend aan in de spiegel.

Jenni herkende die blik. In de kliniek hadden ze haar ook zo aangekeken. Jenni, het zielige geval. Nee, zo zag Jenni Shackleton zichzelf niet. Ze draaide zich om en keek Belinda uitdagend aan, alsof ze wilde zeggen: durf me nog eens zo aan te kijken.

'Dan zijn ze zeker de andere kant opgegaan, naar de grote zaal.'

Belinda keek haar vragend aan.

'Ben je daar nog nooit geweest? O, die zaal ziet er zo mooi uit. Tom en ik hebben daar een paar maanden geleden nog een feestje gehad…'

Druk pratend liep Jenni voor haar uit, terug naar het restaurant.

Het was bijna halftwaalf toen Tom die avond thuiskwam en zich op de gebruikelijke, verontschuldigende manier meldde. Jenni zat op hem te wachten. Normaal ging ze naar boven, naar haar kamer, als hij laat was, en hij sloop dan voorzichtig door het huis om haar niet te storen of een aanval uit te lokken. Maar sinds ze in de kliniek had gezeten, was er iets tussen hen veranderd. Hij had niets van de blauwe plekken op haar lichaam gezegd, en zij wist niet of ze daarover boos of beledigd moest zijn. Stel dat ze verkracht was? Maar sinds ze weer thuis was, was hij bijna iedere avond laat van zijn werk thuisgekomen.

'Tom… hier. Ik ben in de woonkamer.'

Hij wachtte even en ging toen de kamer binnen.

Ze zat, omringd door kladjes en krantenknipsels, een artikel voor te bereiden voor een van de zondagbladen, voor haar column: 'Dromen die uitkomen'.

'Wat ben je nog laat op, Jenni. Alles goed?' Hij vroeg het op een toon alsof ze huisgenoten waren.

'Ja, prima. Moet je luisteren. Ik heb iets gehoord vandaag… Ja, doe mij maar een wodka-tonic. Dank je.'

Tom maakte hun drankjes klaar. Eigenlijk wilde hij helemaal niets drinken, maar hij wilde evenmin gaan zitten en met Jenni praten. Hij gaf haar haar glas en ging in een leunstoel zitten. Niet naast haar.

'Ik heb vanmiddag met een van de Follies geluncht.' De Blair Babes hadden hun naam veranderd ter ere van de *nouvelle entente cordiale* met Europa. 'Ze zei dat er een landelijk politiekorps komt, waarover Geoffrey Carter de leiding krijgt.'

Ze keek hem aan alsof hij dit geheimgehouden had voor haar.

'Nou en? Daar heeft de Londense politie toch geen last van? Bovendien overweegt Geoffrey om ontslag te nemen, maar als we hem op deze manier kunnen lozen, ook prima. Ik zie het probleem niet.'

'Het probleem, idioot, is dat hij een hogere positie krijgt dan jij. Zie je dat dan niet? Deze misdaadpaus…'

'Ach, mijn god, toch niet nog een paus. Straks stellen ze nog een paus aan voor al die pausen…'

Hij zag dat ze ieder moment haar geduld kon verliezen.

'Die paus gaat wel bepalen hoe de misdaad in dit land bestreden wordt. De commissarissen en hoofdcommissarissen zullen niet meer autonoom kunnen opereren. Hij komt boven je te staan. Als ze hem een baan met zoveel macht aanbieden, gaat hij echt niet thuis luiers verschonen. Hij wordt verdomme baas boven baas. Begrijp je dat dan niet?'

Stilte. Tom begreep het maar al te goed. Hij zou, alweer, op de tweede plaats komen.

'Ja. Ik begrijp het.'

Er viel een stilte. Geen stilte die overgoten was met antipathie, maar een broederlijk zwijgen, van gedachten vervuld.

'Weet je zeker dat Geoffrey die functie krijgt?'

'Nee, het kan geroddel zijn. Maar wat ik wel zeker weet is dat jij Londen krijgt.'

Tom wilde niet weten hoe ze dat zo zeker wist. Hij zette zijn elleboog op de armleuning van de stoel en streek met zijn pink langs zijn wenkbrauw. Toen hij weer begon te praten, klonk zijn stem rustig en redelijk.

Jenni sloeg hem gade en wist dat hij het niet tegen haar had maar tegen zichzelf.

'Ik heb een hele tijd geleden gehoord dat er plannen waren om met een landelijk onderzoeksteam te beginnen. Ze wilden eerst kijken hoe de landelijke recherchedienst het deed. Maar ik had nooit gedacht... Ik dacht dat... Ik dacht dat het pas over een paar jaar zou gaan spelen. Ik heb het er tijdens het etentje nog met MacIntyre over gehad...'

'Dat weet ik. Ik was erbij.'

Tom hoorde haar niet.

'Hij zei dat het nog wel even kon duren, dat er nog genoeg tijd was...' Tom zweeg. Hij keek naar Jenni. 'Wanneer is dat besluit genomen?'

'Geen idee. Dat ga ik morgen uitzoeken.'

Ze zei wat hij wilde horen.

'Maar het heeft geen enkele zin om Londen te gaan leiden als je verantwoording moet afleggen aan die zeikstraal.'

Hij zag hoe ze haar paperassen bij elkaar zocht en zich steeds kwader maakte.

'Misschien slaat hij het aanbod wel af.'

Ze begon te lachen. 'Ach, Tom, Geoffrey Carter mag op het moment misschien verhevener dingen aan zijn hoofd hebben, maar geloof me, hij is even ambitieus als jij. Hij laat dit niet aan zijn neus voorbijgaan. Dat zou jij ook niet doen. Godallemachtig, dit is niet zomaar een baan, dit zijn de kroonjuwelen.'

'Wat ga je nu doen, Jenni?'

'Wij gaan de strijd aanbinden.'

Hij wist dat hij beter niet kon vragen met wie of wat.

'Maar als we nu verliezen...'

De ijsblokjes hadden zijn gezicht al geraakt voordat hij besefte dat ze de inhoud van haar glas naar hem toe had gegooid, maar het was vooral de uitdrukking op haar gezicht waar hij van schrok. Hij had nooit eerder zoveel onverbloemde haat en minachting op iemands gezicht gezien.

'We verliezen niet.'

Ze zette kalm haar glas op een gegraveerde, zilveren onderzetter, draaide zich om en ging naar boven. Ze had niet kwaad willen worden, maar het was een marteling geweest om op hem te wachten, omdat ze haar pillen niet had kunnen innemen, de brokjes hemel die haar de nacht door hielpen, die haar vrijwaarden van dromen en gedachten en lieten slapen: de zalige, diepe, droomloze slaap der vergetelheid. Het gezelschap waarnaar ze verlangde. En ook al nam ze steeds meer in, vaak aangelengd met wodka, wat deed het ertoe?

Shackleton liep naar de keuken en droogde zijn gezicht af met een theedoek. Sinds hij de blauwe plekken op haar huid had gezien, de merktekens van een andere man, had het gevoel van opgeslotenheid, veroorzaakt door haar achteloze harteloosheid, hem verlaten. Hij keek in de spiegel en zag dat zijn jukbeenderen gekneusd waren, zo hard waren de ijsblokjes aangekomen. Hij hoorde Janet al zeggen: 'Ooh, meneer Shackleton, wat ziet u er weer gehavend uit.' Waarna hij zou zeggen dat het de schuld van de autodeur of de onstuimigheid van zijn kleinzoon was. Hij moest opletten dat het geen smoes was die hij eerder had gebruikt voor een van Jenni's mishandelingen.

Hij dacht terug aan hoe Jenni en hij elkaar ontmoet hadden. Vroeger huiverde hij daarvan, maar nu kon hij er als naar een oude film naar kijken.

Niemand begreep toen wat Jenni zag in zo'n pummel als Tom Shackleton, die nooit wat zei. Hij was politieagent en had nog nooit met een vrouw geslapen. Jenni deed net alsof dat laatste niet waar was, maar hij was zo verschrikkelijk verlegen dat niemand haar geloofde.

In de plaats waar ze opgegroeid waren, een winderig dorp dat ondertussen veranderd was in een geasfalteerde buitenwijk die volgeplempt was met goedkope bungalows voor pasgetrouwden, kende iedereen Jenni's reputatie. Alle buurtgenoten wisten dat ze op vijftienjarige leeftijd een abortus had gehad. En degenen die niet in deze roddel zwolgen, dachten met genoegen terug aan het verhaal dat ze de vader van een jongen die bij haar broertje in de klas zat, had verleid, en hoe de moeder van de jongen haar bij het hek van de school had opgewacht en een blik verf over haar hoofd had uitgegoten. Ze was een poosje bij de man ingetrokken, maar had hem verlaten toen zijn geld opraakte, wat de gevoelige geest van de noorderlingen nog meer had geshockeerd.

Toen Jenni achttien was, had ze het gezicht van een engel en de reputatie van een prostituee. Maar Jenni was niet dom. Ze had besloten te gaan studeren – ze slaagde op het nippertje – en te gaan trouwen en te ontsnappen aan die kwezels met kapsels voor het leven, die met veel haarlak in model werden gehouden. Aan die roddelende vrouwen voor wie het huwelijk gelijk stond aan bezit.

Helaas was er niemand in het dorp die haar reputatie niet kende. Geen van de 'aardige jongens' wilde met haar trouwen. Ze was met de meesten van hen naar bed geweest en op bijna alle denkbare plekken, behalve in bed, maar geen jongen was zo conservatief als een jonge hengst uit de provincie.

Maar er was altijd nog Tom Shackleton. Groot, verlegen, tweeëntwintig jaar en door zijn moeder opgevoed in een lelijk rijtjeshuis bij het kanaal. Zijn moeder was een enigma, ze bemoeide zich met niemand in het dorp, ze had alleen Tom. Zoon, echtgenoot, minnaar. Zijn vader was al vroeg vertrokken. Toms ongewenste komst was daarvan de reden geweest en dus moest kleine Tom boeten voor het feit dat hij zijn moeders leven had verpest.

Tom was altijd alleen geweest met haar onvoorspelbare agressie en had zich daarom teruggetrokken in zijn huiswerk en daarna zijn studie. Ambitie, de warmste plek in zijn hart, nam de plaats in van liefde en gedeeld plezier.

Zijn moeders enige reactie op zijn aankondiging dat hij bij de politie wilde, was: 'Nou, je voeten zijn er groot genoeg voor.'

En ze had hem, zoals altijd, uitgelachen.

Toen op een dag, tijdens zijn ronde door de wijk, had hij Jenni gezien. Mooie, kleine Jenni. De kinderen, die met de bus vanuit de omringende dorpen naar de enorme middelbare school in het naburige graafschap waren gekomen, keken vanachter de tralies van hun speelplaats verlangend uit naar iets spannends in hun leven. Ze was bijna veertien en keek naar hem op alsof hij een beloning was, iets om naar te verlangen, zoals gouden oorringen in een etalage.

Toen ze zestien was, en even pauze had genomen van haar seksuele escapades, liet ze zich door hem zoenen, was lief voor hem, streek over zijn haar en luisterde naar zijn toekomstplannen. Hij werd gemakkelijk verliefd, nam bossen wilde bloemen voor haar mee en legde die op het muurtje voor haar huis. Hij vond het niet erg om rood te worden van haar stille vleierij. Hij voelde zich trots als mensen hen samen zagen, omdat hij dacht dat ze onder de indruk waren van zijn verovering. Maar hij herinnerde zich vooral nog dat hij blij was, dolblij dat hij een vrouw had gevonden die aardig tegen hem deed, die voorspelbaar was en hem steunde. En die om zijn grappen lachte.

Twee jaar later, toen hij een jonge brigadier was en snel promotie maakte, vroeg hij haar ten huwelijk.

Het enige waar hij zich ongemakkelijk bij voelde was seks. De eerste keer dat ze in een donkere bioscoop aan het vrijen waren, dacht hij dat ze 'het' gedaan hadden. Ze ging geduldig om met zijn onwetendheid en onbeholpenheid en deed net alsof ze niet merkte dat hij al klaarkwam voordat ze hem van zijn kleren had bevrijd. Hij durfde haar niet te vertellen dat het bij hem niet verder was gekomen dan fantaseren, en vrienden die hem konden vertellen dat Jenni het niet bij fantaseren had gelaten, had hij niet.

De dag van hun huwelijk werd vastgesteld, hoewel zijn moeder haar niet mocht. Het drong toen niet tot hem door dat dit kwam omdat ze zoveel op elkaar leken. De scherpe tong van zijn moeder roerde zich heftig in de weken voor het huwelijk, waarbij vooral haar zoons stupiditeit onderwerp van haar scheldkanonnades was. Ze zei vaak dat 'zijn meisje' niets meer was dan een prostituee die zelfs te dom was om geld voor haar diensten te vragen. Tom keek, zoals gewoonlijk, naar de muur en sloot zich voor haar woorden af.

Hij begon aan zijn studie rechten. Toen brak de avond vóór zijn vrijgezellenavond aan, waarvoor Tom uit wanhoop zijn collega's had uitgenodigd. Hij had geen vrienden, zelfs zijn trouwgetuige was iemand van het politiebureau, een oudere agent, die Toms vader nog had gekend. Jenni zei dat ze die avond met haar vriendinnen ging stappen.

Hij had de hele avond thuis met zijn neus in de studieboeken gezeten, en geprobeerd niet naar zijn moeder te luisteren die voortdurend tegen de televisie zat te praten. Uiteindelijk had hij er genoeg van. Hij besloot op zijn werk wat rust te zoeken, maar was achterdochtig geworden en naar Jenni's huis gelopen, hoewel het bureau waar hij werkte in een andere wijk lag, omdat jonge agenten in de wijk waar ze woonden niet genoeg gezag hadden. Het regende. Een fijne motregen. Tieners scholden elkaar uit bij gebrek aan een interessantere bezigheid.

Toen hij bij Jenni's huis aankwam, aarzelde hij om aan te bellen. Misschien kon hij het beter niet doen. Haar ouders zouden zich opgelaten voelen, zich genoodzaakt zien hem uit te nodigen om binnen te komen. De televisie zou zacht gezet worden, maar niet uit… Hij bleef staan en voelde er niets voor om naar huis terug te gaan. De motregen ging over in pijpenstelen.

Er stopte een auto. De koplampen werden gedoofd. Door de regen was het niet mogelijk om naar binnen te kijken. Hij wist niet of Jenni in de auto zat, maar was er vrij zeker van. Tien minuten bleef hij staan toekijken zonder iets te doen. Zijn moeder zei altijd dat hij saai was. Alles aan hem was saai. Hij verheugde zich erop bij haar weg te gaan en een nieuw leven te beginnen met zijn lieve Jenni. Zij vond hem niet saai. Zij hield van hem en hij hield van haar zoals hij nog nooit in zijn saaie leven van iemand gehouden had. En nu, op bijna zesentwintigjarige leeftijd, was hij dankzij haar een succes, benijd en verguisd om zijn mooie verloofde en zijn ongetwijfeld schitterende toekomst.

Het autoportier ging open en Jenni's benen werden zichtbaar; haar rok hoog opgeschoven onder haar dijen. Toen ze zich vooroverboog om uit te stappen, trok de hand van de chauffeur haar weer naar binnen. Ze hing nu half in en half uit de auto. Hij zag hoe ze de onzichtbare man kuste en zich uitrekte om hem terwille te zijn, zodat hij zijn tong en zijn handen doelmatiger kon gebruiken.

Tom keek toe, even passief als voorheen.

Hij maakte geen aanstalten om haar uit de auto te trekken, om de man wiens getatoeëerde hand nu onder haar rok verdween een hijs voor zijn kop te geven. Hij stond daar maar en keek toe. Uiteindelijk stapte ze uit, een beetje aangeschoten en een beetje giechelig. Ze zwaaide naar de onzichtbare chauffeur toen die met brullende motor wegreed, niet aangevuurd door benzine maar door testosteron.

Ze probeerde zich op één been in evenwicht te houden en zocht naar haar sleutels. Tom liep naar haar toe. Ze was onder een straatlantaarn gaan staan om beter in haar tas te kunnen kijken. Toen hij 'hallo' zei, keek ze verschrikt op. Dezelfde zuiver groene ogen als ze had toen ze dertien was. Hij herinnerde zich de bewondering van toen en zag nu de wrevel. Haar blouse stond open, hij kon haar kanten beha zien. En op haar huid de tandafdrukken van de chauffeur, de roodbruine vlekken van zijn zuigende lippen. Ze glimlachte naar hem met haar versmeerde gezicht boven een halsketting van liefdesbeten.

'Hij is meer man dan jij ooit zult worden.'

Ze was dronken en de woorden waren er uit woede en zelfverdediging uit gegooid, maar niets had hem meer kunnen kwetsen. Hij draaide zich om en liep naar haar voordeur. Zijn liefde lag, net als de vele bossen bloemen daarvoor, dood te gaan op het muurtje. Het voorval van die avond kwam daarna nooit meer ter sprake. Ze gingen trouwen, verhuisden, kregen kinderen en bouwden een imago op van succes en zelfvertrouwen.

De kinderen kwamen snel en Tom werd na vierenhalf jaar huwelijk voor het eerst van zijn gezin gescheiden. Een overplaatsing naar een andere regio, een plek waar Jenni niet wilde wonen met een stel snaterende, onhandelbare koters van onder de vijf.

Een vrouwelijke agent zag hem alleen in de kantine en kreeg medelijden met hem, de eenzame, knappe reus. Datzelfde medelijden deed hem in de daaropvolgende vijf jaar met nog talloze andere vrouwen in bed belanden. Daarna hield hij ermee op, sliep hij niet langer met vrouwen die hem van zijn verlegenheid wilden afhelpen of een tekort aan liefde bij hem bespeurden. Het had geen zin. Hij ging ervan uit dat alle vrouwen uiteindelijk in zijn moeder of zijn vrouw zouden veranderen, en werd daarom nooit te intiem met ze.

Maar iedere keer als hij met een vrouw naar bed ging, stelde hij haar wel dezelfde vraag: 'Je gaat me toch geen pijn doen, hè?'

En iedere vrouw nam hem in haar armen en stelde hem gerust. Maar hij wachtte het nooit af. Hij nam al bij voorbaat wraak, werd plotseling onverschillig, kopschuw en afwijzend, en liet ze verbaasd en kwaad achter.

Walgend van zichzelf en van het feit dat hij ze zo gemakkelijk kon krijgen, vermeed hij uiteindelijk elk contact met vrouwen. Dat was toentertijd niet moeilijk bij de politie, toen die nog niet je beste vriend was. Het was gemakkelijk om alleen met mannelijke collega's om te gaan. Seks was een uitlaat voor hem geweest, maar nu hij snel promotie maakte had hij die uitlaat niet meer nodig. Hij voelde zich niet langer gefrustreerd. En zo nam ambitie de plaats in van genegenheid en was zijn huwelijk gebaseerd op een gemeenschappelijke behoefte om uit de drek van het verleden omhoog te kruipen. Het was een manier van leven. De enige manier van leven. Tot hij weer liefdesbeten in Jenni's hals had gezien en troost vond bij Lucy.

Bezin je op je leven... Hij hoorde het de vrouwen steeds weer zeggen. Maar het was onaangenaam, pijnlijk. En beangstigend. Voor het eerst voelde hij angst. Angst om te falen, angst om een vrouw toe te laten, en de ware angst dat er niets voor haar viel te ontdekken. Hij had in zichzelf gekeken en niets gezien: geen moraal, geen ziel. Maar Lucy wilde van hem houden. Houden van wat? Er was niets in hem om van te houden. Hij was bang dat hij niet bestond. Bij Jenni voelde hij zich veilig.

Toen de doktoren hem over Jenni's geestesgesteldheid hadden ingelicht, zeiden ze dat één van de symptomen haar 'onvermogen tot introspectie' was. Shackleton dacht dat hij aan dezelfde kwaal leed.

Hij verplaatste zijn gedachten naar Geoffrey Carter en het nieuwe politiekorps. Hij zou Londen nu moeten weigeren als, wanneer, hem die functie aangeboden werd. Hij kon onmogelijk de ondergeschikte van Carter worden. Die zachte, sentimentele Geoffrey. Maar wat dan? Met pensioen gaan? Het ultieme falen. Hij verwierp de gedachte en bekeek het van een andere kant. Hij moest kenbaar maken dat hij dat nieuwe korps wilde leiden. Maar wat had dat voor zin? Het was een politieke benoeming, een politieke creatie: ze zouden vanaf het begin Carter daarvoor op het oog hebben gehad.

Shackleton kende zijn sterke kanten, maar hij kende die van Carter even goed. Hij kon geen fouten ontdekken in zijn intellectuele vermogens, zijn politieke bekwaamheid en bestuurlijke flair. Ouderwets politiewerk telde niet meer mee sinds het Sheehy Rapport.

Wie was het die zijn vrouw over de rand had gedreven? Wie had ze zijn handtekening in haar huid laten kerven? Hij schudde zijn hoofd. De gedachten drongen zich te veel op, waren niet welkom. Hij had er nooit eerder moeite mee gehad om zijn gedachten in toom te houden: beheersing was een plezierig middel. Maar in de afgelopen paar weken waren er ongewenste gedachten doorheen gesijpeld: emoties, jaloersheden, genegenheden. Hij merkte dat hij zijn zoon miste in huis en werd overvallen door sentimentele gevoelens. Nee, echte gevoelens.

Geoffrey Carter. Hij was het probleem. Tom had gedacht dat er misschien vriendschap mogelijk was, niet een al te hechte vriendschap, niet een die aan het licht zou brengen dat Shackleton een buitenstaander was. Carter had hem verteld dat het hem, nu Eleri zwanger was, niet meer kon schelen of hij carrière maakte of niet. Waarom gooide hij de handdoek dan niet in de ring? Waarom dwong hij Shackleton om het tegen hem op te nemen? Hij had alles wat hij wilde, en meer. Waarom was hij zo inhalig? Wat hadden die vrouwen ook alweer gezegd? Hij wilde niet aan ze denken. Hij had zich een dwaas gevoeld na zijn tweede bezoek aan hen, alsof hun kermisvoodoo ook maar iets betekende.

Jenni zou het wel weten. Jenni had overal een oplossing voor. Hij liep naar de koelkast en haalde er een stuk koude kip uit. Jenni hield er niet van als hij met zijn handen at. Hij stond voor de openstaande koelkast, nog zoiets waar ze een hekel aan had, uit angst voor vliegen. Vliegen die een openstaande koelkast binnen vlogen en daar hun eitjes legden. Trage maden in moeilijk toegankelijke hoeken. Hij at de kip op zonder iets te proeven. Hij zou wachten. Gewoon doorgaan. Hij deed de deur van de koelkast dicht en waste zijn handen. Ruimde alles op wat op zijn aanwezigheid in de keuken had geduid. Ja. Gewoon wachten. Wachten op Jenni.

Lucy keek naar de verlichte cijfers van de wekker naast haar bed. Zoals altijd kon ze niet zien hoe laat het was, omdat de wijzers niet verlicht waren. Ze overwoog ze met fluorescerende strips te beplakken die fietsers ook op hun kleding droegen om te voorkomen dat ze voortijdig orgaandonor werden. Maar dat was priegelwerk en daar was ze niet goed in.

Lucy draaide zich om.

Ze deed het licht aan. Het was vier uur in de morgen. Het bedenken van hoe ze haar wekker 's nachts zichtbaar kon maken was gevolgd op het schaapjes tellen, het uitrekenen van hoeveel poten een gemengde kudde schapen en eenden hadden en de vraag wat een hagedis zonder poten ervan weerhield om een slang te worden.

Ze lag op haar rug en wilde haar borsten aanraken, haar hand op haar schaamhaar leggen en zich proberen voor te stellen hoe dat voor een ander, voor Tom, moest voelen. Ze vroeg zich af of het zacht aanvoelde. Na hun eerste nacht samen had ze er crèmespoeling in gedaan. Het was zo onverwacht dat ze geen tijd had gehad om haar ellebogen in te smeren. Haar oog was erop gevallen toen ze zich aan het uitkleden waren. Haar ellebogen zagen er, net als haar knieën, tien jaar ouder uit dan de rest. Gelukkig had hij het licht uitgedaan.

Tom hield er niet van met het licht aan te vrijen. Daar was ze eigenlijk wel blij om, hoewel ze hem ook wel graag had willen zien. Maar dat was onzin want ze deed haar ogen altijd dicht als het intiem werd. Het was een automatische reflex.

Ze lag in het donker voor zich uit te staren en vroeg zich af waarom ze dat deed. Roofdieren deden hun ogen dicht als ze hun prooi doodden, om zich te beschermen tegen het rondzwiepende in doodsnood verkerende lichaam in hun bek.

Lucy wist als ze haar vingers bewoog en zich naar een hoogtepunt bracht door het liefdesspel met Tom na te spelen, dat dit pure genot in een huilbui zou eindigen. Ze had in een tijdschrift gelezen over vrouwen wier orgasme zo intens was dat ze er onbeheerst van moesten huilen. Wat een onzin, had ze toen gedacht. Maar nu was het haarzelf overkomen. Tom was eerst terughoudend geweest toen het gebeurde, maar daarna teder en beschermend. Hij had haar in zijn armen genomen, terwijl haar tranen over zijn borst rolden. Ze had zich aan hem vastgeklampt en gefluisterd: 'Ik geloof dat ik verliefd op je ben geworden.'

Hij had niets gezegd, alleen zijn armen steviger om haar heen geslagen en zijn lippen op haar voorhoofd gedrukt. Ze wilde graag geloven dat hij ongelooflijk geroerd was, maar vermoedde dat hij zich geneerde omdat verliefd zijn zo ver van hemzelf af lag.

Toen Gary eenmaal buiten gevaar was, was ze naar huis teruggegaan en had ze hem alleen nog 's middags bezocht, als hij tussen waken en slapen was. Ze genoot van de treinreis ernaartoe, die, tegen alle verwachtingen in, snel en efficiënt verliep.

Hij was buiten gevaar, maar de longontsteking had hem verzwakt en depressief gemaakt. Zoals altijd probeerde hij de opgewekte patiënt te spelen en wilde hij niemand tot last zijn.

'Hij is een heilige', zei de lange Ierse hoofdzuster die hem heen en weer rolde in zijn bed zonder acht te slaan op de stille pijn die zijn gezicht deed verstrakken en de aderen vuurrood deed opzwellen.

Lucy had er een hekel aan alleen thuis te zijn, omringd door Gary's invalidetoestellen. De kamers deden haar denken aan scheepskerkhoven met hun vreemde, onheilspellende, metalen monsters, die er nu verlaten en beschuldigend bij stonden. Een lege rolstoel was geen wendbaar meubelstuk. De wielen en hendels konden maar voor één ding gebruikt worden en zonder Gary leken ze op iets, of iemand, te wachten.

Lucy vroeg zich af of een Chippendale of een Rennie Mackintosh ooit iets voor 'invaliden' zouden ontwerpen, die vreemde groep voor wie sekse, kleur en religie niet golden. Om niet steeds met de leegte in huis geconfronteerd te worden, had ze steeds meer tijd aan de overkant doorgebracht, met schoonmaken, poetsen en vegen, zowel boven als beneden.

Pas twee dagen nadat Jenni naar de kliniek was gebracht, besefte Lucy dat ze weg was. Tom had een briefje voor haar achtergelaten. Een kort, formeel briefje, waarin stond dat Jenni weg was en Jason uit huis was gegaan. En zou ze alsjeblieft zijn kamer willen stofzuigen.

Toen Lucy klaar was met schoonmaken, ging ze met een kop –

geen mok, Jenni hield niet van mokken – oploskoffie in Jenni's modelkeuken zitten. Jenni wilde geen oploskoffie in huis hebben. 'Bah, smerig!' riep ze dan op theatrale toon. Daarom nam Lucy zelf een potje mee. Lucy hield niet van echte koffie en gaf de voorkeur aan gecondenseerde melk boven koffieroom. Zij en Gary trakteerden elkaar elke zaterdagmiddag, tijdens de voetbaluitslagen op televisie, op perziken uit blik met gecondenseerde melk, en plakken brood met boter. Troostrijk voedsel.

Gary.

Altijd vechten. Nooit opgeven. Maar nu, terug uit het ziekenhuis, leek hij meer op een schaduwbokser. Een vechter die alleen op punten had gewonnen. Maar nog steeds niet klagen, geen zweem van verslagenheid. En nog steeds lachen. Hij had een mop op de radio gehoord: een centurio komt een bar binnen en vraagt om Martinus. Zegt de barkeeper: 'Bedoelt u niet martini?' Zegt de centurio: 'Als ik er meer dan een wil, zeg ik het wel.' Hij had er zo hard om moeten lachen dat hij zijn verstuiver moest gebruiken. Lachen, geloven in God en Lucy hielden hem gezond van geest. En in leven.

Haar handen bewogen zich naar het niemandsland van haar buik. Ze probeerde zich op Gary te concentreren, die beneden lag te slapen. Maar Tom kwam er steeds weer tussen. Denk aan Gary's liefde voor je. Onvoorwaardelijke genegenheid. Het hielp niet. Ze gaf het op en liet zich in slaap sussen door de gebeurtenissen van de afgelopen paar weken.

Toen ze zich gerealiseerd had dat zowel Tom als zij alleen thuis was, had ze besloten hem te verleiden, maar ze was er meteen weer op teruggekomen. Ze was geen verleidster. Ze was teder, ja, gezellig, geruststellend, maar…

Ze was de deur uit gegaan en had bij Marks & Spencer twee stukken zalm en croutons gekocht, kant-en-klare sla en een zak nieuwe aardappelen. Ze aarzelde bij het vruchtengebak, maar bedacht toen dat aparte crèmes brûlées waarschijnlijk sexier waren. En een fles wijn. Gaf Tom de voorkeur aan rode of aan witte wijn? Ze dwaalde langs de schappen en brak zich het hoofd over beaujolais en 'ongeëikte' chardonnay. Het werd uiteindelijk een mousserende nepchampagne uit Nieuw-Zeeland. Die was wel drie pond duurder dan de wijn, maar Tom hield van champagne en volgens de winkelbediende was deze net zo lekker als echte.

Toen ze het eten eenmaal in huis had, bekroop haar het gevoel dat ze zich belachelijk ging maken en liet ze de tassen in de gang staan, waar ze haar een doorn in het oog bleven tot het tijd was om naar het station te gaan.

Ze was bij Gary op bezoek geweest in het ziekenhuis, maar hij was te ziek geweest om te praten. Hij glimlachte zwakjes toen hij haar zag en sliep daarna tot ze wegging.

Toen ze de voordeur opendeed, vielen de tassen met boodschappen om. Wat moest ze doen? Alles in de koelkast zetten en net doen of ze het gekocht had als een traktatie voor zichzelf? Net doen alsof ze nooit van plan was geweest om naar de overkant te gaan en zich aan een hoofdcommissaris van politie op te dringen in zijn eigen huis, terwijl zijn vrouw in een kliniek zat? Stel dat zijn chauffeur binnenkwam? Dat deed hij soms. Of dat hij iemand bij zich had? Een andere vrouw? Misschien had hij al een minnares. De plaatselijke kranten namen hem voortdurend op in hun lijstjes 'meest aantrekkelijk' en 'meest sexy'. Wat zou hij in 's hemelsnaam van haar willen? Nou, hopelijk hetzelfde als wat hij eerder had gewild.

Ach, verdorie – Lucy ergerde zich aan zichzelf – doe het toch gewoon. Wat heb je te verliezen? Je waardigheid, je trots. Goed, bied dan alleen aan om voor hem te koken. Gewoon een vriendelijk gebaar, zoals een goede buur betaamt. Niet laten merken dat je wanhopig naar hem verlangt. Geen zweem van hunkering. Nee. Niets daarvan. Gewoon de lieve, aardige Lucy die het juiste gebaar maakt. Goed.

Nadat ze haar strategie had bepaald, wachtte ze tot acht uur, dwong zichzelf naar een aflevering van een soapserie te kijken, en trok toen haar jas aan, een gewone jas over een gewone rok en een vrij strak truitje dat haar borsten goed deed uitkomen. Niets bijzonders, zolang je de berg afgewezen kleren op het bed niet meetelde. Geen lippenstift, alleen wat glos die geen vlekken zou achterlaten als... Als...

Ze pakte de tassen met boodschappen en liep naar de overkant.

Ze liet zichzelf binnen in het lege huis en zette het inbraakalarm af. Daarna wist ze niet goed wat ze moest doen. In de woonkamer gaan zitten zou te brutaal zijn, te opdringerig. De keuken dan maar, maar het moest er niet uitzien alsof ze zat te wachten. Maar, dacht ze bij zichzelf, als hij haar daar zou aantreffen terwijl ze de besteklade aan het schoonmaken was, zou dat precies de goede indruk wekken. Alsof ze aan het werk was en volkomen de tijd vergeten was. En dan zou ze op de valreep met een verrukkelijke maaltijd op de proppen komen. 'O, Tom, laat ik nou toevallig deze zalm en croutons bij me hebben…' Wie probeerde ze nou iets wijs te maken? Zichzelf.

Ze schrok toen ze hem de sleutel in het slot hoorde steken. Ze spitste haar oren of ze stemmen hoorde. Hij was alleen. Even bleef het stil. Toen hoorde ze hem door de betegelde hal lopen. Ze begon driftig een vork op te poetsen. De deur ging open.

'Lucy. Hallo. Wat doe jij hier nog zo laat op de avond?'

'O, is het al zo laat? Dat was me niet opgevallen.'

'Hoe is het met Gary?'

'Nog steeds minnetjes.' Dat vreselijke woord weer.

Hij knikte meelevend.

'En Jenni?'

Hij haalde zijn schouders op. 'Min of meer hetzelfde.'

Zo gek als een deur, zul je bedoelen, dacht Lucy.

'Ik… eh… Ik dacht, ik vroeg me af, nu we toch alle twee alleen zijn… Ik heb wat eten meegenomen. Heb je daar zin in? Het is zó klaar.'

Daar was die glimlach weer, die verlegen glimlach met dat lichte buigen van zijn hoofd. Ze balde haar vuisten om niet haar armen naar hem uit te steken en hem aan te raken.

'Ja, dat zou fijn zijn', zei hij. 'Kan ik ook iets doen?'

Ze deed de koelkast open en overhandigde hem de fles nepchampagne.

'Je mag deze wel alvast openmaken.'

Hij trok zijn jasje uit, deed zijn das af en hing beide over de rugleuning van een stoel. Lucy was verbaasd. Hij was altijd overdreven netjes op zijn kleren.

'Niet tegen Jenni zeggen', zei hij, terwijl hij samenzweerderig naar

Lucy glimlachte. 'Ze heeft er een hekel aan als ik kleren laat rond-slingeren.'

Lucy glimlachte blij terug.

De maaltijd was een succes. Hij at alles op, en toen ze door het nerveuze gefladder in haar buik haar aardappelen niet door haar keel kreeg, prikte hij ze van haar bord. Ze was opgetogen over het gebaar. Opgetogen omdat hij dingen met haar deed die Jenni afkeurde.

Jenni werd de afwezige directrice en zij de giechelende kinderen tijdens een verboden middernachtelijk feest. Ze dronken de cham-pagne op en trokken een nieuwe fles open, deze keer met echte champagne. Hij praatte over zijn eerste jaren bij de politie, geen sterke verhalen, geen persoonlijke dingen. Lucy luisterde, zonder te beseffen dat de uitwerking die haar trouwe, aanbiddende ogen op hem hadden, veel krachtiger was dan die van welke femme fatale ook. Bij haar voelde hij zich beschermd, mannelijk, aantrekkelijk, en het waren niet alleen de champagnebelletjes die hem naar voren deden buigen om haar te kussen en op schoot te trekken.

Ze kusten heel lang, voor het eerst zonder haast, zonder angst. Zijn handen bewogen over haar kleren en daarna eronder. Haar lichaam kronkelde zich bij elke streling. De intensiteit van het genot dat ze ervoer deed pijn. Het was bijna een opluchting toen hij haar tepel in zijn mond nam; het gevoel dat daarbij vrijkwam, was bekend en zeer bevredigend. Hij tastte langzaam met zijn lippen en tong haar borsten af en begon daarna, alsof hij een keuze had gemaakt, aan de tepel van haar linkerborst te zuigen. Hij zoog eraan met de ritmische intensiteit van een baby die zich voedde.

Eerst vond ze het verontrustend om neer te kijken op zijn bekende profiel, dat zich vol overgave in haar borst begroef, en te zien hoe zijn kaak bewoog terwijl hij zich aan haar laafde. Toen verdiepte het gevoel zich, alsof het op een intenser, sensueler niveau van genot terecht was gekomen. Ze kreunde. Hij duwde zijn vingers in de huid onder in haar ruggengraat, een langzame explosie van gevoelens, van zenuwen, die haar diep vanbinnen in golven van extase overspoelde en intenser was dan al haar vorige orgasmen.

Ze wilde bijna dat hij ophield, maar zijn lippen hadden er nog geen genoeg van. Geen wonder dat al die madonna's met hun kind aan de borst die irritante uitdrukking van stille extase op hun gezicht hadden. Ze begon te lachen bij de gedachte. Haar emoties waren zo verstrikt geraakt dat ze een uitweg zochten. Ze lachte. Hij liet haar los en keek op. Zijn ogen hadden bijna de kleur van viooltjes.

Ze legde haar hand op zijn haar, niet wetend wat ze anders moest doen. Ze ging verzitten op zijn schoot en voelde de natheid tussen haar benen. Hij schoof zijn hand onder haar rok. Ze hield even de adem in toen hij zacht zijn vinger in haar duwde. Zijn duim bewoog langzaam tussen haar schaamlippen, op zoek naar het harde tongetje dat samentrok onder zijn aanraking. Hij mompelde iets. Ze wist niet zeker of het 'mooi' of 'je bent mooi' was.

Hij leidde haar de trap op naar zijn slaapkamer, maar kleedde haar niet uit. Ze bleef wat ongemakkelijk staan terwijl hij zijn kleren uit begon te doen. Bij beiden sloeg de verlegenheid toe. Ze kleedden zich uit als een getrouwd stel. Hij begon netjes zijn broek op te vouwen, maar bedacht zich toen en liet hem op de grond vallen.

Lucy gleed tussen de lakens, en hoopte vurig dat hij haar onvolkomenheden niet zou zien. Hij draaide het licht uit en kwam naast haar liggen. Lucy boog zich over hem heen en begon hem te kussen. Met uitzondering van zijn borst was zijn lichaam vrijwel haarloos, zacht, een beetje te dik, maar nog steeds goedgevormd door het vele sporten van vroeger. Zij kuste zijn hals, zijn borst, zijn armen en was opgetogen toen ze merkte dat haar zachte rukjes aan zijn tepels hem niet onberoerd lieten. Ze nam ze tussen haar vingers en masseerde ze, eerst zacht, daarna wat harder. Ze was blij dat het hem opwond. Blij dat ze iets terug kon doen.

Ze tastte met haar tong zijn lichaam af. Haar wang streek langs zijn penis, die recht en hard tegen zijn buik lag. De scherpe, schone geur ervan wond haar op; ze paste haar houding aan, maar hij hield haar tegen.

'Nee. Dat niet. Daar hou ik niet van.'

Lucy was teleurgesteld. Ze wilde hem proeven, de afmeting ervan in haar mond voelen.

Ze kon niet weten dat de aanraking van lippen op zijn lichaam hem bijna lichamelijk ziek maakte en bittere herinneringen naar boven haalde. Aan Jenni's wreedheid en zijn naïviteit. Jammerend in het donker, overgeleverd aan haar onzichtbare mond.

Hij leek tot een besluit te zijn gekomen en duwde haar op haar rug. Hij kuste haar weer alsof het iets belangrijks voor hem was. Lucy hield van zijn harde, scherpe tong. Hij begon haar weer te strelen en bracht haar zo dicht bij een orgasme dat ze bang was dat het voorbij zou gaan. Toen, alsof hij wist hoe dichtbij, liet hij zijn vingers tot rust komen. Ze hield hem vast, vertraagde haar bewegingen en verlichtte de druk van haar vingers zodat die nauwelijks nog over zijn lichaam streken. Toen kwam hij, heel voorzichtig, op haar liggen.

'Toe maar, ik breek niet', fluisterde ze.

Ze voelde hem, was zich bewust van zijn omvang en gewicht. En van zijn bezorgdheid om haar geen pijn te doen. Ze verschoof om het hem gemakkelijker te maken en voelde het blinde zoeken voordat hij bij haar naar binnen gleed. Hij was groter dan ze zich herinnerde. Ze kantelde haar heupen en voelde het gewicht van zijn ballen op haar... ja op wat? Op het stukje huid tussen vagina en anus. Perineum? Heette dat zo? Een stemmetje in haar hoofd schreeuwde: 'Hou op, Lucy! Je bent nu niet met het kruiswoordraadsel in de *Cosmopolitan* bezig.'

Ze reikte naar beneden en nam zijn ballen in haar hand. Ze voelde hoe ze zich spanden en hard werden. Zijn vingers hadden haar tepel weer gevonden. Het genot was haast niet te verdragen, ze wilde dat hij ophield en niet tot het einde ging, maar hij ging door en ze hoorde gezucht en gekreun. Ze was het zelf. Die stille, gereserveerde Lucy. Haar spieren verstijfden, ze probeerde stil te blijven liggen, maar kreeg kramp in haar rechterheup. Ze kon het nauwelijks geloven. Dit zou niet gebeurd zijn als ze naar fitness was blijven gaan. Ze deed haar been omhoog en de pijn schoot naar haar voet. Tom zag de grimas op haar gezicht voor een uiting van genot aan en gooide er nog een schepje bovenop. Haar spieren ontspanden zich miraculeus en de siddering van pijn maakte plaats voor een golf van genot die haast nog beter aanvoelde dan bevrediging. Een moment van volmaaktheid. Ze wou dat het altijd zo bleef. Hij voelde de verandering in haar en bewoog langzamer. Hij hield bijna op en ze voelde het onopzettelijke pulseren in haar, maar toen kon ze zich niet meer inhouden. Ze hief haar benen, pakte hem vast en duwde hem dieper naar binnen.

Daarna kwam de ontlading, die gepaard ging met een geluid dat ze nooit eerder had gehoord, maar dat ze zelf voortbracht. Hij kromde zijn rug en stootte steeds sneller, als een dier dat op zijn achterpoten stond, en terwijl ze bevend en kreunend de intensiteit van een zeldzaam, gelijktijdig orgasme ondergingen, begon Lucy te huilen. Onbeheerst en alsof het van heel diep kwam, terwijl ze in zijn vermoeide armen lag.

Het laatste wat hij hoorde voordat hij in een slaap viel die alleen met de dood te vergelijken was, was dat ze hem haar liefde verklaarde. Te laat om ertegenin te gaan of af te wijzen.

Lucy lag naar zijn ademhaling te luisteren en genoot van het bijna vergeten ongemak van vocht dat wegsijpelde.

Lucy was weg toen Tom wakker werd. Het was nog steeds donker. Hij voelde zich verward. Op de tast zocht hij naar zijn horloge en het lichtknopje. Halfvier. Misschien was het alleen een droom geweest: hij voelde eerder opluchting dan teleurstelling. Toen zag hij de oorbel. De clichématige oorbel. Die lag op de punt van het kussen, alsof hij zich er als een teek aan had vastgeklampt.

En ze had gezegd dat ze van hem hield.

Hij deed zijn ogen dicht en huiverde. De Spartaanse eenvoud van zijn gevoelsleven had plotseling iets wanordelijks, iets groezeligs gekregen. Hij wilde haar liefde niet. Hij wilde geen enkele vorm van betrokkenheid, met niemand.

Hij douchte zich en probeerde zijn emoties in bed achter te laten. Haar weg te wassen. Hij zou haar pas terugzien als Jenni weer thuis was. Hij voelde weer de angsten uit zijn jeugd: het spinnenweb op zijn gezicht, en hoe zijn vingers klem zaten in het afvoerputje van een zwembad: de angst om vast te komen zitten en niet meer te kunnen ontsnappen. Hoe kon die zachte, stille Lucy hem dat gevoel geven? Ze had beter moeten weten en niet moeten huilen en over liefde moeten praten.

Hij schoor zich en wilde zijn uniform aantrekken, één worden met dat uniform. En vreemd genoeg was hij kwaad op Jenni omdat ze hem hieraan had blootgesteld. Hij ergerde zich aan zichzelf, aan deze onbeheerste gedachten, de onbewuste behoefte om Lucy te zien en haar stem te horen. Hij verzette zich tegen haar liefde als een kleine jongen die zijn moeder schopt, hij wilde dat gevoel van bezitterigheid niet. Waarom moest ze van hem houden? Waarom had ze dat gezegd? Hij wilde dat soort dingen niet horen. Ze hadden alleen gevreeën. Liefde was een geschenk dat hij niet wilde hebben en niet kon beantwoorden.

Toen Gordon om precies halfnegen arriveerde, had Tom Lucy overwonnen. Ze had gekregen wat ze wilde hebben en hij was enigszins aan zijn trekken gekomen. Meer was het niet geweest. Hij zou zich beslist niet weer hiertoe laten verleiden.

Toen Jenni uit de kliniek ontslagen werd, was Tom acht keer met Lucy naar bed geweest. Iedere nacht weer ervoer hij dat wurgende gevoel van zelfverachting als ze zijn bed verliet en naar beneden sloop. Hij wachtte tot hij de voordeur hoorde dichtvallen voordat hij toegaf aan die zelfhaat, maar zodra hij thuis was van zijn werk, verlangde hij ernaar weer bij haar te zijn en zich in haar te begraven.

Toen Jenni het huis weer binnenstapte, had haar echtgenoot een gebrek aan zelfvertrouwen, onzekerheid en iets van liefde bij zichzelf ontdekt. Tussen hem en Jenni ontstond een onoverbrugbare kloof van wederzijdse beschuldigingen. En voor Tom kwam daar nog de onuitgesproken beschuldiging van het personeel van de kliniek bij.

Jenni wilde niet vertellen hoe ze aan haar verwondingen was gekomen of wie ze had toegebracht. Ze keek alleen gekwetst als iemand haar vroeg of haar man het misschien had gedaan. Haar bruut van een man. En de benzodiazepinetabletten werden haar nieuwe vrienden, haar stille begeleiders die haar beschermden tegen het geweld van mannen. Tom had, zoals altijd, geen idee hoe hij moest reageren op een hulpbehoevende Jenni en nam een gereserveerde houding aan.

Lucy was Jenni's pluisvrije tapijt aan het stofzuigen, toen Jenni haar op een morgen vanuit de hal riep. Lucy liep, gehoorzaam als altijd, naar haar toe. Jenni droeg een mantelpakje van lichte tweed, op maat gemaakt door een meesterkleermaker. Sinds haar opname zag ze er brozer en mooier uit dan ooit, doorschijnend bijna, dacht haar plompe vriendin. Hoe was het mogelijk dat Tom haar niet aantrekkelijk vond? Dat hij aan Lucy's dijen met putjes de voorkeur gaf boven haar gazellenbenen?

Jenni zag deze keer zowaar dat haar iets dwarszat.

'Wat is er Lucy?'

Lucy glimlachte verkrampt.

'O, ik dacht er net aan dat Aristoteles Onassis de dijen van Maria Callas miste toen hij met Jackie Kennedy getrouwd was.'

Jenni begon te lachen.

'Dat betwijfel ik, Lucy. Ze had in het elftal van Arsenal mee kunnen voetballen. Nou, je weet toch dat ik vandaag naar Wenen moet, hè? Morgenavond ben ik weer terug. Ik hoef alleen een interview te doen met een acteur die tot parlementslid is gekozen. Vreselijk saai. Let een beetje op Tom, wil je? O… en hoe gaat het met onze arme Gary?' Ze draaide zich om en pakte haar elegante weekendtas op.

Lucy liep naar de voordeur en hield die voor haar open. 'Niet veel beter, Jenni. Maar ook niet slechter.'

Jenni zwaaide naar de taxichauffeur, die geduldig zat te wachten en de teller zag oplopen, en luisterde niet echt naar Lucy.

'Goed. Ik zal zo'n genezende kristal voor hem kopen. Die zijn echt fantastisch. Kijk. Ik heb er zelf ook een om. Ik voel me er geweldig bij.' Ze graaide onder haar Armani-blouse en hield een brok geslepen glas aan een zilveren ketting omhoog. 'Slechte moleculen ketsen erop af. Het maakt je vrij en sterk, Lucy. Misschien koop ik er voor jou ook een. Dag.'

Jenni zat in de taxi en was verdwenen. Lucy stond in de deuropening. Hoewel ze het niet met Jenni over haar ziekte had gehad, had ze het gevoel dat deze op de rand van een zenuwinzinking balanceerde. Maar hoe ze zich ook voelde, noch Lucy noch iemand anders zou het te weten komen.

Lucy merkte dat Jenni steeds meer haar heil zocht bij new age-nonsens. Alles van colonirrigatie en feng shui tot auralezingen en zeeschelpentarot.

Ze moest haar werk afmaken en daarna terug naar Gary. Gary met zijn rotsvaste geloof. Zijn innerlijke kracht. Ze vergeleek hem in gedachten met Jenni. Waar geloofde Jenni in? Haar goddelijke recht. En Lucy? Ze wou dat ze een geloof had. Ze realiseerde zich dat ze, net als Jenni, ronddobberde op een vergiftigde zee. Het was alleen niet dezelfde zee als die van Jenni. En Tom? Waar geloofde hij in? In de onvermijdelijkheid van de dood. Nergens anders in. Ze wist dat Gary, die in de onvermijdelijkheid van het leven geloofde, een beter mens was dan zij allemaal. Maar het was te laat. Ze had zich bij de kerk der hopeloze liefde aangesloten. Lucy had het licht gezien en verlangde naar zijn warmte, maar bleef desondanks in de koude schaduw van Tom Shackleton lopen.

Ze zette de stofzuiger weg en liep naar boven, naar Toms badkamer, waarbij ze, toen ze door zijn slaapkamer liep, de golf van nostalgie die door haar heen sloeg probeerde te negeren.

Jenni had haar gevraagd de lakens te verschonen toen ze uit de kliniek kwam, niet wetend dat Lucy die bijna dagelijks verschoond had tijdens haar afwezigheid. Maar toen ze ze die dag verschoonde, zijn kussensloop tegen haar gezicht drukte en zijn zeep rook, was haar hart bijna gebroken. Het hart dat net twee weken voor hem sloeg.

Lucy pakte, vastberadener dan ze zich voelde, zijn haarborstel, een oud, met zilver beslagen ding, ongetwijfeld een geschenk van Jenni. Ze haalde een pincet uit haar zak, trok een paar zwarte haren uit de borstel en liet die voorzichtig in een envelop vallen. Toen ging ze naar beneden. Op Jenni's boekenplank met kookboeken vond ze wat ze zocht: *Kruidengenezing en traditionele bezweringen: van boeddhistische voeding tot 'je beter eten'.*

Ze sloeg het boek open en legde het op de keukentafel, bestudeerde de bladzijde en pakte toen een appel uit de schaal die voor haar stond. Ze sneed de appel doormidden, las de bezwering en legde de haren die ze uit de borstel had gehaald op een papieren zakdoekje. Daarna knipte ze een paar haren van zichzelf af en legde die erbovenop. Ze keek weer in het boek.

'Vouw het papier zeven keer en concentreer u daarbij op het gezicht van uw geliefde. Leg het daarna op een van de appelhelften en leg de andere helft erbovenop, zodat de appel weer één geheel vormt. Bind er een groen lint omheen en begraaf de appel dicht bij het huis van uw geliefde. De liefde in het onaangeroerde hart zal voor u opbloeien.'

Lucy volgde de instructies, gebruikte groen elektriciteitsdraad in plaats van groen lint en begroef de appel tussen de lavendelstruiken bij de achterdeur. Ze had iets nodig om in te geloven om te voorkomen dat ze in wanhoop verviel over zijn veranderde gedrag sinds Jenni's terugkeer. Het vrat aan haar dat hij haar zijn genegenheid onthield. Ze wist dat ze Gary verwaarloosde. Maar haar leven had zonder Tom alle kleur verloren, en dus besloot Lucy, verstandige, praktische Lucy, met een bezwering het tij te keren. Een liefdesbezwering voor een achtenveertigjarige, getrouwde politieman.

Ze zette het inbraakalarm aan en verliet snel het huis, voordat ze de appel weer zou opgraven en in de afvalbak zou gooien. De bezwering zou, heel misschien, kunnen werken en zij zou Tom Shackletons liefde krijgen. Het drong alleen niet tot haar door dat liefde bij hem nog uitgevonden moest worden.

Jenni nam de trein naar Londen. Ze had een hekel aan de stad gekregen. De hemel op aarde uit haar jeugd was veranderd in een smerig, agressief oord, dat werd bevolkt door mensen die een ellendig en zinloos leven leidden, zich op goedkope schoenen voorthaastten en uit papieren zakken aten, en in deuropeningen stonden te roken en onzin uitbraakten in mobiele telefoons. Maar er waren nog steeds plekken waar de droom stand had gehouden, Bond Street, delen van Knightsbridge, theedrinken bij Fortnum & Mason. Maar vandaag was ze in Baker Street, wat ze even spannend vond als toen ze op zesjarige leeftijd Madame Tussaud had bezocht.

Haar vliegtuig vertrok laat in de middag. Maar ze was zo opgewonden dat ze steeds op haar horloge bleef kijken. Ze hield van dat gevoel: wanneer door ambitie de adrenaline ging stromen. Het idee ergens voor te moeten knokken stimuleerde haar meer dan de kortstondige roes van een overwinning.

Ze haalde tweehonderd pond uit een geldautomaat, wat sinds de dag van de lunch in de Ivy een gewoonte was geworden. Daarna liep ze Baker Street in tot ze bij een winkel kwam met een onopvallende etalage. De letters op het raam gaven aan dat binnen alles te krijgen was wat de hedendaagse spion voor zijn of haar bezigheden nodig had. Jenni droeg een grote zonnebril van een duur merk en een hoofddoek die onder haar kin en in haar nek was vastgeknoopt. Ze leek precies op Audrey Hepburn toen ze op de bel drukte om binnengelaten te worden.

De man die haar begroette had dezelfde bouw als haar echtgenoot, hij was alleen kleiner. Zijn gezicht leek niet op dat van Tom. Zijn huid was donkerder en had grovere trekken en nadat hij haar goedemorgen had gewenst, kon ze helemaal geen gelijkenis meer ontdekken. Toen ze hem vroeg of hij haar de afluisterapparaatjes wilde laten zien, was hij al volledig door haar gebiologeerd.

Ze was, legde ze met een verlegen stemmetje uit, een spionageroman aan het schrijven en hoopte dat hij het niet erg vond dat ze voor haar onderzoek van zijn kennis gebruikmaakte. Hij was gefascineerd en liet haar vol trots de glanzend gepoetste, houten presentatiedozen zien waarin kleine zwarte kubussen lagen. Uit die kubussen staken matzwarte antennes.

'En hoe heten die? Dat is precies wat ik zoek. Wat spannend!' Ze keek bewonderend naar de man op.

Als een zeehond die een vis toegeworpen had gekregen, vertoonde hij zijn kunstje.

'Dit, mevrouw, zijn UHF-kamermicrofoontjes. Wat u en ik een afluisterapparaatje zouden noemen.'

'Ik begrijp het.' Jenni keek naar het begeerlijke kleinood. 'En gebruikt de CIA deze ook?'

Hij begon, gecharmeerd door haar naïviteit, te lachen.

'Nou, ze zijn zeker afgeleid van de originelen die de inlichtingendiensten gebruiken. Wat u moet vermijden zijn goedkope imitaties, dat zijn zenders die vliegtuigfrequenties oppikken. Daar heb je niets aan. Iedereen kan meeluisteren. Je kunt er waarschijnlijk zelfs een taxi mee bestellen. Nee. Dit is het echte werk.'

Ze hield een van de apparaatjes in haar hand: discreet, matzwart, korte, zwarte antenne. Perfect. Ze wilde het kopen. Nu meteen. Contant. Haar tas zat vol gebruikte bankbiljetten, de opbrengst van wekenlange geldopnames. Waag het erop. Voordat ze aan haar verleiding kon toegeven, gaf ze het zendertje terug, en verliet blozend en met kuiltjes in de wangen de winkel, waarbij ze hem beloofde een gesigneerd exemplaar van haar literaire meesterwerk te zullen doen toekomen. Geduld, Jenni. Niets doen dat naar jou terug kan leiden.

Het zweet brak haar bijna uit toen ze Marks & Spencer binnenging. Terwijl ze langs de rekken met degelijke blouses liep, deed ze haar zonnebril en hoofddoek in haar tas en verliet de winkel aan de voorkant, waarna ze een taxi aanhield die haar naar het vliegveld bracht.

De rit duurde een uur en was gevuld met plezierige toekomstbeelden; toen ze zich bij de Lufthansa-balie meldde, straalde ze van opwinding. Ze had een plan, een plan dat zou leiden tot de val van Geoffrey Carter en dat de weg zou vrijmaken voor haar echtgenoot. Wie had ook weer gezegd dat je geen gif of pistool moest gebruiken om een man om te brengen?

Ze leunde achterover in haar business class vliegtuigstoel, nipte aan haar wijn en nam een van haar magische pillen in. Toen het vliegtuig landde, voelde ze zich onaantastbaar, van het gevoel van paranoia dat de laatste tijd aan haar knaagde was nauwelijks iets te bespeuren. Voordat ze het vliegtuig verliet inspecteerde ze haar gezicht, hoewel de bewonderende blikken van de zwetende zakenmannen om haar heen meer vertelden dan haar spiegel.

De stewardess met huidproblemen had met onverhulde bewondering en jaloezie naar haar gekeken, waarvoor Jenni haar beloond had met een van haar glimlachjes van verstandhouding. Omdat ze niets beters te doen had en de aandacht van het meisje wel leuk vond, babbelde ze met haar. Als er tijd voor was, moedigde Jenni haar volgelingen altijd aan. Het meisje was blij verrast geweest toen Jenni haar gevraagd had wat voor panty's ze droeg. Ze waren duur, dat was duidelijk te zien, en glansden. Enthousiast vertelde de stewardess dat dit de enige luxe was die ze zich permitteerde, waarna ze een paar verpakkingen ophaalde en Jenni de naam opschreef. Het meisje kon niet weten dat ze dit deed om te voorkomen dat ze zelf ooit in de verleiding zou komen om ze te kopen. In glanzend lycra zag zelfs een slang er nog dik uit.

Die avond zat Jenni ontspannen en mooi uitgedost in de bar van haar hotel in Wenen te wachten op de man die ze zou interviewen. Hij arriveerde een uur te laat, maar ze stelde hem op charmante en elegante wijze op zijn gemak. Hij had niet verwacht dat zijn gesprekspartner een schoonheid zou zijn, die in zijn zaak geloofde. Hij was groot, had een vierkante kin, en kwam oorspronkelijk uit een onbekend prentenboekstadje in Tsjechië. Een filmacteur van enig aanzien, die vaak integere kapiteins van onderzeeboten speelde. Een man die altijd vervuld leek van gekwelde verbeelding en compassie. In werkelijkheid was hij even dom als de meeste andere acteurs en had hij een meer dan gemiddelde aanleg voor zelfbedrog.

Jenni had het interview eerst niet willen doen. Ze had geen interesse in duister, Europees politiek gekonkel en het kon haar zeker niet schelen of mensen in Oostenrijk onbezonnen achter hun fascistische verleden wilden aanhollen. Het leek bijna mode te worden in sommige Europese landen.

Ze had op het punt gestaan om tegen de redacteur te zeggen dat hij maar een ander moest zoeken, toen ze een mogelijkheid zag om de trip in haar voordeel te laten werken. Een mogelijkheid om te bewijzen dat Jenni Shackleton zich door niemand iets wijs liet maken en niet met zich liet sollen.

De acteur raakte al snel gefascineerd door haar, en natuurlijk zou ze een mooi artikel over hem schrijven en over zijn standpunten ten aanzien van landsgrenzen en de doorstroming van asielzoekers binnen Europa. Maar hij was net een paar keer te vaak verkeerd geciteerd om niet een aantal voorwaarden te stellen. Hij was verbaasd geweest toen hij hoorde met wie ze getrouwd was, maar als politicus die vanwege zijn strenge houding ten opzichte van recht en gezag gekozen was, had het hem minder gestoord dan een van zijn linkse collega's. Maar hij had geleerd om voor iedereen op zijn hoede te blijven, met name voor journalisten. En journalistes die mooier waren dan zijn hoofdrolspeelsters, bestonden niet.

Hij sloeg haar aandachtig gade, even aandachtig als de politieman in burger in de hoek hem gadesloeg.

Het interview zou een stuk spannender zijn geweest als ze geweten had dat haar geïnterviewde de aandacht van de politie had vanwege zijn enorme, maar dubieuze geldfondsen en zijn hechte, maar geheime vriendschap met diverse Libische en Saoedische zakenlieden. Fiscale spaarzaamheid had tot deze vreemde combinatie geleid.

Ze vroeg hem of hij nog iets wilde drinken, terwijl ze tegelijkertijd en uit gewoonte, op een meisjesachtige manier onder de indruk was van zijn hoge inname van alcohol.

Toen de ober weg was en ze wat dichter naar elkaar toe geschoven waren, zei Jenni: 'Dieter… wat een mooie naam.'

'Ik ben naar mijn grootvader genoemd. Die kwam uit München.'

Dat is een verrassing, dacht Jenni.

'En was hij een tijdgenoot van… eh…?'

'Adolf Hitler? Min of meer, ja.'

'Wat fascinerend…'

En terwijl ze hem bewonderend en met een strakke blik aankeek, praatte hij in haar taperecorder. In bloemrijke bewoordingen en voorzien van veel achtergrondinformatie, terwijl de tape die hij voor zijn eigen veiligheid onder zijn kleren droeg geluidloos meedraaide. Hij was al zo vaak verkeerd geciteerd en in een verkeerd daglicht gesteld dat hij elk gesprek opnam.

Terwijl hij praatte, speelde zij met de gedachte met hem naar bed te gaan. Er konden niet veel vrouwen in Europa zijn die zijn lichaam niet in ten minste twaalf films hadden gezien, en op zijn voordeligst uitgelicht. Zijn mooi getekende gezicht en lome, donkere ogen zagen er kil en enigszins hautain uit, onder een strakke kuif golvend goudblond haar. Het toonbeeld van arische volmaaktheid, als een kunstwerk uit 1939. Hij had dit beeld opzettelijk van zichzelf gecreëerd met behulp van cosmetische chirurgie en haarverf, en zo de loensende, donkerharige student, die te gewoontjes was geweest voor een hoofdrol, van gedaante doen veranderen. Het had geld, tijd en pijn gekost maar hij had er perfectie voor teruggekregen. Hij vormde een uitdaging. Zijn lichaam had er vanuit elke hoek zacht, mooi en gespierd uitgezien. Het lichaam van een danser.

'Natuurlijk moeten we ons werk doen onder zeer moeilijke omstandigheden. We worden voortdurend aangevallen door anarchisten en communisten…'

'Lieve hemel, zijn die er nog? Ik dacht dat die, met geitenwollen sokken en al, uitgestorven waren.'

Dieter glimlachte niet.

Jenni liet de grap tussen hen in op de salontafel liggen en ging verder.

'Hoe pak je ze dan aan?'

'Op democratische wijze.'

Touché, dacht Jenni.

Ze werd geboeid door zijn ogen. Donkergroen, met kleine vlekjes amber. Te scherp omlijnd om voor hazelnootbruin door te gaan, te geschakeerd om voor bruin door te gaan.

Ik moet te veel gedronken hebben, dacht ze, maar het voelde goed, warm, en het maakte haar metgezel bijna onweerstaanbaar.

Hij vroeg haar om met hem te gaan eten. Maar daar zou het toch niet bij blijven? Voor hem was seks bij de rekening inbegrepen. Ze deed haar hoofd iets achterover en keek hem met halfgesloten ogen aan. Hoe zou het zijn om met een levende legende het bed in te duiken? Met een man die al twintig jaar door vrouwen begeerd werd. Was dit de gelegenheid om weer op de fiets te stappen, nadat ze ervan afgevallen was? Het zou zeker een aangenaam ritje worden. Van zijn techniek werd in de glamourbladen hoog opgegeven en uitgebreid melding gemaakt.

Maar waarom zou ze het doen? Wat kreeg ze ervoor terug? Maar precies dat gaf voor haar de doorslag: er hing niets van af. Als ze het niet kon, als ze bij de aanblik van zijn erectie over haar nek ging en gillend de kamer uit rende, was er niets verloren. Maar als ze het niet deed en ze bij een volgende gelegenheid weer een beroep op haar lichaam moest doen om iets gedaan te krijgen, en merkte dat het onwillig was of tot niets in staat, dan zou er meer op het spel kunnen staan. Dus waarom niet? Hij zou haar er een plezier mee doen. Nog een drankje, een paar pillen, geen probleem. En hij begon er steeds aantrekkelijker uit te zien.

Hij had zijn hand op de hare gelegd. Lang, slank en bleek. De handen van een wurger, dacht ze.

Hij knikte alsof hij haar gedachten gelezen had.

'Je vindt het toch niet erg dat ik je aantrekkelijk vind?'

Wat een ontzettend stomme opmerking, dacht ze.

'Maar misschien ben je gelukkig getrouwd en heb je mij helemaal niet nodig.'

Zijn nederige houding stond haar wel aan. Dat niets veronderstellen. Het was natuurlijk gespeeld. Maar deed het er iets toe? Nee.

'Mijn man...' Haar glanzende ogen leken zich met tranen te vullen. Hij bewoog zijn hand langs haar arm omhoog. Wat heel prettig aanvoelde.

'Is een klootzak, ja?'

'O, ja', verzuchtte ze. 'Hoe wist je dat?'

Dieter trok zijn wenkbrauwen op en wachtte.

'Hij heeft vast een... minnares.'

Jenni kon zich nauwelijks goed houden. Het idee dat Tom Shackleton uit vrije wil intiem was met iemand anders was ook zo grappig. Vreselijk grappig zelfs. Ze begon te giechelen.

'Hij walgt van me, heeft al jaren niet meer met me geslapen. Het is verschrikkelijk. Soms slaat hij me...'

Zijn elegante arm lag nu om haar schouder. Zijn hand, bezitterig, beschermend, zag er, dat viel Jenni nu pas op, wat smoezelig uit.

Hij werd kwaad, een ingehouden woede.

'Klootzak!'

Mooi, dat was het gewenste effect. Ze keek naar hem op, in haar ogen brandden tranen. Tot haar verbijstering waren ze echt, en ook haar gefluisterde smeekbede was niet gespeeld.

'Ik weet niet of ik het kan. Ik... ik ben gewond geraakt, ernstig gewond geraakt. Je zult geduldig moeten zijn. Voorzichtig.'

Niets had hem meer naar haar kunnen doen verlangen.

Toen ze op haar kamer kwamen, was het dekbed van het tweepersoonsbed al teruggeslagen. De lampjes naast het bed verspreidden een romantisch licht en op de kussens lagen chocolaatjes gewikkeld in goudpapier.

Dieter was overtuigd van haar nervositeit en het feit dat ze zelden met een vreemde man naar bed ging. Ze had zich gegeneerd toen hij haar in de lift probeerde te zoenen. Dat vond hij leuk. Het was prettig om te weten dat ze niet meegaand was. Hij voelde zich gevleid.

Hij ging in een leunstoel zitten en keek hoe ze zenuwachtig heen en weer liep, de minibar opendeed en met tegenzin naar hem terugliep. Ze deed hem denken aan een vrouw die nog maagd was. En ze had een mooi lichaam, voor haar leeftijd. Ze gaf hem een glas cognac.

Ze had haar besluit genomen, maar in haar hoofd ging de woordenstrijd gewoon door. Wat had ze te verliezen? Een andere man, een ander bed. Ze was met beroerdere types naar bed geweest, en voor minder. Ja... maar de Dwerg dan. De Dwerg. Wie van zijn fiets valt, moet er meteen weer opstappen. Dit was haar nacht om weer op die fiets te stappen. Maar stel dat... Stel dat...

'Heb je voorbehoedsmiddelen bij je?'

'Altijd.'

Hij toverde keurig een drietal condooms tevoorschijn. Waarom had ze dat gevraagd? Ze had MacIntyre... ophouden, niet aan denken, verdomme. Het kabaal in haar hoofd was oorverdovend. Ze beefde, voelde zich kwetsbaar. Als het bange meisje dat ze geweest was voordat ze Jenni had uitgevonden. Bang voor alles.

Ze had hem voor zich gewonnen.

'Hier, wees maar niet bang. Ik heb dit meegenomen. En toevallig heb ik ook nog twee van deze. Ik moet geweten hebben dat we hier terechtkwamen.'

Zijn accent en vreemde woordkeuze maakten hem minder bedreigend, en een beetje komisch zelfs. Hij legde een doosje en iets dat Jenni deed denken aan een kleine zetpil op de lage tafel.

'Jullie noemen ze poppers. Ken je ze niet? Amylnitriet. Ja?'

'Ik weet het niet. Ik gebruik geen drugs', zei Jenni preuts. 'Maar het verbaast me dat je ze in mijn bijzijn wilt innemen. Hoe weet je of je me kunt vertrouwen?'

Hij haalde zijn schouders op. 'Dat weet ik niet. Maar jij hebt meer te verliezen dan ik. Ja?'

Ze keek gefascineerd toe, terwijl hij zijn spullen uitstalde en de lijntjes cocaïne klaarmaakte. Ze nam tenminste aan dat het cocaïne was, hoewel ze het alleen in televisieseries door snelle jongens had zien doen. Toch was ze er, in weerwil van zichzelf, door gefascineerd.

'Ik... ik wil geen...'

Haar stem stierf weg. Vanbinnen schreeuwde ze om nog een pil. Maar misschien lukte het hiermee ook. Misschien voerde het haar weg uit deze groezelige kamer en weg van het spreiden van haar benen voor de zoveelste vreemde, en bracht het haar terug naar haar dromen, naar de plek waar succes haar onaantastbaar maakte.

Ze liep naar hem toe. Hij zag een aarzelend verlangen bij haar, zoals bij een eekhoorn die een uitgestrekte hand met noten nadert. Hij vond haar betoverend. Toen hij zag dat ze niet wist wat ze moest doen, legde hij wat van het gesneden witte poeder op de bovenkant van zijn rechterhand en trok haar met zijn linkerhand naar zich toe. Ze wilde protesteren, vragen om een opgerold bankbiljet en een spiegel. Ze wist hoe het hoorde.

Hij legde zacht zijn hand in haar nek, wat haar aan Toms voorspel deed denken. Ze boog zich naar hem toe. Hij hield de cocaïne vlak onder haar neus, toen ertegenaan en drukte met zijn duim haar ene neusgat dicht.

'Nu flink opsnuiven. Ja, goed zo.' Daarna drukte hij met zijn wijsvinger haar andere neusgat dicht. 'Nu de andere kant. Ja.'

Gehoorzaam snoof ze alles op. Het deed haar denken aan toen ze een kind was en haar vader haar zout water had laten opsnuiven tegen een verkoudheid. De vriendelijke, vaderlijke handen. Hij veegde met de top van zijn wijsvinger de restjes poeder van haar neus, duwde haar bovenlip omhoog en wreef het op haar tandvlees. Ze voelde zich net een paard waarvan het gebit nagekeken werd. Er gebeurde niets, helemaal niets, ze had alleen geen gevoel meer in haar tandvlees. Een hoop gedoe om een plaatselijke verdoving. Ze keek toe hoe hij op professionele wijze de lijntjes opsnoof met een opgerold bankbiljet. Ze voelde nog steeds niets.

Hij ging staan en begon met de seks. Op een andere manier kon ze het niet omschrijven. Hij had de drugs gedaan, en nu deed hij de seks. Plotseling werd het effect merkbaar. Ze voelde een enorme stoot energie: een seconde lang zag ze in haar hoofd de foto van een onschuldige staaf uranium, een beeld uit een nieuwsprogramma. Daarna zag ze, hoorde ze de straling. Kreeg ze een impressie van met elkaar in botsing komende atomen, die zich splitsten en in haar hoofd explodeerden.

En ze begon te praten. Ze kon er niet meer mee ophouden. Waar had ze het over? Over kracht, de kracht die haar omgaf. Het overweldigende zelfvertrouwen dat ze voelde, vaagde alles weg wat haar depressief had gemaakt. De man die aan haar kleren zat te friemelen was grappig. Heel, heel grappig. Jenni kon niet meer ophouden met lachen. Ze had nog nooit zo gelachen: tot de tranen haar over de wangen rolden en haar ribben er pijn van deden.

Nu deed hij zijn broek uit, trok hij zijn Calvin Klein-onderbroek uit en liet de wippende, zwaaiende bewoner naar buiten. Daarna pakte hij nog wat van het witte poeder en wreef het op het lelijke, glimmende verwachtingsvolle hoofdje van die benedenbuur. Het zag eruit als sneeuw op het dak van een hut van een Masai-krijger. Bij de gedachte eraan en de aanblik ervan, kreeg ze weer een lachstuip. Slap van de lach liet ze zich achterover op het bed vallen. Ze kon zich niet herinneren ooit zoveel lol te hebben gehad.

En dan was er nog het gevoel van vrijheid. De helderheid. De ontlading. Ze voelde de seks nauwelijks. Ze lachte nog steeds, niet om hem maar om haar angst. Ze was verlost van haar angst voor MacIntyre. De man die pompend in haar bewoog, alsof hij een zoekgeraakte munt probeerde terug te halen, betekende niets. Het was alleen grappig. Ze maakte er geen deel van uit. Ze was er niet, ze was met haar gedachten bij haar ambitieuze dromen en merkte nauwelijks iets van het ritmische stoten tegen de botten van haar geopende bekken. Het manipuleren van haar lichaam gebeurde kundig, weldoordacht en magistraal, maar het liet haar volkomen koud. Het was allemaal een grap. Een ontzettend leuke grap.

Hij lag op zijn rug en trok haar boven op zich, schrijlings. Ze liet zich door hem leiden, waar hij ook naartoe wilde, en hij wilde dat ze op zijn gezicht ging zitten. Weer die opborrelende hysterie, die haar deed schudden van het lachen: 'Ga op mijn gezicht zitten en zeg dat je van me houdt, ga op mijn gezicht zitten en zeg dat je om me geeft.' Hoe vaak had ze Toms makkers dat vroeger niet horen zingen als ze hem weer eens laveloos thuisbrachten.

Zijn tong voelde heel anders aan dan die van de Dwerg: deze was zacht en teder, als water dat over haar heen kabbelde. Heel aangenaam, hoewel ze even dicht bij een orgasme was als tijdens het leeghalen van de afwasmachine. Ze ging voorzichtig op hem zitten en bewoog zich automatisch, met haar handen op zijn ribben. Kijk mij eens, ik berijd Dieter Gerhardt. Kijk en huiver, dames. Ze moest weer lachen en viel bijna van hem af. Concentreer je, Jenni. Ze fronste licht haar voorhoofd. Ogen dicht. Ze genoot. Maar niet van de seks, die was niet beter of slechter dan anders.

Nee, ze genoot omdat ze zich vrij voelde. Maar ze begon moe te worden nu. Ze probeerde een paar nieuwe standjes om hem sneller naar de eindstreep te krijgen, hoewel ze niet wist dat de cocaïne op zijn penis die meer verdoofd had dan de cognacjes die ze hem de hele avond had gevoerd, waardoor hij nu eeuwig door kon gaan.

Ze trok hem boven op zich, en achter zich, ze kreunde en zuchtte en masseerde zijn slappe ballen, maar niets leek hem dichter naar een climax te brengen. Ze begon zich te vervelen en ongemakkelijk te voelen. De cocaïne was bijna uitgewerkt; ze spande haar spieren en probeerde hem knijpend en persend naar het eindpunt te krijgen. Maar niets werkte. Hij ging volledig op in zijn eigen seksuele fantasie.

Opeens zei hij, naar lucht happend: 'Vlug, zeg iets smerigs, iets schunnigs. Snel. Nu.'

Jenni kon niets bedenken. Het enige Duits dat ze kende was *chemische Reinigung.* Toen schoot haar een anekdote te binnen van een collega die haar verteld had over een nieuwslezer die in een vergelijkbare situatie op het moment suprème had uitgeroepen: 'Neuk me tot ik ruft.'

Ze probeerde het, in het Engels.

Het leek te werken. Hij versnelde, vertrok zijn gezicht tot een grimas van genot, en liet alles vergezeld gaan van gekreun en gesmoorde uitroepen als: 'O, god, *mein Gott. Gott.*'

En toen: 'Neem me nu!'

Jenni had dit tijdens haar seksuele escapades nog nooit door iemand horen zeggen. Ze moest weer lachen terwijl hij het haar als Henry v aan de vooravond van Agincourt toeriep.

Uitgeput liet hij haar weten dat het hem speet dat zij niet was klaargekomen. Hij stond erop haar te masseren tot ze een orgasme kreeg. Hoe kon hij ook weten dat Jenni Shackleton nog nooit een orgasme had gehad. Na een gepaste pauze begon ze, overtuigend genoeg voor een man die al aan zijn gerief was gekomen, te huiveren, te kreunen en te zuchten. Ze merkte dat hij haar met enige opluchting kuste. Daarna viel hij met een zucht in slaap, met haar hoofd op zijn borst en zijn arm onder haar. Ze stapte voorzichtig uit bed en keek naar hem, terwijl hij naakt en met gespreide armen en benen in de lakens lag. Hij was werkelijk verbluffend mooi. Elke haar op zijn lichaam mooi gelijkmatig goud van kleur. Ze begreep dat dit veel werk moest hebben gekost. Terwijl ze op hem neerkeek, dacht ze eraan dat niets meer voldoening schonk dan iets bezeten te hebben dat door anderen begeerd werd.

Ze liep naar de badkamer, douchte zich en voelde zich goed. Ze kon het nog steeds niet opbrengen om in bad te gaan, maar het was haar meegevallen om weer op die fiets te stappen. De poppers lagen ongebruikt op tafel. Ze stopte ze in haar tas. Misschien kwamen ze later nog van pas. Wat extra magie om haar door de ellende van alledag heen te helpen. Er was ook nog wat wit poeder achtergebleven. Ze veegde het met haar vinger bij elkaar en wreef het op haar tandvlees. Lekker. Heel, heel lekker.

Lucy had zo lang mogelijk gewacht tot Tom thuiskwam. Haar excuus was dat Jenni gevraagd had om voor hem te zorgen. Maar hij kwam niet, en dus liep ze naar de overkant om Gary zijn warme melk en biscuitjes te geven voordat de verpleegsters kwamen om hem naar bed te brengen.

Sinds hij uit het ziekenhuis was ontslagen, was hij niet sterk genoeg geweest om zijn rolstoel te gebruiken. Naar bed gaan hield voor hem geen verandering van omgeving in. Lucy wist dat hij depressief was, maar kon niet de juiste woorden vinden om hem te helpen. Haar steeds sterker wordende gevoelens voor Tom, als afweer tegen Gary's vroege dood, die nu onvermijdelijk leek, waren onbeheersbaar geworden. Die gevoelens waren nu echter dan haar liefde voor Gary.

'Heb je Tom gezien?'

Lucy voelde zich schuldig toen hij dit vroeg. Maar ze kreeg ook de neiging om zich te verdedigen.

'Ik ben er maar even geweest. Jenni is weg. Ze had gevraagd of ik hem een beetje in de gaten wilde houden.'

Gary's ogen, het enige waaruit nog volop leven sprak, volgden haar terwijl ze door de kamer liep en aan het opruimen was. Ze hield haar rug naar hem toe gekeerd. Ze vermeed hem. Hij wist dat er iets gebeurd was toen hij in het ziekenhuis lag, maar hij wilde de waarheid niet weten. Hij wilde haar niet voortdurend over Tom horen praten. Hij wilde niet horen hoe moeilijk ze het vond om in zijn bijzijn 'Tom' te zeggen en koos voor 'de Chef' of 'Zijne Kaleneterigheid' of 'hij van de overkant', omdat het woord 'Tom' heilig was nu en te beladen om hardop uitgesproken te worden.

Gary had zich nog nooit zo eenzaam gevoeld als nu en verlangde voor het eerst naar de dood. Hij had een keer gewaterskied, en hoewel het heel opwindend was geweest om zich stevig aan een touw vast te houden en zich door een speedboot over het water te laten trekken, had hij het loslaten en in het water wegzakken het mooiste gedeelte van de tocht gevonden. Het water was warm en uitnodigend geweest, als een Griekse zee vol dolfijnen en schitterende lichtjes.

Lucy gaf hem zijn babybeker met warme melk.

Hij wilde nu loslaten.

Sinds de ambulance Gary weer thuis had gebracht, had Shackleton Lucy gemeden. Hij wist dat ze wilde praten, vrouwen wilden altijd praten, en alles analyseren, maar zijn eerste reactie was geweest om net te doen alsof het nooit gebeurd was. Zijn kortstondige verslaving aan Lucy's gewilligheid had een gevoel van zelfverachting in hem wakker gemaakt. Vanwege zijn zwakheid en zijn verraad aan Gary. Hij had nooit vrienden gehad, maar voor hem was Gary nu een vriend geworden die hij bedrogen had. Tom voelde zich opgesloten in zijn eigen hof van genot. Genot was slecht. De dreiging van geluk was ondermijnend. Lucy was de slang der verleiding. Hij verlangde er wanhopig naar weer vrij te zijn, om niets te hoeven voelen en gewoon te leven. Om niet verteerd te worden door haar tederheid en door zijn begeerte naar haar.

Hij kwam die avond thuis in een leeg huis en was dankbaar voor de stilte. Hij voelde dat ze hem vanaf de overkant gadesloeg toen Gordon hem goedenavond wenste en hij de voordeur opendeed. Hij liep naar de keuken. Op tafel stond een salade. Naast het bord lag een chocolade-eitje en een briefje van Lucy. Hij gooide alles in de afvalbak. Het briefje bleef ongelezen.

Hij schonk zichzelf iets te drinken in en nam zijn aktetas mee naar de woonkamer. De tas zat vol paperassen die hem tot vroeg in de morgen aan het werk zouden houden. Het zou een verademing zijn zich een avond lang in hun ongecompliceerde inhoud te verdiepen. De gordijnen waren open. Hij liep ernaartoe om ze dicht te trekken toen hij Lucy aan de overkant voor het raam zag staan. Zonder te aarzelen sloot hij haar buiten.

Gary zag het, maar zei niets. Er viel niets te zeggen. Hij draaide zijn gezicht naar de muur en bad als een man die hoopte dat het briefje in de fles die hij in zee had gegooid, zijn eindbestemming zou bereiken, hoewel hij wist dat het glas gebarsten was.

Een paar dagen voordat Jenni Dieter bereed en Tom Lucy afwees, kwamen Geoffrey en Eleri thuis van een receptie in Londen. Een liefdadigheidsfeest met een vaste kern van gulle gevers. En wie vormden het middelpunt? Robert en Lizie MacIntyre. Ze waren zeer vriendelijk tegen de Carters geweest. De twee mannen hadden, nadat ze samen geluncht hadden, ontdekt dat ze iets gemeen hadden, namelijk dat ze allebei intellectuele snobs waren, hoewel Carter dat jarenlang met veel moeite verborgen had proberen te houden.

Mevrouw Ismay, de buurvrouw, had op de jongens gepast. Alexander raakte van haar niet in paniek, ze was een van de weinigen die bij hem achtergelaten kon worden zonder dat het Wedgwood-servies gevaar liep. Toen ze terugkwamen zat ze in de woonkamer te breien. Alexander zat op het vloerkleed voor de open haard op een stuk kool te kauwen. Het was een warme avond, maar omdat Alex zowel door vuur als vloeistof geobsedeerd werd en ze ervan verzekerd wilden zijn dat de avond rustig zou verlopen, hadden ze de open haard aangestoken.

Terwijl Eleri de oude dame uitliet, nadat ze tot in detail de gebeurtenissen van die avond had aangehoord, inclusief wie het nieuws had voorgelezen en wat de weersverwachtingen voor haar tuberozen waren, droeg Carter de jongen naar bed. Het kind lag slap in zijn armen en reageerde nergens op, maar was klaarwakker. Carter was er blij om: beter dit dan hyperactief en de rest van de avond achter hem aan te moeten lopen om hem tegen harde en scherpe kanten van het meubilair te beschermen. Hij probeerde niet het stuk kool uit zijn hand te halen; dat zou alleen een hysterisch gegil tot gevolg hebben, waardoor niemand in de straat meer een oog dicht zou doen.

Peter sliep, zoals altijd, door alle commotie heen toen hij Alex naar bed bracht. Carter boog zich over hem heen, gaf hem een zoen en genoot van de warme geur van het slapende kind. Peter glimlachte en sloeg zijn arm om Carters hals. Deze maakte zich voorzichtig los uit zijn omhelzing en stopte de arm van het kind weer onder het laken. Toen hij zich daarna omdraaide en weg wilde lopen, hoorde hij Peters slaperige stem zeggen: 'Pappa… Van iedereen op de wereld hou ik het meest van jou.'

'En ik het meest van jou, Peter. Van iedereen op de wereld.'

Het was hun grapje.

'Behalve mamma, Alex en de Bobbel.'

'Ja, behalve zij. Welterusten, Petie.'

Toen ze beneden voor de open haard gingen zitten, daalde de rust weer neer, de rust waar elke ouder naar verlangt. De lange, smalle kamer was gevuld met boeken, speelgoed, Peters vioolmuziek en tijdschriften, en op een van de radiatoren lag een paar gestreepte sokken. De rommelige kamer zag er in het licht van de schemerlampen gezellig uit. Op de planken, hoog genoeg om ervoor te zorgen dat Alexander er niet bij kon, stonden het dure kristal, de frutsels en de cd's.

'En, wat zei hij?'

'MacIntyre? Niet veel. Niets wat hij tijdens de lunch al niet had gezegd.'

Eleri zat in lotushouding op de vloer, terwijl haar steeds dikker wordende buik op haar hielen rustte. Ze wreef er voor de vijftigste keer overheen, zoals ze iedere dag deed sinds ze wist dat er daarbinnen nieuw leven groeide. Ze leunde achterover, met haar rug tegen zijn benen.

'Vertel.'

'Nou… hij zegt dat ze vastbesloten zijn me op andere gedachten te brengen. De premier schijnt besloten te hebben dat ik de enige ben die geschikt is voor deze functie.'

'En Tom dan?'

'Nee, ze willen Tom voor Londen houden. Ze denken dat hij…' Hij wachtte even. Wat had MacIntyre ook alweer gezegd? Slim maar geen intellectueel genie. 'Dat hij in intellectueel opzicht te licht is voor deze functie.'

Eleri begon te lachen. 'Laat Jenni dat maar niet horen. Zij denkt dat haar man een direct lijntje met God heeft. Vind jij ook dat hij dom is? Nee, toch?'

Carter keek in zijn glas. 'Nee, niet dom, maar… hij is geen denker. Geen vernieuwer.'

'Maar de belegering dan?'

Carter schudde zijn hoofd.

'Dat was veel te riskant. Ik had er nooit in mee moeten gaan. Pure egotripperij. Maar dat is typisch Tom. Hij heeft een zeldzaam instinct voor zelfpromotie, maar' – de doodsteek – 'is niet bepaald het knapste jongetje van de klas.'

En Carter was dat wel. Noch hij noch Eleri hoefde dat hardop te zeggen. Op de universiteit had hij uitgeblonken, en bij de politie stond hij bekend als een geniaal denker.

Eleri's sympathie was oprecht, zoals altijd.

'Arme Jenni. Die zal ook liever getrouwd zijn met een misdaad-paus dan met een hoofdcommissaris.'

Carter glimlachte. Hij wist het wel zeker. Maar Jenni verwachtte toch niet werkelijk dat Tom voor een dergelijke baan in aanmerking kwam?

Hij was verbaasd geweest over de nieuwe vriendschap die ont-staan was tussen Jenni en Eleri en was er ook niet echt gelukkig mee geweest. Zijn vrouw zag altijd alleen het goede in mensen. Ze trok altijd aan het kortste eind, liep als een labradorpuppy die achter een rol toiletpapier aan rende mensen voor de voeten, en kreeg dan een tik op haar neus voor de rotzooi die ze maakte.

Hij wist dat zijn vrouw nu behoefte had aan het gezelschap van een vrouw, een vrouw die de zwangerschap als iets normaals en natuurlijks zag, waarover Eleri zich geen zorgen hoefde te maken. Maar Jenni Shackleton? Ze was op hem nooit overgekomen als het moederlijke type.

'Komt ze morgen?'

'Ja, ze zei dat ze deze week iedere middag op de jongens zou komen passen, zodat ik kan rusten en de babykamer kan klaarmaken. Daarna gaat ze naar Wenen om Dieter Gerhardt te interviewen, de geluksvogel.' Ze wachtte even, omdat ze er een hekel aan had iets te zeggen dat hij zou afkeuren. 'Geoffrey, ik weet dat je haar niet echt mag, maar ze is een goede vriendin. Ik weet niet hoe ik het in de afgelopen weken zonder haar had moeten redden. Ik denk dat die zenuwinzinking haar veranderd heeft. Ze is niet meer zo snel op haar teentjes getrapt als vroeger.'

Ze praatten over de Shackletons omdat geen van tweeën echt het onderwerp 'baby versus baan' wilde aansnijden. Carter was vastbesloten geweest om ontslag te nemen, maar dat was voordat hij precies had geweten hoe groot de uitdaging was. MacIntyre had het over budgetten en doelen gehad die zijn voorstellingsvermogen te boven gingen. Dit was geen hol, politiek gebaar. Deze coördinator, in tegenstelling tot die voor drugs, daklozen en diverse soorten kanker, zou echt macht krijgen.

Carter was enthousiast geworden, maar hij had Eleri beloofd te stoppen met werken, dus de kans om in de eenentwintigste eeuw het politieapparaat om te vormen zou aan zijn neus voorbijgaan. Elke morgen zette hij de gedachte daaraan uit zijn hoofd, maar elke nacht voor het slapengaan begon hij weer zijn team samen te stellen, strategieën te bedenken, en de toekomst uit te stippelen. Hij hunkerde ernaar om de eerste antimisdaadcoördinator te worden, niet de zoveelste vader.

Eleri verbrak de stilte.

'Je moet het doen.'

'Wat?'

'Die baan aannemen. Ach, Geoffrey... je zult het jezelf nooit vergeven als je het niet doet. Ik zie toch hoe je ermee worstelt. Ik kan dat niet langer aanzien.'

Hij schaamde zich. Was zijn verlangen werkelijk zo duidelijk zichtbaar geweest? Carter verschanste zich achter morele zekerheden. Hij was onvermurwbaar: de baby kwam op de eerste plaats. Dat was hij Eleri schuldig, dat was hij zijn gezin schuldig. Maar zelfs toen hij het zei, had hij het gevoel dat haar woorden hem bevrijd hadden uit een dwangbuis van huiselijke plichten. Niemand had meer naar dit kind verlangd dan hij, maar het was niet zijn lichaam waarin het groeide, en hij dacht er ook niet elk moment van de dag aan. Maar hij bleef koppig argumenten aandragen, logische, onlogische en praktische, tot Eleri er doodmoe van werd.

De vraag bleef onbeantwoord tussen hen in hangen.

Eleri praatte zacht, als een kind dat straf had gekregen maar vastbesloten was haar zin door te drijven.

'Geoffrcy, ik kan je niet uitleggen hoe graag ik je hier thuis bij mij zou willen hebben. Je weet hoe bang ik ben, maar... als je alles opgeeft, zal ik niet langer getrouwd zijn met de Geoffrey Carter die ik ken. Dan heb ik alleen nog een klein stukje van je. Dat kleine stukje dat niets met je werk te maken heeft. Daarom wil ik dat je het voor mij doet. Ik wil niet dankbaar zijn, me schuldig voelen en getrouwd zijn met een man die steeds denkt: had ik nou maar... Wat je ook zegt, diep in je hart zul je het mij en de baby altijd kwalijk blijven nemen als je het niet doet.'

Hij wist dat ze gelijk had. Hij was niets zonder zijn werk, zoals Eleri niets was zonder haar gezin. En hij wilde, realiseerde hij zich nu, niet iets zijn zonder haar.

Ze keek naar hem terwijl hij nadacht. Zijn gezicht stond ernstig, zijn ogen waren gericht op de uitdovende vlammen. Ruimte maken voor één vreemde zou al voor genoeg ophef zorgen, laat staan voor twee, want dat er iemand bij moest komen om voor het kind te zorgen was zeker. Maar als je de emoties en het sentiment buiten beschouwing liet, was het zonneklaar dat hij de misdaadpauws moest worden; daarop had hij zich zijn hele leven voorbereid. Haar gezicht straalde toen ze hem aankeek en besefte dat ze gewonnen had. Ze sprak met de hartstocht van een Jeanne d'Arc.

'We verhuizen naar Londen. Ik heb daar al een school voor Alex gevonden en een kerkkoor waar Peter op kan, en ik heb me ingeschreven bij een bureau dat gekwalificeerde kinderjuffen uitzendt.

We kunnen het, Geoffrey. Dat weet ik gewoon.'

Die nacht hielden ze elkaar zo stijf vast dat ze op een scheermesje hadden kunnen slapen. De toekomst was het Beloofde Land en die nacht hadden ze de grens van Egypte bereikt.

Hoewel Geoffrey haar had gevraagd tegen niemand iets te zeggen, begroette Eleri Jenni de volgende dag met het grote nieuws.

Eleri was overweldigd door haar warme felicitaties en steunbetuigingen. De Shackletons zouden er altijd voor haar zijn.

Jenni was in de badkamer toen ze iemand op de deur hoorde kloppen. Dieter was kort nadat ze haar fellatiokunsten had vertoond vertrokken: zorg altijd dat je een melodie in je hoofd hebt, had een schoolvriendin haar aangeraden, iets met een stevig ritme. Ze herinnerde zich hoe ze gniffelend de diverse kanshebbers de revue hadden laten passeren, van het volkslied tot 'The Flight of the Bumblebee'. Bij Dieter had ze gekozen voor 'Deutschland über alles', aan het eind in up-tempo natuurlijk.

Toen hij weg was, was ze meteen in slaap gevallen, zonder pillen, maar wakker geworden met een vage, zeurende angst en nervositeit.

Robert MacIntyre wilde, net als mist die niet wilde optrekken, maar niet uit haar gedachten verdwijnen. Ze nam een pil in. Toen nog een. Ze dronk koffie, ging onder de douche en ging zich daarna opmaken. Dit ritueel maakte haar altijd rustig, maar de kriebels en de angst bleven. Ze nam een derde pil en voelde zich beter. Ze wist dat het stom was om er meer dan twee in te nemen, maar… alleen deze keer. Alleen deze ene keer.

Toen hoorde ze het kloppen op de deur. Ze schrok ervan. Ze opende de deur en kreeg een pakje overhandigd van een mollig kamermeisje in een slecht zittend uniform. Ze duwde Jenni een vel papier onder de neus en gaf haar een goedkope, blauwe balpen. Jenni zette haar handtekening erop zonder erbij na te denken. Het kamermeisje zei 'Danke' en liep weg.

Jenni deed de deur dicht en opende het in bruin papier verpakte doosje. Er zat een mooie broche in van marcasiet. Net iets voor Lucy, dacht ze. 'Van Dieter, met dank voor het prettige interview.' Onder de ondraagbare broche lag een klein pakje cocaïne.

Jenni glimlachte. Het was niet voor niets geweest. Ze kon de wereld meedelen dat Jenni weer zichzelf was. O, het glorieuze poeder der schoonheid. Er was geen man die ze niet kon verleiden of naar haar hand kon zetten. Hoe deden gewone vrouwen dat, die alleen hun intelligentie hadden om op terug te vallen? Ze begon te lachen. Dat was geen vraag waar zij ooit het antwoord op hoefde te vinden. Ze nam een beetje van het witte poeder, een klein snuifje maar, maakte zich verder op en vertrok daarna naar de dichtstbijzijnde metro. Afgezakt tot het laagste niveau, maar onveranderd door haar ervaringen.

Bij haar laatste bezoek aan Wenen was ze geschokt geweest bij het zien van de tijdschriften die uitgestald lagen in de stalletjes bij de ingang van het metrostation. De pornobladen hadden open en bloot op de grond gelegen, en het was nog wel zondag geweest, de dag waarop men naar de kerk ging. Jenni glimlachte bij de gedachte hoe erg ze sindsdien veranderd was.

Het was een prachtige, zonnige morgen en het wandelen langs de oude gebouwen gaf haar het gevoel er schoon en nieuw uit te zien. Ze legde het uit als een gevoel van geluk. Ze kreeg wat ze wilde. Toen ze langs een ouderwetse banketbakkerij kwam, besloot ze een Sacher-torte mee te nemen voor Lucy en Gary. Lucy lette immers allang niet meer op haar figuur, en het was de gedachte die telde. Arme Lucy. Ze had haar verwaarloosd sinds ze uit de kliniek was gekomen en zich te veel geconcentreerd op de schijnheilige mevrouw Carter. Ze had altijd al een hekel aan mensen uit Wales gehad. Haar moeder zei dat ze net mist waren: ondoordringbaar, ongrijpbaar en niet te vertrouwen. En Eleri Carter beantwoordde volledig aan dat beeld. Maar ze zou het goedmaken met die trouwe, lieve Lucy. Misschien nam ze haar wel mee uit winkelen als ze terug was, om wat nieuwe kleren voor haar te kopen. Dat geval dat ze tijdens het etentje droeg, had er tien jaar geleden op het hangertje waarschijnlijk wel mooi uitgezien.

Bij de metro vond ze een stalletje dat een opvallend groot aantal bladen in voorraad had. Ze zocht tussen de omslagen naar een speciale soort perversie, maar wat er lag was allemaal veel te preuts. Toch pakte ze een paar bladen op en liep ermee naar de smoezelig uitziende man in het hokje. Hij nam het bankbiljet dat ze hem gaf zonder op te kijken aan. Met zijn vuile, in een handschoen gestoken hand gaf hij haar het wisselgeld terug.

'Sorry... spreekt u Engels?'

Er stond verder niemand bij het stalletje, er stapten alleen wat mensen de roltrap op naar beneden.

'Een beetje. Ja. Ik spreek een beetje.'

Jenni liet haar charme achterwege en kwam meteen ter zake.

'Hebt u nog meer van deze tijdschriften? Andere? Wat pittiger?'

Hij keek haar voor het eerst aan.

'U wilt jong? Meer jong?'

'Ja', zei Jenni.

'Meer jong. Meisjes? Met volwassenen? Ik heb alles.' Hij keek haar weer aan.

Ze toverde een glimlach met kuiltjes tevoorschijn.

'Ja. Maar met jongens, niet met meisjes. Het is voor mijn man. Begrijpt u? Die bladen zijn in Engeland niet te krijgen.'

Hij knikte en sabbelde op de uiteinden van zijn berookte snor.

'Engelse mannen houden van kleine jongens.'

'En van meisjes soms', voegde Jenni eraan toe, alsof ze het over het verschil tussen varkensvlees en lamsvlees hadden.

'Ja. Meisjes ook. Maar niet zoveel.'

Hij stak zijn hand onder de toonbank en haalde een tijdschrift tevoorschijn.

Het bevatte harde homoseksuele pedofilie, met misselijkmakende afbeeldingen. Ze keek er vluchtig naar.

'Alleen in het Duits?'

Hij plukte aan zijn neus.

'*Nein... Ich habe* Nederlandse en... Wacht...'

Hij rommelde wat onder de toonbank.

'Amerikaanse. Maar bij Amerikaanse een beetje met honden.'

'O, mooi', zei Jenni liefjes. 'Mijn man is dol op dieren.'

Ze nam de twee sterk beduimelde bladen van hem aan. De afbeeldingen waren weerzinwekkend expliciet.

'Hoeveel?'

Het bedrag dat hij noemde was belachelijk hoog, ze wist dat hij haar een poot uitdraaide, maar ze kon moeilijk gaan afpingelen. De bladen zagen eruit alsof ze door talloze handen waren gegaan. Maar ze gaf hem het geld dat hij ervoor vroeg en het geld voor nog drie andere bladen met een even walgelijke inhoud, en stopte de tijdschriften daarna vlug in haar tas.

'Wacht', zei de man in het hokje.

Ze bleef staan.

'Wilt u video? Geen homo's. Mannen, vrouwen met kleine jongens. Eentje pas drie jaar.'

Hij stak zijn vingers op.

Ze maakte snel een rekensommetje. Bijna tachtig pond. Afzetterij. Maar ze gaf hem het geld en stopte de video in haar weekendtas zonder ernaar te kijken.

Toen ze zich omdraaide, zag ze de jongeman, gekleed in een leren jasje en met fototoestel, niet staan.

Het gevoel van zelfverzekerdheid van een uur geleden was verdwenen toen ze haar spullen pakte en wegliep. Ze was nog nooit aangehouden bij de douane, maar nu bekroop haar bij het vooruitzicht daarvan de angst. Ze besloot terug te gaan naar het hotel om nog wat van het magische witte poeder te nemen dat haar de vorige avond zo'n heerlijk gevoel van onaantastbaarheid had gegeven. Dieter had een fles oude Krug naar haar kamer laten brengen, met een briefje erbij: 'Nog zo'n nacht...' Nou, wat meer tijd, wat meer cocaïne, konden geen kwaad en als dat betekende dat ze nog een keer met een van de grootste sekssymbolen van Europa naar bed moest, dan moest dat maar.

Er waren nog twee klussen te klaren voordat ze zich kon ontspannen. Jenni beschouwde de neergang van Geoffrey Carter, ondanks alle adrenaline en risico's, als iets dat gedaan moest worden, als het verwijderen van de ingewanden van een kip. Het was een klus. Ze had geen hekel aan hem, hij riep evenveel emoties bij haar op als een auto. Het was de chauffeur die ze haatte. En die chauffeur was Robert MacIntyre.

Ze was er zeker van, meer dan zeker, dat hij al wist dat Carter misdaadpaus zou worden, toen zij op haar rug ging liggen voor

Londen. Ze was niet gek, zoals ze Tom tot vervelens toe liet weten. Ze wist dat MacIntyre, als hij daartoe uitgedaagd werd, zou zeggen dat ze die andere baan nooit genoemd had, dat ze Londen voor haar marionettenechtgenoot wilde hebben, en dat hij het voor haar had geregeld. Ze had ervoor betaald. Hij was immers niet telepathisch. Het was een zakelijke overeenkomst geweest. Een die een vieze nasmaak had en nog niet was afgesloten…

Jenni betastte de kristal om haar hals toen ze de hotelkamer verliet en het bordje met NIET STOREN aan de deurknop hing.

Ze wist hoe ze er moest komen, dat had ze gezien toen ze hier vorig jaar met Tom was. Om hun trouwdag te vieren, hoewel hij haar alleen had meegenomen omdat hij naar een symposium moest in de stad. Nog zo'n loos gebaar van gulheid, waarbij het gedeelde bed ongestoord bleef. Mensen die naar hen keken, zagen een eeuwigdurende romance. Maar Tom en Jenni keken nooit naar zichzelf, alleen naar elkaar, en altijd vol achterdocht. Barcelona, waar Tom haar dit jaar mee naartoe zou nemen, zou een herhalingsoefening worden, maar deze keer zou ze gaan winkelen. Haar man zou altijd de meester van het onhandige gebaar blijven.

Zoals altijd had Jenni alles gezien en de beelden als ansichtkaarten in haar hoofd opgeslagen. Het beeld dat ze nu opriep was dat van de Friedrichstrasse. De taxi zette haar af aan het einde van de straat.

Ze liep terug de straat in. Daar was het, precies zoals ze het zich herinnerde, een groezelig cafeetje, oud en pittoresk. Ze liep de treden af, zich vasthoudend aan de ijzeren leuning. Het eerste wat de mannen in het café van haar zagen, waren haar slanke benen en zachtleren schoenen die perfect kleurden bij de schaduw van haar zacht glanzende kousen. In de zware houten deur zaten glas-in-loodraampjes. Ze duwde. Een bel rinkelde en de deur gaf toegang tot een prachtig vooroorlogs decor van gepoetst hout. De muziek die gedraaid werd, kwam uit een geluidsinstallatie achter de bar. Even dacht ze dat ze zich vergist had, maar toen zag ze ze. De computers, even grijs als stofluizen tegen de donkere glans van de lambrisering.

De drie mannen die haar de treden hadden zien afdalen, lieten niet merken dat ze haar binnen hadden zien komen, alleen de barman gaf haar een vriendelijk knikje. In de hoek zat een Wener met dreadlocks, wiens blonde vlechten bij de wortels waren samengeklit. Hij had net zo'n rode halsdoek om als zijn hond, die mismoedig naar de muur lag te staren. De tweede man zat aan de bar de *El País* te lezen en studeerde kennelijk Spaans, want hij besprak met de barman een artikel uit de krant waarbij hij de taal met zijn Duitse accent verkrachtte. De drie mannen keken haar onverschillig aan.

Ze wist dat dit spoedig in waardering zou omslaan zodra de subtiliteit van haar schoonheid volledig tot hen was doorgedrongen. Er was niets vanzelfsprekends aan haar en mannen waren er stiekem trots op dat hun oog op haar was gevallen. Ze gaf mannen het gevoel dat ze haar ontdekt hadden, als een zeldzame bloem. Daar was ze bedreven in geraakt nadat ze met Tom getrouwd was.

Toms mening over Jenni was niet veranderd sinds de nacht dat hij haar thuis had zien komen met... Jenni schudde haar hoofd om het beeld van de gekwetste blik in Toms ogen in die eerste dagen na hun trouwen kwijt te raken. De onbeholpen maagd Tom die zich als een konijn op haar stortte maar niet in staat was haar op te winden en zich geneerde voor haar geoefende vingers.

Hun huwelijk was een glorieuze aaneenschakeling van rampspoed en ellende geweest, gevolgd door jaren van wederzijdse ambities geaccentueerd door publieke triomfen en persoonlijk leed. Eén zwangerschap was geëindigd zoals die begonnen was, snel en vreugdeloos. Tom had een kaart voor haar gekocht met de ongepaste tekst: 'Met leedwezen', het soort kaart dat je naar iemand stuurt wiens grootmoeder is overleden.

De dood van haar eerste kind was haar grootste verdriet, haar tragedie, en ze had altijd meer van die ongeboren baby gehouden dan van wie ook. Jenni kon alleen liefde geven aan iets dat niet bestond.

Als ze zichzelf had toegestaan om van Tom te houden en deze ontluikende gevoelens niet opzettelijk op de rotsen van promiscuïteit had laten stukslaan, zou ze zich opengesteld hebben voor gevoelens van angst. Angst om hem te verliezen, angst dat illusies verstoord zouden worden. Soms kringelde de gedachte aan hoe het had kunnen zijn als ze vriendelijker was geweest, als witte rook in haar omhoog. Maar ze verdrong die altijd en gaf hem de schuld van haar woede.

Woede die ontstaan was uit pijn die hij niet veroorzaakt had.

Tom. Jenni had de hoop opgegeven dat hij in huis, in de slaapkamer de leiding zou nemen, maar kon zelfs na tientallen jaren huwelijk niet zien dat zij verantwoordelijk was voor zijn impotentie. Hij leek een deel van het meubilair te worden, zodra hij de voordeur binnenkwam. Net als de hond die daar naar de muur lag te staren, niet meer dan een tafelpoot, een deel van de vloer.

Jenni liep naar een van de computers en bestelde toen ze langs de bar kwam een Weense koffie met schuimkraag. Een jongeman kwam binnen. Hij ging achter de andere computer zitten, Jenni keek niet naar hem.

Ze ging zitten en deed haar tas open. In een doosje zaten twee diskettes met verschillende specificaties. Ze glimlachte. De meest gebruikte van de twee paste. Ze schoof de diskette in de gleuf. Het moment was aangebroken om het lumineuze plan dat ze uitgebroed had ten uitvoer te brengen, waarbij de gevolgen voor haar evenveel werkelijkheidswaarde hadden als een videospelletje.

Ze begon op internet te zoeken. Een behulpzame jongeman op de redactie van de krant waarvoor ze werkte, had haar op een middag de fijne kneepjes van het surfen bijgebracht en haar met de muis door de webpagina's geleid. Ze had hem beloond met een zwoele zoen en haar borsten tegen zijn goedkope overhemd gedrukt. Jenni vond het leuk om haar dankbaarheid te tonen aan hen die deze wisten te waarderen.

Ze werkte snel, bekeek diverse pagina's met veelbelovende foto's en namen en contactadressen voor kinderen, tot ze gevonden had wat ze zocht: een Amerikaanse pedofielensite, die zo weerzinwekkend was dat ze een moment lang als verlamd naar de woorden en foto's staarde. Het wilde niet tot haar doordringen dat dit echt was. Voor het eerst aarzelde ze. Het wapen dat ze ging gebruiken tegen Geoffrey Carter zou hem evenzeer voor het leven beschadigen als de jongen op het scherm voor haar.

Jenni nam afstand van zichzelf en bad om wreedheid, om Toms talent om zonder medeleven naar mensen te kijken en hun gevoelens niet te beantwoorden. Dat was de onverschilligheid die ze zocht bij het bekijken van deze opeenvolging van vuiligheden. Alstublieft,

God, laat het me niets doen. Even kwam de moeder in haar naar boven en aarzelde ze. Stel dat het haar kinderen waren...

Ze drukte op de toetsen en zonder dat de bliksem insloeg of er vanuit de hemel een vermanende vinger werd opgestoken, werden de afbeeldingen van het vernederen en schenden van kinderen naar haar onschuldige diskette gekopieerd. Het was gebeurd. Ze bezocht daarna nog vijf andere websites en maakte aantekeningen. Deze waren nog walgelijker dan die ze daarvoor had gezien, maar ze had zichzelf nu in de hand. Ze sloot zich af voor de realiteit van de beelden die zich schokkerig voor haar ogen over het scherm bewogen.

Ze betaalde voor de onaangeroerde koffie, glimlachte naar de drie mannen en de ongeïnteresseerde hond en vertrok. Ze moest terug naar haar kamer, haar tas pakken en naar het vliegveld, onder lichte verdoving van een van haar pilletjes. De man achter de andere computer trok zijn jasje over zijn fototoestel heen en dronk haar koffie op.

Er moest nog één ding gedaan worden.

De taxi stopte voor een onopvallend gebouw in een deel van Wenen dat er verder uitzag als een operaset. Jenni telefoneerde terwijl ze naar geld zocht om de chauffeur te betalen. Hij gaf haar het wisselgeld terug, en het vel papier met het adres dat ze hem gegeven had. Ze wuifde het weg. Het was de bladzijde uit het telefoonboek van Wenen die begon met Speer en eindigde met SpyMeister. Hoe subtiel. Tijdens de koude oorlog hadden ze het vast razend druk gehad.

'Janet... wil jij tegen de Chef zeggen dat ik opgehouden ben en pas morgen terugkom? Ja... ik weet dat hij vandaag naar een congres is.' Ik ben zijn vrouw, stomme koe. Ik heb zijn agenda. 'Maar mocht je hem nog spreken, geef het dan even door. O... en hoe gaat het met je moeder?' Had ze nou een ladder in haar kous? Verdomme. Nou ja, ze had in het hotel nog wel een reservepaar. 'Een beroerte? Ach, wat vreselijk... O, de lijn valt weg... Sorry, ik hoor je niet meer...'

Jenni verbrak de verbinding, terwijl Janet nog steeds riep: 'Ik hoor u wel, mevrouw Shackleton.'

Jenni controleerde of haar hoofddoek en zonnebril goed zaten – je kon immers nooit weten – en stapte de SpyMeister binnen. De verkoper was een beleefde jongeman. Hij kon dus onmogelijk een Wener zijn, dacht Jenni.

'Hebt u ook VHF-kamermicrofoontjes?'

Zijn Engels was, net als zijn manieren, onberispelijk.

'Zeker, mevrouw.'

Simpel, ongecompliceerd, even gemakkelijk als het kopen van een paar schoenen. Normaal zou ze de jongeman met haar charme hebben ingepalmd, maar de behoefte om naar de veilige schoot van het hotel terug te keren, was te sterk. Haar hart sloeg over, wat een verontrustend fibrilleren tot gevolg had. Dit was al een paar keer eerder gebeurd, maar sinds haar verblijf in de kliniek was het steeds erger geworden. Een memento van de Dwerg. Ze huiverde.

'Mag ik ze even zien?' Ze keek of het dezelfde microfoontjes waren als die ze in Londen had gezien. Ze vond ze lekker aanvoelen, de vorm, het zachte oppervlak. Perfect. 'Doe er maar vijf.'

De jongen was verbaasd en begon vragen te stellen. Ze snauwde hem af, waarna hij ze in een elegante draagtas zonder opdruk deed. Ze opende voorzichtig haar schoudertas, om te voorkomen dat hij haar eerdere aankopen zou zien, en betaalde hem contant. Hierover was hij niet verbaasd.

Een man, die na haar de winkel was binnengekomen, stond geduldig te wachten tot ze klaar was en bekeek ondertussen de minicamera's.

Om halfzes was ze terug op haar hotelkamer. De aankopen lagen voor haar op tafel. Haar potje met pillen stond naast een glas champagne – een half flesje uit de minibar, om het te vieren – en de cocaïne lag klaar op haar make-upspiegel. Deze keer zou ze het doen zoals in de film. God was in de hemel en op aarde was alles goed.

Ze nam de hoorn van de haak en draaide lusteloos Dieters telefoonnummer.

'Dieter… ben jij dat? Even over vanavond. Dat gaat toch nog steeds door, hè? Waarom kom je niet hier eten…? Goed, tegen acht uur? O, en Dieter… Bedankt voor het cadeautje. Ik zou zelf ook wel wat willen kopen… nou, als je het kunt missen… wat lief. Dan zie ik je om acht uur. Dag.'

Jenni leunde achterover. Dit was geluk.

DEEL VIER

'Je hebt de geruchten dus gehoord?'

Carter glimlachte toen hij deze vraag stelde. Hij en Tom stonden na afloop van het congres aan de geïmproviseerde bar. Achter de wit gedrapeerde schragentafel stonden gezellige dames van middelbare leeftijd in zwart-wit gekleed de drankjes te serveren, terwijl andere, nog gemoedelijker types rondliepen met schalen vol hapjes. Geoffrey had Tom nog nooit zo ontspannen gezien als nu. Jenni was opgehouden in Wenen en zou nog een nacht wegblijven en Tom leek een ander mens te zijn. Een zeer innemend mens, dat te vaak strak werd gehouden, op zijn werk en door zijn vrouw.

Tom keek met enige trots om zich heen. Hij vond het leuk om af en toe als gastheer op te treden bij bijeenkomsten van collega's en was trots op het hoofdkwartier van zijn korps, een gebouw met geschiedenis. Ze hadden zich die dag gebogen over het heikele onderwerp hoe minderjarige prostituees uit het criminele circuit gehouden konden worden en ontspanden zich nu, de een wat sneller dan de ander, met een drankje.

Tom keek naar Carter en zag hoe wit zijn tanden waren. Dat viel hem op omdat Jenni het erover had gehad. Tanden waren een obsessie voor haar.

'Hij heeft er vast kapjes op laten zetten, of hij bleekt ze. Ja, dat zal het zijn. Hij gebruikt van die tandpasta waarmee je vlekken kunt verwijderen.'

Toen ze uitgerateld was, had ze Geoffrey Carter elke tand en kies uit zijn mond in zoutzuur laten dopen, zodat hij misdaadpaus kon worden en tijdens interviews en op foto's goed voor de dag kwam. Allemaal om Tom Shackleton een hak te zetten.

Tom keek er nog een keer naar. Ze waren echt en zagen er natuurlijk uit. Hij glimlachte, keek de zaal rond en was zich ervan bewust dat zij eerder het onderwerp van gesprek waren dan Carters gebit. Zijn eigen glimlach was zo geconstrueerd dat zijn tanden niet te zien waren. Niet dat ze lelijk waren of scheef stonden, alleen wat dicht op elkaar aan de bovenkant, waardoor hij zijn bovenlip naar beneden trok en zijn mondhoeken omhoog, wat hem een verlegen glimlach gaf. Vrouwen vonden dat ontzettend aantrekkelijk, mannen vonden alleen dat hij wat zuinig glimlachte.

'Ja, ik krijg Londen en jij wordt misdaadpaus, hoorde ik.'

Carter keek hem over de rand van zijn glas aan; zijn ogen straalden van heimelijk genot. Hij trok zijn wenkbrauwen op.

'En?'

Shackleton bleef vriendelijk, ongedwongen, en liet niet blijken hem als een concurrent te zien.

'Wat bedoel je?'

'Ben je er blij mee?' vroeg Carter, en Shackleton zag dat het niet eens bij hem opgekomen was dat Tom het pausdom misschien ook ambieerde.

Hij zag zichzelf zoals Carter hem zag: iemand die het goed gedaan had, die hoger opgeklommen was in rang dan gezien zijn afkomst verwacht mocht worden, en meer dan trots was dat hij het tot commissaris had geschopt. Een man met weinig fantasie, de vriend van elke politieman. Hij zag in Carters ogen dat hij geen enkele bedreiging voor hem vormde, niet met hem te vergelijken was. Het was nooit opgekomen bij hem of bij de figuren die achter hem stonden om Shackleton als mogelijke kandidaat te zien.

Tom voelde zich opeens als een klein kind dat zijn kunstje had vertoond en een aai over zijn bol had gekregen. Nu zouden de volwassenen het weer overnemen zonder nog een gedachte aan zijn verborgen talenten te besteden. En dat stak hem nog het meest: dat hij, hoe hoog hij ook opgeklommen was in rang, nog steeds gewoon Tom was. O, dat doet Tom wel. O, geef dat maar aan Tom. Dat is goed genoeg voor Tom. Nee, daar is Tom goed genoeg voor.

'Wat vind je ervan?' vroeg Carter.

Wilde hij een antwoord? Vroeg hij het uit beleefdheid of was hij aan het vissen?

'Nou, ze hebben me de functie nog niet aangeboden. Voorzover ik weet wordt er alleen in de wandelgangen druk over gespeculeerd.'

'Tuurlijk, tuurlijk.' Carter knikte en gooide een handjevol pinda's in zijn mond.

Hij had maar één keer naar Shackleton gekeken. De rest van de tijd had hij de zaal rondgekeken, minzaam glimlachend, wakend over zijn schaapjes. Shackleton hield ze ook in de gaten, met een alerte, kille blik in zijn nachtogen, de ogen van een roofdier.

'En jij dan? Hebben ze jou al benaderd voor het pausdom?'

'Ze hebben me nog niet officieel gevraagd. Ik neem aan dat ze eerst nog een advertentie zetten. Voor de vorm.'

Shackleton knikte en was jaloers op Carters kalme onverschilligheid. Carter hoefde hem voor de volgende vraag niet aan te kijken, hij wist dat Shackleton geen keuze had.

'Neem jij Londen?'

Ze waren zich ervan bewust dat de andere korpschefs hen zagen als mannen die hun vak verstonden. Maar er kon er maar één de winnaar zijn.

Een serveerster met een dienblad vol onduidelijke hapjes liep langs. Shackleton hield haar tegen, om zijn antwoord nog even uit te kunnen stellen. Hij pakte iets dat er zacht en roze uitzag en bedankte haar automatisch met een glimlachje. Ze fronste haar wenkbrauwen en zoog de lucht tussen haar lippen en tanden door naar binnen.

Het verwarde hem en bracht hem onverwacht uit zijn evenwicht.

Het was de dikke, zwarte vrouw die hem het gevoel had gegeven dat hij tekortschoot. Hij begon onwillekeurig te giechelen, ongepast voor een man van zijn statuur en in zijn positie, een overblijfsel van zijn jeugdige onbeholpenheid.

'Hallo…' Zoals hij het zei, klonk het meteen intiem en verontschuldigend. Net als bij zijn glimlach waren de vrouwen ervan gecharmeerd en ergerden de mannen zich eraan.

Op de serveerster had geen van beide uitwerking. Ze draaide slechts haar voluptueuze lichaam naar Carter toe en staarde hem aan. In weerwil van zichzelf was hij geschokt dat de seksuele uitstraling van de vrouw zijn uitwerking op hem niet miste.

'Hou deze man in de gaten, Geoffrey. Jij mag dan heel intelligent zijn, maar aan hem kun je niet tippen.' Ze lachte zo hard dat iedereen naar hen keek.

Twee vrouwelijke hoofdcommissarissen vonden dit vertoon van omgekeerde ongewenste intimiteiten wel amusant. Zowel Carter als

Shackleton was verlegen met de situatie. De serveerster lachte en liep parmantig weg met haar dienblad. De spanning tussen Carter en Shackleton was voelbaar.

Carter verbrak de spanning.

'Medemenselijkheid, zullen we maar zeggen.'

Shackleton begon opgelucht te lachen, waardoor Carters opmerking opeens iets grappigs kreeg.

'Wil je nog iets drinken?'

Carter had zich omgedraaid naar de bar. Shackleton keek naar zijn rug die er in zijn op maat gemaakte uniformjasje goedgevormd uitzag. Geen zwembandje te zien. Het verbaasde hem dat hij daar blij om was. Hij mocht Carter, maar deinsde terug voor het gevoel. Zijn vlekkeloos lege ziel raakte verstopt.

Hij had eens in een appartement in Los Angeles gezeten, tijdens een ander congres, over politiebewapening of lik-op-stukbeleid. Hij kon het zich niet meer herinneren. Hij was toen midden in de nacht van de slaapkamer naar de keuken gelopen om een glas water te halen. Bij het aanrecht had hij op de tast naar het lichtknopje gezocht. Toen het licht aanging, zag hij dat het redelijk schone metalen oppervlak van de wasbak veranderd was in één bewegende, glanzende massa kakkerlakken. Ze schoten alle kanten op. Hij had niet lang daarvoor zijn eigen zielenleven in het roestvrijstalen oppervlak bestudeerd, maar alleen zijn spiegelbeeld gezien. En nu? Een wirwar van emoties, gevoelens, en onwelkome gedachten. De pijn vóór het bewustzijn ontwaakte.

'Alleen mineraalwater. Gordon rijdt.'

Carter kon het grapje wel waarderen. Er was een band tussen hen ontstaan. De twee meest benijde mannen in een zaal vol verborgen ambities en zorgvuldig gekoesterde onverschilligheid.

'Hoe gaat het met Gordon?'

Shackleton was weer onder de indruk van Carters vermogen om dingen glad te strijken, om weer tot de orde van de dag over te gaan, terwijl hij nog steeds zijn hoofd brak over de waarschuwing van de zwarte vrouw.

'Gordon? Die is vorige week aan het vissen geweest. Hij had ook een paar vissen voor ons meegenomen.'

Carter gaf hem het glas mineraalwater en keek hem afwachtend, geïnteresseerd aan. Weer deinsde Shackleton terug voor het gevoel hem aardig te vinden.

'Waren ze lekker?'

'Het waren goudvissen. In een plastic zak. Van de dierenwinkel.'

Carter zag de olijke blik in Toms ogen.

'Was het een grap?'

Shackleton begon te lachen. Het was een echte lach en hij genoot ervan.

'Geoffrey, je kent Gordon toch? Komt hij op jou over als iemand die gevoel voor humor heeft?'

Een hoofdcommissaris van een van de regionale korpsen kwam naar hen toe. Hij was iemand die van geluk mocht spreken dat hij hoofdcommissaris was geworden. Hij was Shackletons plaatsvervanger geweest en het gerucht ging binnen de Raad van Hoofdcommissarissen dat Shackleton alles in het werk had gesteld om de man een eigen korps te bezorgen. Niet omdat hij zo goed was, zoals hardnekkige roddels wilden doen geloven, maar omdat Shackleton de pest aan hem had en hem zo onbekwaam vond dat hij hem kwijt wilde.

Bovendien had Jenni een hekel aan hem.

Haar irrationele afkeer van mensen kwam bij niemand op zo meedogenloze wijze tot uiting als bij deze man. Haar jongste dochter – Toms bijdrage werd altijd genegeerd, tenzij het beschuldigend bedoeld was – de later verstandig geworden Jacinta, was op zestienjarige leeftijd met een ecstacypil op zak aangetroffen en gearresteerd. De Shackletons hadden een dineetje en wisten nergens van.

Barnard, degene voor wie Jenni deze speciale afkeer voelde, was gebeld. Hij had Jacinta met een waarschuwing kunnen laten gaan en enige discretie kunnen betrachten, maar hij had erop gestaan dat ze gearresteerd werd en had besloten Tom niet op te piepen. Jacinta had vier uur in de cel gezeten en was hysterisch tegen de tijd dat haar moeder gillend en schreeuwend arriveerde. Barnard had, zoals altijd, klakkeloos de regels opgevolgd en was volkomen onaangedaan door de mooie, maar overgevoelige mevrouw Shackleton. Dit wakkerde Jenni's haat jegens de lange, kleurloze man, wiens woorden even bekakt waren als de schoenzolen van een wijkagent, alleen maar aan. Het meisje had verdovende middelen in haar bezit gehad en toen de pers er ook nog lucht van kreeg en gesust moest worden, waren Barnards dagen als plaatsvervanger van Tom geteld.

Nu stond hij voor Carter en Shackleton, een lange man met een alledaags gezicht en een enigszins gekromde rug.

'Hallo, Tom, Geoffrey. Ik geloof dat ik jullie moet feliciteren, hè?'

Hij keek naar Carter als een ooievaar die zijn blik had laten vallen op een interessante graspol. Carter zette grote ogen op en keek hem charmant aan met een uitdrukking op zijn gezicht waarmee hij alle kanten op kon.

Barnard vatte het op als een bevestiging.

'Misdaadpaus. Niet slecht, hoor.'

Hij keek naar Shackleton en wierp hem een vluchtig glimlachje toe.

'Ze hadden het aan geen betere kunnen geven.'

De woorden waren bedoeld als uitdaging voor het duel. Shackleton knikte alleen.

'En de rest is ongetwijfeld voor jou. De New Labour-kluif? Londen? Nou, je weet wat ze zeggen, hè: om smeris te worden, hoef je alleen maar te kunnen lezen en schrijven, en om hoofdcommissaris van Londen te worden, hoef je alleen maar iemand te kennen die kan lezen en schrijven.'

De drie mannen kenden deze grap al sinds hun opleiding op de politieacademie, maar Barnard liet nooit zijn verbeelding spreken als hij met verwaandheid hetzelfde effect kon bereiken. Hij groette ze met een droog lachje en liep tevreden weg. Hij verheugde zich er nu al op om zijn vrouw onder het genot van een halfdroge sherry te vertellen hoe hij Shackleton in verlegenheid had gebracht.

Carter herinnerde zich de verhalen van hun onderlinge vijandschap en had nog nooit iemand ontmoet die zo dwaas was om een man als Tom Shackleton te beledigen. Geen van zijn collega's mocht hem of vertrouwde hem; hij leek geen vrienden te hebben en de meesten vonden hem te extravagant. De chique pakken, zijn bekakte stem, het dure huis, een geldverslindende vrouw, maar hij werd vooral gemeden en benijd om zijn talent de ladder te beklimmen zonder om te kijken naar degenen op wiens schouders hij daarbij had gestaan en die hem geholpen hadden.

Kouwe kikker, dacht Carter, het acceptabele gezicht van blinde ambitie in eigen persoon.

Hij waakte ervoor geen afkeurende opmerkingen over Barnards vrolijkheid te maken. Zijn goede manieren en kostschoolachtergrond stelden hem in staat elk onderwerp dat tot een conflict of wrijving kon leiden te vermijden.

'Hoe gaat het met Jenni?'

Op veilig terrein. Niemandsland.

'Ach, zoals altijd. Te druk, te populair...'

'Te mooi', onderbrak Carter hem.

Shackleton was verbaasd en alweer uit zijn evenwicht gebracht. Vond Carter Jenni aantrekkelijk? Shackleton zocht naar een gepaste reactie, maar kon niets bedenken.

Nu was het Carters beurt om in verwarring te raken. Hij deed het echter op een ontwapenende manier.

'O, sorry. Het was niet mijn bedoeling... Neem me niet kwalijk. Ik wilde je niet beledigen.'

Shackleton toonde zich grootmoedig.

'Niets aan de hand. Maar luister eens, Geoffrey, aan deze versierde crackers heb ik niet genoeg. Ik denk dat ik even bij een Indisch restaurant langswip. Jenni is er niet. Heb je zin om mee te gaan?'

Carter keek even de zaal rond. Was er nog iemand die hij moest spreken? Nee. En meegaan zou nuttig kunnen zijn voor de toekomst.

'Ja, waarom niet? Het is jaren geleden dat ik curry heb gegeten.'

Aan de overkant van de zaal stonden Carters plaatsvervanger en Vernon, Shackletons tweede man, hun uiterste best te doen hun bazen te negeren, en zorgvuldig het onderwerp te vermijden dat alle anderen bezighield. In de zaal bevonden zich twee soorten mensen: zij die nog steeds de ladder beklommen, en zij die de bovenste tree hadden bereikt. Vernon realiseerde zich dat Danny nog steeds in de lift zat, terwijl hij zijn plafond had bereikt. En de hazewindscherpe gezichten van hen die nog steeds ambities hadden, bleven alert op elk woord waarmee ze hun voordeel konden doen. Commissarissen werden gepaaid, hoofdcommissarissen werden naar de mond gepraat door degenen die lager in rang waren, en deze hele bonte verzameling hield op haar beurt Carter en Shackleton in de gaten. Nu deze twee uit hun regio's verdwenen, waren er twee machtscirkels beschikbaar gekomen. In de zaal hing een geur van verlangen die even ranzig was als zweet.

Carter en Shackleton liepen in de richting van de deur. Ze vorderden echter langzaam, omdat iedereen met ze wilde praten, een klopje op de schouder of een glimlach wilde, maar ze gedroegen zich als vorsten die hun aan tuberculose lijdende onderdanen de zegen geven. Danny en Vernon kwamen, zonder een woord te zeggen, in beweging om zo dicht mogelijk bij hun baas in de buurt te blijven, waarbij iets van hun invloed ook op hen afstraalde. Het zou de hovelingen niet schaden om op goede voet te blijven met de plaatsvervangers, vooral niet met die van Carter. De toekomst zou er immers wel eens zwart uit kunnen zien.

In Danny's blikveld zag die er zeker al zo uit: zwart en ze droeg een dienblad met hapjes.

Ze keek hem stralend aan en zei: 'Leuk om een donker gezicht te zien buiten de keuken. Hoort u bij meneer Carter?' Ze knikte, als antwoord op haar eigen vraag.

'Aardige man, hè? U ook? Bent u ook een aardige man? Ik vind van wel. Te aardig. Maar hou de dame in de gaten, niet het meisje. Vindt u deze lekker? Vis, visseneitjes. Neem maar. De dame maakt hem kapot. Ze gaat zijn leven verwoesten.'

Ze legde een handvol slappe dorito's met kaviaar op zijn kartonnen bordje. Hij wilde ze wegschuiven en haar vragen wat ze bedoelde, maar hij voelde zich vreemd, alsof hij licht gehypnotiseerd was. Tegen de tijd dat hij weer helder kon denken, was de vrouw verdwenen. Hij zag haar nergens meer, hoewel haar omvangrijke lichaam toch moeilijk over het hoofd gezien kon worden.

Vernon kreeg een drankje van een paar jonge assistent-commissarissen die indruk wilden maken. Hij vond hun futiele pogingen om hem te imponeren wel amusant en vertelde ze een verhaal: 'De politie van Sussex schijnt een vrouw die hen belde dat ze een gat in de weg had gevonden, met de afdeling verloren voorwerpen te hebben doorverbonden.' De mannen grinnikten.

Danny keek ze aan en besefte dat ze de serveerster niet hadden gezien. In deze warme zaal vol mensen kreeg hij het opeens koud. Hij keek op zijn horloge. Twintig voor acht. De duivel kwam langs om twintig voor het uur.

'En, Danny, wil jij hoofdcommissaris worden als de stoelendans begint?' vroeg Barnard, die nog steeds de triomfantelijke aftocht van de beoogde troonopvolgers gadesloeg. Danny glimlachte opgelucht en gooide zijn charme in de strijd.

Tom zorgde er, zoals altijd, voor dat Gordon in zijn buurt bleef. Shackletons korte detachering bij de antiterrorisme-eenheid, ook wel bekend als het tulbanddepartement, had hem kwetsbaar gemaakt voor aanvallen van buitenaf. Sinds het Midden-Oosten de rol van boosdoener overgenomen had van de Sovjet-Unie, had de eenheid nauw samengewerkt met de inlichtingendiensten.

De Ieren hadden Shackleton nooit op hun zwarte lijst gezet, maar Engelse islamitische fundamentalisten hadden meer dan eens de wens te kennen gegeven hem van het leven te beroven, ondanks tegenwerpingen van de wat gematigden onder hen. Gordon droeg sindsdien altijd een wapen en was maar al te graag de chauffeur van de Chef geworden, omdat lange werkdagen en talloze verplichtingen hem bij zijn pinnige vrouw en pinnige vriendin vandaan hielden.

Eenmaal thuis installeerde Shackleton Gordon in de keuken voor de televisie, met zijn biryani, en met de mededeling dat hij maar een glas mineraalwater voor zichzelf moest inschenken.

De beide hoofdcommissarissen trokken zich terug in de woonkamer en namen hun toevlucht tot bier, whisky, curry en camaraderie. Ze praatten over de verkiezingen, zorgvuldig het onderwerp vermijdend wat het voor hun toekomst zou betekenen als het ondenkbare gebeurde en Labour die verloor. De jasjes gingen uit en de stropdassen werden losgetrokken; de twee mannen vermaakten zich prima. Elk kon bogen op wat hij bereikt had, maar geen van tweeën was tevreden. Het eten van vindaloo uit een aluminium bakje en het kijken naar de hoogtepunten van Manchester United dat Arsenal in de pan hakte, deed denken aan een broederlijk verleden.

Shackleton haalde nog een paar flesjes bier. En whisky in hoge glazen. Jenni zou het afgekeurd hebben. Hij bleef staan en keek op Carter neer die over zijn curry gebogen zat en aandachtig naar de televisie keek. Kwam het door het bier? Of omdat Jenni er niet was? Weer voelde hij die aarzelende genegenheid. Een gevoel van warmte jegens Carter. Wat deed het ertoe dat hij misdaadpaus werd?

'Verdomd veel.' Hij hoorde Jenni's stem luid in zijn hoofd weerklinken.

'Bier?'

'Graag.' Carter keek op en nam het flesje van hem aan.

Bambi, pure Disney dat gezicht, die grote ogen en die trillende mond. Geen gezicht voor een hoofdcommissaris. En die stem, prachtig gemoduleerd maar licht van toon, de woorden werden snel gevormd en vloeiend uitgesproken. In die stem klonk het zelfvertrouwen van klasse en opvoeding door. Toen James Bond door een andere acteur vervangen moest worden, had er een artikel in de plaatselijke kranten gestaan met foto's van mogelijke kandidaten. Tussen de foto's van acteurs en fotomodellen had toen ook een foto van Geoffrey Carter geprijkt: 'Onze eigen hoofdcommissaris', de lieveling van alle oma's.

Shackleton kon wel zien waarom Carter zo geliefd was bij het publiek en de politici, maar hij zou nooit zo'n goede politieman worden als hij was. Maar wat had dat ermee te maken? Carter was een geluksvogel, een mooie jongen. Shackleton was opgelucht toen hij het gif weer zijn ziel binnen voelde sijpelen. Hij had zich zonder dat kwetsbaar gevoeld.

'Ik moet het niet te laat maken, dat is niet eerlijk tegenover Eleri, en morgen, als het nieuwe drugsbeleid van de regering gepresenteerd wordt, wordt het ook weer een lange dag.'

Carter was politiewoordvoerder inzake narcotica, en was al door iedereen, van homoseksuele tv-presentatoren tot nieuwsjagers van de serieuze bladen, benaderd om commentaar te geven op het nieuwe beleid.

'Zit er nog iets nieuws bij?'

Carter lachte.

'Zeker. Gratis heroïne voor bejaarden die in het ziekenfonds zitten.'

Carter wilde wel indiscreet zijn en een giftige opmerking maken ten koste van de minister van Binnenlandse Zaken, die verantwoordelijk was voor deze plaag, maar discretie was altijd al zijn sterkste punt geweest. Hij concentreerde zich op het voetbal. Shackleton voelde zich op zijn plaats gezet en niet serieus genomen.

Halverwege de voetbalwedstrijd waren beide mannen aangeschoten. Ze waren zo gewend aan hun zelfdiscipline om zich te matigen in alles wat ze deden, dat het effect van de alcohol snel en onverwacht toesloeg. Er werd met veel passie en sentiment over sport, auto's en werk gepraat. Carter weidde uit over Shackletons talenten en over de transformatie van zijn korps sinds hij het overgenomen had. Shackleton op zijn beurt wilde Carter vertellen dat alles goed zou komen, dat ze zouden gaan samenwerken, en dat hij Jenni zou vragen zich nergens mee te bemoeien. Dat dit een zaak tussen mannen was en dat haar plannetjes overbodig en ongewenst waren. Hij dronk normaal nooit zoveel, anders zou hij geweten hebben dat dit een alcoholische roes was, de voorbode van spijt in de morgen. Shackleton werd opeens kwaad op Jenni, en was vastbesloten haar op haar plaats te zetten.

Carter keek naar de ingelijste foto's van de kinderen. Hij pakte een foto van Jason.

'Je zoon?'

Shackleton knikte.

Carter bestudeerde het knappe, jonge gezicht in een waas van drank en herinneringen.

'Heb jij ooit iets gedaan waarvoor je je schaamt?'

Shackleton begreep de vraag niet.

'Ik bedoel niet iets onbenulligs, zoals…' Carter dacht diep na en zwaaide licht heen en weer, '…over de dahlia's van de buren pissen, maar iets onvergeeflijks.'

Shackleton dacht na en schudde zijn hoofd.

'Hoezo?' vroeg hij.

'Ik wel, en nu ben ik doodsbang dat ik ervoor moet boeten. Wist je dat Eleri zwanger is…'

Hoe kon hij dat níét weten: Jenni had meer tijd bij haar doorgebracht dan thuis sinds het nieuws bekend was geworden.

'En ik ben bang… Eigenlijk kunnen we helemaal geen kinderen krijgen. Je hebt geen idee hoe dat voelt. Het is alsof jouw aarde rond is en die van mij plat. Jij zult er nooit van afvallen en in de diepte verdwijnen, jouw nakomelingen zullen door de zwaartekracht der vruchtbaarheid altijd veilig op die aarde kunnen blijven rondlopen. Maar nu voel ik mij ook een echte man, hoor ik er ook eindelijk bij. Maar ik heb iets gedaan en… Ik ben bang, echt heel bang. Kun je me volgen?' Carter keek hem aan, zoekend naar vergeving en bescherming. Shackleton, die zich wat losser voelde door de drank, wilde hem helpen. Hij wachtte. Carter leek vergeten te zijn wat hij wilde zeggen en keek weer naar de foto van Jason.

'Ik heb je altijd om je zoon benijd. De volgende generatie Shackletons die zich door de millennia heen tot het einde der tijden zullen voortplanten.'

Hij zweeg even en werd weer serieus.

'Ik moet boeten voor wat ik heb gedaan. Stel dat die baby mijn straf is?'

Shackleton zocht naar de juiste woorden.

'Zo gaat het niet in het leven.'

'Hoogmoed komt voor de val… Ik wil die baan net zo graag als de baby.'

Shackleton besloot het luchtig te houden.

'Je kraamt onzin uit.'

'Ja, onzin. De goden maken van hen die ze als eersten willen vernietigen, ook eerst dwazen.'

Shackleton wist niet wat hij ermee aan moest.

'Wat was het dan? Wat heb je gedaan?'

Nu hij de vraag eenmaal gesteld had, was hij benieuwd naar het antwoord, hoewel het hem een ongemakkelijk gevoel gaf dat Carter zijn ziel zo blootlegde. Geen gevoel van opgelatenheid maar van tekortschieten, alsof ze verwikkeld waren in een emotionele uitwisseling van gevoelens.

Shackleton schrok toen hij zag dat Carter bijna begon te huilen; zijn gezicht vertrok omdat hij moeite had zijn tranen te bedwingen.

Een vloedgolf van zoute tranen. Omdat Shackleton geen zakdoek had, bood hij hem zijn flesje bier aan. Carter knikte en nam een flinke slok.

'Ik heb iemand vermoord.'

Shackleton was geschokt. En opeens weer nuchter. Niet om Carters zonde, maar om zijn eigen zonde die nog onaangeroerd sluimerde in zijn onderbewustzijn. Hij zag Leroy, zijn gezicht, zijn ogen. Heel even maar.

'Herinner jij je Trevor Percy nog?'

'Kindermoordenaar.'

'Ja.' Carter sprak weer op zakelijke toon, als een rechercheur, de manier waarop hij had leren praten op weg naar boven. 'Klein meisje, Melanie Tustin, negen jaar oud, verkracht, gewurgd, naakt achtergelaten op een parkeerplaats langs de A3.'

'Was jij op die zaak gezet?'

'Mooiste dag van mijn leven toen hij gepakt werd. Dikke, pafferige klootzak. Zag eruit als een kindermoordenaar. Beetje achterlijk ook. Tweeëndertig maar woonde nog steeds bij zijn moeder. We wilden hem... we wilden heel graag dat hij de dader was. En dus was het zo.'

'Ja, dat weet ik nog. Wat is er daarna met hem gebeurd?'

'Hij heeft zijn straf uitgezeten. Zestien jaar. Voornamelijk in de verkrachtersvleugel van Maidstone; hij kreeg er evengoed van langs, is een paar keer neergestoken en iemand heeft hem een oor afgebeten. Hij is vrijgekomen omdat zijn veroordeling niet rechtsgeldig was, een vormfout. Ging daarna weer bij zijn moeder wonen. Zij woonde nog steeds in hetzelfde huis en heeft altijd volgehouden dat haar zoon onschuldig was. Ik zag hem op een dag van de supermarkt naar huis sloffen, met een netje aardappelen en kool in zijn hand. Dat was alles wat ze aten: koolsoep en aardappelen.' Hij wachtte even.

De twee mannen dronken zwijgend hun bier op.

'Ze hebben hem gevonden op een kinderspeelplaats. In elkaar geslagen en gecastreerd. Doodgebloed. Niemand had iets gezien.'

Shackleton haalde haast onmerkbaar zijn schouders op. Carter zag het niet, hij had alleen oog voor het verleden.

'Toen Melanie gevonden werd, zat er een mannenonderbroek om haar nek gebonden, onder het sperma. Genoeg voor een veroordeling. Maar het was onbruikbaar. Groot probleem. We hadden het lichaam, we hadden de moordenaar, maar geen concrete bewijzen. Trevor Percy zou vrijgelaten worden en de politie stond in haar hemd...' Carter slaakte een diepe zucht alsof hij probeerde schone lucht op te snuiven. 'Het was een potloodventer, zo zijn we bij hem terechtgekomen. Schoolmeisjes die zeiden dat hij in hun bijzijn aan zijn piemel trok. Ik heb dit nog nooit aan iemand verteld... o god.'

Hij dwong zichzelf om verder te gaan.

'Ik was rechercheur toen, nogal arrogant, en ik probeerde in een goed blaadje te komen bij de andere jongens, omdat ze me maar een watje vonden. Ik wilde laten zien dat ik een goeie kerel was. Maar ik wilde vooral indruk maken op mijn baas. Hij was ervan overtuigd dat Percy de dader was, al het indirecte bewijs wees in zijn richting. Hij was in die buurt gesignaleerd, hij kende de kleine Melanie, hij had haar en haar vriendinnen snoepjes gegeven, en hij had hun springtouw rondgedraaid toen zij en haar vriendinnen in het park aan het spelen waren. Bovendien dronk hij altijd Coca-Cola, wat een belangrijke aanwijzing was. We arresteerden hem en mijn baas verhoorde hem. Hij gaf toe dat hij het gedaan had, maar na vierenhalve dag met die sadist had ik zelfs toegegeven dat ik Kennedy neergeschoten had. Enfin, we kregen de verklaring die we wilden hebben...'

Shackleton zag het probleem niet. Als de man schuldig was, wat deed het er dan toe hoe het oordeel tot stand was gekomen. Het wetboek van strafrecht werd toentertijd wel vaker slecht als leidraad gebruikt.

'Ik zou me daar niet zo druk om maken, we hebben allemaal wel eens een loopje met de wet genomen, maar zolang de uitkomst bevredigend is...'

'O, ja, meer dan bevredigend. Een veroordeling volgens het boekje. Mijn baas werd de hemel in geprezen en eindigde als hoofdcommissaris. Maar Percy heeft het niet gedaan, Tom. Hij was niet de dader.' Carter boog zich voorover; hij wilde dat Shackleton het begreep. 'Er had geslachtsgemeenschap plaatsgevonden, maar de moordenaar had daarna Coca-Cola in het meisje gegoten. Eén-nul voor onze Trevor dus. De wetenschappers konden geen vaginale spermaresten vinden. Wel een paar haren, maar de forensische wetenschap was toen nog niet zo ver dat met zekerheid gezegd kon worden dat die van hem waren. Maar er had beslist penetratie en ejaculatie plaatsgevonden.'

'Maar... Trevor Percy kon geen orgasme krijgen. En uit wat hij me vertelde, kon ik opmaken dat hij niet eens wist wat een erectie was. Ik geloofde hem. Hij vertelde de waarheid. Hij had nog nooit een erectie gehad. Ik had nachtdienst toen hij in de cel zat. Hij maakte op mij zo'n angstige, zielige indruk, dat ik met hem begon te praten. Tijdens die gesprekken had hij steeds zijn lul uit zijn broek. Hij aaide er steeds overheen, zoals je een huisdier aait. Het maakte hem rustig, denk ik. Hij kreeg ook nooit een stijve. Nooit. Maar hij heeft zijn advocaat dat nooit verteld. Hij had het denkvermogen van een kind, hij begreep niet wat er aan de hand was. Toen ik hem vroeg naar zijn penis, zei hij alleen maar dat die slecht was. Dat zijn moeder gezegd had dat jongens erdoor in moeilijkheden kwamen...'

Carter zweeg. Shackleton zag dat zijn kaak openviel en vreemd scheeftrok en dat hij zijn tong tegen zijn ondertanden drukte. Toen hij weer begon te praten, klonk zijn stem onzeker en net iets te hoog.

'Ik ben naar mijn baas gegaan. Old was zijn naam. Ik zal die man nooit vergeten, veertiger, ronde ogen en stekeltjeshaar. Uitverkoren door God zelf. Hij nam me mee naar een van de verhoorkamers. Ik had een chocoladereep bij me en bood hem ook een stukje aan. Hij maakte er geen hatelijke opmerking over of zo, de man liet het nooit zover komen dat je hem van iets kon beschuldigen, daar was hij een kei in, maar hij gaf me wel het gevoel dat ik geprobeerd had hem om te kopen. Ik vertelde hem van Percy, dat hij het onmogelijk gedaan kon hebben en dat er nog iets anders was: zijn moeder kocht al zijn ondergoed bij British Home Stores. Hij droeg van die vrouwen-onderbroeken. De onderbroek die om de hals van het meisje zat, had een gulp en was gekocht bij de K-Mart.'

Carter zweeg weer. Shackleton schonk nog een whisky voor hem in. Carter keek ernaar maar dronk er niet van. Hij vermande zich en sprak verder.

'Old keek me aan. Ik zal die ronde, uitdrukkingsloze ogen van hem nooit vergeten. Ze leken op die van een opgeschrikte vogel. En dan dat belachelijke wc-borstelkapsel...'

Shackleton glimlachte.

'Ja, het is dat, of wat Jenni "wijd uitstaand met snor" noemt.'

Carter probeerde te lachen, maar het lukte niet.

'Hij zei dat als ik de rest van mijn leven rechercheur wilde blijven, ik dit verhaal vooral aan de grote klok moest gaan hangen. Maar als het binnen de muren van de verhoorkamer bleef, omdat ik het toch alleen van horen zeggen had, en echte bewijzen ontbraken, zou mijn toekomst er een stuk zonniger uitzien. Ik wilde snel promotie maken, net als jij, en wist donders goed wat hij bedoelde, en dat het lidmaatschap van zijn vrijmetselaarsloge nuttig voor me zou kunnen zijn. En dus bond ik in, want die strijd was niet te winnen.

'Ik had het naar buiten moeten brengen, maar dat heb ik niet gedaan. Ik kon het niet. Ik had naar de zedenpolitie kunnen gaan... misschien had ik het tegen zijn advocaat moeten zeggen... Ik weet het niet. Ik vond dat ik meer te verliezen had dan Trevor Percy. Ik dacht dat ik me beter zou voelen als ik erover praatte. Maar dat was niet zo. Ik heb hem niet alleen vermoord, maar hem en zijn moeder ook nog eerst zestien jaar lang gekweld.' Carter deed een laatste poging om zich te vermannen. 'Ik heb het autopsierapport gelezen: geslachtsorgaan onvolgroeid en niet functionerend. Maar toen was het al te laat...'

De tranen stroomden nu over Carters gezicht. Shackleton wilde het vertoon afdoen als zelfmedelijden, maar kon het niet. Hij legde zijn hand op Carters schouder. Hij geloofde niet in gerechtigheid achteraf en vermoedde dat Carters angsten voortkwamen uit bijgelovigheid. Dat met Leroy had hem nooit achtervolgd. Leroy was doodgegaan voordat hij hem had kunnen vermoorden. Dat was ook een vorm van gerechtigheid. En Trevor Percy? De wereld was zonder hem niet slechter geworden. Het was betreurenswaardig, maar geen ramp.

'Kom op, Geoffrey. Er gebeurt echt niets met de baby. Alles komt goed. Alle jonge smerissen maken fouten. Je hebt er spijt van, dat is genoeg. Meer kun je niet doen.'

Shackletons hand op zijn schouder en zijn vaderlijke woorden maakten hem van streek. Hij huilde zoals Shackleton alleen een vrouw had zien huilen. Hij probeerde de tranen te stelpen.

'Luister, je bent niet de enige die zich schaamt voor iets dat in het verleden gebeurd is. Maar het is gebeurd. Het is verleden tijd. Er volgt geen vergelding, je draagt je straf met je mee.'

En wat was zijn straf dan? Nee, het waren maar woorden, verbale doekjes voor het bloeden. Hij geloofde zelf niet wat hij net gezegd had. Shackleton was een man van de daad. Spijt liet slechts krassen na, dieper ging het niet.

Maar welke uitwerking zou de neergang van Carter op hem hebben? Stel dat Jenni van plan was Carter hetzelfde aan te doen als wat Trevor en Leroy was aangedaan. Wat was het verschil? Nee, dit was te verwarrend; het tastte zijn zekerheden aan. Carter stond zijn ambities in de weg. Zijn doel heiligde alle middelen.

Er werd aan de deur gebeld. Shackleton keek automatisch op zijn horloge, verontschuldigde zich bij Carter en liep naar de deur. De onderbreking gaf Carter de gelegenheid tot zichzelf te komen.

'Tom, sorry dat ik stoor. Ik ben mijn betaalpasje kwijt. Het zit in mijn rijbewijsmapje en volgens mij heb ik dat in de woonkamer op de salontafel laten liggen. Mag ik het even pakken?'

Lucy. Waar had ze het in godsnaam over?

'Natuurlijk. Loop maar door.'

Ze was verbaasd toen ze Carter zag, maar herkende hem meteen. Hij was zo vaak in *Newsnight* te zien. Emoties maakten plaats voor beleefdheden en verontschuldigingen. Shackleton was opgelucht. Alles was weer bij het oude.

'Is alles goed?'

Lucy, altijd gevoelig voor andermans ellende, raakte Carters arm aan.

Het onverwacht tedere gebaar bracht hem uit zijn net hervonden evenwicht. Hij begon te huilen en verontschuldigde zich. Hij rook naar whisky en bier, maar in Lucy's ogen was hij een eenzame ziel. Ze wiegde hem in haar armen zoals ze eerder bij Shackleton had gedaan, en hij voelde een steek van jaloezie. Er volgde een litanie van troostende woorden en het lukte haar zelfs een verkreukelde zakdoek uit haar jaszak tevoorschijn te halen. Shackleton verwachtte half dat ze erop zou spugen en Carters gezicht ermee zou afvegen. In één minuut had ze hem meer troost geboden dan hij in een hele avond. Maar vrouwen konden dat. Vooral deze vrouw. Hij wilde niet dat ze een andere man in haar armen nam. Hij kon het niet verdragen dat ze haar tederheid en geruststellende woorden aan iemand anders gaf. Als een kind dat zijn moeder met niemand wil delen, kon hij het niet verdragen haar met een ander te delen. Hoe kon deze gewone, onopvallende vrouw zulke diepe gevoelens in hem wakker maken?

Wat deed ze nu? Carter, die weer tot zichzelf was gekomen en aanstalten maakte om te vertrekken, probeerde zijn waardigheid terug te vinden. Lucy stond achter hem en leek iets te willen zeggen.

Shackleton herkende wat ze deed en begon van opluchting bijna te lachen. Ze trok hetzelfde gezicht als zijn moeder vroeger als die hem na een rampzalig verlopen kinderfeestje kwam ophalen.

'Zeg eens gedag, Tom. Geef hem een knuffel, Tom. Wees eens lief. Hij is toch je vriend?'

Shackleton was weer zeven, in korte broek en met een rood vlinderstrikje om. Hij liep naar Carter toe en stak zijn hand uit, precies zoals hij eenenveertig jaar geleden ook had gedaan.

'Tot ziens, Geoffrey. Alles goed?'

Carter schudde hem de hand en kon, net als Shackleton, niet de juiste woorden vinden, maar uit zijn ogen sprak dat hij dankbaar was voor het gebaar. Voor het feit dat hij hem vergeven had.

'Ja. Alles is goed.'

De handdruk ging bijna ongemerkt over in een onbeholpen, maar oprecht gemeende omhelzing. Lucy liep daarna met Carter mee naar buiten en hielp hem in de Jaguar, waarna ze Gordon, die door Shackleton uit de keuken was gehaald, op het hart drukte om voorzichtig te rijden. Tom en Lucy bleven in de deuropening staan en wuifden hem na als twee liefhebbende tantes.

Ze gingen weer naar binnen. Lucy ging in de hal vlak voor Tom staan, alsof ze op haar beloning wachtte. Ze sloeg haar armen om hem heen en kuste hem teder, heel voorzichtig, maar hij duwde haar weg en legde zijn handen op haar schouders.

'Vanavond niet, Lucy. Oké?'

Lucy voelde zich opgelaten. Ze dacht dat hij dit wilde. En in zekere zin was dat ook zo, maar het was geen onverschilligheid die hem ertoe had gebracht haar af te wijzen, het was de pijn van het gevoel. Als bloed dat weer door een bevroren ledemaat begint te stromen.

Ze deed alsof ze niet anders verwacht had.

'Ja. Prima. Ik moet toch naar huis. Is verder alles goed? Jenni komt morgen weer thuis, geloof ik, hè?'

Ze stond nu bij de deur en opende die voordat hij het kon doen.

'Zie ik je morgenvroeg?'

Tom keek op haar neer met een uitdrukking van spijt op zijn gezicht, die haar woedend maakte.

'Ik denk het niet, Lucy.'

Ze moest het vragen.

'Zie ik je... nog terug?'

Hij schudde zijn hoofd en keek haar aan met een blik die zei: dit is moeilijker voor mij dan voor jou.

'Ik weet het niet, Lucy. Ik weet het echt niet.'

Ze kon nu niet meer terug, ze moest wel doorvragen.

'Wil je bij me zijn?'

Hij gaf meteen antwoord.

'Ja.'

Ze voelde een golf van hoop en blijdschap door zich heen gaan.

'Wat is dan het probleem?'

'Je weet dat ik dergelijke beloftes niet kan doen, Lucy. En jij ook niet.'

Ze wist dat ze daarmee genoegen moest nemen en ging naar huis voordat het fijne web van verbeelding volledig aan flarden was gescheurd.

Tom deed de deur achter haar dicht. Waarom had hij haar afgewezen? Waar kwam die sterke behoefte om haar te kwetsen vandaan? Hij verlangde naar haar lichaam. Ja. Maar hij wilde de narigheden en verwikkelingen die een 'relatie' met zich meebracht er niet bij hebben. Hij was sterk en Lucy was de enige die zijn kracht kon ondermijnen.

Lucy zette water op. Als Jenni thuis was, dronken ze tegen elf uur altijd koffie en babbelden ze wat. Niets was zo gewoon als koffietijd, met biologische koffie, natuurlijk, en een paar biscuitjes erbij misschien.

Jenni kwam de keuken binnen. Ze maakte een nerveuze indruk. Sinds ze uit Wenen terug was, was ze heel aardig tegen Lucy geweest. Ze had haar zelfs een mooie broche gegeven. Lucy was in een vlaag van sentiment bijna in huilen uitgebarsten, hoewel ze niet wist of het door de broche of door de chaos in haar leven kwam.

De telefoon ging. Jenni nam op. Haar stem klonk verrast en opgetogen.

'Jason… lieverd.' Ze knipoogde naar Lucy. 'Wat fijn dat je belt… ja, lieve jongen, maar ik ben nu weer beter… Ik begrijp het, Jason… Ja, natuurlijk mag je thuiskomen. Van mij had je niet weg hoeven gaan… Het is goed, Jason. Ik vergeef het je. Natuurlijk vergeef ik het je. Dag… Ja, Lucy gaat er nog wel even met een stofdoek en stofzuiger doorheen.' Ze keek naar Lucy. 'Jasons kamer?'

Lucy knikte. Tom was terug in de ondoordringbare boezem van zijn gezin.

'Wanneer je maar wilt, Jason. Dag.'

Jenni was in de wolken. Ze hoefde niets te zeggen; het korte gesprekje had alle sterren weer op hun juiste plek aan de hemel gezet. Ze kneep even in Lucy's arm.

Vreemd. Niets voor Jenni. Lucy vond dat ze eruitzag als een wegkwijnende filmdiva met die blozende wangen en schitterende ogen. Ze was iemand die er zelfs in het laatste stadium van tuberculose nog fantastisch uit zou zien.

Lucy gaf haar een kop koffie.

'Leuk voor je dat Jason thuiskomt.'

'Is het niet geweldig als alles gaat zoals jij het wilt?'

Lucy probeerde iets van zelfverwijt op haar gezicht te ontdekken.

'Ik zou het je niet kunnen zeggen. Zoiets overkomt mij zelden.'

Jenni's sprankelende lach weerklonk, die van de zilveren belletjes.

'Ach, kom, Lucy. Zo erg is het toch niet. Je hebt Gary toch?'

Op Lucy kwam het over als zeggen dat je genoeg eten in huis hebt, maar dat alles bedorven is.

'Ja, maar het lijkt alsof hij de moed heeft opgegeven. Hij is veranderd sinds hij weer thuis is uit het ziekenhuis. Soms krijg ik het gevoel dat het me allemaal te veel wordt. Ik voel me zo moedeloos soms. Alsof het leven aan me voorbijgaat en ik vanaf een afstandje toekijk. Begrijp je wat ik bedoel?'

'Mmm? Sorry… wat zei je?'

En je man wil niet meer met me naar bed, Jenni.

'Niets. Het is niet belangrijk. Nou, ik geloof dat ik klaar ben voor vandaag. Tot morgen, hè?'

'Ja. Ja… O, Lucy.'

Jenni had plotseling weer alle aandacht voor Lucy. Ze toverde haar stralendste lach tevoorschijn en Lucy was, in weerwil van zichzelf, toch weer onder de indruk van haar schoonheid. Hoe zou ze het ooit zonder die schoonheid redden? En wanneer zou dat zijn? Als ze vijftig was? Ouder? Jenni zou zich haar schoonheid nooit laten afpakken: ze liet zich niets afpakken dat van haar was. Zoals haar man, bijvoorbeeld, haar kostbaarste bezit.

'Zou jij het huis een grote beurt willen geven als Tom en ik weg zijn? We gaan een paar dagen naar Barcelona. Weet je nog? Om onze trouwdag te vieren. Zo romantisch. Trek er maar een hele dag voor uit. Vooral de woonkamer begint er een beetje smoezelig uit te zien. Haal alles er maar uit en maak de boel maar eens grondig schoon. Zou dat lukken?'

Het extra geld zou goed van pas komen.

'Natuurlijk. Ja.'

'En Lucy… Ik, ik wil je mijn excuses aanbieden.'

Lucy had Jenni nog nooit 'sorry' horen zeggen. Ze had er vaak naar verlangd, maar deze keer wist ze niet waarvoor het was. Ze wist niet wat ze erop moest zeggen en zweeg.

Jenni was tevreden over de uitdrukking op haar gezicht. Die bevestigde dat het een zeldzaam moment voor haar was.

'Ik heb je de laatste tijd slecht behandeld. Mijn excuses daarvoor. Je bent een trouwe vriendin en ik heb je verwaarloosd. Maar ik wil het goedmaken door je mee uit winkelen te nemen en je eens flink te verwennen. Wat zeg je daarvan? Ik betaal, natuurlijk.'

Dat je een betuttelende, hooghartige koe bent en dat je blijkbaar iets van me wilt.

'Dat lijkt me ontzettend leuk, Jenni. Bedankt.'

Jenni was blij. Eleri was afgedankt en Lucy in ere hersteld. Het was niet moeilijk geweest om 'sorry' te zeggen en Lucy maakte zo'n dankbare indruk. Het leven begon er weer plezierig symmetrisch uit te zien.

Lucy, die het gevoel had dat ze kon opstappen, stond bij de voordeur, met haar hand op de deurknop. Ze opende de deur op het moment dat Toms auto tot stilstand kwam. Nee, schreeuwde ze, zonder geluid, zonder zich te bewegen. Nee! Jij hoort niet thuis te zijn. Jij hoort niet uit die auto te stappen, knap en naar me glimlachend alsof ik een vreemde ben. Nee, erger nog, alsof ik de schoonmaakster ben.

'Morgen, Tom. Alles goed?'

'Ja, dank je, Lucy. Met jou ook? En met Gary?'

Hij keek haar aan en voelde een sterke behoefte haar in bescherming te nemen. Ze zag er zo angstig uit, zo overgeleverd aan de boze blikken van zijn perfecte vrouw. Ze had haar rubberen handschoenen bij zich en een stapel stofdoeken die gewassen moesten worden. Het zou zoveel gemakkelijker zijn als ze daar niet zou staan.

Hij sloot de deur. Als hij Londen kreeg, zouden Jenni en hij gaan verhuizen. Jenni zou erop staan. Ze zou misschien minder geld aan haar pleziertjes kunnen uitgeven vanwege de hoge prijzen in Londen, maar ze hoefde er niet meer naartoe te reizen, de pleziertjes waren daar waar zij was. Ze zouden Lucy en Gary vergeten. De ongemakkelijke gevoelens. En de liefde. Waar was de liefde vandaan gekomen? Die was gegroeid, als buddleja in de scheuren van gevangenismuren. Ja, ze zouden weggaan. Het zou jammer zijn, het einde van een tijdperk, maar uiteindelijk beter voor iedereen.

'Wat doe jij thuis?'

Jenni's stem had, voor de verandering, eens niet beschuldigend geklonken.

'Ik heb weer last van mijn nek, en de vergadering op het ministerie van Binnenlandse Zaken was vroeg afgelopen... En voor vanmiddag stond er weinig op het programma. Er begint morgen alleen een disciplinaire hoorzitting...'

'Mooi. Ik moet je wat vertellen. Ik denk niet dat Geoffrey een probleem zal zijn.'

'Welke Geoffrey?' Hij zag de irritatie op haar gezicht net te laat.

'Geoffrey Carter, verdomme. Wie anders? Geoffrey Boycott? Geoffrey Howe?'

Uit zijn mond stroomde stroop.

'Ja, ja, natuurlijk. Sorry. Ik had mijn hoofd er niet bij. Het komt door mijn nek. Sorry.'

'Neem dan een pijnstiller en ga naar bed.'

Ze zei het zonder enige compassie of tederheid. Neem een bijl en hak je kop eraf.

'Ja, ik denk dat je gelijk hebt. Ik ga even liggen.'

Tom had de pijn in zijn nek opgelopen op vijfentwintigjarige leeftijd, tijdens een gewapende overval. Die verergerde toen hij in rang opklom en steeds meer bureauwerk kreeg. Een intense en misselijkmakende pijn, die niet vaak maar wel regelmatig terugkwam.

Het was zijn eerste grote klus geweest. De jongensachtige opwinding van die nacht was hij allang vergeten en deze had plaatsgemaakt voor een opgeschoonde herinnering aan een goed geklaarde klus. Hij was geprezen en onderscheiden voor zijn moed omdat hij een collega het leven had gered, en zijn pijnlijke nek was het trotse bewijs van die moed.

Niemand van zijn eenheid had verteld wat er die nacht werkelijk was gebeurd en de enige getuige was een lijk zonder gezicht.

Het officiële verhaal was dat Leroy Chandler een geweer met afgezaagde loop tegen het hoofd van een jonge politieagent had gehouden. Shackleton had hem kundig pootje gelicht, geleerd op het rugbyveld, waarna tijdens de worsteling het geweer was afgegaan en Leroy dodelijk was getroffen. Shackleton had er verwondingen aan zijn gezicht en nek aan overgehouden. Er werd een onderzoek ingesteld en Shackleton werd niet alleen van elke blaam gezuiverd maar als een held binnengehaald. Leroys dood veroorzaakte weinig ophef, waarschijnlijk omdat hij een veelpleger was, maar vooral omdat hij een zwarte man was zonder familie die de versie van de politie te vuur en te zwaard kon bestrijden, zoals jaren later bij

Stephen Lawrence en Michael Menson zou gebeuren.

De waarheid was dat Leroy het geweer had afgegeven toen Shackleton hem in een hoek had gedreven en getackeld had. En Shackleton had daarna in zijn opwinding het geweer op de doodsbange overvaller gericht. Ze waren alleen. Twee jonge kerels bij wie geen bloed maar testosteron door de aderen stroomde.

De rest van de eenheid was achter Leroys maten aan gegaan. Shackleton had nooit meer aan het voorval gedacht tot de nacht met Carter. Toen had hij zichzelf weer de trekker zien overhalen, niet eens met de bedoeling om te schieten, hij had zichzelf niet tegen kunnen houden. Hij was gefascineerd geweest door hoe ver hij de trekker had kunnen overhalen en was er, als in een droom, van overtuigd geweest dat hij alleen een klik zou geven, waarna de film normaal zou doorlopen. Maar er volgde een scène in slowmotion, een explosie van bloed, botten en hersenweefsel. Leroys gezicht spatte uiteen, en het geweer dat Shackleton in zijn linkerhand had, sloeg als een revolver terug toen hij vuurde, wat elke oudere en ervarener politieagent hem had kunnen vertellen. Het geweer sloeg terug en omhoog, keihard tegen Shackletons neus, waardoor zijn hoofd achteroversloeg. Toen hij weer bijkwam, stonden zijn collega's om hem heen. De legende was geboren.

Misschien waren de pijnlijke wervels in Shackletons nek een uiting van schuld, zoals Carters pijn verband hield met Percy. Maar hij kon er beter mee omgaan dan Carter. Met een beschadigd lichaam viel misschien gemakkelijker te leven dan met een gekwelde ziel.

De macho heldendaden waren echter voorbij, er werden geen gewapende boeven meer pootje gelicht. Een hoofdcommissaris was vooral een politiek geëngageerde, slimme boekhouder. Het was niet meer nodig om politieman te zijn.

Hij draaide zich halverwege de trap om.

'Jenni…? Wat je net over Carter zei, wat bedoelde je daarmee?'

Jenni liep naar de voet van de trap en keek naar hem omhoog.

'Wil je dat echt weten, Tom?'

Hij voelde zich ongemakkelijk, wilde 'ja' zeggen maar ook dat hij er niets mee te maken wilde hebben. Wat het ook was. Hij vroeg zich af hoe ze zou reageren als hij haar vertelde dat hij na zijn eerste ambtstermijn van zeven jaar als hoofdcommissaris met pensioen wilde gaan. Dat hij genoeg had van het gekonkel en ellebogenwerk, aan de zuidkust wilde gaan wonen en alleen nog de hond wilde uitlaten. Dat hij zich liever vlak voor de finish waardig overgaf dan op nog meer tenen te trappen of nog meer vijanden te maken.

Maar iemand had ooit tegen hem gezegd dat hij in het maken van vijanden ongeëvenaard was. Het was een gave. Niemand kon het beter dan hij. Zijn gezicht was altijd naar de zon gekeerd. Was het het waard om zijn gezicht nu van de zon af te keren en langs de ladder naar beneden te kijken naar al die mensen die ze op weg naar de top genegeerd en verwaarloosd hadden? Maar wat was het alternatief? Het was te laat om vrienden te maken, dat bleek wel uit zijn onbeholpen gedrag jegens Carter. Hij had er de woordenschat niet voor. Ze hadden niemand in hun leven die er louter voor de sier was, voor het esthetische genot. Voor hen waren mensen er alleen om te gebruiken. Te gebruiken, te beledigen en aan de kant te schuiven. Dat was gemakkelijker. Geen beloftes, geen verplichtingen.

'Maar Lucy dan?'

Jenni's stem klonk luid en ze had een kille blik in haar ogen.

'Wat?'

'Lucy. Je zei net Lucy.'

Tom voelde hoe zijn gezicht begon te gloeien.

'Zei ik dat?'

Hij was in de war. Had hij haar naam werkelijk hardop gezegd?

'Ik... eh... Ik dacht dat ze vandaag zou komen schoonmaken.'

Jenni's boosheid maakte plaats voor verachting.

'Tom, je hebt haar net de deur uit zien lopen. Dat dikkerdje in die slobberbroek? Jezus, jij bent echt niet meer te helpen.'

Hij nam zijn toevlucht tot onderdanigheid.

'Sorry.'

'Zal ik je een kopje thee boven brengen?'

Jenni bleef hem verbazen. Hij verwachtte vitriool, geen thee.

'Ja, graag. Dank je.'

Toen hij in de slaapkamer was, kleedde hij zich uit, op zijn boxershort na. Bruine zijde, duur. Eigenlijk droeg hij liever gewone onderbroeken, dezelfde die hij als jongen had gedragen, comfortabel, behaaglijk. Maar Jenni had erop gestaan dat hij boxershorts droeg. Hij herinnerde zich hoe hij zich een keer gebukt had om een houtblok op het vuur te gooien. Ze waren net getrouwd toen. Hij droeg zijn mooiste broek, lichtbeige, modieus, door Jenni gekocht. Ze had uitgeroepen dat ze de elastieken boorden van zijn onderbroek erdoorheen kon zien. Hoe kreeg hij het in zijn hoofd? Wist hij dan niet hoe walgelijk dat eruitzag? Nee, dat wist hij niet. Hij had er ook nooit bij stilgestaan. Ze had meteen boxershorts voorgeschreven, en hij had zich erbij neergelegd maar zich er nooit lekker in gevoeld.

Ze kwam binnen met zijn thee en ging op de rand van het bed zitten. Hij lag op zijn rug en verstijfde, voelde zich opgelaten.

'Je wordt dik', zei ze zonder boosaardige ondertoon. 'Denk je wel eens aan seks?'

Hij wist niet wat hij moest zeggen. Het was jaren geleden dat ze voor het laatst over seks hadden gepraat.

'Nee. Ik zou er maar gefrustreerd van raken.'

Hij probeerde het luchtig op te vatten en was er niet zeker van wat ze wilde horen. Hij moest er niet aan denken dat ze misschien met hem wilde vrijen. Dat zou hij niet kunnen. Niet met haar. Niet meer.

'Goed', zei ze, alsof hij geslaagd was voor een test.

Ze legde haar slanke vinger op zijn onwillige penis.

'Ik wil niet dat je je laat afleiden.' Ze keek hem aan.

'O, dat was ik bijna vergeten.' De strenge, vermanende blik werd vervangen door een stralende lach. 'Jason komt thuis. Is dat niet fantastisch? Ik denk dat hij ons miste.'

Shackleton was oprecht blij, maar enigszins van de wijs gebracht door het woordje 'ons'. Het was meestal 'mij' als het de kinderen betrof. Maar hij was echt blij met het nieuws.

'Dat is mooi. Daar ben ik blij om. Ik heb hem gemist.'

Even daalde er een gevoel van kalme tevredenheid over hen neer, waarvan ze elk op hun eigen manier genoten. Een zeldzaam moment.

Hij nam een slokje thee. De pijn in zijn nek werd echter zo hevig dat hij er misselijk van werd; de rest opdrinken zou niet lukken. Hij zette het kopje neer. Ze zat nog steeds naast hem en keek hem aan, maar de uitdrukking op haar gezicht was vriendelijk, bijna sympathiek.

'Zaterdag gaan we bij Geoffrey langs. 's Middags. Tegen drie uur. Leuke verrassing voor hem. Goed?'

Het verbaasde Shackleton hoe zelfverzekerd ze was geworden sinds ze uit Wenen terug was. Zelfverzekerder dan ze vóór haar zenuwinzinking was geweest, maar grilliger nu, als gekarteld glas. En haast doorschijnend mooi. Hij kon, terwijl ze daar zat en de zon een krans van licht om haar haar legde, de fijne adertjes onder haar huid zien. Ze zag eruit als een fee, ontsproten aan zijn eigen verbeelding. Hij voelde een bijna vergeten verlangen om haar blonde haar aan te raken.

'Waarom?'

Weer volgde ze met haar slanke vinger de contouren van zijn genitaliën. Haar stem was even scherp als de gemanicuurde nagel van die vinger.

'Daarom. Hij is dan alleen thuis om op zijn autistische kind te passen. Eleri gaat met Peter, de normale zoon, naar de film, eentje over dinosaurussen, geloof ik. Als jij dan met Geoffrey over mannendingen gaat babbelen, ga ik boven met Alexander spelen. Ze hebben Sky, dus jullie kunnen naar een voetbalwedstrijd gaan kijken, vrienden worden. Nou? Wat vind je ervan?'

'Je bent een heks. Wat ben je van plan?'

Hoewel zijn stem even afgemeten klonk als altijd, voelde ze onder haar voortdurend strelende vinger de eerste tekenen van interesse.

Shackleton keek met afgrijzen naar de lichte trilling die ze veroorzaakte. Hij wilde haar wegduwen. Hij wilde niet intiem met haar worden. Niet nu, niet met die pijn in zijn nek, en op klaarlichte dag, zonder dat hij zich ergens achter kon verschuilen...

'Hou op, Jenni. Toe, niet doen.'

Hij had het beter tegen zijn penis kunnen zeggen. Jenni was opgetogen. Na al die tijd kon ze haar man nog steeds een erectie bezorgen, zelfs als hij het niet wilde. Ze keek naar het onderwerp van Lucy's fantasieën alsof het een rollade was die haar tegenviel.

'Ik dacht dat hij groter was. Weet jij nog dat je altijd zei: "Maak hem stijf"?'

Hij huiverde.

Ze hield hem in haar handen, alsof ze aan het bidden was.

'Bewaar het voor me, Tom. Ik wil dat je al je dankbaarheid in me laat stromen als we…' Ze wachtte even, een roofzuchtige glimlach verspreidde zich van haar volmaakte lippen tot aan haar koude ogen over haar gezicht. 'Stel me zaterdag niet teleur, lieveling.'

Ze kuste het topje van zijn penis. Hij huiverde toen haar zachte mond die beroerde.

Daarna kwam ze glimlachend overeind.

'Jezus, je ziet eruit als Moby Dick. Je hebt jezelf te veel laten gaan.' Alsof het een weloverwogen compliment was. 'Ga maar slapen. Tot straks.'

En weg was ze.

Hij lag naar het plafond te staren en verlangde naar de aanhankelijke warmte van Lucy's lichaam. En de kille verlossing van de eenzaamheid. En Carter? Hij wilde hem niet kwetsen. Hij wilde niemand meer kwetsen. Maar wat was het alternatief? Bedrijfsleider worden van een plaatselijk warenhuis en een gedeeld appartementje in Marbella? Nee. Het was alles of niets. Hij huiverde. Zijn erectie was snel verdwenen maar zijn nek deed nog steeds verschrikkelijk pijn.

Om de pijn te verlichten dacht hij aan de nieuwe rekruteringsstrategie die hij had opgezet, en aan de vorderingen die hij had gemaakt op het gebied van gemeenschapsinitiatieven. Het droge beleidsdenken sloot elke verbeelding uit en wierp een scherm op tegen de chaos van zijn gevoelens. Toen hij in slaap viel, de pijn in zijn nek verdoofd door de laatste pijnstillers, zag hij de gezichten van de drie zwarte vrouwen naar hem lachen. Hij zakte weg in een droom over hen en kon zich niet verweren tegen zijn eigen onderbewustzijn.

Ze lieten hem Geoffrey Carters begrafenis zien, waarbij hij zelf de grafrede uitsprak. Dat deed hij goed. Heel kalm en oprecht. De kerk zat vol politici, hun gezichten glommen van goedkeuring. Hij voelde hoe de vrouwen hem aankleedden en zijn medailles in de juiste volgorde opspelden: een koninklijke onderscheiding, eentje voor zijn lange staat van dienst, de andere kon hij niet zien. Jenni had een hoed op. Een inhuldiging. Televisiecamera's en Buckingham Palace. De drie zwarte gezichten drukten tegen de dranghekken, lachten naar hem en riepen dat hij niet moest struikelen.

Hij liep naar de vrouwen toe om ze beter te kunnen verstaan, maar zag daarbij niet het gat, het zwarte gapende niets waarin hij viel. Zijn maag draaide en draaide, het angstzweet brak hem uit en ver boven zich zag hij de gezichten over de rand heen op hem neerkijken. Dit was de hel. Het loon der zonde is de dood. Geen sprankje hoop op een tweede kans. Duisternis. Leegte. Alsof Jenni en hij er nooit geweest waren. Alsof hun leven was uitgewist en niemand een woord aan ze wijdde. Geen bloemen. Geen grafsteen. Geen herinneringen aan roemruchte daden. Waar was Lucy? Zij zou wel iets over hem zeggen. Voor hem bidden. Dat hij het eeuwige leven kreeg. De dichtgenaaide ogen staarden nietsziend naar het hoopje stof dat van hem overgebleven was. Eén zuchtje en het stof werd het landschap der leegte in geblazen.

'We waren op een veiling hier in de buurt. We hebben niets gekocht, maar we dachten: kom, laten we even bij Geoffrey langswippen.'

Jenni liep meteen door, langs Geoffrey, met Tom in haar kielzog. De twee mannen hadden elkaar niet meer gezien sinds de avond dat ze curry hadden gegeten. Ze voelden zich nu wat beschaamd door de herinneringen aan die bewuste avond en deden net alsof het nooit gebeurd was. Carter was verbaasd ze te zien, maar nodigde ze hartelijk uit om binnen te komen en ging ze voor naar de woon-kamer.

Alexander liep heen en weer, geheel in beslag genomen door het mysterie van zijn vingers. Shackleton keek naar hem, terwijl Carter en Jenni het over Eleri hadden. Die vingers, te lang, te spits, een zwakke imitatie van de biddende handen van Christus. Voor Shackle-ton, net als voor Danny, hadden de handen van de jongen iets onmenselijks, net als zijn dikke, laag ingeplante haardos en de lege

blik in zijn ogen. Hij begreep Carters angst. Maar het ongemakkelijke gevoel dat de jongen bij hem opriep, ging niet gepaard met
schuldgevoelens, zoals bij Danny.

Carter bood ze koffie aan en Jenni stond erop die te halen. Ze
bracht het dienblad naar binnen, de kopjes al ingeschonken, geen
koffiekan, geen melk, vanwege Alexanders obsessie met vloeistoffen.
Terwijl ze het kommetje met bruine suiker pakte, was haar oog op
het kommetje met witte suiker gevallen. Het deed haar denken aan
het snuifje cocaïne dat ze zichzelf beloofd had als het bezoek aan
Geoffrey naar tevredenheid was verlopen. Nadat Jenni de koffie had
geserveerd, stelde ze voor Alex mee naar boven te nemen naar zijn
kamer, zodat de mannen rustig konden praten. Alex zou haar zijn
verzameling batterijen kunnen laten zien.

De mannen waren nu alleen. Om te vermijden dat er een ongemakkelijke situatie zou ontstaan, pakte Carter zijn krant en gaf die
aan Shackleton.

'"Woordvoerder Labour voor gek gezet door Slimme Lorre".'

Shackleton begon te lachen.

'Ik dacht dat Lorre een papegaai was.'

'Precies. Maar zo word ik als uitverkorene van de regering ook
gezien: als een naprater.'

Shackleton las het artikel.

'Al iets gehoord van Whitehall?'

'Nee, maar dat komt nog wel. De verkiezingen staan voor de
deur, ze willen geen blunders.'

Het drugsdebat dat zich, sinds New Labour aan de macht was,
moeizaam had voortgesleept, was de vorige dag door Carter nieuw
leven ingeblazen toen hij een slecht geïnstrueerde regeringswoord-
voerder volledig de grond in had geboord. De nieuwe strategie was
gepubliceerd, maar in plaats dat de media het als een eendagsvlieg
hadden afgedaan, hadden ze besloten, bij gebrek aan een natuur- of
treinramp, om de controverse rond dit onderwerp nog wat aan te
scherpen. Carter was in de afgelopen weken een bekend gezicht
geworden in nieuwsprogramma's, maar was daarbij steeds meer van
de partijlijn afgeweken. Gisteravond had hij zichzelf echter overtroffen.

Shackleton had gekeken en Carter om zijn welbespraaktheid en ongedwongenheid benijd en bewonderd.

De onderminister, zwak van lichaam en geest, had gezegd: 'Natuurlijk is het waanzin om het hele scala van verdovende middelen te legaliseren.'

Carter had zo moeiteloos de tafel met hem aangeveegd dat het Shackleton bijna ontgaan was welke zonde hij beging.

'Ik wil u niet met etymologische termen om de oren slaan, maar deze regering heeft er nog steeds niet voor gezorgd dat politieofficieren volgens een vast draaiboek te werk kunnen gaan bij het bestrijden van drugs. Het wordt nog steeds aan de individuele hoofdcommissarissen overgelaten hoe streng of hoe mild hij of zij tegen het gebruik ervan wil optreden, in plaats van...'

Daarna was hij met veel vertoon van geleerdheid van dit politieke onderwerp afgestapt, waardoor de officiële woordvoerder van de regering in zijn hemd stond.

Shackleton vond, nadat hij het artikel gelezen had, dat Carter een fout had begaan door zich zo openlijk tegen de regering te keren. Zou die echt een misdaadpaus willen hebben die zich zo onvoorspelbaar gedroeg? Hij glimlachte en gaf de krant terug.

'Hoe schat je de kansen van Ashton Villa in vanmiddag?'

Carter was verbaasd dat hij opeens van onderwerp veranderde. Maar hij had, in tegenstelling tot Shackleton, ook nooit oog gehad voor de gevoeligheden van zijn superieuren.

'Geen idee... Ik zal de tv vast aanzetten.'

Als Alexander met zijn batterijen speelde, was hij gegarandeerd vijf tot tien minuten rustig. Jenni had vlug de duizend stuks grote verzameling op de vloer uitgespreid, gewacht tot de jongen zich eroverheen gebogen had, en was daarna de slaapkamer uit geglipt en de trap af gelopen naar de overloop op de eerste verdieping. Op deze overloop bevond zich Carters studeerkamer. Jenni had dit ontdekt tijdens haar vele bezoekjes aan het huis.

Ze beefde toen ze met de achterkant van haar hand de deur openduwde. Hoewel ze zag wat ze hoopte te zien, nam het beven toe waardoor het haar moeite kostte om de latex handschoenen aan te trekken die ze uit haar tas had gehaald. Ze wachtte even, luisterde naar het geluid van de televisie beneden en de stemmen van de beide mannen. Drie diepe zuchten.

Alles in de studeerkamer zag er netjes uit, de boeken, de archiefmappen, de papieren. Ze was hier eerder geweest. Er was geen plekje in dit huis dat ze niet kende. Tijdens haar bezoekjes aan Eleri had ze geduldig alle hoeken en gaten onderzocht en beoordeeld, en als een parasiterende wesp haar eitjes gelegd. Een van de microfoontjes had ze achter een rij zelden aangeroerde boeken in de woonkamer verstopt, een andere in Eleri's rommelige keuken en een derde achter het hoofdeinde van hun bed, toen Eleri naar zwangerschapsgymnastiek was.

De video's had ze tussen de grote verzameling videobanden met Disney-tekenfilms gezet in de halkast. Met de tijdschriften had ze zich eerst geen raad geweten, totdat ze op een middag naar de wc moest en de ombouw om het bad zag: de perfecte schuilplaats. De volgende dag had ze, uitgerust met handschoenen en een schroevendraaier, het hardboard verwijderd, gadegeslagen door een zwijgende Alexander, en de tijdschriften onder het bad geduwd. Daarna had ze de plaat weer bevestigd en de rotzooi bij elkaar geveegd, met Alexander als stille getuige van het hele proces. De diskette had ze tegen de achterkant van een la in Carters studeerkamer geplakt. Alles zou, dankzij haar geduld en zorgvuldige voorbereiding, perfect verlopen.

Jenni ging achter de computer zitten. Carters computer. De screensaver bewoog zich langzaam over het scherm. Ze had ontdekt dat hij hem altijd aan liet staan als hij thuis was, blijkbaar omdat het slecht voor het mechaniek was om hem telkens aan en uit te zetten. Niet zo slecht als hem aan te laten staan, dacht Jenni glimlachend. Ze had een hoop ontdekt tijdens haar oppasbezoekjes. Het was elke saaie, irritante minuut met de twee jongens waard geweest, vooral toen Peter haar verteld had dat pappa zijn naam gebruikte als wachtwoord voor de computer. Ze wist nog dat ze argeloos gezegd had: 'Ach, wat lief.' Later pas was dat zaadje gaan ontkiemen en groeien.

Ze had zich op een middag laten ontvallen hoe langzaam haar laptop was als ze verhalen wilde opslaan, waarop Eleri had gezegd dat zij daarom ISDN en breedband hadden genomen. Hij stond nu altijd aan en ze hoefden nooit meer in te bellen. Dat was maar goed ook, want het lawaai van de modem zou doden weer tot leven hebben gewekt, zelfs die die nu beneden naar het voetballen zaten te kijken.

Haar handen waren vochtig geworden in de rubberen handschoenen. Beneden braakte de televisie nog steeds voetbal uit, de mannen moedigden de spelers luidkeels aan. Alexander stond boven aan de trap naar haar te kijken, waarbij hij onrustig zijn gewicht van zijn ene naar zijn andere been verplaatste. Ze herkende de signalen: hij kon elk moment beginnen met dat onmenselijke gejank waar ze zo bang voor was, dat geschreeuw om uiting te geven aan zijn geïsoleerdheid. Ze sprak hem kalm toe. Vroeg hem beneden te komen, zodat hij kon zien wat tante Jenni aan het doen was. De onrust borrelde steeds meer in hem naar boven.

In haar wanhoop zei ze: 'Ik zal wat batterijen voor je gaan zoeken.'

Hij leek haar niet te begrijpen, rekte zijn hals uit en bonkte met zijn achterhoofd tegen de muur. Jenni rende de trap op, greep hem bij zijn pols en trok hem struikelend en vallend mee naar beneden de studeerkamer in. Ze deed de deur achter zich dicht. Alex was doodsbang. Hij begon te jammeren. Ze wist dat ze heel weinig tijd had en dat het gejammer spoedig in een onbedwingbaar geschreeuw zou overgaan.

Ze typte snel het wachtwoord in. Op het scherm verscheen de homepage. Ze zette voorzichtig de identificatiegegevens van een van de pedofielensites die ze in Wenen had gevonden erin. Het ging tergend langzaam. Ze bekeek de inhoud even en bezocht toen een andere site. Hiervoor waren creditcardgegevens nodig. Ze zuchtte diep om zich te kalmeren en zich de nummers te herinneren die ze van Carters Mastercard had gehaald. Hij was zo ijdel dat hij nooit een portefeuille bij zich droeg als hij in uniform was, dat zou maar lelijke bobbels geven, en dus had ze op een morgen, toen Eleri en hij naar een officiële bijeenkomst waren, de nummers overgeschreven. Toen ze de cijfercombinatie voor de helft had ingetypt, realiseerde ze zich dat Alexander op ontploffen stond. Opeens zag ze naast de prullenmand een halfvolle fles mineraalwater staan. Ze pakte de fles op met haar vrije hand.

'Alex, kijk. Kijk eens wat ik heb.'

De jongen vloog op de fles af en was meteen geobsedeerd door de vloeistof die erin zat. Terwijl zij de site bezocht, rukte hij aan de dop. Toen hij die los had en de inhoud naar binnen goot, was zij terug bij de homepage en de screensaver.

Jenni beefde nu zo hevig dat ze nauwelijks de juiste toetsen kon indrukken. Haar pillen zaten beneden in haar handtas, maar ze had het gevoel dat een handvol nog niet genoeg was om haar te kalmeren. Toch voelde ze iets van triomf. Nadat ze betaald had, had ze de afbeeldingen gedownload en de computer weer in de slaapstand gezet. Ze was eerst van plan geweest om het Trojaanse virus als toegangskanaal voor het materiaal te gebruiken, maar dat zou gemakkelijk ontdekt kunnen worden. Toen wilde ze de tijd en de datum veranderen, alsof alles gedownload was, nadat Tom en zij het huis hadden verlaten, maar nadat ze hierover had nagedacht, besloot ze dat het beter was dit niet te doen. Als er met de klok geknoeid was, zou dit tijdens het forensisch onderzoek vroeg of laat aan het licht komen, tenminste als er, zoals ze hoopte, een gerechtelijk onderzoek werd ingesteld. Maar als het materiaal gedownload was terwijl Tom en zij in huis waren, dan… Dan was het hun woord tegen dat van Tom en haar. Waarom zouden ze zoiets doen? Of beter nog, hoe hadden ze het kunnen doen? Ze wist dat een man ervoor zou kiezen de tijd te veranderen, maar een vrouw was dodelijker dan een man. Ze had dat altijd al een mooie, haast poëtische uitdrukking gevonden. De enige poëzie die ze kende.

Het beven werd erger. Ze wachtte tot ze zichzelf weer onder controle had, pakte de lege fles van Alexander af, duwde hem de kamer uit en sloot de deur.

Ze trok de handschoenen uit en keek op haar horloge: de hele operatie had nog geen twintig minuten geduurd. Perfect.

Alexander stormde de woonkamer binnen, gevolgd door Jenni.

'O, Geoffrey. Er schiet me opeens te binnen dat de monteur van de wasmachine langskomt. Sorry, maar dat was ik totaal vergeten. Tom, we moeten gaan. Als ik hem misloop, duurt het een eeuwigheid voordat hij weer tijd heeft. Hij matst ons toch al door op zaterdag te komen.'

'Kun je Lucy niet bellen? Zij kan hem toch binnenlaten?'

Even dacht hij dat Jenni hem wilde slaan. Zelfs Carter zag de uitdrukking van boosheid op haar gezicht, hoewel die in een mum van tijd weer verdwenen was.

'Ze is er niet', zei Jenni. 'Geoffrey, het spijt me verschrikkelijk. Eleri en jij moeten gauw weer eens komen eten. Dag Alexander, dag liever. Krijg ik ook een zoen?' Hij leek net zo van het idee te walgen als Jenni, alleen verborg zij het beter. 'Nee? Nou, het hoeft niet, hoor. Doe Eleri de groeten van me, Geoffrey. O, en wat staat mijn plant daar mooi. Prachtig gewoon. Kijk dan Tom. Mooi, hè? Dag.'

Ze liep naar de auto, terwijl de twee mannen haar verbouwereerd en teleurgesteld volgden. Ze hadden zich prima vermaakt.

Geoffrey zwaaide ze uit en ging weer naar binnen. Alexander leek erg van streek te zijn en probeerde Carter mee naar boven te trekken. Zijn vader verzette zich en leidde hem af met een nieuw pak batterijen.

Carter had het gevoel alsof hij in shock was: het geratel van een opgefokte mevrouw Shackleton had hem uitgeput. Hij was van plan geweest het gazon te maaien, maar besloot, Alexanders stemming als excuus gebruikend, wat schrijfwerk te gaan doen en de voetbalwedstrijd uit te kijken.

Tom en Jenni zwegen tijdens de rit naar huis. Hij wist dat ze iets gedaan had. Iets dat hij niet leuk zou vinden, maar aan iets waar hij geen weet van had, kon hij ook geen schuld hebben. Het korte moment van genegenheid tussen de beide mannen was voorbijgegaan zonder dat het een nare bijsmaak had achtergelaten.

'Waarom willen mannen toch nooit weten wat er aan de hand is?'

Jenni's stem klonk scherp. Het kwam wel vaker voor dat ze zijn gedachten leek te kunnen lezen.

Hij wist waar dit naartoe ging maar wilde, zoals altijd, niet het naadje van de kous weten.

'Ik weet niet wat je bedoelt.'

Jenni verkeerde nog te veel in een overwinningsroes om er minachtend op te reageren, en lachte alleen naar hem, bijna op een tedere manier.

'Kom nou. Jij weet heel goed dat ik daar boven niet zijn avoca-dogroene badkamermeubilair aan het bewonderen was.'

'Ik dacht dat je met Alexander aan het spelen was.'

De woorden 'Laffe leugenaar, dat dacht je helemaal niet' bleven deze keer onuitgesproken.

'Je hebt het dankzij mij zover geschopt, Tom, zonder te weten hoe ik dat voor elkaar heb gekregen. Maar maak je geen zorgen, ik zal je in de waan laten dat je het allemaal in je eentje hebt gedaan.'

Ze keek opzij naar zijn profiel, dat er nu mooier uitzag dan toen hij twintig was. Hij hield zijn ogen op de weg gericht.

'Jij denkt echt dat je het zonder mij ook gered had, hè? Nou, je had evenveel kans gemaakt als een spermacel die de Theems op zwemt.' Ze lachte. Het was haar, zoals altijd, weer gelukt hem te kwetsen. 'O, kunnen we even bij Tesco langsgaan, de whisky is op. Je hebt je er flink te goed aan gedaan toen ik weg was. Kon je zelfs die paar dagen niet zonder mij?'

Hij parkeerde de auto langs een gele streep en ze stapte uit. Hij keek haar niet na toen ze de winkel binnenging. Moest hij haar vragen wat ze gedaan had? En dan? Het aan Geoffrey vertellen. Jenni opofferen en zichzelf verdacht maken? Misschien had ze niet echt iets gedaan, of was het niet iets extreems geweest. De enige manier om dat te weten te komen, was het te vragen, of af te wachten. Hij wist dat hij het niet zou vragen.

Lucy was na Toms afwijzing bedroefd naar huis teruggegaan. Ze had het gevoel dat ze niet langer gewenst was en dat ze, zoals talloze vrouwen voor haar, de hartstocht van een machtig man voor liefde had aangezien. Ze had zichzelf wat mannen betrof wel vaker voor de gek gehouden, maar niet meer sinds haar tienerjaren.

Ze hoopte toen ze naar binnen ging, dat Gary zou slapen, maar hij was klaarwakker.

'Is alles goed met je?'

Het was een onschuldige vraag, maar op haar kwam die beschuldigend over.

276

'Ja, hoor. Waarom zou het niet goed met me zijn?'

Ze had meteen spijt van de scherpe toon waarop ze het zei, maar deed niets om die te verzachten.

Gary had gehoopt dat haar bevlieging voor Teflon Tom zou verdwijnen. Hij had de situatie van alle kanten bekeken en begreep Lucy's behoeften; hij wist hoe moeilijk het voor haar was, zowel in geestelijk als in lichamelijk opzicht, om met een man in zijn toestand te moeten samenleven. Hij had zich er zelfs van weten te overtuigen dat dit het beste voor Lucy was, dat het haar leven zou vergemakkelijken als hij er niet meer was. Maar nu zag hij dat wat er voorgevallen was tussen Tom en zijn vrouw haar verdriet deed, en dat kon hij niet verdragen.

'Lucy?'

'Ja, wat is er?'

'Kom eens hier.'

Lucy hield op met opruimen en ging op de rand van zijn bed zitten. Hij pakte haar hand; er kwam geen reactie.

'Wat is er aan de hand, Luus?'

'Niets.'

Ze trok haar hand terug en wilde weer gaan staan.

'Is het Tom?'

Ze reageerde alsof ze door een bij gestoken was.

'Tom? Nee. Hoezo Tom?'

Gary had niets meer te verliezen.

'Omdat je met hem naar bed gaat.'

Lucy wilde de waarheid trotseren en Gary overbluffen. Gewoon alles ontkennen wat er gebeurd was. Wie zou haar kunnen tegenspreken? Maar ze had het Gary al weken willen vertellen. Niet om de schuld op hem af te schuiven door middel van een louterende biecht. Nee. Lucy wilde het haar man vertellen zoals ze het een broer of een goede vriendin zou vertellen. Dit was nieuw voor haar, ze wist niet of ze haar man het genot en de ellende van een affaire kon toevertrouwen. De stilte tussen hen had te lang geduurd om de beschuldiging te ontkennen. Ze bewoog alleen even haar hoofd. Schuldig, edelachtbare.

Gary voelde zich vreemd genoeg rustig, alsof hij meedeed aan een goed ingestudeerd toneelstuk.

'Ga je nog steeds met hem naar bed?'

Lucy schudde mismoedig haar hoofd.

'Heeft hij je gedumpt?'

Het gebruik van dit puberale woord maakte haar aan het huilen.

Hij sloeg het gedeelte van zijn armen dat hij nog kon bewegen om haar heen en voelde zich getroost door de stille tranen die op zijn pyjamajasje vielen.

'Kom, kom. Rustig nou maar. Hij is het niet waard.'

Lucy begon te snotteren, het gevolg van lachen en huilen tegelijk. De inhoud van haar neus kwam op zijn mouw terecht.

'Je gaat me toch niet vertellen dat ik te goed voor hem ben. O, sorry. Ik haal wel een schoon pyjamajasje voor je. Trek dit maar uit.'

'Dat is niet zo belangrijk. Nee, loop nou niet weg, Lucy. Blijf hier.'

'Lucy ging weer zitten. Gary streelde haar gezicht.

'Waarom doe je zo aardig tegen me, Gary? Dat verdien ik niet.'

'Nee, dat klopt. Ik bedoel, als je overspel wilde plegen, had je toch wel wat beters kunnen krijgen? Iemand die wat meer op een mens leek?'

'Het was alleen maar seks', mompelde Lucy.

'Bij jou is het nooit alleen maar seks, Lucy. Misschien bij de eerste keer, maar daarna wil je truien voor hem breien en zijn sokkenla opruimen. Ik kan het weten. Je hebt het bij mij ook gedaan. Weet je nog?'

Lucy probeerde te glimlachen.

'Ja, je hebt gelijk. Ik heb me te veel laten meeslepen. Niet door hem. Ik voel eigenlijk niets voor hem. Je gelooft me toch, hè?'

Nee, dacht Gary.

'Ja, natuurlijk geloof ik je. Bovendien is het mijn eigen schuld. Je hebt de laatste tijd niet veel aan me gehad als echtgenoot... Ik heb altijd al gezegd dat je er een minnaar bij moest nemen.'

'Ach, Gary. Het spijt me zo. Echt. Wil je het me vergeven? Hoewel ik het je niet kwalijk zou nemen als je het niet deed.'

'Wat moet ik doen? Het huis uit gaan?'

Gary had opeens geen zin meer om erover te praten. De heilige, begripvolle Gary met MS maakte plaats voor Gary, de ontevreden schurk, de man die wist dat geweld niets oploste, maar niettemin bereid was het te gebruiken.

Hij nam zijn toevlucht tot banaliteiten.

'Ga maar water opzetten voor thee, Lucy. Ik heb een droge keel gekregen van alle emoties.'

Lucy draaide zich om en wilde weglopen.

'En Lucy…? Je gaat er niet meer heen, hè?'

'Wat bedoel je?'

Gary's stem klonk strenger.

'Precies wat ik zeg. Je gaat er niet meer heen om schoon te maken of koffie te drinken met de mooie Jenni.'

'Maar Gary…' Lucy zocht naar de juiste woorden.

'Het komt toch heel vreemd over als we opeens niet meer met ze praten? Bovendien heb ik beloofd het huis een grote beurt te geven als ze naar Barcelona gaan.'

Gary wist toen dat het niet voorbij was; ze was nog steeds stapelgek op Shackleton en doodsbang om, net als een verslaafde, haar fantasieën los te laten. Waar hoopte ze op? Dat hij bij Jenni wegging? Dat ze nog lang en gelukkig zouden leven? Nee. Waarschijnlijk niet. Ze hoopte gewoon dat hij van gedachten zou veranderen.

Gary's woede jegens Shackleton was groter dan wat hij op dat moment voor Lucy voelde: met haar had hij vooral medelijden. Hij vroeg zich af waar zijn liefde voor haar gebleven was, of was dit liefde vanuit een ander perspectief bekeken? Het liet hem vreemd genoeg onverschillig, hij kon de situatie zelfs objectief bekijken. Als hij Lucy verbood er weer naartoe te gaan, hoe groot was dan de kans dat ze naar hem luisterde? En als ze niet meer naar hem toe ging, met wat voor Lucy moest hij dan verder leven? Met een schim die wanhopig door het huis dwaalde en telkens de gordijnen opzij schoof als ze zijn auto hoorde aankomen?

Als hij Shackleton goed had ingeschat, had Lucy haar taak volbracht en deed Shackleton nu driftig aan zelfkastijding. Het was minder aannemelijk dat hij haar terug wilde, als ze er altijd was, dan wanneer ze plotseling uit zijn leven verdween en hij zich een beeld van haar ging vormen als van iemand die hij verloren had en miste. Psychologisch gezien goed onderbouwd, maar klopte het ook? Was Shackleton werkelijk niet in staat zijn ambities op te offeren voor genegenheid, zoals Gary vermoedde? Gary wist dat het antwoord daarop 'ja' was. Lucy was een uitspatting, een oefening, waarschijnlijk niet meer dan een biologische ontlading geweest, en hij had haar aan de kant geschoven omdat ze een bedreiging begon te vormen voor zijn geestelijk evenwicht. Of er had zich ondertussen iets interessanters aangediend, en minder problematisch.

Het zou beter zijn als ze ernaartoe bleef gaan en hem met haar aanwezigheid aan zijn vergissing herinnerde, dan haar daar weg te houden. Het feit dat ze beschikbaar was, was zijn garantie dat Shackleton haar met rust zou laten.

Dat hoopte hij tenminste.

Ondanks zijn klinische aanpak van het probleem, leidde deze niet tot een bevredigende keuze, wat hem ertoe deed besluiten te zeggen: 'Oké, Lucy. Maar geen gezelligheidsbezoekjes meer. Afgesproken?'

Ze stemde snel toe.

'Ja, natuurlijk, Gary. Ik begrijp het. Je hebt gelijk. Ik blijf er schoonmaken, maar alleen als hij naar zijn werk is. Goed?'

Gary was moe, wilde zijn ogen dichtdoen en alles vergeten.

'Zet maar water op, Lucy.'

'Ja, ja. Goed.' Ze verliet de kamer.

Ze wist wat ze nu zou moeten voelen, maar toen ze met haar handen op het aanrecht geleund stond te wachten tot het water kookte, voelde ze een gekreun in zich opkomen, dat in de woorden 'O, Tom…' naar buiten kwam.

Het was niet voorbij. Plotseling zag en voelde ze Gary weer zoals bij hun eerste ontmoeting. Bij de eerste keer dat ze gevreeën hadden. Terwijl ze het kokende water over de theezakjes goot – Gary was altijd gek geweest op biologische Darjeeling, maar nu dronken ze bijna altijd goedkope supermarktthee – herinnerde ze zich weer hoe verrast ze was geweest toen ze Gary voor het eerst intiem had aangeraakt. Ze kon nauwelijks geloven wat haar vingers beroerden. Hij was enorm. Nou ja, enorm voor haar gevoel, gezien haar geringe ervaring, niet enorm in omvang, maar heel lang en hij had de neiging triomfantelijk naar links te buigen als hij zijn ultieme lengte had bereikt. En dan zijn uithoudingsvermogen...

Ze deed melk en twee klontjes suiker in Gary's thee. Niets in die van haarzelf, omdat ze nog steeds op dieet was voor de hoofdcommissaris.

Na de eerste twee uur had hij gevraagd of ze het erg vond om even te pauzeren. Voor een kwart glas goedkope, gekoelde witte wijn en een sigaret. Daarna waren nog tweeënhalf uur voorspel gevolgd, zoals tijdschriften het in die tijd zedig noemden. Daarna had hij haar gevraagd of hij een condoom om mocht doen. Alsof hij toestemming had gevraagd de radio aan te zetten om naar een cricketwedstrijd te luisteren. Ze had niet gekeken toen hij het condoom vakkundig om die buitengewoon lange passievrucht had gerold. Ze had het onbeleefd gevonden om te kijken. En daarna...

'Krijg ik dat kopje thee nog voor de kerst, Lucy?'

Ze was de eerste keer niet klaargekomen; niet omdat ze niet opgewonden was geraakt van hem, maar omdat ze het leuk vond om te zien hoe de verbazing op zijn gezicht steeds groter werd, het genot toenam en tot uitbarsting kwam in dat vreemde rubberen zakje dat zich nog meer aan hem vastklampte dan haar eigen trillende lichaam.

Daarna praatte hij. Ze lachten en uiteindelijk vielen ze in elkaars armen in slaap.

Toen ze de thee binnenbracht, voelde ze weer de blijdschap die ze ook gevoeld had toen ze naar hem had gekeken terwijl hij sliep. Misschien waren haar moederlijke gevoelens daarop ingesteld, op het kijken naar het gezicht van slapende mannen terwijl ze in haar armen lagen, en nadat ze in haar waren klaargekomen.

'Waar lach je om?' vroeg Gary, terwijl ze zijn babybeker neerzette.

'Lachte ik? O, om niets. Ik dacht ergens aan.'

Gary keek haar aan en zag de rode vlekken in haar gezicht en hals. Ze dacht aan seks. Maar hij geloofde niet dat hij erbij betrokken was.

De consulterend geneesheer in het ziekenhuis, corpsbal met luide stem en Garrick-clubdas, had Gary op onbehouwen toon meegedeeld wat zijn kansen waren 'het vrouwtje te bevredigen'.

De MS-specialist, een man met een zachte stem en ongepoetste schoenen, was realistischer geweest en had Gary een selectie pompen en pillen aangeboden. Maar het ging Gary niet alleen om wat zijn lichaam nog kon. Zijn geest had hem impotent gemaakt. Hij walgde van zichzelf: hoe kon iemand hem nu nog aantrekkelijk vinden? En daarom bleef de glorie uit zijn jonge jaren onder het katoen van zijn pyjama verscholen. En hoewel ze zich, heel soms, nog tegen hem aan drukte, naast hem kwam liggen, kon hij zijn vingers niet over haar lichaam laten dwalen. Hij kon haar geen genot geven.

En nu waren zijn handen er niet meer toe in staat.

Hij vroeg zich af of hij dankbaar moest zijn dat ze niet met iedereen het bed in was gedoken, van de melkman tot meneer Chawla van de winkel op de hoek.

'Waar denk je aan?' Lucy's stem was vriendelijk, als die van een verpleegster. Ze wist precies waaraan hij dacht, en ze verdiende het dat hij boos op haar was omdat ze het gevraagd had.

'Fuchsia's', zei hij. 'Buiten voor de terrasdeuren. Zodat ik er hiervandaan naar kan kijken. Dat lijkt me leuk.'

'Ja. Goed idee', zei ze, terwijl ze haar dieetbiscuitje met chocolade in de thee doopte.

De Dwerg luisterde naar *Don Giovanni* toen de telefoon ging. Terwijl hij naar Thomas Allen luisterde, herinnerde hij zich weer hoeveel indruk de seksuele uitstraling van de zanger op hem had gemaakt toen hij hem deze rol had zien vertolken. De Dons obsessie met de achtervolging en Allens invulling daarvan pasten perfect bij elkaar. Voor Robert MacIntyre was het, zonder enige twijfel, de perfecte opera.

Hij was met de rode koffertjes bezig geweest. Zijn geliefde, rode koffertjes, die hem zoveel voldoening schonken. De beloning waarop hij zo lang had gewacht.

De verkiezingsperiode had voor weinig spanning gezorgd, alleen de media hadden hun best gedaan. De oppositie stelde zo weinig voor dat het bijna gênant was geweest om ze als een bedreiging af te schilderen. Natuurlijk was iedereen op de dag van de verkiezingen nog even nerveus geweest, voor het geval het lot anders beschikte, maar de verpletterende overwinning werd behaald, ook al had maar dertig procent van de kiezers zijn stem uitgebracht. Het maakte MacIntyre niets uit. Zolang apathie in het voordeel van de regering werkte, had hij er geen bezwaar tegen.

De dag na de verkiezingen had de premier hem op Nummer 10 ontboden en hem Binnenlandse Zaken aangeboden. Hij had het aanbod aangenomen en de eerste volmaakte dag van zijn leven beleefd.

MacIntyre kende het gevoel van voldoening, de voltooiing genaderd te zijn, maar niets had hem kunnen voorbereiden op het overweldigend bevredigende gevoel van macht dat deze functie hem gaf. Minister van Binnenlandse Zaken. Hij vond het prachtig. God had hem deze functie toebedacht, vond hij. Niet die van premier, die wilde hij niet: het publiciteitsgeile gedrag dat daarbij vereist was, paste niet bij hem. Nee, hij had zijn stek gevonden en voelde zich er lekker bij.

'De premier is aan de telefoon!' riep Lizie.

Hij liep naar zijn bureau en nam de hoorn van de haak. De stem aan de andere kant van de lijn klonk, zoals altijd, informeel zonder echt ongedwongen te worden.

'Hallo… Robbie… Zeg, ik heb net de kranten gezien. Die Carter, wat bezielt die man? Weet jij dat? Of is hij een ongeleid projectiel?'

MacIntyre had zich dat ook afgevraagd toen hij het interview had gezien, maar wilde afwachten of de media erop inhaakten. Het had geen zin je druk te maken als de media met iets kwamen dat de aandacht van deze kwestie afleidde, maar zoals gewoonlijk wilde de premier de touwtjes in handen houden.

'Ik geloof niet dat zijn ideeën over decriminalisering een gevaar voor ons vormen, premier.' MacIntyre had een hekel aan het familiaire gebruik van voornamen. 'Zal ik maandag een hartig woordje met hem wisselen?'

'Goed idee, Robbie. Ik bedoel maar, als misdaadpaus hoort hij toch de partijlijn te volgen? In alles toch? Enfin, hij is een van jullie, dus als je denkt dat een hartig woordje genoeg is. Ik weet het niet. Misschien moeten we dit heroverwegen. Luister, ik moet weg nu. Denk er nog eens over na, Robbie. O, en doe de groeten aan Elizabeth.'

De partijlijn volgen. Bijgepraat worden. Alle neuzen dezelfde kant op. De mantra van het moderne succes.

MacIntyre liep naar het raam. De lama's, die komische schepsels, sprongen als tekenfilmfiguren in het rond. Hij voorzag problemen met meneer Carter. Er was in de pers uitgebreid aandacht besteed aan het feit dat hij de misdaadpaus zou worden, hoewel het nieuws nog niet officieel bekend was gemaakt. Hij werd door pers, radio en televisie als een individuele denker gezien. De regering had zelfs vanuit kritische kringen lof ontvangen dat ze iemand gekozen hadden die geen meeloper was. Maar... MacIntyre realiseerde zich dat er geen 'maar' kon zijn. Er was geen weg terug, tenzij de premier en zijn adviseurs een storm van minachtende kritiek van de media over zich heen wilden krijgen. En die kritiek zou via Downing Street op hem terugslaan. Want de minister van Binnenlandse Zaken was verantwoordelijk voor deze benoeming. Als er rotzooi van kwam, zou hij die veroorzaakt hebben, ook al was het besluit om Carter de functie te geven ver voor zijn tijd genomen.

Hij kon geen kant op.

Hij wist dat Carter zich niet zou laten passeren zonder zelf zijn weldoordachte mening aan de storm van verontwaardiging, die ongetwijfeld zou volgen, toe te voegen.

Nee, meneer Carter was onherroepelijk de eerste misdaadpaus, maar een gesprek onder vier ogen zou geen kwaad kunnen. Niet om hem te waarschuwen, maar om hem goede raad te geven. Wat leiding. Maar hij zou altijd een bedreiging blijven vormen. En dat vond de Dwerg geen prettig vooruitzicht.

De deur ging open en Lizie kwam binnen met een dienblad in haar handen met daarop een pot thee, twee kopjes en een versgebakken Dundee-cake.

'Kopje thee met een plakje cake!'

Ze zeiden het tegelijk, alsof het een kinderversje was, met de nadruk op de woorden 'thee' en 'cake'. Troostend en kinderachtig. De Dwerg boog zich over het koffertje heen en kuste haar op de wang.

'Kleine verleidster! Goed, vijf minuten dan. Maar daarna moet ik echt weg.'

Jenni was nerveuzer dan anders toen ze naar het vliegveld reden. Sinds ze bij Geoffrey Carter op bezoek waren geweest, had ze niet meer goed kunnen slapen en was ze om drie 's nachts aan het stofzuigen geslagen en had ze hun koffers in- en uitgepakt.

Shackleton verbrak de stilte.

'We moeten tanken. Ik stop bij het eerstvolgende benzinestation.'

Jenni reageerde niet. Hij kon haar ogen niet zien achter de glazen van haar dure zonnebril. Ze reden zwijgend verder. Jenni draaide met haar pas gemanicuurde handen aan de zijden sjaal om haar hals. Shackleton nam de afslag naar het pompstation met de groene overkapping.

'Ik wil wat water. En ik moet naar de wc.'

Het waren Jenni's eerste woorden sinds ze in de auto was gestapt.

Hij wilde het haar graag naar de zin maken.

'Ik haal wel een flesje voor je. O, het toilet is buiten gebruik.'

'Godsamme... toilet? Toilet? Je zit niet meer op de kleuterschool, hoor. Jezus!'

Shackleton ging gewoon door met tanken. Hij hoorde de hysterie in haar stem en probeerde een confrontatie te voorkomen.

'Sorry', mompelde hij.

'Rij maar door naar het restaurant.'

Hij rekende af en gehoorzaamde haar braaf.

Opeens verbeterde haar stemming.

'Kom op, dan krijg je een suikerbroodje van me. We hebben tijd genoeg.'

Ze glimlachte naar hem.

Hij was blij verrast dat de donderwolken overgedreven waren, maar bleef op zijn hoede. Ze stapten uit en Jenni liep naar de ingang van het restaurant. Shackleton bleef achter om de auto op slot te doen.

Ze draaide zich om.

'Waar is je jasje?'

'In de auto.'

'Doe je het niet aan?'

Hij keek hij haar niet-begrijpend aan.

'Nee. Het is prachtig weer. Ik heb het niet nodig.'

'Je ziet eruit als een verkoper van tweedehandsauto's. Doe je jasje aan.'

'Nee, Jenni. Dat is niet nodig. We blijven immers maar even…'

En toen knapte er iets in haar. De elegante, in zijde geklede vrouw die zes passen voor hem uit liep, veranderde plotseling in een schreeuwend viswijf.

'Waarom heb je geen respect voor me? Als je een belangrijk iemand bij je had gehad, had je jasje aangetrokken. Maar ik ben zeker niet belangrijk. Nee, ik ben alleen maar je vrouw. Doe je jasje aan! Ik voel me vernederd door je! Klootzak! Arrogante klootzak dat je bent!'

En terwijl vaders, moeders en kinderen met grote zakken friet vanaf de parkeerplaats zaten toe te kijken, wierp zij zich als een woeste furie op hem. Haar roodgelakte nagels boorden zich met gemak in de zachte huid van zijn wangen. Ze trokken aan de onderkant van zijn oogleden waardoor hij er even uitzag als een bedroefde sint-bernardshond. Toen ze zich omdraaide en wegliep, sijpelde er donkerrood bloed uit de wonden.

'Doe je jasje aan', hoorde hij haar zeggen, terwijl de automatische deuren, waarop dagschotels voor vier pond vijftig werden aange- prezen, zich achter haar sloten.

Tom bukte zich om zijn jasje uit de auto te pakken en was zich zeer bewust van de starende blikken van de mollige kinderen die verderop in de auto zaten. Daarna ging hij ook het goedkope restaurant binnen. Jenni hield een kop thee voor hem omhoog.

Een dikke man, met tatoeages die lieten zien wie en wat invloed op zijn leven hadden gehad – Mamma, Evelyn, Liefde, Haat en Para 2 – liep naar Shackleton toe. Jenni negeerde hij.

'Als ik jou was, gaf ik haar een hijs. Eén keer flink meppen. Doet ze het nooit weer.'

Shackleton keek hem aan, keek naar zijn gouden halsketting, de ringen en de armband. Er hing een muffe geur van sigaretten om hem heen.

'Dat kan ik niet. Dan zou ik haar vermoorden.'

De getatoeëerde man kon er wel respect voor opbrengen. Hij knikte.

'Geen jury zou je veroordelen. Wat een kreng!'

Zonder Jenni een blik waardig te keuren liep hij weg, tevreden over zijn wijze woorden en de wereld waarin hij leefde.

'Wat wilde hij?' vroeg Jenni. Scherpe stem, fonkelende ogen.

'Muntgeld... voor de sigarettenautomaat.'

Als het woord 'symbiose' deel had uitgemaakt van Tom Shackletons woordenschat, zou hem dat nu misschien goed van pas zijn gekomen bij het bedenken van een reden waarom Jenni en hij nog steeds bij elkaar waren.

Jenni volhardde in haar zwijgen totdat ze hun intrek hadden genomen in Hotel Sobrino aan een pittoresk achterafstraatje van Barcelona.

De grote ramen in hun kamer boden uitzicht op zwarte gietijzeren balkons die Jenni als 'schattig' betitelde, het eerste woord dat ze sinds het incident met het jasje uitte. Dit was voor Shackleton het teken dat alles weer bij het oude was: de straf was voorbij.

Ze brachten de dag door met het verkennen van de stad, waarbij Jenni sarcastische opmerkingen maakte over elke kleermakersfout die ze zagen. Op dit niveau genoten ze van elkaars gezelschap, maar ze genoten vooral van de bewonderende blikken die ze kregen.

Op de middag van de tweede dag wilde Tom niets liever dan van haar verlost te zijn, een bar op te zoeken en dronken te worden. Maar dat zou alleen maar tot meer geweld en meer scheldpartijen leiden.

'Heb je zin om uit eten te gaan?' Zijn stem klonk zoals altijd verzoenend.

'Later. Ik ga eerst even rusten. Maar jij mag wel de stad in gaan. Ga maar ergens iets drinken. Maar...' Ze wierp hem haar liefste glimlach toe. 'Niet dronken worden. En, Tom...?'

Hij zag weer die zweem van gevaar in haar ogen.

'Neem je jasje mee.'

En vergeet niet je ballen op het nachtkastje achter te laten.

Ze liep het balkon op en keek hem na tot hij aan het eind van de smalle straat was. Hij keek niet omhoog. Daarna liep ze de mooie witte slaapkamer weer in en ging op de rand van een van de twee mahoniehouten bedden zitten.

'Tom, niet vergeten. Geen tweepersoons, lits-jumeaux. Ik kan je gezweet en gesnurk in die hitte niet naast me verdragen.'

Ze nam de hoorn van de haak en draaide Lucy's nummer. Gary nam op nadat de telefoon elf keer was overgegaan. Jenni telde het aantal keren altijd. Meestal legde ze na negen keer neer.

'Gary, lieverd. Hoe gaat het met je? Sorry, domme vraag. Mag ik Lucy even? Dank je…'

Ze hoorde hoe hij Lucy riep. Waarschijnlijk was ze in de keuken zijn avondeten vloeibaar aan het maken, dacht Jenni. Arme Lucy, als ze weer thuis was, zou ze haar een dagje meenemen naar de Sanctuary. Niet dat een schoonheidsbehandeling bij Lucy tot ingrijpende verbeteringen zou leiden.

'Hallo, Lucy. Is alles goed? Ik bel alleen even om je ons telefoonnummer door te geven. Mocht er iets gebeuren… Zoals wat? Nou, niets eigenlijk, maar Tamsin en kleine Kit zeiden dat ze misschien bij Jason langs wilden gaan om voor hem te koken en je weet hoeveel rommel ze kunnen maken. De keuken zal er na die tijd uitzien alsof er een bom ontploft is.'

Lucy lachte omdat het van haar verwacht werd.

'Bel maar gerust… En je vergeet de grote schoonmaak toch niet, hè? Ik kijk onder alle bedden als ik terug ben, dus niet met de Franse slag.'

Dit was wat Jenni onder een luchtig gesprekje verstond, maar het deed Lucy knarsetanden. Ze wilde zeggen dat hun zoon het hele huis overhoop had gehaald en daarna Jenni's klerenkast in de fik had gestoken, maar ze zei alleen: 'Goed. Geen probleem. Veel plezier.'

Nadat Jenni de telefoon had neergelegd, bleef ze nog even op het bed zitten. Ze voelde zich nerveus en wat angstig. Hier was een middel tegen, een medicijn dat ze zonder veel moeite in toiletten van dure restaurants kon aanschaffen. Ze pakte haar handtas, vierkant, van duur leer en discreet voorzien van de naam van een ontwerper die enkel de beau monde bediende en zich niet na één seizoen alweer uit de markt liet prijzen.

Ze liet haar hand in de tas glijden en haalde haar poederdoos tevoorschijn. Onder de vulling met fijn poeder lag een klein envelopje. En in dat envelopje bevond zich een bemoedigende hoeveelheid cocaïne. Ze wist hoe dom en riskant het was om zoiets mee te nemen, maar geen enkele politiehond had het kunnen ruiken vanwege de grote hoeveelheden parfum die ze had opgedaan. Bovendien was haar man hoofd van politie; niemand zou hem aan durven houden.

Jenni begon aan het bekende ritueel en genoot ervan hoe handig ze erin was geworden. Ze haalde een biljet van vijftig euro uit haar portemonnee, rolde het op en snoof de cocaïne ermee op van het gepolijste blad van de salontafel. Het dove gevoel nadat ze met haar vinger het poeder op haar tandvlees had gewreven, vond ze nog steeds het lekkerst. Het ging vooraf aan de golf van zelfvertrouwen die volgde. Ze ruimde alles op, wiste alle sporen uit en bereidde zich voor op het avondeten.

En op de volgende twee, cruciale dagen.

Het duurde niet lang voordat Lucy het microfoontje had gevonden toen ze aan de grote schoonmaak begon, maar ze had geen idee wat het was, dus stofte ze het alleen af en legde het terug op de plank.

Pas de volgende morgen tijdens het ontbijt schoot het haar weer te binnen en vertelde ze het terloops aan Gary.

Hij was meteen geïnteresseerd.

'Haal het eens op', zei hij.

'Dat kan ik niet doen. Ik weet niet eens wat het is. Het kan wel iets met de beveiliging van het huis te maken hebben.'

Gary vond het amusant.

'Wat, een inbraakalarm in een kastje? Met al die dure spullen die zij hebben? Ik dacht het niet.'

Lucy haalde haar schouders op. Maar Gary bleef aanhouden en uiteindelijk pakte ze haar sleutels en stak ze de straat over om het op te halen. Ze probeerde niet naar de foto van Tom te kijken op het tafeltje in de hal. Zoals ze ook geprobeerd had om niet meer aan hem te denken sinds hij haar had afgewezen. Maar met het verstrijken van de tijd was ze zichzelf ervan gaan overtuigen dat ze zijn woorden verkeerd had geïnterpreteerd. Misschien was alles wel weer goed tussen hen als hij terug was.

Ze gaf het microfoontje aan Gary. Hij draaide het om, bekeek het vol ongeloof, en had het gevoel alsof hij in een James Bond-film terecht was gekomen. Hij wist precies wat het was. In de grote-letterboeken van de bibliotheek, die hij verslond, wemelde het van spionnen en spionageattributen. Hij had het lezen van literaire romans allang opgegeven, de verwikkelingen die daarin beschreven werden, stonden nog verder van hem af dan die van SAS-agenten die Afrikaanse ministaatjes redden. Gary moest bijna lachen.

'Het is een microfoontje. Een afluisterapparaatje. Was dit het enige?'

'Geen idee. Ik heb niet verder gekeken.'

Het microfoontje glipte uit zijn handen en viel op de grond.

'Gary… voorzichtig. Straks gaat het nog stuk. Weet je zeker dat het een afluisterapparaatje is?' Ze voelde zich enigszins opgelaten toen ze deze term ervoor gebruikte.

'Volgens mij wel. Ik heb een paar weken geleden een documentaire over MI6 gezien, waarin deze ook gebruikt werden.'

Lucy pakte het microfoontje en probeerde te ontdekken hoe het werkte. Het enige wat ze zag was een zwart doosje waaruit een zwart staafje rubber stak. Ze had het leuker gevonden als het kleiner was geweest, klein en sexy, en van hetzelfde materiaal was gemaakt als waar ruimteschepen van werden gemaakt.

'Misschien is het van hen zelf, een aandenken of zo, uit de tijd dat Tom… sorry.'

Ze zag de uitdrukking op Gary's gezicht en wist dat hij dacht dat ze een excuus zocht om Shackleton op te bellen. Ze veranderde van tactiek.

'Waarom vraag jij het hem niet? Jij weet wat het is.'

Gary knikte.

'Goed.'

Lucy draaide het nummer dat op het kladblok met beertjes naast de telefoon stond.

'Hotel Sobrino, *buenos dias.*'

Lucy verstijfde altijd als ze naar het buitenland moest bellen. Het had te maken met de enkele beltonen en het abrupte zelfvertrouwen van de persoon die de telefoon opnam.

'Eh… hallo. Meneer Shackleton, alstublieft. Kamer een twee zes.'

'*Ciento veintiséis. Gracias, señora.*'

Weer die enkele beltoon. Drie achterelkaar. Toen hoorde ze Toms stem en het zachte, lang aangehouden 'Hallo'. Haar hart sloeg over. Of waren het de vlinders in haar buik? Ze gaf de hoorn aan Gary.

'Tom? Met Gary. Lucy heeft iets gevonden in jullie huis...'

Shackleton legde de hoorn op de haak. Jenni was onder de douche. Toen ze even later gehuld in een witte handdoek de badkamer uit kwam, bleef hij zitten zonder zich te verroeren.

Zonder zijn nette pak of uniform zag hij er oud en uitgezakt uit. Wat sullig. Jenni ergerde zich aan zijn passieve houding, helemaal nu ze alleen waren en niets haar kon afleiden. Maar ze waren hier om het imago van hun huwelijk op te poetsen. Het gouden paar, twee mensen die zich door het leven geslagen hadden zonder ooit op de klippen der eeuwige en innige verbondenheid gestrand te zijn.

'Wat is er met jou aan de hand?'

Jenni dacht dat hij last had van zijn nek, of van zijn maag, of van een andere vage kwaal, een overblijfsel van stress en ouderdom. Jenni was van mening dat als ze geen enkele sympathie toonde, zijn klachten vanzelf zouden verdwijnen. Of dat hij op den duur zijn pijn voor haar zou verbergen.

'Dat was Gary...'

Ze onderbrak hem.

'Aan de telefoon? Waarom heb je me niet geroepen? Wat wilde hij? Is er iets gebeurd thuis?'

'Lucy heeft een microfoontje gevonden toen ze aan het schoonmaken was.'

Jenni bleef rustig. Ze pakte een borstel en haalde die langzaam door haar natte haar.

'Ik weet niet waar je het over hebt.'

Jenni luisterde tevreden terwijl haar man, weer helemaal de kordate hoofdcommissaris, zijn plaatsvervanger belde en hem opdracht gaf het huis minutieus te laten doorzoeken door een eenheid van de afdeling Bijzondere Operaties.

Jenni zette de haarföhn aan.

'Is dit ernstig?'

'Natuurlijk is dit ernstig.'

Mooi, dacht ze. Dat werd tijd ook. Wat had Lucy al die tijd uitgevoerd dat ze het ding nu pas had gevonden? Stom mens.

'Betekent dit dat we naar huis moeten?'

'Ja.' Hij pakte de hoorn weer van de haak. 'Doe dat ding uit, ik hoor niets.'

Jenni was niet gepikeerd, maar zag haar kans schoon. Ze smeet de föhn neer en raakte daarbij een asbak, die stukviel op de tegelvloer.

'Jij verpest ook altijd alles. Klootzak! En dat moet mijn echtgenoot voorstellen. Al onze vakanties heb je in het honderd laten lopen. Nee, de vliegtickets niet per telefoon laten veranderen, dat gaat toch mis als jij het doet. Ga naar de receptie. Laat hen het maar doen. Ga dan! Ga! Rot op! Laat me alleen!'

Ze schreeuwde nu en was tevreden over de uitwerking die dit op hem had.

Zoals gewoonlijk schrok hij terug voor haar woede-uitbarsting en gaf zich gewonnen.

'Jenni, rustig nou. Niet zo schreeuwen. Oké, ik ga al, ik ga al. Rustig nou maar.'

Ze ging door tot hij de deur achter zich had dichtgedaan. Meteen liep ze naar de telefoon en draaide het nummer van Carters huis. Eleri nam op. Jenni zette een huilerig, kwetsbaar stemmetje op. Eleri was onmiddellijk bezorgd.

'…en ze heeft een microfoontje gevonden. Een afluisterapparatje. O, god… iemand moet ons huis zijn binnengedrongen. Dat geeft me toch zo'n akelig gevoel, alsof je verkracht wordt…'

Eleri probeerde haar te kalmeren, hoewel ze niet goed begreep waarom Jenni uitgerekend haar gebeld had.

'En nou dacht ik… misschien hebben jullie ze ook in huis.'

Net als muizen, dacht Eleri.

'Ja, dat kan natuurlijk, hoewel ik niet begrijp waarom.'

Jenni wilde in de hoorn schreeuwen: omdat jouw man ook hoofdcommissaris is, stomme, zwangere koe, daarom.

'Waarom? Eleri, Geoffrey wordt de nieuwe misdaadpaus en Tom wordt hoofd van het controversieelste politiekorps van het land, ze zijn bekender dan de meeste politici. Zie je dat dan niet? Iedereen, van MI5 tot *News of the World*, had ze kunnen aanbrengen. En na wat Geoffrey op televisie heeft gezegd, houden ze hem helemaal in de gaten. Joost mag weten hoe lang die dingen al in ons huis hebben gezeten. We hebben dit jaar zo vaak werklui over de vloer gehad.'

'O, nu je het zegt, wij hebben net alle ramen laten vervangen...'

'Ben je er al die tijd bij geweest?'

'Nou, nee... de buurman heeft ze soms binnengelaten.'

Jenni wist wanneer ze haar mond moest houden, zodat gedachten vorm konden krijgen.

In Eleri's hoofd, dat alleen naar baby's stond, kwam dit proces echter wat trager op gang. Uiteindelijk zei ze: 'Ik zal gaan kijken, Jenni. Echt, ik beloof het je. Maar misschien heeft je vriendin zich vergist. Laten we niet te hard van stapel lopen. Ik zal het Geoffrey vertellen zodra hij thuiskomt, maar hij heeft het vandaag vreselijk druk en ik moet met Alexander naar zijn nieuwe school. Hij krijgt daar begeleidend onderwijs; we hebben eeuwig moeten wachten tot er een plaats vrijkwam...'

Jenni kreeg de neiging om te gaan gillen vanwege Eleri's serene, en door hormonen gestuurde houding, maar ze bleef kalm en beëindigde het telefoongesprek. Er zat niets anders op dan te wachten.

Ze was te opgefokt om zich nog te kunnen ontspannen, ze moest stoom afblazen. Wat kon ze doen? Waar was Tom? Ze had het gevoel alsof er met scherpe klauwen aan de binnenkant van haar schedel gekrabd werd. Ze hoorde het krabben. Haar ademhaling stokte. Een golf van paniek sloeg door haar heen. Ze had nog wat van het magische, witte poeder nodig, maar alles was op. Thuis, in de la van haar toilettafel, had ze altijd een paar envelopjes klaarliggen, maar ze had ervoor gezorgd dat die voor hun vertrek naar Spanje waren opgeruimd. Als het huis tijdens hun afwezigheid doorzocht werd... Jenni glimlachte. Twee pillen en een groot glas wodka zouden de ergste pijn wel wegnemen. Ze schonk de wodka in, slikte de pillen door en draaide het rechtstreekse nummer van de Dwerg.

'Jenni, wat een aangename verrassing. Hoe gaat het met je?'

Een van de nieuwe meisjes kwam binnen met zijn koffie. Toen ze zich omdraaide en wegliep, zag hij dat ze haar benen niet had onthaard. Zou dat voor haar oksels ook gelden, vroeg hij zich af. Was het luiheid of ondeugendheid?

'Robbie, sorry dat ik je stoor. We zitten in Spanje en Lucy belde net…'

Het hele verhaal kwam eruit en de Dwerg luisterde. Eigenlijk had hij er helemaal geen zin in, maar hij had een zwak voor meneer de hoofdcommissaris. En zij had zo heerlijk van hem gewalgd. Hij dacht zelden terug aan zijn momenten van triomf, maar aan dit moment had hij zulke zoete herinneringen overgehouden.

'…en die arme Eleri is in verwachting. Ik wil haar niet bang maken, maar na die toestand met de belegering en nu Tom en Geoffrey zo in de belangstelling staan… Je begrijpt vast wel wat ik bedoel, en ik hoop dat je me niet al te paranoïde vindt… Sorry dat ik je er zomaar bij betrek, maar Tom is er niet en ik maak me echt grote zorgen.'

Hij stelde haar gerust en beloofde de zaak uit te zoeken, maar ze hoorde aan zijn stem dat hij niet geheel overtuigd was.

'Dat is geweldig, Robbie. Ik ben je zo dankbaar.'

Ja, dat zul je zeker zijn. Daar zorg ik wel voor.

'O, en Robbie…' Zou ze het erop wagen? 'Er is nog iets.'

Hij zweeg, wat ze als een uitnodiging beschouwde om door te gaan.

'Ik ben de laatste tijd vaak bij de Carters thuis geweest en… nou ja, dit is heel moeilijk, ik denk dat Geoffrey Carter… O, god, Robbie, ik weet niet goed hoe ik dit moet zeggen, maar ik denk dat je meer dan alleen afluisterapparatuur in zijn huis zult aantreffen. Meer kan ik er echt niet over zeggen.'

Waar had ze het in godsnaam over?

'Gestolen goederen, Jenni? Illegaal geïmporteerde pakjes shag? Wat bedoel je?'

'Nee, pornografie…' Jenni zweeg. Was ze te ver gegaan?

'Ik begrijp het.' MacIntyre zweeg.

Jenni maakte meteen gebruik van de stilte.

'Alexander, hun autistische zoon, vond een video in de kast. Ik heb hem niet bekeken, maar naar de omslag en de titel te oordelen… Ik denk dat het…'

'Wat Jenni?'

De stem van de Dwerg klonk streng. Ze aarzelde. Wat ging er door zijn hoofd? Geloofde hij haar?

'Dat het kinderporno was.' Ze praatte snel verder. 'Weet je, misschien heb ik me wel vergist en was het iets volkomen onschuldigs. Zo goed heb ik ook weer niet gekeken. Misschien had ik niets moeten zeggen. Ik heb het zelfs Tom niet verteld. Sorry…'

MacIntyre fronste zijn wenkbrauwen. Zou Carter meer last veroorzaken dan hij waard was?

'Maak je geen zorgen, Jenni. Die kwestie met de microfoontjes moet uitgezocht worden en als daarbij nog iets anders aan het licht komt…'

Bingo!

'Dank je, Robbie. Ik hoop niet dat je me voor gek verklaart.'

'Helemaal niet, Jenni. Helemaal niet. En Jenni, als je weer terug bent, moeten we weer eens een afspraak maken. Onze laatste ontmoeting is me zo goed bevallen.'

'Mij ook, Robbie.'

U kunt slecht liegen, mevrouw Shackleton.

'Goed… laat me maar weten wanneer je weg kunt. En bedankt voor je telefoontje. Ik ga het uitzoeken.'

Jenni Shackleton, de geknakte blom die in paniek raakt wanneer haar man afwezig is, was niet erg geloofwaardig, maar ze was oprecht overgekomen en de hint over Carters seksuele voorkeur was heel apart geweest. Hij wilde er meer van weten, maar roddelen was niet zijn stijl. Een beschuldiging als deze moest onmiddellijk de kop in worden gedrukt. Tenzij het waar was natuurlijk.

Na een serie korte telefoongesprekken werd ene Trevor Hemsley op deze delicate zaak gezet. Hij kreeg opdracht het huis van de hoofdcommissaris te doorzoeken. Hemsley had zich geërgerd, omdat het zijn vrije dag was en hij met een replica van The Mary Rose bezig was, maar hij had zijn tube lijm neergelegd, zijn jas aangetrokken en was aan het werk gegaan.

Jenni had zich aangekleed en zat in een reisgids te lezen toen Tom binnenkwam met de nieuwe vliegtickets. Hij zag er verhit en moe uit. Hij transpireerde en zijn gezicht was vuurrood, niet van de zon maar van inspanning.

'Schat, wanneer heb jij voor het laatst je bloeddruk laten meten?'

Shackleton bleef zich erover verbazen hoe snel zijn vrouw van stemming en van gespreksonderwerp wisselde.

'Ik heb de tickets. Het vliegtuig vertrekt om halfnegen vanavond. Is dat goed?'

Jenni was aangenaam verrast bij het horen van die vraag.

'Natuurlijk, Tom. Wat zie je er toch verhit uit. Ga gauw zitten, dan krijg je iets te drinken van me.'

Ze gaf hem een flesje met te koud mineraalwater uit de minibar, ging achter hem staan en liet haar koude vingertoppen als spinraggen over zijn voorhoofd gaan. Hij durfde zich niet te bewegen. De aanraking van haar lijkbleke vingers op zijn huid stond hem tegen, maar hij wist dat hij beter niet haar aandacht kon afwijzen. Hij keek omhoog maar ze was zich er niet van bewust dat hij naar haar keek. Ze staarde naar een plek in de verte waar het goed toeven was. Een plek waar hij niet welkom was.

'Maak je je zorgen om dat microfoontje?'

Haar stem klonk zacht, alsof ze wilde dat hij 'ja' zou zeggen, zodat ze hem gerust kon stellen.

'Nee. Maar ik zou wel graag willen weten wie het in ons huis verstopt heeft.'

'Misschien de veiligheidsdienst. Om er zeker van te zijn dat je te vertrouwen bent, voordat je Londen krijgt.'

'Dat betwijfel ik. De veiligheidsdienst heeft niet veel op met de politie. Ze denken daar dat we niet slim genoeg zijn om iets te ondernemen dat een veiligheidsrisico met zich meebrengt. Bovendien gaan ze daar veel geraffineerder te werk, ze tappen eerder je telefoon af.'

Jenni ging verder met het masseren van zijn voorhoofd. Hij wou maar dat ze ermee ophield.

'En de pers?' vroeg Jenni.

Tom zei eerst niets. Het begon hem langzaam duidelijk te worden waarom Jenni geen komodovaraan nadeed die op een landmijn was gestapt.

'Jenni... heb jij hier misschien iets mee te maken?'

Ze ging op haar hurken naast hem zitten en legde haar tere vogelhandjes op zijn arm.

'Als dat zo was, dan zou het voor jou zijn. Dat weet je toch, hè?'

Hij raakte even haar haar aan. Ja, hij wist dat ze dat geloofde, en dat het beter was haar in die waan te laten. Hij was er niet eens zeker van of hij opgewassen was tegen de aanval van blinde haat die dat bij haar zou oproepen. Deze oase van rust en vriendelijkheid was zo zeldzaam.

'Ja, Jenni, dat weet ik.'

Een moment lang dachten ze allebei dat de ander wilde gaan zoenen. Jenni was nooit dol geweest op zoenen, dat ingewikkelde, ongemakkelijke samenspel van tongen en tanden. Ze zag de paniek in zijn ogen, in die onschuldige ogen, die er zo vaak zo gekwetst hadden uitgezien.

Opeens zag ze een beeld voor zich van jaren geleden: Tom tijdens hun eerste afspraakje, terwijl zij op haar tenen voor hem stond en hem een zoen op zijn wang gaf bij het afscheid. Diezelfde blik van paniek in zijn ogen. Alleen had ze toen zacht met haar vingers zijn lippen beroerd en hem gevraagd wat er aan de hand was. Nu ze in deze Spaanse hotelkamer naar hem keek, hoorde ze hem weer met die zachte, bedroefde stem zeggen: 'Ik word nooit door iemand aangeraakt.' Ze herinnerde zich dat ze toen beschermend haar armen om hem heen had willen slaan.

Toen die angst.

De angst dat het een truc was.

Haar lichaam mocht hij hebben, daar had ze geen moeite mee, maar voor de rest moest betaald worden.

'Wil je me niet, Tom?'

Hij was meteen weer op zijn hoede. Wat hij voor kameraadschap had aangezien, bleek iets veel gevaarlijkers te zijn. Hij had liever dat ze tegen hem zei hoe walgelijk ze het vond om met hem naar bed te moeten. Hij begreep deze speelse koketterie niet en vond deze zeker niet leuk.

Hij keek naar haar gezicht: het had iets vreemds gekregen. Alsof het onduidelijk, wat wazig was geworden.

Ze zag zijn intense blik aan voor verlangen. Zonder drank en drugs zou ze gezien hebben dat het een blik vol afkeer was, maar het enige wat ze zag in die nog steeds mooie ogen was de dubbele weerspiegeling van haarzelf. Ze wilde weer voelen dat ze macht over hem had. Haar veranderde gemoedstoestand vertroebelde de redenen waarom hun relatie bekoeld was. Dieter had haar haar magische krachten teruggegeven en nu voelde ze zich onoverwinnelijk.

Tom verstijfde toen ze de knoopjes van zijn overhemd begon los te maken, vakkundig zijn broekriem verwijderde en de rits naar beneden trok. Haar scherpe, rode nagels verdwenen en kwamen even later weer tevoorschijn toen ze zijn penis naar buiten haalde. Ze hield het slappe lid in het zonlicht en kuste het. Shackleton keek naar haar. Hij voelde zich net een acteur in een sciencefictionfilm wiens vrouw in een buitenaards wezen was veranderd. Ze hadden hun pogingen om orale seks te bedrijven al in het begin van hun huwelijk opgegeven. Hij walgde van het idee. Niettemin waren haar lippen en tong hem vakkundig aan het bewerken toen de telefoon ging. Even dacht hij dat ze gewoon door wilde gaan. De telefoon bevond zich echter aan de andere kant van de kamer. Hij ging staan en was geërgerd dat hij eerst zijn broek weer moest optrekken voordat hij kon opnemen. Jenni bleef geknield op de vloer zitten, zonder hem aan te kijken, en was nog steeds in haar eigen droomwereld. Ze reikte over het bed heen naar haar glas wodka.

Tom bleef zo lang mogelijk aan de telefoon. Het was Vernon die alleen gebeld had om zijn baas te vertellen dat alles onder controle was. De meeste korpschefs hadden er een hekel aan om met dit soort wissewasjes lastiggevallen te worden, maar Shackleton was hem dankbaar. Vernons druktemakerij om niks was nog nooit zo welkom geweest als nu.

Jenni ging na een paar minuten staan, pakte haar handtas en bracht een nieuwe laag lippenstift aan. Tom zag dat ze volkomen vergeten was waar ze een paar minuten geleden nog zo naar verlangd had. Opgelucht beëindigde hij het telefoongesprek en stelde voor om de koffers te gaan pakken.

Ze draaide zich om en keek hem stralend aan.

'Ja, laten we dat maar doen.'

De twee agenten van de veiligheidspolitie en Hemsley van MI5 arriveerden bij Carters huis op hetzelfde moment dat Shackletons huis werd binnengevallen door wat leek op een regiment van de genie. Lucy keek toe, de sleutels in de hand geklemd, vol zelfverwijt en bijna in tranen. Ze doorzochten het huis van boven tot beneden, elk hoekje en gaatje, op de voet gevolgd door Lucy, die hen smeekte voorzichtig te zijn en alles weer op zijn plaats terug te zetten. Ze reageerden opgetogen toen ze een tweede microfoontje in de lamp in de hal vonden.

Toen deze operatie volop in gang was, kwam Jason thuis.

Lucy ving hem op bij de voordeur en stelde hem gerust, maar hij leek niet echt geïnteresseerd te zijn in wat er gaande was. Er stond buiten een auto vol vrienden op hem te wachten en ze gingen misschien nog naar een feestje. Hij wilde alleen zijn tas kwijt en daarna meteen weer weg.

Bij het huis van Carter zaten drie mannen onopvallend in een auto te wachten tot Carter thuiskwam om hen binnen te laten, omdat Eleri met Alexander in Londen was. Het enige wat hem was verteld door de ongeïnteresseerde assistent van de Dwerg, was dat er misschien afluisterapparatuur in zijn huis verstopt was door een of meerdere onbekende personen.

De mannen vonden dat hij een nerveuze indruk maakte toen hij de deur opendeed en de verkeerde code van het inbraakalarm intoetste, wat hem tien seconden de tijd gaf om het goed te doen, voordat het af zou gaan. Hij drukte opnieuw de code in. Stilte.

De langste van de drie vroeg beleefd en met een stem die een goede opvoeding verraadde, of ze rond mochten kijken. Carter knikte. Hij transpireerde, zijn neus en bovenlip glommen. De mannen roken zijn angst. Ze waren niet nieuwsgierig, zelfs niet uit hoofde van hun beroep, want ze wisten dat ze er snel genoeg achter zouden komen waarom hij zo bang was. Eén ging de bovenverdieping doorzoeken, de tweede de tussenverdieping met studeerkamer, en de derde, het hoffelijke type, nam de benedenverdieping voor zijn rekening, te beginnen bij de keuken, waar Carter onhandig de waterkoker vulde en de stekker in het stopcontact probeerde te steken.

Het duurde niet lang voordat hij het microfoontje achter de theepot gevonden had. Carter zat toen al aan de keukentafel afwezig naar buiten te staren. Het volgende dat gevonden werd, was een envelop. De tweede man kwam ermee de keuken binnen. Hij hield de envelop voorzichtig vast in verband met vingerafdrukken. Er werd niets gezegd. De man maakte de envelop open en liet de inhoud zien. Foto's van naakte jongemannen in artistieke poses, foto's van lachende jongens in een innige omhelzing, en ten slotte drie foto's van voorovergebogen tienerjongens die door sterke mannen in uniform werden afgeranseld. Carter knikte nauwelijks merkbaar toen hem op beleefde toon werd gevraagd of de foto's van hem waren. Er volgde een zacht en afkeurend 'zo, zo'.

De man legde de foto's op tafel. Carter stak zijn hand uit en keerde ze om.

Een minuut later werd het andere microfoontje gevonden, en er werd een stapeltje tijdschriften de keuken binnengebracht. De sfeer was ondertussen tot het nulpunt gedaald. Het oordeel was geveld.

'Onder het bad. Ik had er bijna overheen gekeken. Niet echt waar we naar op zoek waren.'

'Ik kan het niet negeren', zei het hoffelijke type. Hemsley deed wat hem opgedragen werd, het was niet aan hem erover te oordelen.

Toen Carter hoorde dat ze onder het bad waren gevonden, draaide hij zich om.

'Zijn deze ook van u, meneer Carter?'

Carter keek naar de uitdagende poses van de kinderen.

'Nee.'

Hij was zo verbaasd over de afbeeldingen dat hij een moment lang met stomheid geslagen was, maar toen drong tot hem door hoe afgrijselijk de foto's waren. De uitbarsting van woede, die volgde, kwam voor de rechercheurs als een verrassing.

'Nee, nee, mijn god... Die zijn niet van mij. Ik zou nooit... Nee. Wat gebeurt hier?'

Een van de mannen wilde hem nog tegenhouden, maar het was al te laat: Carters vingerafdrukken zaten op het bewijsmateriaal. Het waren de enige vingerafdrukken die erop gevonden zouden worden. De derde rechercheur had de verstopte diskette gevonden. Hij wilde

Carters computer meenemen om de inhoud van de bestanden te bekijken. Er werd om ondersteuning verzocht. Het bewijsmateriaal werd netjes in zakken gedaan.

Carters woede was overgegaan in shock. 'Dat is niet van mij', mompelde hij. 'Niet van mij. Dat is smerig, obsceen… het is niet van mij.'

Vlak voordat de videoband werd gevonden, werd er aan de deur gebeld. Carter kreeg toestemming om open te doen.

Zijn plaatsvervanger stond op de stoep.

'Godallemachtig. Wat is er gebeurd, Geoffrey?'

Carter staarde hem aan.

'Kom binnen, Danny. Ik heb eh… ik heb bezoek.'

De Dwerg was onder de indruk. Hemsley was bij hem op kantoor en liet hem de resultaten van het onderzoek zien.

'Als ik het goed begrijp hebben jullie in het huis van de hoofd-commissaris dus drie microfoontjes aangetroffen, een envelop met verdachte foto's en een hoeveelheid illegale kinderporno?'

'Klopt, meneer.'

'Maar hij ontkent dat alles van hem is?'

'Ja, meneer. Hij zegt dat alleen de foto's van hem zijn, maar dat hij geen pedofiel is. Dat beweert hij met grote stelligheid, meneer.'

De Dwerg keek naar de uitgeprinte kleurenkopieën op zijn bureau.

'Geloof je hem, Hemsley?'

'Daar laat ik me liever niet over uit, meneer.'

MacIntyre knikte.

'En de microfoontjes?'

'De politie zegt dat in het huis van Shackleton precies dezelfde microfoontjes zijn gevonden. Duidelijk amateurwerk, meneer, ze waren niet eens ingeschakeld. Het is waarschijnlijk iemand geweest die uit rancune heeft gehandeld. Wij zouden dit soort primitieve apparatuur nooit gebruiken. Het komt op mij allemaal wat vreemd over, meneer.'

'Hmmm…' Het kleine lelijke gezicht was een en al concentratie. 'Bedankt, Hemsley. Hou me op de hoogte. O, nog één ding… waar is Carter nu?'

'Op zijn kantoor, meneer. We hebben alles in handen gegeven van zijn eigen korps. Hun klachtenman zal de details doorsturen naar het ministerie van Binnenlandse Zaken.'

Hemsley verliet het kantoor.

Niets verbaasde de Dwerg meer sinds hij op de middelbare school gezakt was voor zijn muziekexamen, maar hier begreep hij niets van. Hij legde de fotokopieën naast elkaar op zijn bureau.

Hij had nooit veel opgehad met homoseks, maar de foto's voor hem waren intrigerend: dominantie en degeneratie, vlees als voedsel. De jongens in kwestie waren oud genoeg om te weten wat ze deden. Op de grens van het moreel toelaatbare natuurlijk, maar behoorlijk aantrekkelijk. MacIntyre glimlachte. Dit had die beleefde meneer Carter dus op kostschool geleerd.

Hij bladerde de tijdschriften door en elke seksuele interesse die gewekt was, verdween. Kinderen.

Hij zette de video aan en zag hoe een naakte man een klein jongetje wakker maakte. Aan de verdrietige, vermoeide stem van het kind was te horen dat het niet de eerste keer was. Het jochie hield een kleine versleten teddybeer in zijn rechterhand geklemd.

MacIntyre keek naar wat er volgde, terwijl de tranen hem over de wangen liepen. Hij had zijn emoties onder controle weten te houden tot hij besefte dat het liedje dat hij op de achtergrond hoorde 'Hoe leit dit kindeke' was.

'Ziet eens hoe alle zijn ledekes beven
Ziet eens hoe dat het weent en krijt van rouw
Na na na na na na, kindeke teer.'

Die kinderstemmen, zo van Kerstmis vervuld. Hij proefde de gember en voelde het papier weer onder zijn vingers scheuren bij het openen van de geschenken.

Hij zette de videoband stil. Wanneer had hij voor het laatst gehuild? Bij het zien van de magnolia's in zijn tuin. Schoonheid maakte hem aan het huilen, maar deze lelijkheid verscheurde hem. Hij was vroeger gepest en had altijd moeten vechten om hogerop te komen en daarom riep dit lijden van kleine kinderen een soort van gerechtvaardigde woede in hem op. Welk kwaad er ook in hem schuilde, dit niet, dit nooit, dat wist hij.

Hij snoot zijn neus. Emotie leidde maar af, zeker in dit geval.

Het verloop van de procedure was duidelijk. Het hoofd van de klachtencommissie zou contact opnemen met het ministerie van Binnenlandse Zaken en dat zou een korps van buitenaf aanwijzen om de zaak te onderzoeken. Het was te vroeg voor arrestaties of schorsingen omdat er geen feitelijk bewijs was dat het materiaal aan Carter toebehoorde.

Degene die het onderzoek zou leiden, moest hoger in rang zijn dan Carter: de hoofdcommissaris van de City, het financiële hart van Londen, van Greater Manchester, de West Midlands, Merseyside, een assistent-hoofdcommissaris van de Londense politie, of iemand van gelijke rang. MacIntyre overwoog even om tegen alle regels in te gaan en Shackleton te benoemen. Nee. Te wreed. Te persoonlijk.

Als de hoofdcommissaris van de City het aannam, zou deze een officiële klacht indienen en deze laten bezorgen bij de Londense politie. En dan zou het onderzoek naar Geoffrey Carter een feit zijn. Hij zou gewoon aan het werk blijven, onder verdenking, gecompromitteerd. Hij kon zijn advocaat inschakelen, maar tot het besluit was gevallen om tot vervolging over te gaan, kon hij niets meer doen. Impasse.

MacIntyre wist dat hij snel moest handelen om de waarheid boven tafel te krijgen, voordat Carter opstapte of een proces aan zijn broek kreeg. De pers zou er spoedig lucht van krijgen en zijn eigen conclusies trekken. Wat de uitkomst ook mocht zijn, er zou altijd iets van blijven hangen.

De misdaadpaus mocht onder geen beding in diskrediet worden gebracht.

Hij keek weer naar het bewijsmateriaal. Er klopte iets niet. De microfoontjes, Jenni's telefoontje, het tegenstrijdige van de bijna kunstzinnige foto's en de harde kinderporno, het een sloot het ander niet uit, maar toch... het bleef een vreemde combinatie.

Als het doorgestoken kaart was, als Carter het slachtoffer was van zijn eigen bizarre smaak in combinatie met een vendetta, zou de waarheid gauw genoeg aan het licht komen. Maar wilde de Dwerg eigenlijk wel dat deze zaak snel werd opgelost? Als er van hogerhand bedenkingen waren over Carters betrouwbaarheid, zou dit de perfecte gelegenheid zijn om hem voor onbepaalde tijd op een zijspoor te zetten. Tegen de tijd dat de feiten bekend waren, was er zoveel tijd verstreken dat er allang een ander schandaal in de schijnwerpers stond. Geen hinderlijke rechtszaak, maar een stil doodbloeden. En de misdaadpaus kon alsnog veilig geïnstalleerd worden. Mooi.

Vanuit een ander standpunt bekeken was de totale vernietiging van Carters leven niet meer dan het antwoord op een klein, maar lastig probleem.

MacIntyre borg de foto's en fotokopieën zorgvuldig op. De videoband belandde in een la. Misschien was het in dit geval niet handig om de zaak snel af te handelen.

Toen Eleri die dag met Alexander thuiskwam, de dag waarop haar wereld instortte, bloosde ze van opwinding. De school was perfect en Alex had het er naar zijn zin gehad.

'Nou,' zei ze, toen ze de keuken binnenkwam, 'hij heeft de boel niet één keer bij elkaar geschreeuwd, dus hij moet het leuk hebben gevonden. Hallo, Danny, wat doe jij hier?'

Carter en Danny zaten aan de keukentafel. Hun koffie stond onaangeroerd voor ze. Ze zwegen. Carter had het hele verhaal net aan zijn plaatsvervanger verteld.

'Ik ben geen pedofiel. Ik zweer het je. Ik ben geen pedofiel. Degene die de microfoontjes heeft geplaatst, moet ook die andere spullen hier verstopt hebben. Jij gelooft me toch wel?'

Carter keek naar zijn plaatsvervanger, zag diens ogen even heen en weer schieten, en wist toen dat hij hem niet geloofde.

'De foto's zijn wel van mij, maar die zijn niet illegaal.'

Nee, maar het is wel met je gedaan, wat er ook gebeurt. Carter kon deze gedachte van zijn plaatsvervanger bijna lezen. Of was het zijn eigen gedachte geweest?

'Danny, dit is heel moeilijk voor me, maar... die foto's, die... dat is iets waar ik aan dacht toen ik jong was. Nu niet meer, al jaren niet meer. Bovendien wilde ik een van die jongens zijn, niet een van die mannen. Begrijp je wat ik bedoel?'

Hij wilde uitleggen waarom hij als tiener zo gefascineerd was geweest door de kracht en dominantie van oudere mannen, maar zag aan de uitdrukking op het gezicht van zijn plaatsvervanger dat deze het niet zou begrijpen.

'Hoe kwamen die kinderspullen dan tussen jouw spullen terecht?'

Nu werd het verwarrend. Nu begon zijn verhaal zwak en ongeloofwaardig te klinken.

'Die zaten er niet tussen. Die lagen ergens anders. Niet bij mijn... foto's.'

Danny wist niet wat hij moest zeggen; de gedachte dat Carter homoseksueel en mogelijk zelfs pedofiel was, gaf hem een zeer ongemakkelijk gevoel.

Zijn plaatsvervanger draaide zijn hoofd opzij, maar schaamde zich meteen voor deze intuïtieve reactie.

Hij wilde in Carters onschuld geloven, maar vond de afbeeldingen die nog steeds door zijn hoofd spookten zo weerzinwekkend dat hij niets kon zeggen. Hij was van slag en wilde weg, maar Carter praatte nog steeds tegen hem.

'Ik heb nooit... iets gedaan. Met een man, bedoel ik. Te bang, denk ik. En... ik wilde het ook niet echt, het was... Ik weet niet. Een soort fascinatie. Iets dat ik uit mijn jeugd had overgehouden. Een fantasie.'

Hij wachtte even.

'Voor de pers is dit natuurlijk smullen. Die springt er meteen bovenop.'

Danny dacht dat hij niet begreep hoe ernstig de zaak was. Iedereen zou ervan uitgaan dat Carter in kinderporno handelde. De hedendaagse hekserij. Hij zou aan de schandpaal genageld worden, op de brandstapel terechtkomen.

'Iemand heeft die spullen in mijn huis verstopt. Ik zweer het je...'

'Luister eens, Carter...' Nee, dat klonk te hard, als een veroordeling.

'Geoffrey.' Carter probeerde te glimlachen.

Danny wilde er niet emotioneel bij betrokken raken of zich tot iets verplicht voelen.

'Ik moet gaan. Ik bel je morgen wel. Heb je al contact gehad met je advocaat?'

Carter werd opeens kwaad.

'Nee. Waarom zou ik? Ik heb niets verkeerds gedaan.'

'Je had die spullen in je bezit, Geoffrey. Dat ziet er niet goed uit...'

Danny besefte dat het niet klopte wat hij zei, maar Carter staarde alweer uit het raam.

Hij wist dat hij Carter beter niet alleen kon laten, maar hij moest naar voetbaltraining en eigenlijk had hij ook helemaal geen zin om te blijven. Dit was Eleri's verantwoordelijkheid. Hij voelde zich niet op zijn gemak en wist niet meer wat hij moest geloven, maar bleef denken dat hij aan deze vunzige brij perversiteiten niet zou kunnen ontkomen. Hij verlangde ernaar om naar huis te gaan en onder de douche te stappen. Hij wilde niet een voortijdig oordeel vellen over Carter, omdat hij zijn vriend en mentor was, maar afkeer en eigenbelang kregen de overhand.

Op dat moment kwamen Eleri en Alexander thuis en kon Danny zich glimlachend en verontschuldigend uit de voeten maken.

Hij deed de voordeur zachtjes achter zich dicht en haalde een paar keer diep adem, alsof hij in huis zijn longen voor mogelijke besmetting had willen behoeden.

Hij wist niet wat hij voelde voor de man die hij vierentwintig uur geleden nog als zijn held en vriend had beschouwd. Woede, walging en de behoefte om de man uit zijn gedachten te verbannen, werden verdrongen door twijfel, genegenheid en ongeloof.

Hij besloot Carter de volgende dag niet te bellen. Hij had tijd nodig om uit te zoeken hoe hij zich hier doorheen moest slaan. Maar meer nog wilde hij afstand nemen van zijn tot het noodlot gedoemde baas. De toekomst mocht niet verziekt worden door het verleden. Hij haatte zichzelf vanwege zijn wrede pragmatisme, maar wie de top wilde bereiken kon zich geen sentimentaliteiten veroorloven.

Eleri merkte niets van het stille lijden van haar man, terwijl ze met Alexander bezig was.

'Hij vond het prachtig op school. Ja, toch, Alex? Hallo, Peter, hoe was jouw dag?'

Peter banjerde via de achterdeur de keuken binnen, gooide zijn schooltas op de grond en vroeg om een boterham en zijn spijkerbroek. Eleri wilde weten wat hij in godsnaam op de broek van zijn schooluniform had gemorst en Alexander sprong van opwinding op en neer.

Dit was niet het geschikte moment om te praten. Carter voelde zich net een geest, een onzichtbare toeschouwer die geen deel meer uitmaakte van hun leven.

Pas toen de jongens in bed lagen, zei Eleri: 'Wat is er met je aan de hand? Je kijkt alsof je de tijd wilt stopzetten.'

Carter glimlachte geforceerd.

'Ons huis is vandaag doorzocht. Ze hebben een paar microfoontjes gevonden en...'

Eleri toonde zich berouwvol.

'O, Geoffrey, sorry. Jenni heeft me gebeld dat zo'n ding in haar huis was gevonden. Het spijt me. Het is me volkomen ontschoten. Is het iets ernstigs?'

'Ja, iets heel ernstigs.'

Daarna viel de avond in scherven van pijn uiteen. Eleri boog zich wiegend over hun verborgen, ongeboren kind, alsof ze bescherming zocht en het kind wilde beschermen tegen zijn vader. Carter ving in de spiegel een glimp op van zijn gezicht dat er die morgen nog zo gewoon had uitgezien. Zijn mond bewoog en zou zich dadelijk van woorden bevrijden die zijn vrouw tot in het diepst van haar ziel zouden treffen.

Waar moest hij beginnen? Met homofilie? De fossiele resten van zijn jeugdige fantasie? De bijna vergeten fascinatie voor de hardheid van het mannelijk lichaam, de kracht van mannenarmen? Of met pedofilie? Hoe kon hij haar uitleggen dat er in het een iets van waarheid school en dat het andere uit leugens bestond?

Hij begon met het toegeven van verre, halfvergeten dromen over gedomineerd, beschermd en bestraft willen worden door een vaderfiguur.

Eleri wiegde het kind in haar, om zichzelf gerust te stellen.

'Had je aan mij dan niet genoeg?'

Carter wilde zeggen dat het niet om haar ging, maar zei alleen dat hij nooit naar een ander had verlangd. Hij sloeg zijn arm om haar schouder.

Ze schudde die van zich af. Probeerde steun te vinden in haar geloof. Om hem de andere wang te kunnen toekeren, om de steen te kunnen neerleggen die ze hem zo graag had willen toewerpen. Ze zag in gedachten hun liefdesspel voor zich en zocht op zijn gezicht naar een teken van onverschilligheid. Ze vergeleek zichzelf met zijn ascetische schoonheid en vond zichzelf smoezelig en onzeker, en was verbitterd over haar vrouwzijn. Iedereen, behalve zijzelf, was jaren geleden al tot die conclusie gekomen.

Maar ze hield toch nog steeds van hem? Ze keek op. Hij praatte nog steeds, maar ze hoorde niet wat hij zei. Zijn gezicht leek veranderd te zijn. Het leek op het gezicht dat ze liefhad, maar het zag er anders uit, als dat van een vreemde in een menigte mensen: je meende het te herkennen, maar van dichtbij bleek het geen enkele gelijkenis te vertonen met het gezicht dat je kende.

Carter verloor al zijn zekerheid, charme en raffinement, toen hij de blik van walging in de ogen van zijn vrouw zag en ze terugdeinsde voor zijn aanraking.

Hoe vaak hij ook zei dat hij nooit iets met een man had gehad, toch bleef ze de beelden voor zich zien. Hij hield op met praten. Haar ademhaling vertraagde. Twee mensen alleen in een poel van ellende, die niet in staat waren elkaar de hand te reiken en te troosten.

Eleri dacht dat het afgelopen was, maar Carter wist dat hij door moest gaan.

'Ze hebben nog iets gevonden. Spullen die niet van mij waren. En die ik verderfelijk en weerzinwekkend vond, vind. Waar ik nooit naar zou kijken. Echt, ik zweer het je, Eleri, je moet me geloven. Ze hebben seks… bladen, een videoband, en een diskette in ons huis gevonden. Er kwamen kinderen in voor.'

Eleri staarde hem aan. Ze leek volkomen kalm nu.

'Jongens?'

Carter verwachtte dat niet. Hij probeerde zich te herinneren wat hij gezien had.

'Ik geloof het wel, ja. Ik weet het niet zeker. Ik heb niet goed gekeken.'

Voor Eleri telde alleen het heden nog. Ze sloot zich af voor het verleden en dacht niet aan de toekomst.

'Zweer jij...' Ze pakte zijn hand en legde die op haar buik. 'Op het leven van onze baby, dat je nooit op die manier aan kinderen hebt gedacht?' Ze wist niet precies hoe ze het moest verwoorden, omdat ze zoiets nooit eerder bij de hand had gehad.

'Dat zweer ik, Eleri. Echt, ik heb dat nooit gedaan. Nooit. Ik zou het niet kunnen.'

Niets leek afdoende. Hij zag er verslagen en gebroken uit.

Eleri putte kracht uit zijn kwetsbare houding.

'Dus... de foto's waren van jou, maar ze waren niet illegaal, wat ik er verder ook van denk.'

'Klopt.'

'Maar die andere spullen zijn, waarschijnlijk tegelijk met de microfoontjes, in ons huis verstopt door iemand die jou, die ons in diskrediet wil brengen.'

'Ja.'

'Nou, dan zal het onderzoek toch spoedig de waarheid aan het licht brengen?'

Hij betwijfelde dat. Terwijl hij verdronk in een zee van onzekerheid, leek zij zich vast te klampen aan orde en logica.

'Dat hoop ik.'

Ze keek de kamer rond. De dag was zo goed begonnen met ontbijt in de rommelige keuken van hun gezellige huis, dat er nu zo lelijk en armoedig uitzag. Het was nu het huis van een man die zijn vrouw voor het oog van de hele wereld voor gek had gezet. Een man die verlangde naar mannelijke schoonheid, maar zich had neergelegd bij haar vrouwelijke verlangen zich voort te planten. En nu was ze een domme, zwangere vrouw van in de veertig, die gekregen had wat ze wilde hebben, maar nooit zou weten waarom. Haar zekerheden waren in twijfels veranderd. Maar ze kon niet, wilde niet, het ergste denken. Ze zou haar verbeelding stopzetten en haar leven met Geoffrey vervolgen. De tijd zou de pijn verzachten. Hun baby zou de pijn verzachten en haar oren ervoor afsluiten. Maar dat andere? De twijfel bleef aan haar knagen.

Ze praatten alsof hun monden gevuld waren met doornen, tot

Eleri met goed fatsoen kon zeggen dat ze moe was en naar bed ging. Het leven zou gewoon doorgaan. Ze zou er begrip voor krijgen. Hij was onschuldig tot het tegendeel bewezen was. Maar zowel Eleri, die klaarwakker naar het plafond lag te staren, als Geoffrey, die beneden in het donker zat te drinken, wist dat pedofilie een misdaad was die beklijfde zodra deze met je in verband was gebracht.

Jenni was in haar badkamer. Het doorzoeken van het huis was, volgens Lucy, zeer grondig gebeurd. Maar Lucy had haar verzekerd dat alles weer op zijn plaats stond.

Ze zat naakt op haar knieën op de tegelvloer. Op de rand van de wastafel lag een restje wit poeder, klaar om door een slanke vinger opgeveegd te worden. Haar heldere, rupsgroene ogen stonden glazig van de cocaïne. Ze keek aandachtig naar een foto van Geoffrey Carter in de krant. Erboven stond alleen: 'Politiewoordvoerder Raad van Hoofdcommissarissen over drugs'. Ze spuugde op zijn knappe gezicht en wenste hem dood. Een eeuwig geldende vloek.

Er was niets gemeld over Carter sinds ze terug waren uit Spanje. De kranten stonden vol met internationale ellende, de radio en televisie zwegen erover. Haar stemming varieerde daarom van uiterst zelfverzekerd tot angstig en onzeker, maar dit... dit moest hem de das omdoen. Dit moest hem doen struikelen op zijn geëffende pad naar succes.

Ze stak haar hand uit en pakte een papieren zakdoekje. Tom had haar gevraagd of ze soms last had van hooikoorts. Ze had 'ja' gezegd, maar wist dat het de coke was. Een zeer lage tol voor zoveel energie. Het enige wat ze nu moest doen was geduld hebben en wachten.

Er werd op de deur van de badkamer geklopt. Haar hart maakte een vreemde sprong, alsof het zich vol bloed zoog, samentrok en het bloed er aan de zijkant weer uit spoot. Het voelde aan als het ontlasten van de inhoud van een geïrriteerde darm.

'Wie is daar?'

'Lucy... het eten is klaar.'

Jenni probeerde rustig te blijven en haar stem niet te laten klinken alsof ze een zenuwinzinking nabij was.

'Ik heb geen honger. Sorry. Het is de shock. Ik weet dat ik iets zou moeten eten, maar ik kan nog steeds niet geloven dat die dingen in ons huis zijn gevonden… De gedachte daaraan alleen al is onverdraaglijk…'

Lucy trok zich terug en wist niet goed of ze haar moest aanbieden een gekookt ei boven te brengen of een dienblad met eten. Beneden in de hal bleef ze besluiteloos staan. Ze wist dat Gary op haar zat te wachten en dat hij Shackleton thuis had zien komen.

Toen Jenni haar belde en smeekte om haar gezelschap te houden, had Gary liever gehad dat ze 'nee' had gezegd, maar Jenni had bijna hysterisch geklonken. Ze praatte snel, buiten adem en smeekte Lucy om bij haar te komen. Omdat Gary wist dat Shackleton naar zijn werk was, gaf hij haar uiteindelijk toestemming om te gaan, maar ze moest terug zijn voordat hij thuiskwam. Lucy knikte gehoorzaam, keek zo schaapachtig mogelijk, en vertrok. Gary hield het huis aan de overkant in de gaten tot het donker begon te worden.

Lucy belde om te zeggen dat Jenni haar gevraagd had om het avondeten klaar te maken en dat ze het niet over haar hart kon verkrijgen om 'nee' te zeggen. Gary kon niet voorkomen dat de spieren in zijn arm zich krampachtig samentrokken toen hij de telefoon wilde neerleggen. Het ding viel op de grond, zoemde nog een poosje na en bleef toen stil. Wat moest hij doen? Op de alarmknop drukken?

'Hallo? Gary? Ben je gevallen, lieverd? Is alles goed?'

'Nee, sorry. Alles is in orde. Ik heb per ongeluk op de alarmknop gedrukt toen ik standje honderddrie van de Kama Sutra aan het uitproberen was.'

Nee, hij drukte niet op de rode, invalidevriendelijke knop, die om zijn nek hing, maar bleef naar het huis aan de overkant kijken en wachtte tot zijn vrouw thuiskwam.

Lucy had couscous met reepjes lamsvlees en rode paprika klaargemaakt, hoewel ze er geen idee van had hoe het gerecht eruit moest zien als het klaar was. Toen Jenni zei dat ze geen honger had, was ze niet verbaasd geweest: Jenni's gedrag was, sinds ze uit Spanje terug was, vreemder dan ooit. Psychotisch bijna, maar misschien hoopte ze dat alleen maar.

Ze stond in de hal en wist dat ze naar huis moest gaan en het eten maar moest laten verpieteren. Ze had gedaan wat haar gevraagd was en Jenni had haar vijfentwintig pond gegeven voor de extra tijd. Meer kon ze niet doen. Ze opende de voordeur op het moment dat Shackletons auto voorreed. Ze wist dat Gary haar gadesloeg, maar ze keek niet naar de overkant, naar het donkere raam zonder gordijnen. Ze ging het huis weer in en wachtte. Het leek een eeuwigheid te duren voordat Tom binnenkwam.

'Ik heb net eten gemaakt. Jenni had het me gevraagd, maar ze wil zelf niets hebben. Ze is boven.'

Hij zette zijn aktetas neer.

'Bedankt.'

Ze volgde hem naar de woonkamer, maar wilde niet naar binnen, omdat Gary er zicht op had.

'Zal ik het voor je opwarmen? Voor je klaarzetten?'

'Nee. Dank je, Lucy.'

Het was haar duidelijk dat hij liever had dat ze wegging.

'Wil je dat ik ga?'

Het stak hem dat ze zijn stemming zo goed had aangevoeld.

'Nee, nee, natuurlijk niet. Neem iets te drinken. Het is gewoon een lange dag geweest.'

Ze stond nog steeds bij de deur te dralen.

'Is er nog nieuws over de microfoontjes?'

Hij schudde zijn hoofd.

'Is alles goed met je, Tom?'

Toen hij naar haar opkeek, leek het of hij tranen in zijn ogen had.

Ze fronste haar voorhoofd en probeerde te zien of het echt zo was zonder de kamer in te gaan.

'Tom, wat is er gebeurd? Vertel het me. Kom even mee naar de keuken.'

Shackleton aarzelde, pakte toen de karaf met whisky en volgde haar. Ze gingen elk aan een kant van de keukentafel zitten.

'Herinner jij je Geoffrey Carter nog?'

'Ja.'

'Hij wordt ervan verdacht kinderporno in zijn bezit te hebben.'

Lucy wist niet wat ze moest zeggen en wachtte.

'Lucy… O, Lucy… Ik weet niet wat ik moet doen.'

Hij zag niets meer door de tranen in zijn ogen, maar ze kwamen niet naar buiten. Hij had ze zijn leven lang al terug weten te dringen. Ze wilde haar armen om hem heen slaan en de pijn wegnemen, maar hij had iets... het leek of hij kwaad was, of hij geweld wilde gaan gebruiken, en dat deed haar van gedachten veranderen. Hij ging staan en veegde zijn gezicht af met een vel keukenpapier.

'Je kunt beter gaan.'

'Kan ik je helpen, Tom?'

Hij schudde zijn hoofd. Haar eigen gevoel negerend ging ze achter hem staan, sloeg haar armen om zijn middel en legde haar hoofd tegen zijn rug.

De pijn in haar pols kwam zo onverwacht dat ze die nauwelijks voelde toen hij haar arm omdraaide en op haar rug legde, waardoor haar hand tegen haar schouderblad gedrukt werd. Daarna klapte hij haar met het gezicht naar beneden op de tafel, vlak naast de couscous, en hing met zijn hele gewicht over haar heen.

Lucy kreeg geen adem meer.

Ze voelde hoe hij haar rok omhoogschoof en zijn duim achter de boord van haar slipje schoof, klaar om dat kapot te trekken.

'Is dit het? Is het je hierom te doen, Lucy? Wil je dat ik dit doe?'

Hij draaide haar op haar rug, pakte haar armen vast en trok haar dicht tegen zich aan. Zijn gezicht was vertrokken. Hij streek het haar uit haar gezicht.

'Het spijt me zo, Lucy. Het spijt me zo. Ik ben het niet waard. Geloof me. Ik heb je niets te bieden. Ik heb het je al eerder gezegd. Ik heb je niets te bieden.'

'Dat verwacht ik ook niet', kon Lucy met moeite uitbrengen.

'Alsjeblieft, Lucy. Ik zit tot aan mijn nek in de problemen. Ik kan niet meer terug. Ga naar huis. Ga naar Gary. Alsjeblieft. Je verdient beter. Jenni heeft gelijk. Ik ben een klootzak. Ga terug naar Gary. Ik zal op de blaren moeten zitten voor wat ik gedaan heb.' Weer dezelfde mantra.

'Wat is er gebeurd, Tom? Toe, laat me je toch helpen.'

Hij liet haar los en slaakte een diepe zucht.

'Je kunt me niet helpen, Lucy.' Hij deed een stap achteruit en werd weer formeel. 'Het spijt me. Ik zal je even uitlaten.'

Zwijgend liepen ze naar de voordeur. Tom deed de deur voor haar open. Lucy stapte over de drempel en draaide zich om om nog iets te zeggen, maar hij had de deur al zachtjes achter haar dichtgedaan.

Gary zag het en was blij.

Shackleton dronk een halve karaf whisky leeg voordat hij het aandurfde om naar boven te gaan. Het licht in Jenni's kamer was uit; hij zag het aan de donkere streep onder haar deur. Wat zou ze zeggen als hij die deur opende en naar binnen ging? Vroeger was dat het sein dat hij met haar naar bed wilde. Ze stond dan op en legde een handdoek op het bed. Hij huiverde bij de gedachte. Het licht bleef altijd uit en na afloop verliet hij meteen weer haar kamer. Ze had ook nooit gevraagd of hij wilde blijven. Niet zoals Lucy, die zich in haar slaap nog aan hem vastklampte en haar lichaam tegen hem aan drukte. Die hem nodig had. Hij schudde zijn hoofd.

Hij deed de deur open en luisterde of hij haar ademhaling hoorde. Stilte. Duisternis.

'Kom binnen, Tom.'

Ze deed het lampje naast haar bed aan. Weer werd hij getroffen door haar buitengewone, broze schoonheid en dacht hij met verbazing terug aan de keren dat hij haar bijna met zijn zware lichaam had verpletterd. Om baby's te maken. Stotend en hijgend. Het leek zo lang geleden. Gelukkig wel.

'Ze hebben bij Carter thuis kinderporno gevonden. Er wordt een onderzoek ingesteld.'

Eindelijk. De duivel had meer geduld dan al die verdomde heiligen bij elkaar. Jenni keek hem vol ongeloof aan, de glazige ogen wijd opengesperd.

'God, wat afschuwelijk. Heb je hem gesproken?'

'Nee.'

Meer wist hij niet te zeggen.

'Jenni…? Heb jij… was jij degene…? Dit kan niet, Jenni, je bent te ver gegaan. Carter is geen pedofiel.'

Jenni zat nu rechtop in bed, als een cobra die ieder moment kon toeslaan.

'Nou, ga het iedereen dan maar gauw vertellen. Ze geloven je vast meteen. Wie die "ze" ook mogen zijn.'

Ze was kil en beheerst; hij wist dat hij het tegen haar zou afleggen.

'Jij hebt die spullen in zijn huis verstopt, hè?'

'Welke spullen? Waar heb je het over?'

Ze zag hem zwak worden en een beroep doen op het kleine beetje morele besef dat hij nog had.

'Je kunt dit niet doen, Jenni. Je ruïneert hem.'

Ze keek hem minachtend aan en vond het idee dat Tom Shackleton een geweten had lachwekkend.

'Wat ga je dan doen, Tom? Een persconferentie beleggen? Om iedereen te vertellen dat jij en je vrouw hem erin geluisd hebben, zodat jij die nieuwe baan kunt krijgen? Word toch eens volwassen.'

Opeens voelde hij alle kracht uit zich wegstromen.

'O, god, Jenni, wat heb je gedaan?'

'Wat wij hebben gedaan? Wij hebben gewoon een obstakel uit de weg geruimd. Luister, ik ben ervan overtuigd dat alles goed komt. Misschien wordt hij er zelfs beter van.' Ze vond dit zelf vreselijk grappig. 'We hebben allemaal wel eens een uitdaging nodig. Ach, Tom, ga naar bed. Morgen ziet alles er een stuk beter uit.'

Ze deed het licht uit ten teken dat hij kon vertrekken.

Shackleton zat de hele nacht te drinken en na te denken. Wat kon hij doen? Bekendmaken dat zijn vrouw die tijdschriften daar had neergelegd? Zeggen dat hij het had gedaan? Niets zeggen en Carter blijven steunen? Hem laten vallen en hopen dat ze elkaar nooit meer zouden tegenkomen? Voor het eerst in zijn leven voelde hij de pijn van een ander.

Jenni viel voor het eerst sinds maanden, en zonder hulp van verdovende middelen, tevreden in slaap.

Carter waste en schoor zich niet en sliep niet. Drie weken geleden was het verwoesten van zijn leven begonnen. Eerst was hij gewoon naar zijn werk gegaan, een combinatie van trots en onschuld die hem kracht gaf. Maar nu was er een nieuwe dinsdag aangebroken, de dag na het oordeel. Vreemd dat het een dinsdag was, zo'n onbelangrijke dag, weggestopt achter de maandag.

Opeens werd hij niet meer teruggebeld, het onderzoek had geen voorrang, de telefoon ging niet meer over. En Eleri was weg.

Hij zat in de keuken en keek naar de regen, door twijfel overmand. De depressief makende druilregen maakte het er niet beter op. Wat hij nodig had was een stevige, zomerse plensbui.

Had Eleri hem nu maar gebeld nadat ze met Jenni had gesproken. Had hij die foto's nu maar weggegooid. Waarom had hij ze bewaard? Hij had er al tijden niet meer naar gekeken, omdat hij wist dat hij ze niet meer aantrekkelijk vond. Maar het was nu te laat. Het publiek zou geen onderscheid maken tussen de foto's en het andere materiaal. Had hij nu maar alles ontkend.

Gisteren had hij te horen gekregen dat de harde schijf van zijn computer zijn geheimen had prijsgegeven en dat het bewijs dat hij kinderpornosites had bezocht onweerlegbaar was. Carter wist dat hij onschuldig was en had gevraagd op welke dag dit was gebeurd. De datum was hem met tegenzin meegedeeld. Een zaterdag. Uit zijn agenda op het werk kon hij niet opmaken waar hij die dag was geweest. Pas toen hij na een dag van onzekerheden en twijfel thuiskwam, wist hij het weer: de voetbalwedstrijd op tv. Jenni en Tom.

In zijn strijd om de schijn op te houden dat alles normaal was, had hij geen energie meer gehad voor zijn gezin. Hij was Eleri en de jongens gaan mijden en had zich elke avond teruggetrokken. Maar zijn vrouw had hem, met de kracht der wanhoop, uit dat dal weten te halen.

Zondag, nog maar twee dagen geleden, hoewel het een eeuwigheid leek, had Eleri erop aangedrongen dat hij wat meer tijd met Peter doorbracht. De kranten hadden kleine, voorzichtig geformuleerde, stukjes aan het onderzoek gewijd, waarover Peter zich, namens zijn vader, erg kwaad had gemaakt. Ze besloten te gaan vissen en al voor zonsopgang te vertrekken. Ze vonden het allebei spannend in het donker, Carter het kind en Peter de vader.

'Pap… niet doen, gedraag je.'

Carter tekende met zijn vinger een mannetje op de vuile voorruit van de auto van de buren.

'En doe je jas dicht. Het is koud.'

Carter begon hardop te lachen en sloeg zijn arm om de tengere schouders van zijn zoon. Plotseling ging hij onder het roze licht van een straatlantaarn op zijn hurken zitten en pakte de hand van de jongen.

'Peter. Het spijt me dat ik me de laatste paar weken wat… vreemd heb gedragen. Ik vind het zelf ook niet leuk om steeds zo humeurig te zijn. Ik heb het alleen erg druk op het moment. Op mijn werk.'

De jongen tuitte zijn lippen, fronste zijn voorhoofd en keek naar beneden, waarbij zijn zwarte krullen in zijn gezicht vielen. Zo keek hij altijd als hij serieus was, een mengeling van ernst en wanhoop. Carter wist dat hij een glimlach beter kon onderdrukken.

'Heeft het met het onderzoek te maken?'

Carter was zo verbaasd dat hij alleen knikte.

'Heb je iets verkeerds gedaan, pap?'

'Nee, Peter. Hoe weet jij van dat onderzoek af?'

'Freddies vader zei dat in de krant had gestaan dat er iets bij ons thuis gevonden was. Maar ik begrijp niet wat daar zo erg aan is. Is dat erg?'

Carter wilde hem geruststellen, een echte vader voor hem zijn en zijn zoon van het kwaad verlossen. Maar Carter kon even weinig voor zijn kind doen als de Almachtige voor Christus had kunnen doen.

'Ja, dat is erg, Peter. Maar wat de mensen ook zeggen, ik kan je verzekeren dat ik niets verkeerds heb gedaan.'

'Zweer je dat?'

'Dat zweer ik.'

Peter keek hem aan met de geruststellende blik van een volwassene.

'Dan is het goed', zei hij en hij knikte ernstig.

Carter wilde zijn armen om hem heen slaan en hem knuffelen tot de kinderlijke warmte van de jongen zijn eigen bevroren ziel had ontdooid, maar dit was mannenpraat en mannen deden niet van die kleffe dingen.

Ze liepen naar de rivier.

'Peter?'

'Ja, pap.'

'Van iedereen op de wereld hou ik het meest van jou.'

'Behalve…?'

'Nee, niks behalve. Van jou.'

Die zondag was een volmaakte dag. Carter had later het idee dat daarvoor een reden was geweest.

Toen Carter maandagmorgen het huis wilde verlaten, ging de telefoon. Alexander was erg onhandelbaar die morgen en het kostte Eleri de grootste moeite om hem onder controle te houden. Peter was al naar school, en daarom gebaarde Carter naar zijn chauffeur dat hij nog even moest wachten en nam de telefoon op.

'Meneer Carter? De stem had een Schots accent en klonk erg beleefd.

'Ja.'

'Goedemorgen. Mijn naam is Jimmy Mackay van de *News*.'

Carter wist dat dit zou gebeuren, maar hij werd er niet vrolijker van. Toch deed hij zijn best zo opgewekt, geïnteresseerd en onschuldig mogelijk te klinken.

'Goedemorgen, meneer Mackay. Wat kan ik voor u doen?'

Mackays stem klonk verontschuldigend, alsof alles waarschijnlijk op een groot misverstand berustte en hij ook liever de prijzen van vis vergeleek dan dit telefoongesprek te voeren.

'Meneer Carter, neemt u het mij alstublieft niet kwalijk, maar u bent zich er ongetwijfeld van bewust dat de geruchten alleen maar toenemen. Ze nemen alleen maar toe', herhaalde hij nog een keer, met de nadruk op 'alleen'. 'Vindt u het daarom geen tijd worden om de zaak recht te zetten? Hoe dan ook…?'

Carter wilde de hoorn op de haak smijten. Hij beheerste zich echter en wist zelfs een spijtig lachje in zijn stem te laten doorklinken.

'Meneer Mackay, ik begrijp uw vraag, maar ik moet weg, mijn auto staat te wachten. Waarom belt u onze persafdeling niet? Leg uw vragen maar aan hen voor, zij willen u vast wel behulpzaam zijn.'

Meneer Mackays stem kreeg een wat scherpere toon.

'Maar zouden de antwoorden op mijn vragen bevredigend zijn?'

Carter was kwaad nu. Hij haalde diep adem, bang dat hij misschien iets verkeerds zou zeggen. Toen hij begon te praten, was hij weer de hoofdcommissaris.

'Meneer Mackay, ik heb u lang genoeg te woord gestaan. Ik moet nu naar het hoofdbureau, ik ben laat voor een vergadering...'

Mackay bond meteen in.

'Natuurlijk, neemt u mij niet kwalijk, ik begrijp het. Mijn excuses.'

Carter was blij; de man was teruggedeinsd voor de officiële toon waarop hij hem toegesproken had. Carter ontspande zich.

De stem vervolgde: 'Nog een laatste vraag. Bent u nou pedofiel of niet?'

Carter hoorde niet of de verslaggever nog meer zei, omdat hij de hoorn had neergegooid. Neergesmeten, weggegooid bijna. Alsof de stem uit de telefoon een infectie was, die zijn oor had willen binnendringen. Tot hij zich realiseerde dat hij de infectie was, die zich in het hoofd van andere mensen had vastgezet.

Hij legde de hoorn op de haak en hoorde in de verte nog net een lilliputstemmetje zeggen: 'Hallo? Meneer Carter? Bent u daar nog?'

De volmaakte zondag was een verre droom geworden.

Hij wist dat het gefluister over hem steeds meer toenam en ontdekte al snel wie zijn echte vrienden waren. Dat waren er niet veel.

Toen hij bij het hoofdbureau aankwam, was hij blij Danny te zien. Zijn plaatsvervanger had zich, na een korte periode van twijfel, openlijk solidair met hem verklaard. Carter was hem daarvoor dankbaar, maar wist ook dat hij het om diplomatieke redenen had gedaan. Als Danny zijn baas veroordeeld had en deze daarna van alle blaam gezuiverd werd, zou zijn positie onhoudbaar worden. Nee, Carter wist dat Danny zowel om pragmatische redenen als uit overtuiging zijn kant had gekozen.

De dag sleepte zich voort en werd gevuld met vergaderingen en wat er meer kwam kijken bij het leiden van een imperium. De telefoontjes met steunbetuigingen waren na de eerste week weggeëbd. Hij kon alleen maar afwachten nu. Hij had wel verwacht dat hij door degenen die de touwtjes in handen hadden in de steek zou worden gelaten, maar toen het gesprek door zijn secretaresse, die zich behoedzaam neutraal had opgesteld, werd doorverbonden, schrok hij toch.

'Ik ben bang dat het ministerie van Binnenlandse Zaken er nog geen beslissing over heeft genomen of het onderzoek met voorrang behandeld kan worden. U zult begrijpen dat de druk erg groot... Misschien volgende week.'

De zachte, gevoelloze stem sprak verder zonder dat Carter hoorde wat er gezegd werd. Die stem bezorgde slechts een van vele berichten die het leven van een mens kunnen veranderen. Zonder zich om de gevolgen te bekommeren. Misschien behoorde de stem helemaal niet toe aan een mens. Misschien was het alleen een stem.

Carter sloot nog een deur die toegang gaf tot zijn gevoelsleven en trok zich nog iets meer in zichzelf terug. Even laaide de hoop weer op toen hem verteld werd dat de harde schijf zijn geheimen had prijsgegeven. Hij belde meteen Eleri op om haar de dag en het tijdstip door te geven. Als hij zijn agenda erop had nageslagen, zou alles duidelijk worden. Hij had echter de hele middag andere verplichtingen en zou het moeten uitzoeken als hij thuiskwam.

Zijn uiterlijk en charme hadden geleden onder de spanningen van de afgelopen weken, maar die middag merkte iedereen dat hij zijn oude glans en zelfvertrouwen terug had. Carter was er zeker van dat hij kon bewijzen dat hij nooit een website voor pedofielen had bezocht en dat hij daarmee aan deze hele belachelijke nachtmerrie een einde kon maken.

Eleri kon niet langer wachten en bladerde door zijn agenda tot ze de bewuste dag had gevonden. Het enige wat er stond was: 'E & P film'. Ja, ja. Ze wist het nog precies. En de baby kennelijk ook, want die gaf haar een gezonde schop tegen haar nieren. Ze begon hardop te lachen: zelfs Bobbel vocht voor zijn vader.

Denk na. Probeer het je te herinneren.

Ze ging zitten, pen en papier bij de hand, en dwong zichzelf die dag weer voor de geest te halen. Geoffrey had de dag met Alex doorgebracht. Kon Alexander het per ongeluk hebben gedaan? Ze speelde even met dit idee, maar kon het zich niet voorstellen. Nee. Maar wie dan? De glazenwasser? Die deed alleen de buitenkant.

Opeens ging haar een lichtje op: Tom en Jenni waren langs geweest. Maar ze waren maar even gebleven.

Jenni zou nog wel weten of er iets gebeurd was toen ze hier waren; ze had een fotografisch geheugen. Eleri pakte de telefoon. In haar wanhoop drukte ze drie keer het verkeerde nummer in. Uiteindelijk ging hij over. Jenni nam op.

'Jenni, met Eleri.'

'O, Eleri! Hoe gaat het met je? En met Geoffrey…? Sorry dat we zo lang niets van ons hebben laten horen. We hebben het zo druk gehad. Is alles goed? Wat een belachelijke toestand, hè? Zó vervelend allemaal. Kan ik je ergens mee helpen?'

'Ja.' Ze realiseerde zich hoe abrupt het klonk, maar het kon haar niet schelen. 'Herinner jij je nog die middag dat jullie hier op bezoek zijn geweest? Geoffrey was toen alleen thuis met Alexander.'

Bij Jenni begonnen de alarmbellen te rinkelen.

'Natuurlijk. Het was reuzegezellig.'

'Hoe laat waren jullie hier?'

'Jeetje, eh, even denken, dat moet tegen twee uur, halfdrie zijn geweest. Ja, er was die middag een voetbalwedstrijd op tv. Tom en Geoffrey hebben ernaar gekeken.'

'Waren jullie er om halfvier ook nog?'

'Dat weet ik niet zeker. Waarschijnlijk wel. Hoezo?'

Eleri wachtte even. Ze wist dat ze voorzichtig en op haar hoede moest zijn, maar ze verlangde ernaar om met iemand te praten. En Jenni was een goede vriendin. Ze wist dat ze achterdochtig zou moeten zijn en nooit de mogelijkheid van verraad mocht uitsluiten, maar ze was wanhopig en voelde zich eenzaam.

Jenni opende haar armen voor Eleri en die liet zich in haar armen sluiten, als een vriendelijke bij in de kelk van een nachtschade.

'De harde schijf van onze computer geeft aan dat er pedofielenwebsites bezocht zijn toen jullie bij ons op bezoek waren.'

Jenni reageerde geschokt. Ze doseerde haar verbazing en woede echter nauwkeurig.

'Is er nog iemand anders langs geweest toen jullie er waren?'

Pauze om na te denken.

'Nee… nee, ik geloof het niet. Maar ik ben maar even beneden geweest. Ik heb Alexander mee naar zijn kamer genomen, zodat hij met zijn batterijen kon spelen.'

Normaal als Alexanders vreemde verzameling genoemd werd, volgde er altijd een coulant lachje. Vandaag niet.

'Ik weet haast zeker dat er niemand op bezoek is geweest. Anders zou Tom het wel verteld hebben.'

'Dus Geoffrey en Tom hebben de hele tijd beneden televisie zitten kijken, toen jij boven bij Alexander was?'

'Ja. O, wacht even. Geoff is wel naar de wc geweest. Tom vertelde het alleen omdat ze in de pauze van de voetbalwedstrijd naar het rugby overgeschakeld hadden en Geoffrey een prachtige *try* miste. De jongen die de try maakte, is zelfs knock-out gegaan en op een brancard afgevoerd. Het was geen opzet of zo, gewoon een ongeluk. Geen wonder dat ze van die lelijke helmen dragen en hun oren afplakken.'

'Werd de wedstrijd stilgelegd? Was er een verlenging?'

'Jeetje, dat weet ik niet, we hebben het eind van de wedstrijd niet meegemaakt.'

'Nee, ik bedoel toen het ongeluk gebeurde.'

'O… ja… ik denk het wel. Daar heb ik niet zo bij stilgestaan. Waarom vraag je dat?'

'Geen speciale reden, Jenni, ik probeer alleen een tijdschema te maken. Er moet een vergissing zijn gemaakt.'

'Dat is heel goed mogelijk. Ik heb wel eens bankafschriften gekregen waarop stond dat ik geld had gepind terwijl ik niet eens in het land was. Computers zijn niet te vertrouwen. Maar… Tom zei wel dat Geoffrey erg lang wegbleef.'

Eleri bleef na het gesprek een hele tijd roerloos voor zich uit kijken. Alexander keek naar haar en leek haar stemming aan te voelen. Hij ging op zijn hurken tegen de muur zitten en liet zijn hoofd telkens voorover vallen, tegen de muis van zijn handen.

Er waren vier mensen in huis geweest. Hoe Eleri ook haar best deed om wijs te worden uit wat ze nu wist, toch bleef ze op een onoverkomelijke hindernis stuiten. Als ze overtuigd was van haar mans onschuld, moest Tom of Jenni dus schuldig zijn. Of Alexander, die arme, gebroken, nutteloze Alexander. Maar Geoffrey was onschuldig, hij moest onschuldig zijn. Hoewel haar loyaliteit aan hem soms overging in twijfel als ze hem voor zich zag in innige omhelzingen met steeds jongere minnaars. Hij had de kamer langer verlaten dan voor het legen van zelfs een volle blaas nodig was geweest.

Maar waarom zou hij het doen terwijl er mensen in huis waren? Dat sloeg nergens op. Maar als alle mogelijkheden onderzocht waren zonder resultaat, dan moest het onmogelijke waar zijn. Het was Tom of Jenni. Maar dat sloeg nergens op. En ze wilde ook niet dat het waar was.

De achterdeur ging open. Peter kwam thuis. Eleri vermande zich, ging staan en bereidde zich voor op zijn verhalen. Hij was erg stil, vond ze, waarschijnlijk was hij de inhoud van de koelkast aan het plunderen. Dat hij in de keuken was, klopte, maar eten deed hij niet. Hij kon niet eten. Zijn onderlip zat onder het bloed, hij miste een paar voortanden en de andere zaten los. Zijn schooluniform, dat er die morgen nog zo netjes had uitgezien, was gescheurd en besmeurd met verf. Hij hield zijn blazer tegen zijn borst gedrukt. Zijn magere, onvolgroeide lichaam beefde van angst en woede. Ze zag dat de oorring die hij met zoveel trots had gedragen ten teken van zijn zigeunerafkomst, ruw uit zijn oor was getrokken, waardoor er een scheur in zat.

'Peter! Peter toch, wat is er gebeurd?'

De jongen kon niet praten, en ze merkte dat ze zelf ook geen woord meer uit kon brengen. Het kind en de ouder beseften op dat moment beiden dat ze tegenover dit soort geweld machteloos stonden. Ze pakte voorzichtig zijn blazer. Het jasje was totaal vernield. Ze bekeek het in de hoop dat het nog hersteld kon worden, en zag toen waarom hij het zo krampachtig tegen zich aan had gedrukt. Op de rug stond in grote letters: PEDO-ZOON.

Eleri wilde niet huilen, maar kon haar tranen niet bedwingen. Ze had zo met Peter te doen en zag nu pas echt hoe hopeloos hun situatie was geworden.

Waarheden, halve waarheden en leugens waren nu deel van hun wereld gaan uitmaken en alle zonden waren afkoopbaar geworden, behalve deze zonde. Wie eenmaal van verkrachting en pedofilie was beschuldigd, kwam er nooit meer van los.

Snikkend vertelde Peter aan Eleri wat er gebeurd was. Het luidde het einde in van alles wat eerder was afgedaan als 'kwajongensstreken, niets ernstigs, gewoon jongens die een robbertje vochten'.

'Ze zeiden dat pappa dingen had gedaan. Dat hij dingen met mij had gedaan. En met andere jongens.'

Zijn stem klonk zacht, oud.

'Peter... je vader heeft je toch nooit aangeraakt?'

'Nee. En dat heb ik ook tegen ze gezegd.'

'Goed zo, jongen. Dan zullen ze je nu wel met rust laten.'

'Nee. Niet tegen hen. Tegen de onderwijzers. Ik moest het tegen de onderwijzers zeggen.'

Eleri voelde de angst als een kwaadaardig gezwel in zich groeien.

'Kom, laten we je eerst maar eens gaan opknappen.'

In de vertrouwde sfeer van pyjama's, pleisters en antiseptica vertelde Peter haar dat hij naar de kamer van de schoolverpleegster was geroepen. Daar was hij ondervraagd door haar, het hoofd van de school en zijn klassenonderwijzer.

Ja, hij had wel eens naakt bij zijn vader op schoot gezeten. Nee, ze waren geen bloedverwanten. Ja, er waren twee jongens. Nee, zijn broer kon niet praten. Ja, zijn vader had hem vroeger in bad gedaan, maar nu niet meer. Nee, zijn vader trok 's morgens niet altijd een ochtendjas aan. Ja, hij was nieuwsgierig geweest naar zijn vaders piemel, en ja, had die ook wel eens aangeraakt. Was zijn vader toen boos geworden? Nee. Hij had erom moeten lachen. En had hij Peters piemel ook wel eens aangeraakt? Ja, maar dat was heel lang geleden. Toen zijn vader hem op zijn bips zoende en kietelde. Hem en Alex. Het was een spelletje geweest. Hun spelletje. Ze noemden het altijd Kwispeltijd.

Eleri luisterde, voelde de grond onder haar voeten wegzakken en zag een poel van ellende ontstaan. Als er een hel bestond, kon die niet erger zijn dan dit.

Toen Carter thuiskwam, was het donker in huis. En koud. Het duurde niet lang voordat hij Eleri's briefje gevonden had. Ze wist niet meer wie ze moest geloven of wat ze moest denken, en daarom leek het haar het beste, zowel voor de jongens als voor haar, om zolang bij haar ouders in te trekken, in de door schapen bevolkte wildernis van West-Wales.

Hij stortte niet in. Daarvoor zou hij eerst moeten toegeven hoe verschrikkelijk eenzaam hij zich voelde.

Onder het briefje lag een stukje papier dat uit een schoolschrift was gescheurd. 'De beste pappa ter wereld', stond erop.

Hij had zijn gevoel zo volledig uitgeschakeld dat hij er niet op kon reageren. Hij zag dat de afwas er nog stond. Zo snel was zijn vrouw het huis dus ontvlucht, met zijn zonen en zijn baby. Zijn baby. Hij moest er bijna om lachen. De teerling was geworpen. Want wat hij had weggenomen, zou hem ook worden ontnomen. Gerechtigheid was geschied.

Carter laadde de afwasmachine vol met chirurgische precisie: de borden van groot naar klein, het bestek gescheiden van de pannen, de glazen gescheiden van de kopjes. Het hielp om iets alledaags als dit te doen, maar niet lang. Wat kon hij nog meer doen, waarbij hij niet hoefde na te denken? Niets.

Hij schonk zich een glas cognac in, in een limonadeglas. Deze kleine overtreding van de regels gaf hem voldoening. Net als tijdens vakanties aan de Middellandse Zee, waar de wijn via een rubberen slang die aan een emmer was bevestigd, ingeschonken moest worden.

Zijn agenda lag nog open op de datum die Eleri had opgezocht. Hij herinnerde zich die dag. De rugbywedstrijd, Tom, Jenni, Jenni.

Opeens kon hij weer helder denken. De dikke wollen laag die hem beschermd had, werd opgelicht en hij zag precies wat er gebeurd was. Het was zo overduidelijk dat hij het ongelooflijk vond dat hij het zich niet eerder had gerealiseerd. Ze had alle gelegenheid gehad om de tijdschriften, de videoband en de diskette te verstoppen. Maar toen was ze te ver gegaan. Was ze slimmer geweest dan goed voor haar was.

Hij was opgetogen en schonk zich nog een glas cognac in. Alles zou goed komen. Wat de Shackletons gedaan hadden – hij was ervan overtuigd dat Tom op de hoogte was van de acties van zijn vrouw –

was echter zo gruwelijk dat hij het onmogelijk in zijn eentje kon verwerken. Hij moest met iemand praten. Hij wilde het Eleri vertellen. Maar het was al laat, na middernacht, ze zou al naar bed zijn. Haar ouders, die altijd meteen met hun oordeel klaarstonden, hadden haar ongetwijfeld onder afkeurend gemompel in slaap gesust.

'Eleri?'

'Nee, met haar moeder. Weet je wel hoe laat het is, Geoffrey…? Nee, ik geloof niet dat ze nu met je wil praten. Niet nu je dronken bent. Morgenvroeg misschien. Word eerst maar eens nuchter… O, en haar mobiele telefoon staat uit. Dag, Geoffrey.'

Hij probeerde het nog een keer. Er werd niet opgenomen. De klootzakken hadden de stekker eruit getrokken. Verdomde methodisten. Meer cognac.

Moest hij Danny bellen? Ja, waarom niet?

Antwoordapparaat.

Carter was nuchter genoeg om te beseffen dat hij beter naar bed kon gaan. Hij zou zijn hoofd er morgen immers goed bij moeten houden wanneer hij de vrouw van een collega-hoofdcommissaris van een ernstige misdaad ging beschuldigen. Maar daarna zou hij rustig de draad van zijn leven weer oppakken, het pausdom op zich nemen en nog lang en gelukkig leven.

Maar hij was meer dronken dan nuchter: verwarring en spanning vermengd met drank en opluchting, hadden hem uit zijn evenwicht gebracht. De waanzin lag op de loer, maar hij vond zelf dat hij nuchter en bij zijn volle verstand was. Hij rookte niet, maar had wel altijd een doos Don Ramos-halfcorona's in het dressoir liggen. Hij trok de dozen Monopoly en Cluedo eruit om de sigaren te pakken en gooide daarbij in zijn wanhoop kaarten en dobbelstenen op de grond.

Vannacht zou hij roken en drinken en zich laten gaan. Morgen zou hij terugvechten en de strijd winnen.

Dinsdagmorgen. Hij werd wakker van de krantenjongen, die een gevecht leverde met de brievenbus. Zijn mond was kurkdroog en in zijn hoofd waren ze aan het boren. Even wist hij niet waar hij was, maar toen kreeg de realiteit weer vorm. Vandaag was de dag des oordeels. Douchen, scheren en een handvol aspirines.

Hij stond voorzichtig op, de golven van misselijkheid wegslik-kend. De kranten lagen op de mat. Zich bukken en ze oppakken was een marteling. Hij strompelde de keuken in en zette de waterkoker aan. De klok op het fornuis stond op halfzeven. Hij sloeg de *Daily Telegraph* open. De telefoon ging.

'Geoffrey?'

Eleri's stem klonk zwak, verder weg dan ze in werkelijkheid was.

'Eleri, het was Jenni. Ik weet het zeker. Ze had alle gelegenheid...'

Hij realiseerde zich dat hij aan het schreeuwen was, maar het kon hem niets schelen. Hij moest het haar duidelijk maken. Ze moest thuiskomen. Hij kon dit gevecht niet alleen winnen, hij had haar hulp erbij nodig.

Halverwege zijn luidruchtige, triomfantelijke betoog brak er iets in hem. Hij stortte in, jammerde en smeekte zijn vrouw om thuis te komen en zakte op de vloer in elkaar. Ze luisterde zwijgend naar zijn gebazel.

'Kun je bewijzen dat het Jenni was?'

Haar stem klonk kil, kalm, en ver weg.

'Natuurlijk. Ik weet alleen nog niet hoe, maar het moet kunnen.'

'Kun je bewijzen dat jij het niet was?'

Hij begreep niet waarom ze tegen hem praatte alsof ze zijn advocaat was. Hij werd kwaad en begon tegen haar te schreeuwen. Toen hij ophield, had ze opgehangen. Hij belde haar terug. Geen antwoord. Hij probeerde het nog een keer. Ze nam op.

'Sorry, sorry. Luister, ik ga...'

'Peter heeft me verteld wat je gedaan hebt.'

Carter zweeg.

'Wat ik gedaan heb? Wat bedoel je?'

'Hij heeft me verteld over je geheime spelletjes. Wat je met hem gedaan hebt.'

'Eleri, waar heb je het over. Dit is niets voor jou. Wat bezielt je? Ik heb niets gedaan.'

Hij hoorde hoe ze begon te huilen.

'Alsjeblieft, geloof me nou. Ik heb niets...'

'Geoffrey? Met Bryn hier.'

Eleri's vader. Carter was opgelucht, hij trok minder gauw voorbarige conclusies dan haar moeder.

'Dit is heel ernstig.'

Dit intrappen van een open deur maakte Carter bijna aan het lachen.

'Het verhaal van kleine Peter is erg verontrustend…'

'Maar…'

'Nee, Geoffrey. Geen gemaar. We hebben het er de hele nacht over gehad, en wij vinden dat het beter is als je de jongens niet meer ziet. Peter is erg overstuur…'

'Ik wil met hem praten.' Carter was wanhopig en wilde niet weten hoe strak de strop om zijn hals al was aangetrokken. 'Dit is belachelijk.'

'En Eleri is er heel slecht aan toe. We hebben de dokter voor haar gebeld. We hopen dat de baby er geen schade van heeft ondervonden. O, Geoffrey… hoe kon je dit soort slechte dingen toch doen?'

De stem bood hem medelijden maar geen hoop.

'Ik wil met Eleri praten.'

'Nee, Geoffrey. Je begrijpt het niet. Ze wil niet meer met je praten. Ze heeft alleen gebeld om je te vertellen dat ze wil scheiden en dat ze de jongens zal laten onderzoeken…'

'Dat kunnen jullie niet doen. Ik hou van haar…'

'En ik denk dat zij ook nog steeds van jou houdt, maar daar komt ze wel overheen.' De oude man zweeg. 'Het spijt me voor je Geoffrey, maar ik kan je dit niet vergeven.'

Het gesprek was voorbij.

Carter schreeuwde: 'Nee! Nee! Alsjeblieft! Nee!'

Hij sloeg en smeet alles wat hem onder ogen kwam kapot, uit pure wanhoop en razernij, tot hij er uitgeput bij neerviel. De krant lag nog steeds opengeslagen op tafel, te midden van de chaos. Toen de stilte was teruggekeerd, viel zijn oog op de kleine, discrete kop, weggestopt onder aan pagina 3: 'Politiechef uit de gratie'. Hij las de keurige kolommen tekst alsof het iemand anders betrof:

328

'Een zegsman van het ministerie van Binnenlandse Zaken gaf gisteravond te kennen dat hoofdcommissaris Geoffrey Carter niet langer in aanmerking komt voor de functie van "misdaadpaus" van Groot-Brittannië. Informanten uit de kring van Robert MacIntyre meldden dat zolang het onderzoek naar "bepaalde beschuldigingen" betreffende meneer Carters privé-leven gaande is, er geen besluit over zijn toekomst kan worden genomen.

Een zegsman van de Raad van Hoofdcommissarissen gaf toe dat men zich er zorgen om maakte dat het onderzoek naar de beschuldigingen tegen meneer Carter zo traag verliep: "De minister van Binnenlandse Zaken heeft de macht om dit proces te versnellen, maar heeft zich niet geroepen gevoeld dit te doen. Hieruit kunnen wij alleen maar concluderen dat de regering ernstige twijfels heeft over Carters geschiktheid voor deze hoge functie."'

En dus zat hij op een dinsdag, een onbetekenende dag van de week, in zijn woonkamer en zette hij de feiten op een rijtje zoals hem dat jaren geleden als jonge rechercheur geleerd was. Kalm blijven was zijn enige optie.

De fluistercampagne tegen Carter nam in de daaropvolgende weken toe. De hyena's van de roddelbladen, onder het wakend oog van de aasgieren van de serieuze bladen, kwamen steeds dichterbij en waren zeker van hun buit.

Carter leek weinig veranderd te zijn door de gebeurtenissen. Hij was zeven kilo afgevallen en lachte misschien wat minder dan voorheen, maar volgens zijn medewerkers hield hij zich kranig. Ondanks lange slapeloze nachten waarin om vier uur 's morgens alle hoop vervloog en wanhoop bezit van hem nam, tot hij zich klaar kon maken om de wereld weer tegemoet te treden.

De rechercheurs hadden zijn beschuldiging tegen de Shackletons beleefd aangehoord en hem verzekerd dat iedereen die in huis was geweest, nagetrokken zou worden om te kijken of diegene uitgesloten kon worden van het onderzoek. De Shackletons leken er heel zeker van te zijn dat zij niet als verdachten aangemerkt zouden worden. Iedere avond maakte Carter lijsten en plannen en zette hij zijn ideeën op papier. Elk detail dat relevant kon zijn, werd in een notitieboekje opgeschreven: het bewijs van zijn onschuld moest en zou geleverd worden. Toch brachten deze nachtelijke zoektochten hem op de rand van de waanzin.

Iedere dag belde hij Eleri op en uiteindelijk was ze bereid met hem te praten. Haar zwangerschap verliep zonder complicaties. Alexander was gewend aan zijn nieuwe omgeving, maar Peters gedrag was zeer verontrustend.

'Ja, vind je het gek? Je hebt hem uit huis gesleurd en hem het gevoel gegeven dat hij iets verkeerds heeft gedaan.'

Eleri bleef kalm. Iets waar hij dol van werd. Zijn vrouw leek een vreemde voor hem te zijn geworden en leek zich te verbergen achter wollig psychologengebabbel. Op alles wat hij zei, reageerde ze met de onverbiddelijke houding van een maatschappelijk werkster.

'Geoffrey, je agressieve houding maakt het er niet beter op.'

'Ik wil met Peter praten.'

'Dat lijkt me geen goed idee. We hebben hem door een kinderpsycholoog laten testen en...' – even werd haar herboren zelfverzekerdheid aan het wankelen gebracht – 'het schijnt dat hij verdrongen herinneringen heeft. Herinneringen die nu weer bovenkomen.'

Ze praatte als een robot: hij herkende de stem van zijn vrouw niet meer.

'Eleri, ik zweer het je. Ik heb Peter of Alexander nooit aangeraakt. Ik zou het niet kunnen.'

Er viel een korte stilte.

'Geoffrey, Peter is onderzocht door een kinderarts en Alexander gaat morgen mee naar het ziekenhuis.'

Hij wist dat ze wilde dat hij de rest erbij dacht, om het haar gemakkelijker te maken. Hij wist wat hij te horen zou krijgen, maar wilde de dolk toch naar binnen voelen gaan.

'En?'

'Bij Peter zijn sporen van lichamelijk en geestelijk misbruik aangetroffen.'

Carter had gerekend op een dolksteek, maar het voelde eerder alsof zijn schedel was vermorzeld. Hij kon het maar met één woord ontkennen. Maar zou ze hem geloven?

'Nee. Eleri. Nee. Die doktoren hebben het wel vaker bij het verkeerde eind. Net zoals in Cleveland, toen... hoe heette dat mens ook alweer...?' Hij ging door, wanhopig op zoek naar begrip. 'En Roemenië dan? Voordat ze hier kwamen...?'

Ze had weer genoeg moed verzameld en zette haar betoog voort.

'Mijn ouders hebben me de raad gegeven je aan te geven, maar ik weet niet of ik Peter dat kan aandoen. En je weet natuurlijk dat Alexander niet kan getuigen.' Hiermee liet ze doorschemeren dat ze wist dat pedofielen vaak gehandicapten uitkozen omdat die hen toch niet officieel konden aanklagen.

'Ik moet met ze praten, Eleri. Peter zou nooit zeggen dat ik hem iets heb aangedaan. Nooit.'

'Ja, daar heb je gelijk in. Peter wil niets toegeven, maar heeft wel nachtmerries en schreeuwt: "Nee, pappa, nee, niet doen."' Haar woede nam de overhand. 'Wat denk je dat hij daarmee bedoelt, Geoffrey? Leugenaar! Vieze, vuile leugenaar dat je bent! Wat heb je met die jongens uitgevreten?'

'Eleri...'

Ze krijste nu hysterisch. Hij hoorde op de achtergrond hoe haar moeder haar probeerde te kalmeren.

En toen hoorde hij Peter. Hij schreeuwde, zo hard als hij in zijn wanhoop kon: 'Pap... pappa... ik wil naar huis! Pap, ik heb ze niets verteld. Pap, alsjeblieft. Kom me halen!'

Eleri overstemde iedereen met haar geschreeuw. Er was niets meer over van de vrouw of minnares die hij gekend had. Geen vertrouwen of liefde. Ze was een moeder die haar zonen had overgeleverd aan een monster. Ze zou het hem nooit vergeven, omdat ze het zichzelf nooit zou vergeven.

'Je ziet de jongens nooit meer terug. Nooit. Ik ga van je scheiden. En Geoffrey, ik neem mijn meisjesnaam weer aan. De baby gaat Morgan heten en ik zal er alles aan doen om te voorkomen dat het kind te weten komt wie zijn vader is. Je bent lucht voor ons. Heb je dat goed begrepen? Lucht.'

Carter had het begrepen. Alles was hem nu duidelijk en dat gaf hem rust. Hij zou blijven werken. Hij zou zich voordoen als een normaal mens. Niemand zou weten hoe leeg hij zich voelde.

Dagen later zat hij in zijn eentje – hij was altijd alleen nu – voor de televisie, die hem geluid maar geen gezelschap bood, toen hij een paard in het drijfzand zag wegzakken. Minutenlang vocht het dier wanhopig om eruit te komen, tot het uitgeput raakte en zich neerlegde bij zijn lot. De camera zoomde in op een van zijn ogen. Er was geen berusting in te lezen, geen aanvaarding van Gods wil. Het enige wat Carter zag was verwarring, onbegrip en een wanhopige droefheid om het leven vaarwel te moeten zeggen.

Hij keek in een spiegel.

Jenni was blij dat ze meer uitnodigingen kreeg voor politieke bijeenkomsten. Maar zolang Carter nog niet officieel uit de gratie was, werd ze iedere morgen gefrustreerd wakker. Ze wist dat de hernieuwde interesse voor Tom te maken had met het feit dat Carter onder verdenking stond, maar hoe langer de zaak zich voortsleepte, hoe groter de kans was dat zij erbij betrokken werden. Terwijl Carter door zijn lege huis ijsbeerde, overdacht zij iedere nacht haar daden. Ze wist dat Tom ook niet sliep, maar zijn deur bleef dicht en de enige keer dat ze zijn kamer was binnengegaan, had hij demonstratief zijn hoofd afgewend. Ze was de uitputting nabij toen Eleri belde.

'Jenni?'

Ze klonk alsof ze aan de andere kant van de wereld was.

'Eleri? Waar zit je?'

'In Wales. Ik weet dat het een slechte lijn is, maar ik wilde niet vanuit het huis van mijn ouders bellen. Hoe gaat het met je?'

Na wat beleefdheden uitgewisseld te hebben, zei Eleri: 'Ik ga scheiden van Geoffrey.'

'Ach, Eleri… nee.' Jenni ging op de automatische piloot. 'Zou je dat nou wel doen? Ik bedoel, er is nog niets bewezen. Straks blijkt het allemaal één grote vergissing te zijn geweest.'

'Op een dag zal ik je alles vertellen, Jenni. Maar ik wilde je bedanken voor wat je voor ons gedaan hebt. Voor de jongens en voor mij.'

'Nou ik vind het ontzettend jammer. Is er werkelijk niets meer aan te doen?'

'Jenni, geloof me, ik zou ook graag willen dat het anders was. Ik heb het hem een maand geleden verteld.' Ze wachtte even en zag een beeld van Carter voor zich zoals hij vroeger was geweest, voordat dit alles gebeurd was, toen ze hem nog aanbeden had. 'Het is officieel nu, en ik vond dat je het moest weten. Hij zal het aanvechten natuurlijk; het zal dus nog wel even duren voordat het rond is. Maar ik begrijp nog steeds niet hoe hij zoiets heeft kunnen doen.'

Jenni vond het goed nieuws. De regering had afstand genomen van Carter en nu deed zijn vrouw het ook. Het was slechts een kwestie van tijd voordat Carter zijn ontslag zou indienen. Hij zou Eleri vast willen volgen en proberen zijn gezin terug te winnen.

'Misschien moet je hem nog een kans geven.'

'Jenni, je begrijpt het niet.' Waarna ze herhaalde: 'Op een dag zal ik je alles vertellen. Echt.'

'Ach, Eleri, ik vind het toch zo jammer. Het zal Tom ook verdriet doen. Er is immers geen bewijs. Wees niet te streng voor hem, Eleri. Misschien als jullie beiden wat tijd voor jezelf hebben gehad, en wat afstand hebben genomen...'

'Jenni, je kent de feiten niet. Je hebt geen idee...' Ze zweeg; ze kon niet verder praten.

Jenni hoorde haar wel, maar luisterde niet meer naar wat ze zei. Ze stond te popelen om Shackleton het nieuws te vertellen.

'Nee. Nou ja, wat er ook gebeurt, hou me op de hoogte.'

'Bedankt, Jenni. Dat zal ik zeker doen. Je hebt geen idee wat we hebben doorgemaakt. Het voelt alsof we zijn opgepakt en in de goot zijn gesmeten.'

Jenni zei automatisch de goede dingen, tot ze het gesprek kon beëindigen zonder onbeleefd over te komen.

Zodra ze de hoorn had neergelegd, belde ze Tom op. Hij zat in een vergadering. Ze wilde tekeergaan tegen Janet, maar hield zich in.

'Janet, dit is belangrijk.'

'Het spijt me, mevrouw Shackleton, maar de hoofdcommissaris heeft gezegd dat hij in geen geval gestoord mocht worden.'

Jenni trilde van woede.

'Ik ben geen geval, ik ben zijn vrouw.'

Even bleef het stil.

'Een ogenblik, mevrouw Shackleton.'

Nog geen vijftien seconden later kwam Shackleton aan de telefoon.

'Hallo.'

Jenni ergerde zich zeer aan de zangerige toon waarop hij het zei.

'Ik ben het. Eleri gaat scheiden van Carter.'

Ze wachtte.

Tom, die een aantal afgevaardigden van de politiebond op bezoek had, wist niet wat hij moest zeggen.

'Ik begrijp het', was het enige wat hij kon bedenken.

Ze reageerde op scherpe toon.

'Nee, dat doe je niet, Tom. Zolang dat onderzoek naar hem loopt, kan hij gewoon blijven zitten, maar nu… Nu moet hij kiezen. En als hij voor zijn gezin kiest, moet hij wel ontslag nemen. Zij is bij hem weggegaan. Hij zal dus achter haar aan moeten. Ik bedoel, ze heeft de scheiding aangevraagd, maar daar zal hij geen genoegen mee nemen. Hij zal zich verzetten, en om dat goed te doen, moet hij achter haar aan.'

Behoedzaam, vanwege de anderen in de kamer, zei hij: 'Goed. En bedankt voor het bellen.'

Jenni was woedend.

'Jezus, wat ben jij een lul, zeg.'

'Ja. Bedankt. Tot ziens.'

Shackleton legde de hoorn op de haak en hield zich weer bezig met de onrust en het ongenoegen onder zijn manschappen.

Toen een van de afgevaardigden het woord nam, trok hij een sympathiek gezicht en liet zijn gedachten de vrije loop.

Hij wist niet hoe lang Carter al alleen was, maar Jenni had gelijk: Carter kon niet zonder zijn gezin. Shackleton was opgelucht. Zolang Carter voet bij stuk hield, kon niemand iets doen en kropen de weken voorbij. De tekenen wezen erop dat Whitehall voor de Shackletons zou kiezen, maar er was nog niets gezegd. Er was niets zeker.

Tom voelde zich bijna gelukkig. Carter zou ontslag nemen, Tom

Shackleton zou de nieuwe misdaadpaus worden, het onderzoek zou niets opleveren en Eleri zou haar echtgenoot terugnemen.

Alles zou goed komen.

Lucy was Gary aan het wassen toen ze het nieuws hoorde. Geoffrey Carter was dood aangetroffen in zijn huis, drie maanden nadat er een onderzoek tegen hem was ingesteld wegens bezit van kinderporno... Er werden geen verdere details gegeven. Lucy reageerde geschokt. Gary cynisch.

'Hoeft Shackleton die alvast niet meer de nek om te draaien.'

'O, Gary, dat moet je niet zeggen... dit is afschuwelijk.'

'Ja, je hebt gelijk. Sorry. Pootje te lichten.'

Ze pakte het washandje weer om hem verder te wassen en gebruikte met opzet te veel water zodat het laken doorweekt raakte. Een kleine wraakneming. Ze had de man getroost, een intiem moment met hem gedeeld. En nu was hij dood...

'Kom op, Luus, ik krijg nog rode billen zo.'

Ze zuchtte. Ze had het gevoel dat ze iets moest doen.

Ze wilde er met iemand over praten. Zo gauw de gelegenheid zich voordeed, liep ze naar de overkant, naar Jenni.

Tamsin en haar zoontje wilden net weggaan. Er werd gelachen, het kind kraaide en zwaaide naar zijn lieve oma. Lucy voelde zich net een spook dat een gelukkig familietafereel kwam verstoren.

Lucy liep met Jenni, die ontspannen was en nog steeds glimlachte, het huis in.

Zodra de prietpraat achter de rug was en nadat Jenni de koffie had ingeschonken, zei Lucy: 'Heb je het al gehoord? Over Geoffrey Carter? Hij is dood.'

Ze zou nooit de uitdrukking op Jenni's gezicht vergeten. Verbazing en blijdschap werden haastig vervangen door droefheid en spijt. Het was zo'n snelle transformatie dat Lucy niet eens zeker wist of ze het echt gezien had.

Maar toen zei Jenni met nauwelijks verholen gretigheid: 'Weet je het zeker?'

Lucy knikte.

'Ach, jee. Wat sneu.'

Dat was alles. Maar Lucy zag nog steeds die triomfantelijke blik achter haar bescheiden neergeslagen ogen. Niet lang daarna ging ze naar huis en probeerde ze het incident aan Gary uit te leggen.

Shackleton was de hele morgen in vergadering geweest, zodat zijn secretaresse hem pas om halfeen kon vertellen wat er gebeurd was.

'Meneer Shackleton?' Haar stem klonk nog melodieuzer en zachter dan anders. 'Het betreft meneer Carter, hij is dood in zijn huis aangetroffen. Waarschijnlijk zelfmoord. Vergeet u uw afspraak met het hoofd van politie niet om twee uur? Zal ik een sandwich voor u halen?'

Hij schudde zijn hoofd en deed de deur van zijn kantoor achter zich dicht. De gang naar zijn bureau kwam hem onwerkelijk voor. Hij keek uit het raam en zag agenten in uniform voorbijlopen die gingen lunchen. Betekenisloze kreten als 'de vrije wil' en 'persoonlijke verantwoordelijkheid', die voorheen alleen gebezigd werden door ontwikkelingsgoeroes, spookten nu door zijn hoofd.

Hoe hard hij er ook voor weg probeerde te lopen, de venijnige woorden 'jij hebt hem vermoord' bleven hem achtervolgen. De realiteit van die woorden joeg hem angst aan. Dit had geen deel uitgemaakt van het scenario. Hij was niet verantwoordelijk voor Jenni. Hij had er niets vanaf geweten. Maar het was nu te laat. Hij was veranderd. Mens geworden. Voor het eerst met het fenomeen zwakte geconfronteerd. De zwakte van het geweten. Geoffrey Carter was geen obstakel, hij was een man die dood was.

Nee, een man die hij gedood had.

Maar Jenni had het gedaan... nee, niet Jenni, hij.

Slechts een fractie van die realiteit mocht doorsijpelen in zijn hoofd. Als hij zichzelf toestond zich een voorstelling te maken van de pijn die Carter had ondergaan, zou hij zijn beheersing verliezen. Het zou aan hem vreten tot hij niet meer kon functioneren. Schuldgevoelens. Verantwoordelijkheid voor je medemens. Niemand leeft voor zich alleen. Carter die in een zwarte plastic zak werd opgeruimd, zoals bij alle zelfmoordenaars gebeurde. Een dramatisch gebaar dat achter in het busje van de lijkenophalers eindigde. Een afgedankt lichaam, als vuilnis in een plastic zak gestopt. Daarna de lijkentafel, de onbekende vingers die het dode, naakte lichaam betastten en omkeerden. Het lichaam, dat ooit had toebehoord aan een vriend, een collega, die een maand geleden nog een successvolle hoofdcommissaris van politie was geweest. Opengesneden, gewogen en op ziekten gecontroleerd zoals wettelijk was voorgeschreven. Daarna werden de organen weer slordig op hun plaats teruggelegd. De hersens in de maag en kranten in de schedel. Dat heb jij met hem gedaan, Shackleton. Waarom? Waarvoor? Niemand verdient het toch om vermoord te worden?

'Ik heb hem niet vermoord.'

Hij zei het hardop. De telefoon ging en Janet meldde, behoedzaam vanwege de tragedie, dat mevrouw Shackleton aan de lijn was.

'Tom? Tom?'

Hij wilde niet met haar praten. Nooit meer.

'Ja, Jenni?'

'Heb je het gehoord?'

'Ja.'

'En?'

'Heel tragisch.'

Ze snoof minachtend.

'Voor wie? Niet voor ons. Hoewel ik nooit had gedacht dat hij zo ver zou gaan. Wel een beetje melodramatisch.'

Ze wachtte even.

'Het bewijst in ieder geval wel dat hij pedofiel was. Waarom zou hij zich anders van kant hebben gemaakt? Ik bedoel, hij was nog gewoon aan het werk, hij was nog nergens voor aangeklaagd. Ze moeten iets gevonden hebben dat tegen hem pleitte, denk je ook niet?'

Shackleton legde de telefoon neer. Hij voelde de banden die hem met Jenni hadden verbonden, oplossen in het zuur van zijn zelfhaat. Dit was niet erger dan de dingen die ze in het verleden namens hem had gedaan. Maar er was nooit iemand dood gegaan. Hij staarde uit het raam, nietsziend, maar er was buiten iets dat gezien wilde worden. Drie zwarte gezichten.

De vrouwen glimlachten nu niet. Ze droegen een zware plastic zak, die als een lichaam over hun armen hing. Een piëta in drievoud.

De vrouw voor wie hij bang was geweest, de Afrikaanse vrouw met ogen als zeeschelpen, hief haar hand naar hem op. De witte handpalm was rood en nat van het bloed. Ze smeerde het bloed langzaam en weloverwogen over haar gezicht en opende toen haar mond in een geluidloze schreeuw. De andere twee sperden nu ook hun mond open. Het geluid dat hij hoorde, leek alle andere geluiden te overstemmen. Een woeste, hoge en langgerekte kreet van verdriet. Drie stemmen die het lijden aanriepen van de doden en de levenden.

Hij wist niet welk gebed hij prevelde, maar toen hij zijn gezicht ophief en zijn handen liet zakken, was het stil. De vrouwen waren verdwenen.

Danny Marshall ging meteen naar Carters huis toen de oproep binnenkwam dat het lichaam van Carter was gevonden door de wijkagent. De ramenwasser had alarm geslagen.

Toen hij daar arriveerde was het huis vol met agenten, rechercheurs en politiefotografen, die zwijgend hun werk deden, en sober geklede mannen, wier taak het was om het lichaam weg te brengen. Het lichaam van Carter, dat door niemand vergezeld werd die hem in leven had gekend of liefgehad, was voor hen niet meer dan een droevig geval dat opgeruimd moest worden.

Hij vroeg wat er gebeurd was. De eerste agent die hij benaderde, haalde verlegen zijn schouders op.

Aan de voet van de trap sjokte inspecteur Davidge heen en weer. Danny had onder hem gediend toen hij pas bij de politie was. Davidge was een heel goede smeris. Drie onderscheidingen voor moed, woonde in Essex en verzamelde Minton-suikerpotten. Zijn omvang was indrukwekkend en tussen de knoopjes van zijn vaalwitte overhemd was altijd een stuk bleke huid te zien, vlak onder zijn das, die tot halverwege zijn dikke buik kwam.

Hij sprak met de gewiekstheid van een verkoper van tweedehandsauto's.

'Mijn medeleven, meneer.'

Hij stapte respectvol over Carters lichaam heen, dat nog steeds onder aan de trap lag en werd opgemeten en gefotografeerd, ontdaan van elke waardigheid door een gewelddadige en onverwachte dood.

'Wat is er gebeurd?'

Davidge knikte alleen en ging hem voor naar de tuin. Danny keek naar de sculpturen die Carter uit Zimbabwe had meegenomen, in zijn handbagage en veinzend dat de tas niet zwaar was, en dacht terug aan de keer dat ze hadden gesproken over Danny's voorouders, die als slaven uit Ghana waren gehaald. Ze hadden gelachen toen Danny verteld had van een scheepslading kunstenaars die op Barbados was gedumpt, omdat ze alleen goed waren geweest voor huishoudelijk werk. Sterke slaven gingen naar Jamaica.

Davidge stak een Rothmans op. Danny dacht: als hij zijn pensioen haalt zonder een hartaanval te krijgen, bestaat er geen gerechtigheid meer. Maar hoewel hij hijgde en piepte en zoop als een Maleier, was er geen reden voor ongerustheid, want zijn bloeddruk en cholesterolgehalte waren in orde. De klootzak, dacht Danny.

'Wat is er gebeurd, Bob?'

Davidge nam een trek van zijn sigaret en keek naar de appelboom, waaraan een kinderschommel hing.

'Oké, hij loopt naar boven, naar zijn studeerkamer. Gaat daar een brief zitten schrijven. Afscheidsbrief, neem ik aan. De stofzuigerslang was al aan de uitlaat van de auto vastgemaakt en hij had genoeg aspirines ingenomen om een os te vellen. Tot zo ver is er nog niks aan de hand. Maar dan raakt zijn pen leeg. Mooie Mont Blancvulpen met zwarte inkt. Hij wil naar beneden om hem te vullen, maar realiseert zich niet hoe versuft hij al is. We hebben een vol potje inkt in zijn aktetas gevonden. Hij staat boven aan de trap, verliest zijn evenwicht en valt op zijn pen, die zich daarbij via zijn oog in zijn hersens boort. Op slag dood. Sneller dan koolmonoxide. Een mazzeltje, zullen we maar zeggen. Het leven van een pedofiel gaat niet over rozen.'

Danny keek de tuin in.

'Hij was geen pedofiel.'

Davidge keek naar het uiteinde van zijn sigaret.

'Nee. Natuurlijk niet.'

Danny voelde zich als de apostel die zijn meester drie keer verloochend had. Alleen het verkondigen van het evangelie zou opwegen tegen verraad.

'Hij heeft het me verteld. Me bezworen dat hij onschuldig was.'
Davidge dacht hier even over na.
'Nou, ja, dood is-ie nog steeds.'
Hij schudde zijn hoofd en duwde nog een Rothmans tussen zijn lippen. Hij was een scherpzinnig en intelligent man met groot respect voor zijn intuïtie, en zijn intuïtie zei hem dat Danny de waarheid sprak. De sfeer tussen hen veranderde. Davidge moest niets hebben van hetzes zoals die waarvan Carter het slachtoffer was geworden.

'Ik zal een kaarsje voor hem branden. Trouwens, ik vond dit boven: de brief die hij aan het schrijven was. Het heeft geen zin die via de gebruikelijke kanalen te laten lopen.' Hij overhandigde hem de brief in Carters handschrift, die aan Danny gericht was. 'Nou… ik ga maar weer eens naar binnen.'

Met de onaangestoken sigaret tussen zijn lippen sjokte hij het huis weer in.

Later die avond stak hij in de kerk, onder het beeld van St. Franciscus van Assisi, een kaarsje aan. Het was de enige kaars die voor Carter werd aangestoken in het duister dat zijn dood omringde.

Danny ving nog net een glimp op van Carters lichaam, voordat de deur zich sloot. Was hij nu maar bij hem langsgegaan. In hem blijven geloven. Er voor hem geweest. Hij las snel de brief door.

'Danny. Waarom lijkt de waarheid oprechter als de spreker dood is? Ik weet het niet en het komt me steeds dwazer voor om dood te gaan, alleen om geloofd te worden. Maar het is nu te laat. Het begint al donker om me heen te worden en ik hoop dat wat ik wil zeggen nog zinnig overkomt. Wat wil ik je vertellen? Wat moet je geloven?

Ik heb over elk alternatief nagedacht, maar alleen dit is de beste oplossing. Wat er ook gebeurt, met mij is het afgelopen, ik heb geen toekomst meer. Ik kan mijn onschuld niet bewijzen en wat de wet ook zegt, in dit soort gevallen blijf je schuldig, ook als je onschuld is aangetoond.

Ik geloof dat Tom en Jenni Shackleton de spullen in mijn huis verstopt hebben, maar ik ben te moe nu om de strijd aan te gaan en dat te bewijzen.

Als ik geen kinderen had gehad, zou ik met de twijfel en het gefluister hebben kunnen leven. Maar ik kan het ze niet aandoen dit een leven lang met zich mee te dragen. Misschien is dat laf. Ik weet het niet.

Danny, ik heb niets misdaan, maar ik kan zo niet verder leven. Ik wil niet dat Peter zijn vader ziet als iemand voor wie hij bang moet zijn.

Probeer de waarheid boven tafel te krijgen, Danny, voor Peter en Alex, en voor Megan. Wist je dat ik een dochter heb gekregen? Ze is te vroeg geboren, te klein om het leven aan te kunnen, maar ik heb van mijn advocaat gehoord dat ze een vechtertje is. Megan Morgan.

Als blijkt dat J en T erbij betrokken waren, zou de regering dit dan willen horen? De koppen in de roddelbladen'

Daar hield de brief op. De laatste woorden waren nauwelijks leesbaar, omdat de inkt was opgeraakt.

Danny wilde naar huis, weg van deze treurigheid. Hij liep het huis weer in. Het lichaam was weg en Davidge maakte aanstalten om te vertrekken. Boven waren twee mannen aan het werk die niet de moeite namen zich voor te stellen of hun deelneming te betuigen.

Danny zag dat alle persoonlijke papieren van Carter verdwenen waren. De beide mannen hadden grote aktetassen bij zich en een van hen borg net Carters bureauagenda op.

Danny wachtte buiten tot iedereen vertrokken was en ging toen met de reservesleutel die hij had opgehaald bij mevrouw Ismay, de buurvrouw, het huis weer binnen. Ze had graag met hem willen praten, maar Danny had haar duidelijk gemaakt dat hij geen informatie kon geven of wilde horen die met deze tragedie verband hield.

Wat verwachtte hij te vinden? Carters onrustige schaduw, die van kamer naar kamer dwaalde en niet in staat was om rust te vinden, tot hij, Danny uit deze poel van leugens de waarheid aan het licht had gebracht?

Danny verafschuwde het dat hij zich, nu Carter dood was, opeens zo nobel gedroeg.

Hij ging op de trap zitten. Op het behang zaten nog wat bloed-spetters. Mooi gevormd, als een bruine waaier. Hij had net genoeg afstand genomen van zijn in opspraak geraakte chef om zijn eigen toekomst zeker te stellen. Maar ten koste van hoeveel schuldgevoel was dat gebeurd?

Toen hij het huis verliet, was hij vastbesloten Carter van alle blaam te zuiveren, en er tegelijkertijd zelf een schoon geweten aan over te houden.

DEEL VIJF

H et najaarscongres van de Raad van Hoofdcommissarissen werd gehouden op de universiteit van Warwick, op een gedeelte dat afgesloten was van de rest van de campus. De drie dagen, die in het teken stonden van politiezaken, werden afgesloten met een officieel diner, waarvoor ook de partners waren uitgenodigd.

Eregast was de bijna nieuwe minister van Binnenlandse Zaken, de Dwerg. Hij was in een opgetogen stemming.

Jenni had hem voor het laatst gezien kort na de begrafenis van Carter, een sombere bedoening, die door niemand van enig aanzien was bijgewoond en waarbij alleen twee oudere tantes van Carter namens de familie aanwezig waren geweest. Danny Marshall had de begrafenis geregeld. Hij had iedereen uitgenodigd die er had moeten zijn als Carter een held was geweest toen hij stierf. De meesten hadden bedankt en sommigen hadden niet eens de moeite genomen om te antwoorden. Eleri's advocaat had een fax gestuurd.

De Shackletons hadden zich bescheiden opgesteld en waren in het midden van de kleine zaal van het crematorium gaan zitten. Danny zag ze wel, maar vroeg niet of ze verder naar voren wilden komen. Jenni was woedend en besloot na de plechtigheid buiten op de winderige binnenplaats een woordje met hem te wisselen.

'Tragisch, hè? Wij waren zeer op Geoffrey gesteld. Mijn man en hij werkten heel nauw samen. Wist je dat niet?'

Danny bleef aardig, beleefd, stoïcijns.

'O, jawel. Hij was vooral zeer ingenomen met jullie bezoek vlak voor zijn dood.'

Jenni was geschokt. De beschuldiging viel haar zo koud op het dak dat ze even met de mond vol tanden stond.

'De pers was erg wreed. Mensen die zoiets doen, zijn immers ziek. Ze hebben hulp nodig.'

'De enige ziekte waaraan Geoffrey Carter leed was de afgunst van andere mensen. Die is hem fataal geworden.'

345

Jenni wilde hem een klap in zijn gezicht geven.

'Ja, ja, natuurlijk.'

Ze wou maar dat Tom kwam.

'Maar dan vraag ik me toch af waarom hij dat vreselijke materiaal in huis had.'

Jenni's transparante chrysolietogen ontmoetten die van Danny, die een onverholen haat uitstraalden.

'Hij had dat materiaal in huis omdat iemand het daar verstopt had. Iemand die zijn leven wilde verwoesten. Die hem tegen wilde houden.'

'O, god… Wie dan?'

Ze wist dat ze zich hiermee op glad ijs begaf en beter haar mond kon houden, maar ze kon het niet.

'Kijk maar op internet, Jenni. Websites over samenzweringen zijn erg populair. En iedereen kan er zijn eigen ziekelijke ideeën op loslaten.'

'Samenzweringen, Danny?' Ze begon te lachen. 'Wat voor samenzweringen? Zijn dood was toch een ongeluk? Zo wordt het officieel toch genoemd? Nee, nu overdrijf je toch echt.'

Shackleton voegde zich bij hen.

'Tom, Danny zegt net dat hij denkt dat Carter eh… Hoe noem je dat ook alweer? O ja, dat hij erin geluisd is.'

'Dat heb ik niet gezegd, mevrouw Shackleton. Maar Geoffrey heeft meermalen uw naam genoemd in een brief die hij aan mij heeft geschreven. Sorry dat ik me zo cru uitdruk, maar ik ben nogal overstuur.'

'Natuurlijk.'

Shackleton stond nu naast Jenni maar zei niets.

'Willen jullie me verontschuldigen', zei Danny. 'Ik moet even met zijn tantes praten.' Hij boog zijn hoofd even. 'Meneer Shackleton.'

Zodra hij buiten gehoorsafstand was, trok Jenni van leer tegen haar man. Maar er was iets veranderd. Hij was veranderd. Wat ze zei, raakte hem niet meer. Sinds Carters dood was hij nauwelijks thuis geweest en de weinige keren dat hij thuis was geweest, had hij nauwelijks iets gezegd. De kinderen, die nu aangemoedigd werden om vrienden uit te nodigen, als afleiding voor Jenni om haar te beschermen tegen al te heftige gevoelens van paranoia, maakten zich zorgen om hem. Maar telkens wanneer ze probeerden over iets anders dan alledaagse dingen te praten, trok hij zich terug achter die verlegen glimlach die even ondoordringbaar was als een woud vol dennenbomen.

De dag na de begrafenis was Tom naar Londen geroepen voor een gesprek met de Dwerg, een regeringsadviseur, en de plaatsvervanger van de premier, die zelf ergens in Italië op vakantie was, in een volkspaleis dat voor het publiek gesloten was.

Jenni was opgetogen geweest, opgetogener dan over de stortvloed van bewezen en onbewezen smerigheden die over Carter gepubliceerd waren sinds zijn dood. Zijn privé-leven, seksualiteit, verleden en gezin werden in alle kranten, van de *News of the World* tot de *Financial Times*, uitgebreid uit de doeken gedaan. Foto's van zijn vrouw en van zijn zonen, kiekjes van Eleri die met haar te vroeg geboren baby het ziekenhuis verliet. De tegenstrijdigheden in de bewijzen die tegen hem pleitten, en die telkens weer als omgeschepte koeienmest naar boven werden gehaald. Jenni had alle artikelen en alle foto's bewaard.

Als Tom nog ergens bang voor had kunnen worden, dan was het dat ze haar verstand zou verliezen. Maar er was in hem zelf ook iets doodgegaan. De man onder aan de trap met de vulpen in zijn oog, was het schrikbeeld dat van Shackleton weer een mens had gemaakt. Maar de venijnige pijn, de kwelling van schuldgevoelens en een slecht geweten, waren nieuw voor hem. Hij had tot nu toe zo'n beschermd leven geleid, en zonder enige zelfkritiek. Shackleton voelde een nieuwe leegte in zich, niet meer zoals in zijn nette, afgepaste leven voor Carters dood. Hij had schuldgevoelens nu en de smaak van as in zijn mond, alsof de geest van Carters wanhoop in hem een nieuw thuis had gevonden.

Hij dacht alleen nog aan zijn werk. Zijn hoofd was leeg en pijn en genot waren zinloos geworden. Jenni had geen vat meer op hem en het kleine geluk dat hij met Lucy had gekend, leek nooit te hebben plaatsgevonden. Het was het verhaal van een andere Tom Shackleton, een man die hij nu verafschuwde.

347

Hij had haar gezien op straat, terwijl ze Gary in zijn invaliden-wagentje naar het park duwde, als een parodie op een trotse jonge moeder met haar eerste kind.

Shackleton merkte dat hij jaloers was op het duidelijke, onvermijdelijke verloop van Gary's ziekte. De ziekte die aan hém vrat, leek zelfs verraderlijker en ongeneeslijker dan MS. Niets kon de symptomen verlichten.

En Jenni? Zij dacht, toen Carter eenmaal uit de weg was, dat ze onaantastbaar waren en zich sterker met elkaar verbonden zouden voelen. Maar hij kon haar niet eens meer aankijken, aanraken, horen. Ze schreeuwde, huilde, viel hem aan, maar het raakte hem niet meer. En hij zag dat ze bang was, banger dan ze ooit was geweest. 's Nachts hoorde hij haar huilen, praten en roepen, maar hij ging nooit naar haar toe. Ze was op zichzelf aangewezen. Net als hij. Hij was een deel geworden van de hel die hij in zijn dromen had gezien.

Het loon der zonde is de dood.

Dat begon hij nu in te zien. Alleen werd hij betaald met niets. Voor hem was er geen leven na de dood. Toch had hij nog steeds niet de moed om te zeggen: ik heb het gedaan. Mijn vrouw en ik hebben het gedaan. Omdat hij nooit loutering had gevonden in de biecht, zag hij niet hoe het eerlijk toegeven van schuld het gemoed kon verlichten. En daarom begon de zonde steeds zwaarder op zijn schouders te drukken, als een levende, langzaam wegrottende last.

Tijdens het gesprek hadden ze op ingetogen wijze hun spijt betuigd over het verlies van Carter, zo treurig en wat een verspilling, om daarna in één adem door aan Shackleton te vragen of hij er bezwaar tegen had om Londen op te geven en de eerste misdaadpaus te worden. Toen het onderzoek naar Carter nog liep, was hij al gepolst en was hem aangeraden geen mededelingen over zijn toekomst te doen, ook al stond die vast. Maar dit was het officiële aanzoek, de ring zat in de zak van de bruidegom.

Tom reageerde zoals het hoorde: hij was bescheiden, terughoudend en ging uiteindelijk overstag. Het mooiste moment van zijn leven lag binnen handbereik maar het zei hem niets. Hij proefde as in zijn mond. De as van Geoffrey Carter. Hij vertelde het nieuws niet aan Jenni. Ze zou het wel horen als het bekend werd gemaakt.

Maar de Dwerg had het haar al verteld. En hij was erop gebrand geweest dat ze hem kwam bedanken toen alles achter de rug was. Ze was naar zijn flat gegaan, weer met het excuus dat ze een artikel over hem ging schrijven, maar deze keer had hij alleen thee voor haar gezet en was hij tegenover haar aan tafel gaan zitten om te praten.

Hij had haar met enige weerzin opgenomen. Ze was afgevallen en zag er oud en mager uit. Haar botten, voorheen zo delicaat en fijn onder het strakke vel, staken nu scherp en hard door de dunne, uitgerekte, gele huid naar buiten. De grote ogen lagen nu diep in hun kassen en straalden wanhoop uit. En haar haar, nog steeds weergaloos mooi, detoneerde bij haar verouderde gezicht.

En dan was er nog het gesnuif, het voortdurende gesnuif.

Ze praatte over ditjes en datjes, wachtte op wat hij ging doen en zon op wraak. Zodra haar man misdaadpaus was, zouden alle computers, alle lijsten en alle informatie in het land tot zijn beschikking staan. Dan zou ze gaan spitten. Financiële onregelmatigheden, een jeugdzonde: er deden geruchten de ronde over een verkrachting, die in de doofpot was gestopt. Ze zou het vinden en dan, als zij de tijd er rijp voor achtte, er was geen haast bij, zou de Dwerg op zijn zwaard vallen.

Zijn pieper ging af. Hij las de boodschap en zei met veel vertoon van spijt: 'Jenni, lieve schat, het was fantastisch je weer te zien, maar ik moet weg. Een spoedvergadering. Kan ik helaas niet onderuit. Ik hoop dat je het niet erg vindt. Misschien een andere keer, hè?'

Jenni werd door hem naar buiten geleid zonder dat ze besefte dat ze weggestuurd werd en dat MacIntyre de pieper zelf had laten afgaan door ongemerkt een knop in te drukken aan de zijkant van het apparaat.

Het enige wat ze meekreeg waren de woorden: 'En, Jenni, ben je klaar voor je nieuwe rol als vrouw van de paus? Wat heeft die Tom Shackleton toch een geluk. Mag hij zomaar in de voetsporen treden van een dode.'

Zo kwam ze het te weten. Nog voordat Tom het wist, wat niet meer dan terecht was.

Even was ze opgetogen, hadden de dode handen van Carter haar niet meer in hun greep. Iedere nacht bezocht hij haar, soms als een dode, wegrottende minnaar, soms naakt en beschuldigend in een restaurant of een supermarkt. Jenni probeerde met Tom over haar nachtmerries te praten, maar hij werd geplaagd door zijn eigen demonen.

's Nachts liep ze doelloos door het huis, de trap op en neer, en door de hal.

Soms kwam Jacinta thuis en sloeg die haar armen om haar heen om haar te kalmeren.

Dan huilde Jenni, maar ze vertelde haar dochter nooit waarom.

In de weken voorafgaande aan het congres van de Raad van Hoofd-commissarissen werd Shackleton ingewijd in de geheimen van Whitehall. Tijdens zijn afwezigheid voelde Jenni dat ze de greep op de werkelijkheid begon te verliezen, depressief werd en in een graf wegzakte waarin het lijk van Geoffrey Carter lag.

Ze besloot naar haar lievelingskapper te gaan, in de hoop dat het strelen van zijn ingehuurde handen en die van de masseuse en manicure haar enige warmte kon verschaffen. Ze zat voor de spiegel. Een oude vrouw met prachtig glanzend haar keek haar aan.

Clyde had haar gelukkig binnen zien komen en wist zijn verba-zing over haar uiterlijk te verbergen toen hij haar met een zoen begroette. Hij legde haar in de watten en vroeg of ze thee of koffie wilde.

'Ik heb iets sterkers nodig, Clyde. Iets veel sterkers.'

Hij wierp haar een blik van verstandhouding toe.

'Dat valt vast wel te regelen.'

Jenni reageerde dankbaar, op het meelijwekkende af.

'O, echt? Het is alleen voor vandaag. Ik ben wat depressief. Je begrijpt wel wat ik bedoel…'

'Ik zal kijken wat ik kan doen. Heb je hierna nog een afspraak beneden?'

Ze knikte.

'Goed', zei hij en hij probeerde zijn ogen open te sperren, wat niet lukte vanwege de botox die hij in zijn voorhoofd had laten spuiten, waardoor zijn gezicht er nu als verlamd uitzag en een starre, glazige uitdrukking had gekregen.

Toen Jenni de behandelkamer in het souterrain binnenliep, trof ze daar de schoonheidsspecialiste in een hagelwit uniform aan en Nayman, de excentrieke Maleisische stilist, die in de ruimte naast Clyde werkte.

Hij was achtentwintig, erg lang en droeg zijn haar in een staart. Zijn leven was een aaneenschakeling van spirituele prêt-à-porter, alles wat op dat moment bij zijn stemming paste en geen uitdaging vormde voor zijn hedonisme of wisselende seksuele voorkeuren. Hij zwolg, zoals altijd, in zijn zekerheden.

'Jenni, lieverd. Jij bent een leeuw, toch? Ja, natuurlijk. Jij hebt een koninklijke behandeling nodig. Je bent een koningin. Lieve schat, wat zie je er akelig uit, zo moe. Ik zal je eerst wat geven. Ik ben ook een leeuw. Het is moeilijk voor ons om in een wereld vol lelijkheid te leven. Maar hiermee gaan de wereld en de mensen er beter en mooier uitzien. Wij hebben een hekel aan lelijkheid. Heb ik gelijk of niet, lieve Jenni?'

De schoonheidsspecialiste was stilletjes weggegaan en Nayman had onder het praten een stukje aluminiumfolie tevoorschijn gehaald en daarop voorzichtig iets uitgestrooid. Jenni kon niet goed zien wat het was.

'Ach, lieverd, wil jij wat muziek opzetten? We kunnen onze demonen moeilijk verdrijven als we naar het geluid van drilboren moeten luisteren vanuit de metro.'

Zijn stem klonk hoog en verwijfd, waarbij de s klonk als een band die langzaam leegliep. Jenni drukte de knop van de cd-speler in. De ruimte vulde zich met muziek, waarvan alleen mensen die de juiste clubs bezochten de naam kenden.

'Wil je een E, lieverd? Ideaal als voorafje.'

Jenni schudde haar hoofd.

'Nee, Nayman. Die zijn me te sterk. Ik moet,' – ze corrigeerde zichzelf meteen – 'ik wil alleen iets om me te ontspannen.'

'O… lieverd', gilde hij. 'Wat ben je weer heerlijk bescheiden. Weet je wat? Neem er maar een paar mee voor later. Je kunt er zo lekker van bijkomen na een trip. God, wat ben je toch mooi. Je zou zo voor een travestiet kunnen doorgaan, perfect gewoon.'

Daarna gaf hij haar een soort rietje. Ze wist niet wat ze ermee moest doen.

'Wat ben je ook een diva', zei hij en hij deed haar voor hoe ze het best en op de meest modieuze wijze heroïne kon roken.

Jenni deed hem precies na, omdat ze het haar leraar naar de zin wilde maken. Hij was zeer tevreden over haar. Ze inhaleerde nog-maals de rook. Volmaakt. Het leven begon er volmaakt uit te zien met Jenni als de smetteloze belichaming daarvan. Ze had zich nog nooit zo gelukkig gevoeld. Dit moest ze nog een keer doen. En gauw ook. Het mocht misschien ondeugend zijn, maar schadelijk was het niet. Ze kon het immers in de hand houden; ze lag niet ergens in de goot, als een of andere junkie. Het enige waar ze echt niet zonder kon, waren haar kalmeringsmiddelen en die kreeg ze op recept. De rest was gewoon om, nou ja, om zich te ontspannen.

Vanuit de verte hoorde ze Nayman praten over hoe onverstandig het was om heroïne te injecteren. Op Jenni kwam het over als een dwaas idee. Een belachelijk idee zelfs. Waarom zou je dat doen? Alleen het uitschot van de maatschappij deed het op die manier. Zij had haar witte poeder en nu dit heerlijke rokertje dat haar in een wolk van geluk en zekerheid hulde. Gezelligheidsdrugs, niet slechter dan tabak of alcohol. Het was een heerlijk gevoel om alles onder controle te hebben. Wat wilde ze nog meer?

Lucy had zich gehouden aan haar belofte aan Gary, en hun relatie had iets van een laat opbloeiende liefde gekregen. De MS had, hoewel die niet helemaal in remissie was, zoveel minder greep op Gary's leven dat hij weer wat tijd in zijn rolstoel kon doorbrengen.

Tom en Jenni waren geesten uit een ver verleden geworden, die zwijgend hun nu discreet bewaakte huis verlieten of binnengingen. Door het onstuitbare succes waren ze nog meer van hen verwijderd geraakt. Lucy maakte nog steeds hun huis schoon, maar er was weinig te doen. Ze waren er bijna nooit en als ze er wel waren, voer Jenni meestal uit tegen haar kinderen om de stilte, die over hun leven was neergedaald, te doorbreken. Na een paar weken had de opwin-ding rondom Carters dood plaatsgemaakt voor ander nieuws en andere schandalen, en bevond Lucy zich in een aangenaam vage-vuur, één stap verwijderd van de hel van obsessieve liefde.

Ze dacht nog steeds aan Shackleton, zei zijn naam hardop en

krabbelde hun initialen door elkaar heen, maar het begon gewoonte te worden nu. Ze voelde zich als iemand die herstelde van een ernstige ziekte. Ze voelde zich nog zwak, ja, maar ook sterk vanbinnen, en vastbesloten om weer van het leven te gaan genieten.

Gary had de verandering in haar opgemerkt en op een avond voorgesteld uit de band te springen door een fles wijn open te trekken en iets van de Chinees te halen. Lucy vond het een opwindend idee. Ze sloot zich op in de badkamer, maar zorgde er wel voor dat de spiegel beslagen was voordat ze zich uitkleedde. Terwijl ze op de rand van het bad zat en het scheermes langzaam van haar enkel naar haar knie bewoog, kreeg ze het gevoel dat het wel eens op seks zou kunnen uitdraaien. Zou ze ervan kunnen genieten als Gary haar weer aanraakte? De gedachte leidde haar zo af dat ze zichzelf sneed. Misschien moesten ze twee flessen wijn opentrekken, dan zou het haar niets meer kunnen schelen wie haar aanraakte.

Nee. Dat was wreed. Ze voelde zich in lichamelijk opzicht gefrustreerd en wist dat er maar weinig voor nodig was om haar te bevredigen, maar hoe kon ze voorkomen daarbij aan Tom te denken? Dat kon ze niet, en ze wist ook dat het geen zin had het te proberen. Ze haalde haar schouders op. Het gaf ook eigenlijk niets. Als het Gary gelukkig maakte en haar gelukkig maakte, waarom dan eerlijk zijn. Met de waarheid kon je niet voorzichtig genoeg omgaan. Ze drukte een papieren zakdoekje tegen haar bebloede scheenbeen.

Gary nam die dag zijn pijnstillers niet in. Hij mocht eigenlijk niet meer dan vier coproximaltabletten per etmaal hebben, maar nam er de laatste tijd soms wel twaalf in, hoewel hij er nooit alcohol bij dronk. Vandaag was het de pijn waard, de prijs voor een avond als een normale man. Als Gary. Niet als Gary met MS en een tumor in zijn ruggengraat. Een avond lang zette hij zijn ziekte en zijn pillen uit zijn hoofd.

Eerst waren ze verlegen naar elkaar toe. Hij gaf haar een compliment over haar parfum. Zij zei hoe grappig hij was. Gary merkte het niet toen ze zichzelf erop betrapte dat ze iets zei dat ze eerder tegen Tom had gezegd. Of had ze het eerst tegen Gary gezegd en daarna pas tegen Tom? Ze wist het niet meer. En na haar tweede glas pinot grigio kon het haar ook niets meer schelen.

Lucy zat vlak bij hem toen ze de menukaart doornamen en bleef naast hem zitten toen ze de bestelling doorbelde. Hij wreef over haar rug toen zij aan de telefoon was. Tegen de tijd dat de puisterige, zeventienjarige jongen op zijn scooter hun adres had gevonden, had Gary voor het eerst sinds twee jaar haar borsten gekust. Ze zagen er groter, zachter en ouder uit, en zelfs een beetje treurig. Hij wilde ze in zijn handen nemen en zijn gezicht erin begraven, maar zijn armen wilden niet meewerken, en daarom hield Lucy ze voor hem vast en voelde hij zich wegsmelten in de zachte, warme huid.

Er werd aan de deur gebeld. Het was de puisterige puber met hun bestelling.

Ze lachten en vielen stilzwijgend terug in het patroon van eindeloze liefde, dat jaren geleden in een hotel aan zee begonnen was. Ze aten en dronken, kusten en liefkoosden elkaar, en praatten, tot Gary haar in de kleine uurtjes van de morgen naar een hoogtepunt bracht. Kundiger dan Tom wist hij haar tot het uiterste te drijven, zodat ze bijna geen adem meer kreeg tenzij ze toegaf aan dat glorieuze gevoel dat een orgasme haar gaf. Uiteindelijk werd het haar te veel en gaf ze zich kreunend, zuchtend en naar adem snakkend over aan het genot. Daarna bleef ze stil in Gary's armen liggen.

De triomf die hij voelde, gaf hem meer bevrediging dan welk orgasme ook. Dat hij het lichaam van zijn vrouw als een instrument kon bespelen, gaf hem weer het gevoel een man te zijn. En ze had zijn naam gefluisterd, steeds weer. Of had ze dat gedaan om Shackleton te verdringen? Hij bewoog zijn lichaam om de gedachte kwijt te raken. Daarbij raakte zijn penis Lucy's hand. Ze sliep bijna, maar voelde de druk. Ze deed in het donker haar ogen open. De penis was stijf. Nou ja, niet echt stijf, maar ook niet zo zacht als een pruim, zoals ze gewend was. Ze draaide de penis zo dat hij zich tegen haar handpalm nestelde en zij het schuchtere lid met haar vingers kon aanmoedigen.

Lucy beschikte niet over een uitgebreid scala van stimulatietechnieken, maar ze was vastbesloten om hem ten minste zijn erectie te laten behouden. Ze was daarbij verbaasd over haar eigen vindingrijkheid. Als Gary zich niet zo geconcentreerd had op wat Lucy, letterlijk, ter hand had genomen, had hij zich waarschijnlijk afgevraagd of ze deze technieken ook bij Shackleton toepaste.

En toen kwam het, uit het niets, alsof iemand de stroom had ingeschakeld, een golf van opwinding, het geweldige aanspannen en toen... en toen... Gary zoog zijn longen vol lucht, maar kon niet uitademen. De aderen in zijn hals begonnen op te zetten en zijn gezicht werd een masker van vastberadenheid. Lucy ging, zonder haar ijzeren greep te verminderen, schrijlings op hem zitten en bracht de punt van zijn penis bij haar naar binnen, waarna haar schaamlippen die met kleine samentrekkingen kusten. Hij huiverde en spande al zijn spieren. Ze deed het nog een keer, duwde hem iets dieper naar binnen. Gary kreunde, maar hield nog steeds zijn adem in. Hij was uiterst geconcentreerd, alsof hij op de punt van een speld balanceerde. Lucy duwde zijn lid nu helemaal naar binnen en genoot ervan dat hij zo lang was, iets dat ze bijna vergeten was. Hij stak zijn handen uit naar haar borsten en Lucy boog zich naar hem toe. Toen volgde de explosie. De enorme zaadlozing van ellende, ziekte en impotentie. Als een glorieuze fontein. Hij was nog steeds een man.

Zijn stem leek van heel ver te komen: 'Godallemachtig, jezusmina. O, Lucy, o, ja.'

Bijna dezelfde litanie als bij een winnend doelpunt.

Lucy bukte zich en kuste zijn gezicht.

Haar haar voelde koel aan, geruststellend, moederlijk. Gary glimlachte. Lucy: de hoer met bedsokjes.

Hij lag warm en veilig naast haar en voelde zich langzaam wegglijden. Vlak voordat de slaap hem overmande, mompelde hij nog iets.

Lucy legde haar oor tegen zijn lippen. '*Fuck you*, Tom Shackleton.'

Ze rolde van hem af.

'Was het maar waar', zei ze zacht, terwijl ze op de rand van zijn invalidenbed zat.

Jenni en Tom kleedden zich zwijgend aan voor het diner. De campus van de universiteit van Warwick was niet bepaald het domein van de haute couture, maar Jenni had een naam op te houden. Vooral dit jaar.

Tom had zijn vrouw al wekenlang niet meer goed bekeken, maar vanavond deed hij dat wel. Ze stond voor hem in haar perzikkleurige satijnen string en wilde net haar zorgvuldig uitgekozen avondjurk aantrekken. Ze was altijd al slank geweest, als een hazewindhond of een raspaard, maar nu… ze was vel over been: de gebogen ribben en scherp uitstekende ruggenwervels tekenden zich scherp af. Toen ze zich bukte, hingen haar ooit mooie borsten slap naar beneden. En de huid hing los om haar billen, waardoor ze er van opzij plat en seksloos uitzag. Tom wendde zijn hoofd af.

'Klaar?'

Dat was duidelijk niet het geval.

'Ik zie je wel in de bar.'

Een paar maanden geleden zou hij het niet gedurfd hebben om zonder haar te gaan, uit angst voor het vitriool dat volgde. Maar nu kon het hem niets meer schelen en dat wist ze ook. Ze had het nog een paar keer geprobeerd met woedeaanvallen die voor een buitenstaander reden zouden zijn geweest om de politie in te schakelen, maar ze zag er nu van af. Ze wist dat ze hem niet langer kon koeioneren en niet langer in haar macht had.

Hij ging naar beneden, Jenni's hatelijke toespelingen negerend. Aan de bar zaten twee regiochefs, goedaardige mannen met gezellige, goedaardige echtgenotes. Mensen die hij nu benijdde. Ze werden niet geplaagd door ambities, intelligentie of een mooi uiterlijk, en hadden hun baan gekregen omdat het de minst slechte oplossing leek: bij gebrek aan beter. En ze waren er gelukkig mee; ze hadden nooit verwacht dat ze zover zouden komen.

De oudste van de twee riep: 'Iets drinken, Tom?'

De ander onderbrak hem door te zeggen: 'Niet doen, Terry. Mensen denken straks nog dat je hem probeert te paaien. Klopt het dat je de nieuwe misdaadpaus wordt, Tom?'

Shackleton zette zijn verleidelijkste glimlach op.

'Wie zal het zeggen, George? Graag, Terry, doe mij maar een moutbier. Islay, als ze hebben. Dank je.'

De echtgenotes wilden dat hij bij hen aan het tafeltje kwam zitten, maar hij bleef liever aan de bar. De twee oude regiochefs stonden naast hem.

'Nou,' zei Terry, terwijl hij zijn glas hief, 'als het waar is, gefeliciteerd. Ze hadden er geen betere voor kunnen nemen. Je bent geknipt voor die baan.'

Shackleton was onverwacht geroerd door de oprechtheid die doorgeklonken had in de stem van de oudere man. Tom zocht naar een gepast antwoord maar kon niets bedenken. Hij knikte alleen en nam een slokje bier. Ze bespraken kort het net gepubliceerde jaarverslag van de politie, waarna George een tamelijk onsmakelijk verhaal vertelde over een hoofdinspecteur en een omelet met champignons. Tegen die tijd zat de bar vol mensen en ging alle aandacht naar Tom uit. Niemand twijfelde eraan dat hij de baan zou krijgen, en iedereen die nog langer dan een jaar te gaan had, deed zijn best om bij hem in een goed blaadje te komen.

Tom zag alles: de onoprechtheid, de angst, de rancune, en hoewel hij er wat blasé van werd, voelde hij ook iets van plezier. Een eerste prikkeling van echte macht.

Daarna begonnen de echtgenotes te flirten en een goed woordje te doen voor hun mannen. Ze nodigden hem uit op bezoek te komen en beloofden hem vrijwel gouden bergen.

En dan waren er nog degenen die hij nooit voor zich zou kunnen winnen. Die in hun eigen regio zoveel macht hadden dat ze dachten dat hij hun niets kon maken. Tom sloeg zijn ogen neer, zodat ze niet konden zien hoezeer ze zich daarin vergisten.

Er was een tijd geweest dat hij voorzichtig met zijn vele vijanden was omgesprongen, dat hij bij ze in de gunst had proberen te komen, en als dat niet werkte, zich zo onschuldig mogelijk had voorgedaan. Maar nu had hij niet alleen hen niet meer nodig, maar had hij ook afgerekend met de grootste bedreiging. Die was verdwenen. En hij had de pijn der verdoemden ervoor moeten ondergaan. Het verwijderen van andere hindernissen zou hem geen verdriet meer doen. Hij was al zo ongelukkig als menselijkerwijs mogelijk was en die wetenschap gaf hem een zekere bescherming. Maar hij zou de vriendelijkheid van George en Terry niet vergeten. Zij wisten niet dat hij die eigenlijk niet verdiende of hoe weinig oprechte vriendelijkheid hem ooit ten deel was gevallen.

Terwijl hij de toekomst met enig plezier overdacht, maakte Jenni haar entree. Ze was adembenemend mooi. De jurk verhulde hoe broodmager ze was, haar make-up was perfect aangebracht en ze straalde, alsof ze overgelukkig was om in het gezelschap van deze saaie pieten te verkeren.

Ze werd meteen omringd door aanbidders en was geweldig. Er werd haar een glas wodka-tonic in handen geduwd door Suffolk (of was het Norfolk?). Ze beloonde hem met een licht kushandje. Manchester wilde haar voor zich alleen, maar moest haar delen met Northumbria, die wilde dat ze een centrum voor jonge boefjes opende in Byker. Ze schonk ze blikken en woorden als goud en honing, en de temperatuur in de bar steeg diverse graden.

Uit wraak gingen de echtgenotes om de knappe Tom Shackleton heen staan, erop gebrand deze verlegen man aan het lachen te krijgen, en ze jubelden zelfs toen hij zei: 'Dat klinkt goed', tegen een mogelijk bezoekje of uitstapje.

Tom en Jenni waren ontegenzeglijk de regerende monarchen, die geduldig hun onderdanen gadesloegen terwijl die hun plaats probeerden te veroveren in deze nieuwe rangorde.

Naast de bar was een antichambre met een paar tafels waaraan de andersdenkenden zachtjes zaten te praten. Zij hadden zich rond Barnard geschaard, de lange grijze man die het als zijn roeping zag Shackleton onderuit te halen.

De hoofdcommissarissen van de City en Noord-Ierland deden er diplomatiek het zwijgen toe en luisterden zonder te laten merken of ze iets goedkeurden of afkeurden, terwijl Barnard sprak.

'Iedereen is het er, denk ik, wel over eens dat het goed zou zijn om een soort landelijke contactpersoon te hebben. Ik bedoel, er is niets mis met de nationale recherche en niemand wil dat het weer zo'n zootje wordt als bij de Yorkshire Ripper, waarbij de ene smeris niet wist wat de andere deed…'

Hij werd in de rede gevallen door Sussex.

'Ja, een contactpersoon en nationale databases zijn prima, maar we hebben hier te maken met een soort FBI, en als wij ook iemand als J. Edgar Hoover aan het hoofd krijgen, wordt het erger dan de Stasi.'

Het antwoord van de City was enigszins neerbuigend van toon.

'Je zult zien, Eddie, dat die linkse rakkers dat niet meer zullen toelaten.'

Eddie diende hem scherp van repliek.

'Als jij me een linkse rakker kunt aanwijzen die een invloedrijke positie bekleedt, dan hou ik op me zorgen te maken.'

Barnard kwam tussenbeide.

'Carter zou het verdomd goed hebben gedaan.'

Iedereen mompelde instemmend. Er was tenslotte niets bewezen en de man was dood. Het gerucht dat er een vuil spelletje gespeeld werd, deed onder alle rangen de ronde.

'Zeker weten. Het enige wat hij wilde, was dat de politie beter haar werk zou doen. Maar deze hooizak...'

Barnard leek niet de juiste woorden te kunnen vinden om uit te drukken hoezeer hij Shackleton verachtte.

'Hij zal in onze levens gaan wroeten. Hij heeft nog heel wat oude rekeningen te vereffenen.'

'Wat zei je zo-even over die website?' vroeg Sussex.

'O, ja.' Barnard was in zijn element nu. Hij wachtte even om een goedkope sigaar op te steken. 'Mijn dochter was op een avond haar huiswerk aan het maken – ze is toegelaten tot Oxford, mits ze de juiste cijfers haalt...'

'En lukt dat?' vroeg de Ier, van wie iedereen wist dat hij God had gevonden, net als Carter.

'Ik ben voorzichtig optimistisch, Kieron. Maar goed, ze was op internet aan het surfen en ontdekte toen een website die "Rumour Room" heette. Ooit gezien?'

De mannen schudden het hoofd.

'Nou, het schijnt dat een deel ervan gewijd is aan Geoffrey Carter. Met alles over zijn leven en zijn dood, en het eindigt met: "Viel hij of werd hij geduwd? *Cherchez la femme*. Niet alleen de koekoek legt haar ei in het nest van een andere vogel." Zou mooi zijn, maar...'

Hij zweeg.

De gezichten om hem heen keken hem niet-begrijpend aan.

Sussex sprak als eerste.

'Maar wat?'

Barnard was geïrriteerd.

'Dat is alles. Volgens Janey komt het uit *Macbeth*.'

De Ier zei voorzichtig: 'Lady Macbeth zegt het. Als ze vertelt dat haar man graag koning wil worden, maar de wil hem daartoe ontbreekt. Voor "wil" moet je "meedogenloze vastberadenheid" lezen.'

'Goedenavond. Lekker rustig hier.'

Tom Shackleton stond in de deuropening. Ze keken hem aan alsof hij een spookverschijning was. 'Stoor ik?' zei hij.

De mannen begonnen met elkaar te praten. De City vroeg aan Noord-Ierland hoe het ging aan de overkant van het water. De streng katholieke hoofdcommissaris werd voorzichtig op de hak genomen. Ze praatten door tot Shackleton, na nog een rondje ditjes en datjes, veilig teruggekeerd was naar de bar.

Sussex, een zwaarlijvige man met een rood gezicht, die zich vooral onderscheidde omdat hij bloedgroep AB resusnegatief had, wilde niets liever dan terugkeren naar het onderwerp van gesprek.

'Wat heeft die koekoek er dan mee te maken?'

Barnard haalde zijn schouders op.

'Dat weet ik niet. Het komt op mij ook allemaal wat vaag over. Maar het is interessant dat erover gespeculeerd wordt.'

De man uit Noord-Ierland, die wel van een pittige kroegquiz hield, nam het woord.

'Het betekent dat iemand, net als een koekoek, het spul in Carters huis heeft verstopt en toen gewacht heeft tot het uitkwam, om hem te vernietigen – moet ik nog doorgaan?'

Sussex was met stomheid geslagen.

'Wat voor iemand?'

De stem van de man uit Noord-Ierland was zo zacht dat zijn woorden nauwelijks te horen waren.

'Een mooie griet, denk ik.'

De Dwerg was verlaat en arriveerde net op tijd voor de hors d'oeuvres. Hij kreeg een plaats toegewezen aan het hoofd van de tafel, tussen Jenni en een dame die wel iets weg had van een slecht opgevulde sofa. Ze had een zacht, hoog stemmetje en hij moest ver over haar enorme boezem heen buigen om haar te kunnen verstaan. Hij probeerde zich voor te stellen hoe ze eruitzag onder al die meters gebloemde zijde. Het leverde een afschrikwekkend beeld op. Hij had liever tussen twee van de weinige vrouwelijke politiechefs plaatsgenomen, en niet alleen om seksuele redenen.

Van al zijn taken als minister van Binnenlandse Zaken interesseerde de hervorming van de politie hem het meest, waarbij zijn persoonlijke passie om de politie meer in de gemeenschap te integreren uitging van de theorie dat korpsen die door een vrouw geleid werden, meer begrip hadden voor de sociale problemen in een wijk waardoor met name jonge mannen de kans liepen buiten de boot te vallen. En dan was er nog de kwestie van de etnische minderheden en hoe slecht die vertegenwoordigd waren in de hogere rangen. Hij keek de tafels langs of hij Danny Marshall ergens zag zitten en was verbaasd toen hij de jongeman naar zich zag kijken. Van zijn gezicht was niets af te lezen. De Dwerg trok vragend zijn wenkbrauwen op.

Danny maakte een vluchtig gebaar naar de deur en mompelde iets van: 'Later?'

De Dwerg dacht even na en knikte toen.

Jenni richtte na het hoofdgerecht beleefd haar aandacht op hem. De Dwerg merkte dat ze met een dubbele tong sprak en dacht dat ze dronken was, maar zag toen dat ze mineraalwater dronk. Hij boog zich naar haar toe, maar rook geen alcohol. Hij fronste licht zijn voorhoofd. Een zekere nervositeit was voor een echtgenote acceptabel, maar dit had hij nog niet eerder gezien. Hij keek naar Tom, die diep in gesprek was met een van de vrouwelijke korpschefs, de mazzelkont.

'Is alles goed met je?' vroeg hij aan Jenni.

'Ja, ik voel me prima. Geweldig zelfs. Beter dan ooit. Waarom vraag je dat?'

'Zomaar.'

Hij concentreerde zich op zijn pudding terwijl Jenni verder babbelde. Hij wist uit ervaring dat ze de neiging had om te babbelen uit effectbejag, waarbij hem de steken onder water nooit ontgingen, maar wat ze nu zei, leek nergens op te slaan. Hij nam zich voor om na het diner een woordje met Shackleton te wisselen. Een twijfelachtige echtgenote kon niet, dat was te riskant.

Hij was blij toen het tijd was voor de toespraken, zodat hij spoedig met zijn dienstauto naar huis kon. De avond was een teleurstelling geweest. Nee, Jenni Shackleton was een teleurstelling geweest. Haar vroegere opgewektheid had plaatsgemaakt voor lethargie en af en toe leek het zelfs alsof ze in slaap viel.

'Sorry, ik heb nogal veel antigrieppillen ingenomen. Ik ben er een beetje te royaal mee geweest. Maar ik wilde er ook zo vréselijk graag bij zijn vanavond, voor Tom.'

De Dwerg was opgelucht, te veel aspirines, daar kon hij mee leven. De voorzitter, de echtgenoot van de sofadame, kondigde hem aan. Hij ging staan en kreeg voldoende, maar geen overweldigend applaus.

Vijf minuten later was hij aanbeland bij het belangrijkste deel van zijn toespraak: 'En dan is het mij nu een groot genoegen...' Hij keek op zijn horloge. 'Net te laat voor de vroege edities.'

Beleefd gelach.

'Maar het is wel opgenomen in een persbericht van Downing Street, dus *Today* zal er wel volop aandacht aan besteden, en we weten allemaal wat dat betekent: werk aan de winkel voor de stemmingmakers.'

Meer beleefd gelach, maar deze keer klonk er iets van ongeduld in door.

'...de benoeming aan te kondigen van de eerste antimisdaad-coördinator van het Verenigd Koninkrijk. Namens de regering wil ik u meedelen hoe verheugd we zijn dat Tom Shackleton deze functie heeft aanvaard, voor een eerste termijn van vijf jaar. Dames en heren, Tom Shackleton.'

Tom ging staan en keek niet de zaal rond om te zien wie er enthousiast applaudisseerde en wie niets deed, maar knikte alleen naar de Dwerg en zette voor Jenni even zijn vingers aan zijn lippen, wat nauwelijks kon doorgaan voor het toewerpen van een kus. Ze zat erbij alsof ze niets gehoord had en in hogere sferen verkeerde.

Het kostte de Dwerg na het diner enige minuten om de deur te bereiken. Hij had kort met Shackleton gesproken, hem nogmaals gefeliciteerd en terloops een opmerking gemaakt over Jenni's ogenschijnlijk slechte gezondheid. Tom zag meteen wat hij bedoelde. Laat je vrouw niet weer op deze manier in het openbaar

362

verschijnen. Goed gezien, dacht Shackleton, die algauw omringd werd door mensen die hem geluk wilden wensen of bij hem in de gunst probeerden te komen.

MacIntyre was Danny vergeten, maar Danny was hun stilzwijgend overeengekomen afspraak niet vergeten. Ze liepen samen naar de auto.

'Waarover wilde u me spreken, meneer Marshall?'

Voor Danny was de kwestie te persoonlijk geworden om nog voorzichtig of diplomatiek te zijn.

'Geoffrey Carter, meneer.'

De Dwerg bleef staan en keek Danny aan. Danny negeerde de waarschuwende blik in zijn ogen.

'Hij was geen pedofiel, meneer...'

De Dwerg onderbrak hem.

'Ik bewonder je loyaliteit, maar het doet er nu weinig meer toe.'

Danny ging voor hem staan.

'Ik geloof dat iemand die tijdschriften en microfoontjes in zijn huis heeft verstopt. Iemand die van hem af wilde.'

De Dwerg reageerde op ijzig koude toon.

'Hebt u iets te maken met de Rumour Room, meneer Marshall?'

Danny voelde het bloed naar zijn hoofd stijgen en was blij dat hij een donkere huid had.

'Ik denk dat ik weet wie die spullen in zijn huis heeft verstopt, en ik denk...'

'Zo is het wel genoeg, meneer Marshall. U wilt uw eigen mooie toekomst toch niet in gevaar brengen met dit soort speculaties? Geoffrey Carter was, helaas, een man met gebreken. Maar hij is dood, en de doden moeten we met rust laten. U en ik moeten binnenkort maar eens samen gaan lunchen. Wat ik nu ga zeggen is nog strikt vertrouwelijk, maar we zijn op zoek naar een waarnemend hoofdcommissaris voor de Londense politie. Dat geeft u mooi de tijd om te laten zien wat u waard bent. Een zwarte hoofdcommissaris is iets dat Londen over, pakweg, drie of vier jaar goed kan gebruiken.'

De schooljongen in Danny wilde doorgaan, ongeacht de worst die hem werd voorgehouden, maar de eerste zwarte hoofdcommissaris van de Londense politie in hem won het.

'Hij had een brief achtergelaten. Voor mij.' Het kwam er hortend en zonder veel overtuiging uit.

'Werkelijk?'

Maar weinig mensen konden zoveel oprechte interesse in dat woord laten doorklinken als de Dwerg.

'Zou ik hem eens mogen lezen?'

Danny had de brief bij zich en overhandigde die als een louche komiek aan zijn meester.

'Ik heb het gedeelte waar het om gaat onderstreept.'

'Ik had niet anders van u verwacht', mompelde de Dwerg. 'Goedenavond, meneer Marshall. En vergeet niet dat de doden altijd een stem zullen vinden, maar dat wij alleen voor onszelf kunnen spreken. Ik zal dit goed bewaren en… We willen in de toekomst allemaal graag op het net surfen zonder het risico te lopen in ondiep water onze schenen aan de rotsen te stoten.' Hij stopte de brief in zijn binnenzak. 'Tot ziens, meneer Marshall. Ik hoop u spoedig weer te zien, als ik wat tijd heb gehad om over uw toekomst na te denken…'

Hierna dook hij zijn auto in en was verdwenen.

Danny stond naar de plek te kijken waar de auto had gestaan. Hij walgde van zichzelf maar was niet in staat het stemmetje in zijn hoofd dat 'Hoofdcommissaris van de Londense politie' zei, het zwijgen op te leggen. Hij had tenslotte al het mogelijke gedaan om Carters naam te zuiveren. Maar de man was dood en Danny Marshall had nog een heel leven voor zich.

Tom bracht Jenni naar bed tegen drie uur in de morgen. Ze had zich zo vreemd gedragen dat hij het beter vond haar naar huis te brengen dan nog een nacht door te brengen op de universiteit, waar de muren dun waren. Ze kon nauwelijks haar ogen openhouden in de auto, maar was te onrustig om te gaan slapen. Het leek wel of ze bang was voor wat haar in haar slaap te wachten stond.

Ze troffen het huis bij thuiskomst leeg aan. Jason had er een hekel aan om alleen te zijn en was naar vrienden op het platteland ver- trokken. Hij had snel geleerd dat hij met zijn knappe verschijning en kostschoolmanieren een ideale logé was en dat het hem toegang verschafte tot een leven weg van de spanningen thuis.

Shackleton legde Jenni op bed en liep naar het medicijnkastje in haar badkamer. Toen hij het opendeed en de inhoud zag, schrok hij. Voor hem lag een grote verzameling kalmeringsmiddelen en kleine sachetjes met cocaïne en heroïne. Hij kon er alleen maar naar kijken en wist niet hoe lang hij daar had gestaan, toen hij het geluid van glas tegen glas hoorde. Hij draaide zich om: Jenni vulde het glas dat op haar nachtkastje stond met wodka.

'Geef me even zo'n geel pilletje. Kom op. Nu!'

Ze was zo ver heen dat ze niet eens meer wist wie ze commandeerde. Hij zocht naar de gele pilletjes. Het waren kalmeringsmiddelen, maar ze had er zoveel van dat hij wist dat ze die niet van hun huisarts had gekregen. En de andere poeders, ampullen en tabletten waren ook duidelijk niet op recept verkregen en zouden niet misstaan hebben in een scheikundelab.

Terwijl Shackleton daar stond en bijna niet in staat was zich te bewegen, voelde hij een diepe woede in zich opkomen. De woede en bitterheid die hij onderdrukt had sinds de nacht dat hij Jenni met een andere man in een onbekende auto onder een bordeelrode straatlantaarn had zien zitten. Over deze gevoelens, die zich zo volledig naar binnen hadden gekeerd dat ze zijn carrière hadden beïnvloed, dreigde hij nu de controle te verliezen. Maar even plotseling als ze opgekomen waren, verdrong hij ze, uit angst voor de uitwerking die ze konden hebben als hij ze de vrije loop zou laten. Niet op haar, maar op hem. Op alles wat hij bereikt had in zijn leven.

Hij sloot zijn vingers als een vuist om het flesje met pillen en nam het mee naar de slaapkamer. Ze transpireerde nu en mompelde dat ze niet kon slapen en buikpijn had. Hij ging op de rand van het bed zitten en schoof bijna teder een lok haar uit haar gezicht en legde die op het kussen. Hij had haar lange haar altijd mooi gevonden, de geur ervan had hem doen denken aan... ja aan wat eigenlijk? Tederheid? Vriendelijkheid? Nee, dat was slechts verbeelding.

Maar niet bij Lucy.

Lucy leek een droom nu, een droom over hoe het had kunnen zijn. Jenni stak haar hand uit naar de pillen. Hij haalde de dop van het flesje en gaf het haar. Gretig, als een kind met een doosje smarties, keerde ze het flesje om boven haar hand. Daarna koos ze voorzichtig een pil uit en nam die in met een slok wodka. Het had onmiddellijk effect.

Nu ze wist dat de verlichting gauw zou komen, ontspande ze zich en glimlachte naar hem.

'Bedankt. Blijf bij me.'

Hij bleef zitten, hield haar hand vast en wachtte tot ze in slaap viel. Hij wilde niet weggaan en niet blijven en dacht eraan hoe hun leven had kunnen verlopen als ze beiden niet zo beschadigd waren geweest en zo vastbesloten er geen hulp voor te zoeken. Hij wist niet hoe lang hij daar had gezeten toen hij de bel van de voordeur hoorde, die heel even werd ingedrukt. Hij keek op zijn horloge. Vier uur. Automatisch liep hij naar beneden en opende de deur.

Een bange Lucy, met een oud jasje om zich heen geslagen, keek hem aan.

'O, sorry, Tom. Ik zag licht branden. Ik wist niet dat jullie vannacht thuis zouden komen… En Jason zei dat hij… Ik wilde niet meteen de politie bellen… Sorry.'

Ze draaide zich om en wilde weglopen.

'Het is goed, Lucy. Kom maar binnen.'

Ze protesteerde even en stapte toen de hal binnen. Hij deed de deur dicht.

'Jenni is ziek', zei hij.

Even viel er een ongemakkelijke stilte, waarna Lucy zei: 'Zal ik een kop thee voor je maken?'

Hij wilde op dat moment niets liever dan een normale kop thee met een normale vrouw in een normaal huis. Hij knikte en tuitte zijn lippen.

Lucy was druk in de weer in de keuken, op een knusse, moederlijke manier, terwijl Shackleton aan tafel zat en haar gadesloeg. Ze zette de thee voor hem neer, samen met een schaal koekjes. Dat was te veel. Door dat beeld brak er iets in hem. Die gewone, ongemanicuurde hand die een schaal met volkorenkoekjes voor hem neerzette.

'Doop ze maar in de thee, als je wilt. Ik zal het niet verder vertellen', zei ze.

Hij legde zijn hoofd tegen haar zachte buik en probeerde te huilen, maar het bleef bij een droog snikken, zelfs de troost van tranen werd hem ontzegd. En Lucy, die ervan gedroomd had dat hij dit op een dag zou doen, sloeg zwijgend haar armen om hem heen en wilde het moment zo lang mogelijk vasthouden.

Ze hield hem dicht tegen zich aan en fluisterde op dezelfde toon als waarmee ze Carter had getroost, tegen hem: 'Ik hou van je, Tom. Niet huilen, lieverd. Niet huilen.'

En ze wiegde hem als een kind in haar armen, tot ze beiden stil en rustig waren.

Met zijn gezicht tegen haar aan gedrukt zei hij: 'Niet doen, Lucy. Ik heb niets om van te houden. Ik ben leeg vanbinnen. Leeg. Jij bent warm. Jij leeft. Ik ben dood.'

Ze ging op haar hurken naast hem zitten en streelde zijn gezicht zo zacht dat het pijn deed.

'Niet doen, Lucy. Alsjeblieft. Niet doen...'

Maar zijn woorden klonken krachteloos en hij keek haar aan met de ogen van een kind. Lucy was hiervoor gemaakt, om moeder en minnares te zijn. Ze was de enige vrouw die vond dat hij de beste was, die hem op handen had gedragen.

Hij stribbelde niet tegen toen ze hem naar boven, naar zijn kamer bracht. Bij het bed bleef hij staan, verloren in zijn verdriet, zonder aanstalten te maken zich uit te kleden of te gaan liggen.

Lucy, plichtsgetrouw als altijd, liep de gang op om bij Jenni te gaan kijken. Het licht in haar kamer was nog aan. Jenni lag als een wassen beeld in bed en was diep in slaap. Ze ademde zacht. Lucy liep stil naar haar toe en deed de lamp op het nachtkastje uit. Jenni mompelde iets en vertrok toen weer naar dromenland.

Lucy liep de kamer uit en deed de deur achter zich dicht.

Tom stond nog steeds bij het bed toen Lucy haar armen om zijn hals sloeg en hem kuste. Hij reageerde alsof hij heel ver weg was geweest en drukte haar tegen zich aan alsof zijn leven ervan afhing. Hij was die nacht niet voorzichtig met haar. Het kostte hem moeite bij haar naar binnen te dringen terwijl hij aan de demonen in zijn hoofd probeerde te ontkomen. Alsof hij niet háár suf wilde neuken, maar zichzelf. En nog steeds zei ze dat ze van hem hield.

Na afloop trok hij zich met tegenzin uit haar terug en lag hij boven op haar, troost zoekend in haar armen. Hij ademde snel. Ze voelde het kloppen van zijn hart, stelde hem gerust, kuste en troostte hem. Ze wist dat ze Gary had bedrogen, maar het kon haar niet schelen.

Ze streek over zijn haar en zei: 'Je bent niet dood, Tom. Hou je maar aan mij vast, mijn lief. Je bent niet dood. We leven. Echt. We leven...'

Uiteindelijk viel hij in slaap. Haar kin rustte op zijn hoofd. Zijn rechterhand lag om haar linkerschouder, zijn rechterbeen over haar heen. Ze hield hem vast alsof ze hem droeg.

Lucy was slaperig maar wist dat ze naar huis moest. De vogels begonnen te tjirpen en Gary zou zo wakker worden. Zachtjes probeerde ze onder hem weg te schuiven. Hij liet haar meteen gaan. Ze wilde dat hij haar tegenhield, dat hij iets zei, maar ze wist dat dat niet bij de afspraak hoorde. Ze had een klein beetje gekregen van wat ze wilde hebben, en daar moest ze het mee doen.

'Lucy?'

Hij hield lichtjes haar pols vast.

'Als ik van je kon houden, deed ik het. Alleen van jou.'

En dat was het. Lucy had het hart, de onverwoorde, onontwikkelde liefde van Tom Shackleton veroverd. Ze wist dat die woorden haar de rest van haar leven niet meer zouden loslaten. Niets wat hij deed of zei, niets wat hen scheidde, zou die woorden van haar weg kunnen nemen. Terwijl ze de straat overstak, terugliep naar haar huis en haar echtgenoot, wist ze, voor het in eerst in haar leven, wat onverdeeld geluk was. En allemaal omdat een man tegen haar had gezegd dat hij niet van haar kon houden.

Tom werd na drie uur wakker uit een droomloze slaap, voor het eerst sinds Carters dood. Even leek hij van al zijn zorgen verlost te zijn. Maar toen zag hij zijn kleren op de vloer en op het bed liggen. De aanblik van zijn verkreukelde ondergoed op het nachtkastje, samen met zijn stropdas, maakte hem depressief en liet de grijsheid weer toe. Alsof de mist weer was neergedaald. Op het nachtkastje lag een opgevouwen vel papier. Zijn naam stond erop. Hij pakte het op en zag dat er een kleine trouwring in zat die Lucy altijd om de ringvinger van haar rechterhand droeg.

Hij las wat er op het briefje stond. 'Als je dan toch "paus" wordt, zal deze ring je misschien geluk brengen. Ik geef hem je met liefde en hoop dat je hem op een dag, en onder andere omstandigheden, aan me teruggeeft.'

Hij voelde zich in verlegenheid gebracht door dit gebaar, omdat hij wist dat hij het niet verdiende. Hij pakte de ring, die uit drie losse ringetjes bestond, legde hem op zijn handpalm en toen weer terug op het nachtkastje. De drie ringetjes schoven in elkaar en vormden één geheel. Een trouwring.

Hij stond op en trok zijn ochtendjas aan. Koffie, scheren, douchen, aankleden: het alledaagse ritueel had iets geruststellends. Hij poetste zijn schoenen en stelde het moment waarop hij Jenni wakker zou maken nog even uit. Het inwrijven van de zwarte schoenpoets met gelijkmatige, ronde bewegingen werkte rustgevend.

Hij dacht aan Lucy. Het leven zou zoveel gemakkelijker zijn met haar, en zo gewoon. Stel dat. Stel dat. Hij probeerde zich voor te stellen hoe het zou zijn om met Lucy getrouwd te zijn, maar zag alleen zijn leven met Jenni voor zich. Het zou slechts een kwestie van tijd zijn voordat Lucy net als Jenni werd. Dat was onvermijdelijk. Die uitwerking had hij op mensen. Op vrouwen. Ze wilden altijd meer dan hij kon geven, wat hen teleurstelde, waardoor zij hem begonnen te haten en hij zich in zichzelf terugtrok. Het had geen zin. Het had geen zin om aan Lucy te denken.

Hij had zijn familie. Misschien kon hij opnieuw beginnen met de volgende generatie, met de kritiekloze liefde van zijn kleinkinderen.

Hij trok zijn schoenen aan en maakte de veters vast. Hij keek naar zijn handen, sterke, vlugge handen, maar lelijk in zijn ogen. Vierkant, heel anders dan de priesterhanden van Geoffrey Carter. Hij ging abrupt staan, alsof hij de gedachte van zich af wilde schudden, en schonk een kop koffie in. Voorzichtig, want er mocht geen druppel overheen gaan – daar had ze een hekel aan – bracht hij de koffie naar boven, naar Jenni. Voor haar deur bleef hij staan. Stel dat.

Stel dat ze vergeten was dat ze een pil had ingenomen, en er nog een had ingenomen, of meer dan een. Of het hele flesje. Stel dat ze dood op bed lag, als hij de deur opendeed. Waarom had hij dat flesje met pillen bij haar laten staan? Omdat hij hoopte dat ze ze zou innemen. Omdat hij hoopte dat hij vanmorgen een vrij man zou zijn. Zodat hij een nieuw leven kon beginnen. In minder dan een paar seconden was zij dood en begraven en was hij naar Londen verhuisd, weg van de herinneringen aan zijn vrouw en het lichaam van zijn minnares. Als hij die deur opendeed en zag dat er een eind aan haar leven was gekomen... wat kon hij de duivel er dan voor in de plaats geven? Zijn ziel had hij al verkocht: er was niets meer om in te ruilen. Hij deed de deur open.

Het bed was leeg en de deur naar de badkamer was dicht. Hij hoorde water stromen. De teleurstelling werd getemperd door verbazing.

'Jenni...? Jenni? Ik heb een kop koffie voor je.'

Hij zette het kopje op de toilettafel en wilde weer weggaan. De badkamerdeur ging open en Jenni leunde tegen de deurstijl. Ze keek hem aan.

'Ik heb vannacht gedroomd.'

Shackleton wilde het niet horen, hij had genoeg aan zijn eigen dromen, de steeds terugkerende beelden van Carter die om genade smeekte.

'Nee. Niet daarover. Over jou.'

Ze duwde zich van de deurstijl af en liep naar hem toe.

'Ik droomde dat Lucy mijn slaapkamer binnenkwam. Ze maakte me wakker. Maar ik kon niets zeggen. Ik wilde haar iets vragen... Wat? Dat weet ik niet meer. Iets over bladerdeeg, geloof ik. Iets onnozels. Dus stond ik op om haar achterna te gaan. Ik liep de gang in en zag jouw deur openstaan. Op een kier. Ik duwde hem verder open, maar kon niets zien, het was donker. Pikkedonker. Maar ik hoorde je wel. Je had seks met Lucy. Ze maakte er van die vreemde gorgelgeluiden bij, net een verstopte afvoer.'

De adem stokte in zijn keel. Was er iets van zijn gezicht af te lezen?

'En?' was het enige wat hij kon uitbrengen.

'Verder niets. Dat was het. Ik ben weer naar bed gegaan. Een vreemde droom. Maar het was wel een droom. Dat moet wel. Ze zei dat ze van je hield en jij zei: "O, wat leuk." Wie zegt nou zoiets stoms als "O, wat leuk"? Waarom zou ik daarover dromen, Tom?'

Hij probeerde zo onschuldig mogelijk te kijken.

'Ik weet het echt niet, Jenni. Maar ik moet weg nu. Gordon komt zo. Red je je verder alleen? Of zal ik Lucy vragen of ze hier komt.'

Jenni snoof.

'Niet na vannacht. Die kan ik niet meer recht in de ogen kijken.'

'Het was maar een droom, Jenni.'

Ze werd kwaad.

'Dat weet ik ook wel. Maar de dromen die ik heb zijn echter dan het leven zelf. Niet dat jou dat iets zegt. Jij droomt niet. In jouw onderbewustzijn speelt zich niets af. Zelfs honden dromen. Maar jij niet. Nee, Tom Shackleton niet, die is bovenmenselijk. Zwakheid is taboe.'

Haar stem werd schriller, als nagels die over een schoolbord schraapten.

'De grote Tom Shackleton, ongenaakbaar. Kijk me niet zo aan. Hou daarmee op. Ik heb het voor jou gedaan... en nu word ik ervoor gestraft. Jij niet, nee. Jij gaat gewoon door. Tom...'

Haar stem veranderde plotseling van toon en werd smekend.

'Help me, alsjeblieft. Sluit me niet buiten, Tom.'

Tot zijn grote schrik liet ze zich huilend op haar knieën vallen en sloeg ze haar armen om zijn benen.

'Ik heb het alleen voor jou gedaan. Ik kon toch niet weten dat het zo zou eindigen. Dat hij dood zou gaan. Het was een ongeluk. Tom. Zeg nou wat. Zeg dat het goed is. Help me om het te vergeten. Alsjeblieft, Tom.'

Ze zakte ineen. Vol afkeer deed hij een stap achteruit.

'Ga niet weg. Ga alsjeblieft niet weg. Ik wil niet alleen zijn. Help me. Ik kan er niet meer tegen...'

Hij liep naar de deur. Wat hem betrof stelde ze zich gewoon aan: de pijn lag er te dik bovenop om echt te zijn.

'Ik vraag Jacinta wel of ze wil komen.'

Het antwoord kwam meteen. 'Nee, niet doen.'

Even bleef het stil. Toen ging ze rechtop zitten, alle drama viel weg. 'Ik ben met Robert MacIntyre naar bed geweest', zei ze op kille toon.

Hij bleef staan, draaide zich om en keek haar aan.

Ze was blij nu ze zijn volle aandacht had. Ze had de touwtjes weer in handen.

'Om jou hoofdcommissaris van de Londense politie te maken. Maar zal ik je nog eens wat vertellen? Ik was zo goed in bed dat hij je misdaadpaus heeft gemaakt. Nee, niet weglopen, jij! Tom Shackleton, misdaadpaus, dankzij de standjes van zijn vrouw. Ja, je hoort het goed. Robert MacIntyre heeft jou die baan gegeven, omdat hij met mij naar bed mocht. Zonder mij was het je niet gelukt. Je hebt het zo ver geschopt omdat hij zijn lul in mijn anus mocht duwen.'

Ze zweeg en was zeker van een bittere overwinning.

Zijn stem klonk rustig en zonder enige emotie toen hij begon te praten.

'Bedankt. Ik hoop dat het de moeite waard is geweest.'

Hij boog even zijn hoofd, liep de kamer uit en deed de deur achter zich dicht. Jenni bleef op de vloer zitten, staarde nietsziend voor zich uit en was niet in staat zich te verroeren.

Toen Tom bij het hoofdbureau van politie arriveerde, werd hij overvallen door een spervuur van vragen van de pers. Of hij misschien een interview wilde geven voor BBC 1 en 2, ITV, Channel Four, Sky, de radio, de landelijke kranten, de roddelbladen. De plotselinge roem duwde het gevoel en het denken naar de achtergrond. De dag werd vrijgehouden voor cameraploegen en interviews. De woordvoerder van de premier was aan de telefoon. De minister van Binnenlandse Zaken wilde dat hij terugbelde. De minister van Binnenlandse Zaken, de Dwerg. Shackleton verdrong de beelden van hem en Jenni naar de verste, onverkende uithoek van zijn hersens en gaf zich over aan het mediacircus.

De hele dag sprak hij op vlotte, overtuigende, bescheiden toon over de behoefte aan een nationale databank. Over de noodzaak om in de eenentwintigste eeuw de internationale criminaliteit op een minder kleinsteedse manier aan te pakken. Over het belang van DNA en wetenschappelijk onderzoek. De wereld was een dorp geworden: misdaad trok zich van grenzen niets meer aan. En het was zijn verantwoordelijkheid de nationale reacties op nationale en internationale criminaliteit te coördineren.

Pas om halfvijf die middag had hij een moment voor zichzelf. Hij vroeg Janet of ze de minister van Binnenlandse Zaken voor hem wilde bellen. Hij wachtte tot het gesprek doorverbonden werd en legde zijn handen op het bureaublad. Die expressieve, bekwame handen. Met aan de ringvinger van zijn linkerhand een dunne gouden ring. Gekocht met geld dat hij geleend had van zijn moeder, omdat Jenni erop gestaan had dat ze allebei een ring droegen.

'Ik wil dat iedereen weet dat je getrouwd bent. Ik vertrouw mannen die hun trouwring weigeren te dragen niet. Ik vraag me altijd af waarom ze dat doen.'

Ze had er zo mooi uitgezien toen ze de ring aan zijn vinger had geschoven. Hij had toen nog ontzag voor haar gehad, en hij was haar dankbaar geweest dat ze hem voor spotternij en eenzaamheid behoed had. Sinds die zaterdagmorgen, waarop hij in zijn gehuurde pak en krakende schoenen naast haar had gestaan, had hij zijn trouwring niet meer afgedaan. Nu nam hij de ring tussen zijn duim en wijsvinger en schoof hem omhoog. Even bood hij weerstand, maar toen was hij los.

Er werd op de deur geklopt. Voordat hij iets kon zeggen, kwam zijn secretaresse binnen. Ze was lijkbleek en het leek alsof ze huilde.

'Wat is er aan de hand, Janet?'

Hij ging staan en dacht dat het iets te maken had met haar oude moeder, die bij haar inwoonde. Het zou slecht uitkomen als Janet nu, met al die interesse van de pers, vrij wilde nemen om voor haar te zorgen of haar begrafenis te regelen. De oude dame had wel vaker een slecht moment uitgekozen om ziek te worden; zo had ze een beroerte gekregen op de dag dat hij een rapport aan het schrijven was over prostitutie, dat Janet voor hem had moeten uittypen. Maar hij was een en al bezorgdheid; Janet was een goede secretaresse en hij wilde haar niet kwijt. Hij vroeg zich af of ze, als de oude dame inderdaad was overleden, mee zou willen naar Londen.

'Uw vrouw… meneer Shackleton… uw vrouw is dood.'

Gary moest om één uur in het ziekenhuis zijn. Er zou gekeken worden of hij aan de proef met cannabis mee kon doen. Lucy had hem om kwart voor één kant-en-klaar in zijn rolstoel zitten. De ambulance moest echter eerst nog twee patiënten met een spierziekte en een met Parkinson ophalen, en kwam pas om kwart over twee. Tegen die tijd was Gary geïrriteerd en had hij overal pijn. De kans dat hij mee mocht doen aan deze proef gaf hem hoop en hij moest er niet aan denken dat die hoop hem weer ontnomen zou kunnen worden. Lucy deed lief en aardig tegen hem, maar Gary snauwde haar af. Hij wilde haar kwetsen omdat hij zichzelf gekwetst voelde. Hij zei dat hij haar niet mee wilde hebben, dat hij het alleen wel afkon, dat ze hem niet steeds als een invalide moest behandelen. Hij had haar niets van de proef verteld, hoewel ze hem maandenlang aan het hoofd had gezeurd dat hij zich ervoor op zou geven. Hij had alleen gezegd dat het een routine-onderzoek was. De gedachte haar misschien te moeten teleurstellen had hem ervan weerhouden meer te zeggen, en hij had zijn angst onderdrukt met woede. Als het niet doorging, zou ze misschien alle hoop verliezen en hem helemaal afwijzen. Hij voedde zijn twijfel met nog meer woede en duwde haar weg.

Zodra zijn stoel door de glimlachende chauffeur, een sikh, aan de vloer van de ambulance was vastgezet had hij spijt van zijn gedrag. Hij wilde eruit en Lucy zijn verontschuldigingen aanbieden, zodat die blik van onbegrip, als van een gewond dier, uit haar grote ogen verdween. Maar hij kon er niet uit, hij kon niets zelf, hij was hulpeloos, nutteloos. Hij wist dat ze het zou begrijpen, maar dat wilde hij niet, hij wilde dat ze kwaad werd om zijn kinderachtige onbeschoftheid. Maar hij was ziek en daarom was zij een en al geduld: alles wat ze deed, gebeurde met de gelatenheid van een martelaar. En er was nog iets veranderd in hun relatie. Ze konden zelfs geen ruzie meer maken.

Lucy liep met tranen in de ogen het huis weer in. Tranen van verwarring en schuldgevoelens. Ze zou het vanavond wel goedmaken met Gary. En weer nam ze zich als een verslaafde voor om Shackleton niet meer te zien. Ze zouden gaan verhuizen. Ze had altijd al korte verhalen willen schrijven, misschien moest ze daar nu mee beginnen. Ze haalde de stofzuiger tevoorschijn en zoog elke centimeter vloerbedekking in huis schoon. Het lawaai van de stofzuiger overstemde haar gedachten.

Opeens hoorde ze vaag door het lawaai heen de deurbel. Toen ze de deur opendeed, wilde de slungelachtige jongen net weer achter het stuur van zijn bestelwagen kruipen. Met tegenzin haalde hij de doos van wit piepschuim weer uit de auto.

'Er staat op dat ik die hier kon afleveren als er niemand thuis was. U moet er wel voor tekenen.'

Lucy zag dat het pakket geadresseerd was aan mevrouw Shackleton. Er zat een sticker op waarop stond: 'Downside Farm, biologisch vlees'. Lucy tekende voor ontvangst en de jongen reed weg.

Blij dat ze iets te doen had, bracht ze de doos naar de overkant. Het inbraakalarm stond niet aan. Ze moest niet vergeten Tom daarover aan te spreken. Jenni had er de laatste tijd vaker een handje van om weg te gaan zonder het alarm aan te zetten. In de keuken sneed ze de tape waarmee de doos was dichtgeplakt door en borg de inhoud op in het vriesvak. Ze liet een briefje voor Jenni achter waarin stond wat ze gedaan had. Terug in de hal kon ze de verleiding echter niet weerstaan om even naar boven te lopen naar Shackletons slaapkamer. Ze wilde de kussens aanraken en aan de lakens ruiken of zijn geur er nog aan zat, of er nog iets van hun liefde in het bed was achtergebleven.

Jenni zat naakt en ineengezakt bij de deur van haar slaapkamer. Voorovergebogen als een bedelaar die langs de weg zat. Lucy zei haar naam, maar er kwam geen antwoord. Zodra Lucy haar aanraakte, wist ze dat ze dood was. Levend vlees en dood vlees hadden niets met elkaar gemeen. Jenni voelde aan als de lappen vlees die ze zojuist in handen had gehad. Ze tilde Jenni's kin op en keek gefascineerd naar het masker van Jenni's gezicht. Het leek op Jenni, maar het was haar niet. De huid van haar neus leek naar binnen gezogen te zijn, in het bot en kraakbeen, en haar mond stond open, wat Lucy ook wel eens bij dode konijnen had gezien in de etalage van de poelier.

De tijd leek stil te staan. Ze wist niet hoe lang ze daar op haar knieën had gezeten, gefascineerd door het verschil tussen leven en dood. Ze wilde Jenni daar niet zo laten liggen, maar wist dat ze haar niet mocht verplaatsen. Uiteindelijk liep ze naar de linnenkast en haalde er een wit tafelkleed uit met prachtige borduursels. Lucy drapeerde het kleed, zoals bij een heiligenbeeld, om Jenni's lichaam heen. Ze had het eerst losjes over haar heen gelegd, maar toen had het net geleken alsof er een stoel met een stoflaken eroverheen had gestaan. Daarna belde ze Janet. Ze wist dat ze het niet aan Tom kon vertellen. Hij zou de hoop in haar stem kunnen horen. De blijheid, door de schok heen. Nadat ze met Janet had gesproken wachtte ze tot er iemand zou komen.

Ze wilde Jenni niet alleen laten. Jenni had er altijd een hekel aan gehad om alleen te zijn.

Janet werd door verdriet overmand nadat ze Shackleton het nieuws had verteld. Ze stond midden in de kamer en was er kapot van dat iemand die zo jong, zo goed en zo mooi was, opeens dood was. Mevrouw Shackleton was altijd zo aardig voor haar geweest.

Tom troostte haar niet. Hij wist zich met de situatie geen raad en kreeg zelfs de gebruikelijke gemeenplaatsen niet over zijn lippen.

Ten einde raad zei hij: 'Janet, neem maar even pauze. Tot je je weer wat beter voelt.'

Ze verliet dankbaar de kamer, al was het met een schuldgevoel dat ze niet meer hulp kon bieden.

Shackleton belde naar huis. Lucy liet de telefoon twee keer overgaan, voordat ze hem opnam.

'Lucy.'

Haar stem was kalm.

'Tom. Mijn medeleven. Wat zal ik doen?'

'Niets. Ik kom eraan. Je hoeft niets te doen.'

'Moet ik de dokter dan niet bellen?'

Hij aarzelde. Als hij 'nee' zei, zouden mensen gaan vragen waarom hij daarmee gewacht had. Hij rekende snel uit hoe lang hij erover deed om thuis te komen.

'Ja. Bel haar maar. Het nummer ligt naast de telefoon.'

Hij hing op. Als het een overdosis was... Hij kende Jenni goed genoeg om te weten dat dit een laatste zet kon zijn om hem in een kwaad daglicht te stellen. Hij zag de koppen in de krant al voor zich: 'Dode vrouw van nieuwe misdaadpaus een junkie'. Kreng. Maar een paar uur geleden had hij er zelf nog stilletjes op gehoopt dat ze een overdosis zou nemen. Alleen had hij er toen niet over nagedacht welke gevolgen dat voor hem zou kunnen hebben. Ze had niet nu dood moeten gaan. Niet vandaag. Later pas. Nadat hij als paus was geïnstalleerd. Hij kon dit er vandaag niet bij hebben.

Hij verliet zijn kantoor en liet het over aan Janet, die nog steeds op haar benen stond te trillen, om de nieuwsploeg die buiten stond te wachten weg te sturen. De drang tot zelfbehoud weerhield hem ervan na te denken. Toen hij thuiskwam, was hij kalm en beheerst.

'Waar is ze?'

Lucy, die zijn afstandelijke houding opmerkte, zei: 'Boven. De dokter is er.'

Shackleton liep de trap op. Hij maakte een zeer rustige en zelfverzekerde indruk.

'Dag, dokter. ik ben zo snel mogelijk gekomen.'

Na het uitwisselen van de beleefdheden, zei de dokter, een vrouw van midden vijftig met een knotje dat er die morgen om acht uur nog perfect had uitgezien maar nu een wirwar van grijze plukken haar was geworden: 'Het spijt me, meneer Shackleton, maar de lijkverstijving heeft al plaatsgevonden. Het zal geen prettig gezicht voor u zijn als we haar verplaatsen. Ik heb de lijkschouwer al gebeld. Hebt u nog voorkeur voor een bepaalde begrafenisondernemer?'

Hij schudde zijn hoofd en zette zich schrap voor zijn volgende vraag.

'Weet u wat de doodsoorzaak is?'

Van het lange, vermoeide gezicht was niets af te lezen.

'Ik denk een hartaanval, maar er zal natuurlijk nog een autopsie moeten plaatsvinden.'

'Natuurlijk.'

Ze keken zwijgend naar het trieste overschot van Jenni Shackleton. De dokter bukte zich en legde het tafelkleed recht, uit fatsoen. Fatsoen dat Jenni nooit betracht had in haar leven. De dokter liet Tom daarna alleen met zijn verdriet en liep naar beneden.

Hij keurde het lichaam echter geen blik waardig en liep snel zijn slaapkamer in om zijn leren uniformhandschoenen te pakken. Hij trok ze aan en haastte zich naar Jenni's badkamer waar hij alle pillen en poeders in een Armani-handtas gooide, die hij op haar toilettafel had gevonden. Elk oppervlak dat vingerafdrukken kon bevatten, veegde hij daarbij schoon. Daarna legde hij de handschoenen terug op hun plek en pakte hij de tas met een papieren zakdoekje bij het hengsel vast.

Toen hij op weg naar beneden langs Jenni's lichaam liep, bleef hij staan. Terwijl hij naar het bedekte lichaam keek, zag hij weer het mooie, beminnelijke meisje voor zich dat hem behekst had. Maar geen enkele kunstenaar had aan de hand van dat mooie gezicht uitdrukking kunnen geven aan hoe haar geest werkte, want achter de schoonheid die hem zo betoverd had, was een waanzin schuilgegaan die hen beiden had aangetast. Hij wilde haar vragen wie de man was geweest bij wie ze die nacht in de auto had gezeten. En waarom ze bij hem in de auto had gezeten. Waarom ze aan hem niet genoeg had gehad.

Hij wendde zijn hoofd af en had geen zin om bij zichzelf naar emoties op zoek te gaan die er toch niet waren. Met de tas in de hand liep hij de trap af. Nadat hij gecontroleerd had of de tas goed dichtzat, zette hij hem in de hal bij de voordeur. Daarna voegde hij zich bij Lucy en de dokter in de keuken. Hij veegde zijn handen af aan het papieren zakdoekje en gooide dat in de pedaalemmer.

De gebruikelijke formulieren waren ingevuld en de dokter had haast om te vertrekken. De dood maakte slechts een klein deel van haar dagelijks werk uit.

Lucy liet haar uit en kwam daarna wat onzeker de keuken weer binnen. Shackleton was in gepeins verzonken en ze wist dat het geen zin had iets tegen hem te zeggen, het zou toch niet tot hem doordringen. Weer had Jenni alles bedorven.

'Lucy, ik wil je hier liever niet bij betrekken, maar…' Hij kon zich niet herinneren het volgende ooit eerder in zijn leven gezegd te hebben: 'Maar ik heb je hulp nodig.'

Ze knikte en was blij dat ze iets voor hem kon doen.

'De tas die bij de voordeur staat, zou je die… zou je die willen bewaren tot alles achter de rug is? Verstoppen, bedoel ik. Zou je dat willen doen? Hij is van Jenni. Ik wil gewoon geen… narigheid. Begrijp je wat ik bedoel, Lucy?'

Lucy liep naar de hal om de tas op te halen en weerstond de verleiding om erin te kijken. Shackleton wist dat als uit autopsie zou blijken dat de dokter ongelijk had en hij de drugs hier in huis door de wc spoelde, er bij forensisch onderzoek nog sporen van gevonden konden worden. Het was te riskant om ze in huis te bewaren en te riskant om zich ervan te ontdoen. Er moest niet bewezen kunnen worden dat hij van hun bestaan op de hoogte was geweest. Hij wilde Lucy er niet bij betrekken, maar… hij kon niet langer wachten. Hij moest zijn plaatsvervanger nu bellen en de zaak officieel aanhangig maken.

'Bedankt, Lucy.'

Hij aarzelde, omdat hij wist dat ze meer wilde, een gebaar dat er niets veranderd was tussen hen. Hij bukte zich en kuste haar op de wang. Ze leek er genoegen mee te nemen en kneep even in zijn hand.

'Ik bel je wel', zei hij.

Dat was haar wachtwoord om te vertrekken. De tas nam ze mee. Er was nu niets meer dat hem met de drugs in verband kon brengen. Alleen een deel van zijn duimafdruk aan de binnenkant van het flesje met gele pillen dat hij in de haast had omgegooid. Hij had de handschoenen toen even uit moeten doen om het flesje rechtop te zetten en de gemorste pillen er weer in te doen.

Hij slaakte een diepe zucht en pakte de telefoon om Vernon te gaan bellen.

De lijkschouwer arriveerde in zijn oude, gedeukte Daimler en parkeerde die pal achter het onopvallende busje van zijn eigen mannen. Dezelfde mannen die het lijk van Geoffrey Carter hadden opgehaald.

Hij zag er opvallend uit: klein, parmantig en met een rode anjer in zijn knoopsgat. Zijn haar was gitzwart en de weelderige golven werden op hun plaats gehouden met Gentlemen's Pomade. Zijn schoongeboende, engelachtige gezicht en onberispelijke kleren hadden iets Dickensiaans.

'Tom. Mijn medeleven.'

Weer dat woord.

'Aardig van je dat je zelf gekomen bent, St. John.'

'Niet meer dan gepast, Tom. Niet meer dan gepast.'

Zijn Schotse accent was bijna tot zwijgen gebracht door de stem van het Engelse establishment.

'Had Jenni hartproblemen?'

De onbedoelde ironie van deze vraag was Tom niet ontgaan.

'Nee. Ze was nog maar veertig. In juli zou ze eenenveertig worden.'

De lijkschouwer liet een medelijdend 'ach jee' horen.

'We zullen de autopsie zo snel mogelijk doen. Jackson is de patholoog-anatoom. Ken je hem? Hij is heel goed. O… en ik weet dat dit niet het meest geschikte moment ervoor is, maar nog gefeliciteerd met je baan. Volgens mij ben je er geknipt voor.'

De twee mannen die bij hem waren, legden Jenni's stijve lichaam behoedzaam in de lijkenzak, ritsten die dicht en brachten haar daarna op een brancard naar de wagen.

Tom zag er in de ogen van de lijkschouwer uit alsof hij door verdriet was overmand. Tom en Jenni waren een bekend stel, het was een huwelijk uit liefde geweest. Dat Tom op dat moment in gedachten nog eens snel alle mogelijkheden naliep en berekende welke schade Jenni, ondanks dat ze dood was, nog kon aanrichten, kon hij niet weten.

Tom had zijn plaatsvervanger gebeld toen hij op de lijkschouwer zat te wachten. Vernon was geschrokken en van streek geweest. Shackleton vond het fascinerend welk effect Jenni's dramatische einde had op de mensen die haar gekend hadden. Vernon bracht de regiocommandant van het nieuws op de hoogte en afgesproken werd dat ze beiden spoedig zouden komen. Jenni zou genoten hebben van al die aandacht.

Tom wist wat hem te doen stond, maar wilde eigenlijk nog wat tijd voordat hij tot actie overging. Die tijd was er echter niet. Hij pakte de telefoon en belde de minister van Binnenlandse Zaken. Het duurde bijna tien minuten voordat hij MacIntyre aan de lijn had.

'Ja, Tom. Wat kan ik voor je doen?'

Op deze vraag waren sinds gisteravond talloze antwoorden mogelijk.

'Jenni, mijn vrouw, is vanmorgen onverwacht overleden.'

Het bleef doodstil aan de andere kant van de lijn. Toen zei de Dwerg: 'Dat spijt me voor je, Tom. Hoe is het gebeurd?'

'Waarschijnlijk een hartaanval. Er wordt natuurlijk nog een autopsie gedaan.'

'Natuurlijk.'

Weer een stilte.

'Het komt wel op een heel ongelukkig moment, Tom.'

'Ja.'

'Wie was de lijkschouwer?'

'St. John Clement.'

De Dwerg leek tevreden met dit antwoord.

'Die is goed. Zeer bekwaam.'

Wat Tom hoorde, was: mooi, een van ons.

'Ik ga wel even met hem praten. We willen hier natuurlijk zo weinig mogelijk ophef over.'

'Natuurlijk.'

'Was er niets anders?' De vraag bleef in de lucht hangen. 'Geen... verdachte omstandigheden?'

In hoeverre kon hij de Dwerg vertrouwen?

'Nee. Niet dat ik weet.'

'Mooi. Het zou jammer zijn als jouw benoeming hierdoor in gevaar kwam. Ik weet dat de premier het vervelend zou vinden als er nog een... probleem... Hij vindt het erg belangrijk dat de antimisdaadcoördinator niet onder vuur komt te liggen van de pers.'

'Natuurlijk.'

'En Tom, je kunt op mijn steun rekenen. Ik was er erg op gebrand dat jij die baan zou krijgen. Volgens mij kunnen we heel goed samenwerken.'

'Ik hoop het.'

'Laat je me weten wanneer de begrafenis is? Ik was erg op Jenni gesteld.'

'Ja... dat weet ik. Een van de laatste dingen die ze tegen me zei, was dat jullie zulke dikke vrienden waren.'

De stilte duurde deze keer net iets te lang.

'Enfin, hou me op de hoogte. En als je iets nodig hebt...'

Er werd aan de deur gebeld. Het waren collega's die hun medeleven kwamen betuigen. Niet lang daarna arriveerden er nog twee agenten, onmiskenbaar van de veiligheidspolitie. MacIntyre had niet stilgezeten. Tom overtuigde iedereen ervan dat er geen reden voor argwaan was. En zij waren ervan overtuigd dat er geen sprake van verdachte omstandigheden was, en om twee uur was iedereen weer vertrokken.

Voor het eerst in zijn leven was hij alleen: geen moeder, geen vrouw, geen kinderen. De kinderen. Met een schok realiseerde hij zich dat de kinderen nog niet wisten dat hun moeder dood was. Nog vijf minuten vrijheid, daarna zou hij ze opbellen.

Het autopsierapport was zesendertig uur nadat Jenni's lichaam gevonden was, opgemaakt en bevatte geen bijzonderheden. Jackson was tenslotte de beste in zijn vak. Jenni was gestorven aan een spontaan gescheurde longslagader. Deze slagader was waarschijnlijk vanaf haar geboorte al zwak geweest. Een natuurlijke dood dus.

De begrafenis zou een week later plaatsvinden, op woensdag- morgen. Begrafenis, geen crematie.

Tom bleef werken en werd geprezen om zijn kracht en profes- sionaliteit. Zijn kinderen namen weer bezit van zijn leven en gingen met hun verdriet en de dagelijkse toevloed van condoleancekaarten luidruchtig en openlijk om. Lucy bood aan om te helpen, maar werd beleefd afgescheept. De dochters zouden voor hun vader zorgen: zij zouden het huis wel schoonhouden en voor hem koken. Lucy's minnaar was nu op radio en televisie te horen en te zien als zorgzame echtgenoot, vader en grootvader. Terug in de verstikkende boezem van zijn gezin, waar voor haar geen plaats was.

Wanhopig belde ze hem op zijn mobiele telefoon. Het was zes uur, hij zou dus onderweg naar huis moeten zijn. Hij nam meteen op. Weer dat langgerekte 'hallo'.

'Tom, ik hoop dat ik je niet lastigval, maar ik was benieuwd hoe het met je ging. Ik wil je graag zien. Het zou goed zijn om te praten over... nou ja, over hoe het nu verder moet met ons... Tom...? Tom?'

Ze hoorde stemmen op de achtergrond, alsof hij op een cock- tailparty of een receptie was. Ze voelde hoe ze begon te blozen toen ze zich realiseerde dat ze hem gestoord had, dat ze hem op het verkeerde moment had gebeld. De man aan de andere kant van de lijn was in functie en niet de man die ze wilde bellen. Hij zei niets. Ze hoorde alleen zijn ademhaling.

'Tom?'

Lucy raakte in paniek en verbrak de verbinding.

Shackleton wou dat iedereen wegging en hem met zijn lege ziel alleen liet in dit lege huis. Hij voelde niets, maar kreeg voortdurend te horen van mensen die hem sterkte toewensten dat hij de tijd moest nemen om te rouwen als de begrafenis voorbij was. Als het echt tot hem doordrong. Het verlies. Zijn grote verlies.

De pers was sympathiek en algauw werden er brieven van eenzame vrouwen, meestal met groene inkt geschreven, op zijn kantoor bezorgd. Vrouwen die met hem wilden trouwen, voor hem wilden zorgen of hem wilden troosten. Janet handelde ze af. Afgeschermd door haar en zijn plaatsvervanger werkte hij door, zonder na te denken, zonder iets te voelen, tot de morgen waarop zijn vrouw begraven werd.

St. John Clement had de minister van Binnenlandse Zaken op de avond van de autopsie op zijn club ontmoet. Ze troffen elkaar op de imposante, houten wenteltrap, onder het wakend oog van portretten van prominente oud-clubleden. Het gesprek kwam algauw op Jenni Shackleton.

Clement liet zijn stem dalen.

'Ja. Een natuurlijke dood... maar...'

'Maar?'

De Dwerg wilde geen gemaar.

'Er was nog iets. De organen. Die vertoonden meer slijtage dan je van een vrouw van haar leeftijd zou verwachten. Normaal gesproken zou ik een tweede autopsie laten doen. En een toxicologisch onderzoek.'

'Waar zit je aan te denken, St. John?'

Vriendelijkheid maakte plaats voor hardheid.

'Verdovende middelen. Legaal en illegaal. Gedurende een lange periode. Misschien niet jarenlang, maar wel regelmatig.'

MacIntyre dacht even na. Toen zei hij: 'Ja. Laat Jackson maar een tweede autopsie doen. Maar geef het rapport alleen aan mij. Ik denk dat we dit binnenskamers moeten houden. We willen Shackleton niet ruïneren voordat hij de kans heeft gehad om dat zelf te doen. Wat jij?'

Clement glimlachte als een ondeugende schooljongen.

'Nee. Natuurlijk niet. Dat zou onze treurende weduwnaar alleen maar meer belasten. Dat kunnen we niet hebben. En na dat fiasco met Carter...'

De twee mannen gaven zich een moment lang over aan hun eigen gedachten.

'Oké dan, Robbie, ik zie je zo wel in de bar.'

De lijkschouwer leverde het rapport van de tweede autopsie een paar dagen later persoonlijk af bij de Dwerg. Het was niet nodig de discretie van een derde persoon op de proef te stellen. Hij wachtte geduldig tot de minister van Binnenlandse Zaken het rapport had gelezen.

'Kalmeringsmiddelen, kort voor het overlijden ingenomen, resten van heroïne, cocaïne en alcohol... wat ecstasy... Mijn hemel, was er dan niets heilig voor deze vrouw?'

'Niet veel, lijkt het', antwoordde Clement. 'Ze had ook nog syfilis. Niet in een al te ver gevorderd stadium. Ze heeft er waarschijnlijk zelf geen weet van gehad. Syfilis is vrij zeldzaam in dit land. In tegenstelling tot de Oostbloklanden, daar loopt het echt uit de klauwen. Afbraak van het sociale systeem, natuurlijk.

O, en haar rectum en anus waren ook ernstig beschadigd. Een fistel, een laesie eigenlijk. En een infectie. Ze moet er veel pijn aan hebben gehad. Als Shackleton de boosdoener is, dan zou ik hem maar in de gaten houden. Degene die haar dat heeft aangedaan, is een lopende tijdbom; zeker niet iemand die je alleen laat met je dochters.'

Hij zag de uitdrukking op het gezicht van de Dwerg niet toen deze zijn gouden savonethorloge tevoorschijn haalde en keek hoe laat het was.

'Ik sta er altijd weer versteld van wat er achter schoonheid schuilgaat. Enfin, ik moet er weer vandoor. Gaan jullie dinsdag ook naar *La Traviata*? Kitty verheugt zich erop Lizie weer te zien. Ze wil haar iets vragen over wisteria of zo...'

Toen hij weg was, las de Dwerg het rapport nog een keer door. Het enige woord in het rapport dat voor hem van belang was, was: syfilis. Smerigheid, vernedering, ontaarding, allemaal woorden die de kracht bezaten hem op te winden, maar ziekte hoorde daar niet bij. De walging van zijn eigen lichaam, die hij allang overwonnen dacht te hebben, was terug. Een combinatie van onaangename geuren die bij elkaar de zo gehate stank van zijn lijf, voeten, liezen, oksels, haar, huid en adem vormden. En nu ook van rottend vlees.

Hij twijfelde er niet aan dat Jenni het opgelopen had van hem. Een dame die hij tijdens een officieel bezoek aan Macedonië had ontmoet, kwam hem weer in gedachten. Ze was met een Russische delegatie meegekomen, die zogenaamd de taak had om de kalmte te bewaren na Milosevic, maar er in werkelijkheid voor moest zorgen dat de Trepeca-mijn in Kosovo open bleef voor Servische beschermers, wanneer het regime eindelijk viel. Een groezelige meid, een memorabele neukpartij, waar hij, naar nu bleek, een te hoge prijs voor had betaald.

Als hij mevrouw Shackleton had besmet, had hij Lizie ook besmet. Lizie, de enige vrouw die hij nooit pijn zou doen.

Wat kon hij tegen haar zeggen zonder dat het hem zijn huwelijk zou kosten? Hij zou de blik van walging zien die hij bij andere vrouwen juist graag zag als hij ze lichamelijk mishandelde. Maar niet bij Lizie. Nooit bij Lizie. Hij had zijn vrouw boven alle andere vrouwen verheven, in de vaste overtuiging dat zijn verdorvenheid haar niet betrof. Nu was ze, als in een Griekse mythe, zijn slachtoffer geworden. De bittere ironie daarvan ontging hem niet.

Er werd op de deur geklopt. Zijn secretaresse kwam binnen met een verzegelde archiefdoos.

'Is alles goed met u, meneer MacIntyre?'

Hij knikte.

'Meneer Hemsley heeft dit laten bezorgen. Het dossier van Dieter Gerhardt.'

'Sorry?' MacIntyre was er met zijn gedachten nog niet helemaal bij. 'Wat zei je, Susan?'

'Het Oostenrijkse parlementslid. Weet u nog? Dieter Gerhardt. Hij…'

'Komt op het congres, ja.'

MacIntyre was geërgerd dat ze hem als een achterlijk kind toesprak. Susan mocht hem niet, maar liet dat nu wel heel duidelijk merken.

'Ik wilde dus zeggen, meneer MacIntyre, dat meneer Hemsley dit dossier van de Oostenrijkse politie heeft gekregen, samen met de informatie over de andere gedelegeerden. Uit veiligheidsoverwegingen natuurlijk, dat zult u begrijpen.' Het deed haar genoegen toen ze zag hoe haar traagheid hem irriteerde. 'Hij dacht dat het dossier van Herr Gerhardt u wel zou interesseren.' Ze hield de doos nog steeds vast en wilde het onderwerp nog niet loslaten. 'Ik heb vroeger enorm genoten van zijn films. Hij was een heel goed acteur, geloof ik, hoewel er vaak meer ophef over zijn uiterlijk werd gemaakt dan over zijn acteerprestaties. Wie weet, misschien pakt hij zijn oude beroep wel weer op als zijn politieke carrière voorbij is. Je weet immers nooit wanneer ze niet meer op je willen stemmen.'

Omdat Susan ongeveer gelijk met de Cenotaph, het gedenkteken ter ere van de gevallenen uit de twee wereldoorlogen, in Whitehall was geïnstalleerd, zou het moeilijk worden haar te ontslaan, maar MacIntyre zwoer in stilte dat ze voor het eind van het jaar de laan uit zou zijn.

Hij probeerde zich voor te stellen hoe Lizie zou reageren als hij haar vertelde dat hij haar misschien besmet had. Als hij het voorzichtig onder woorden bracht, zou ze hem misschien, heel misschien willen vergeven. Bovendien was hij goed bevriend met een specialist van het St. Thomas Ziekenhuis. Misschien wilde die hem, in ruil voor een ridderorde, wel iets geven wat hij door haar eten kon doen.

MacIntyre wanhoopte nooit lang.

Opgevrolijkt door dit sprankje hoop maakte hij de archiefdoos open.

Bovenop lag een foto van Jenni Shackleton die een tijdschrift afrekende. Het voorblad was duidelijk zichtbaar. Op de volgende foto had ze een kinderpornovideo in haar hand. Hij bekeek langzaam de rest van het dossier. Foto's die een leven hadden kunnen redden. In Wenen waren ze niet meer geweest dan kiekjes die met een automatisch fototoestel waren genomen.

Stel dat ze eerder aan het licht waren gekomen. Niet best. Dan zou Carter niet alleen misdaadpaus zijn geworden, maar ook onaantastbaar zijn geweest. Shackleton zou in ongenade zijn gevallen en waarschijnlijk samen met zijn vrouw zijn aangeklaagd. Nee, twee doden en een volgzame antimisdaadcoördinator was een veel betere uitkomst. Het was triest, spijtig, maar uiteindelijk beter zo. Arme Carter, het was tenminste een snelle dood geweest.

Hij opende zijn bureaula en haalde er een map uit waarin alles over Carter en Shackleton zat. MacIntyre stopte de foto's achter in de map. Terwijl hij dat deed, vielen Carters brief aan Danny en een andere brief op de vloer. Hij bukte zich om ze op te rapen, waarbij zijn oog viel op de tweede brief. Hij had deze bewust achter in de map gestopt, omdat hij er liever niet aan herinnerd wilde worden. Hij las de brief opnieuw.

Beste meneer MacIntyre,
Mijn moeder weet niet dat ik u deze brief schrijf en ze zou er ook heel boos om worden. Maar iedereen zegt dat mijn vader, Geoffrey Carter, dingen gedaan heeft met jongens. Ik weet dat u het onderzoek leidt en daarom schrijf ik u, want u moet weten dat mijn vader niets gedaan heeft. Hij heeft mij en mijn broertje nooit iets gedaan. Gelooft u mij, alstublieft, ik lieg niet en mijn vader ook niet.
Als u tegen iedereen zegt dat hij niets gedaan heeft, dan kan ik weer naar huis en kan mijn zusje dezelfde naam krijgen als ik.
Bedankt voor uw hulp,
Peter Carter

MacIntyre keek naar het kinderhandschrift. Hij had hem graag geholpen, echt, maar op dit moment Carters naam zuiveren zou Shackletons aanstelling ondermijnen. Nee. Het was verstandiger daar nog even mee te wachten. De kleine kinderen zouden nog wat langer moeten lijden. Voor het algemeen nut. Maar op een dag zou hij de jongen zijn vader teruggeven.

Hij stopte de brief terug in de map, boven op een kort rapport over Danny Marshall. De man van de toekomst en geen vriend van de nieuwe misdaadpaus. Hij had genoeg hier om Tom Shackleton in het gareel te houden tot zijn ambtstermijn verstreken was.

Tot die tijd was hij de perfecte man voor de baan. Minder behept met briljante ingevingen dan Carter en minder geneigd het publiek te imponeren. Niet zo'n goed spreker en politicus. En hij was volgzaam, hij wilde de vruchten van het succes proeven.

MacIntyre vroeg zich af waarom ze Carter eigenlijk zo graag op die post hadden willen hebben. Hij zou onhandelbaar zijn geworden, loyaliteit van zijn mensen geëist hebben en respect van media en publiek. Hij zou zich niet ondergeschikt gemaakt hebben aan het partijprogramma. Shackleton zou de man van de regering zijn. Dankbaar. Altijd gewillig. Perfect.

De map ging veilig terug in de la. Mooi. Nu een afspraak maken met de syfilisdokter en daarna iets heel, heel duurs voor Lizie kopen.

Jenni's begrafenis werd goed bezocht. Pers en camera's stonden buiten om de aankomst van beroemdheden vast te leggen, die in groten getale waren komen opdraven. Jacinta en Tamsin, in het zwart gekleed, liepen naast hun zusje Chloe, die even terug was uit haar weeshuis aan de Tibetaanse grens en een Moeder Teresa-achtige sari droeg, versierd met een grote hoeveelheid zilveren sieraden. Ze zag eruit als een reiger te midden van een zwerm kraaien.

Shackleton, gevolgd door zijn dochters en kleinkind, droeg samen met Jason, zijn plaatsvervanger Vernon, twee begrafenisondernemers en Jenni's lievelingsredacteur de kist. Aan zo'n brancard op wieltjes, waar de kist normaal op stond, had Jenni altijd een hekel gehad. Ze vond ze op dessertkarretjes lijken en haatte het idee dat vreemden haar naar de eeuwigheid begeleidden. Alles was gedaan volgens haar wensen, geïnterpreteerd door haar kinderen. Geromantiseerde herinneringen aan haar sympathieën en antipathieën.

Shackleton had zich overal buiten gehouden en zich 's avonds in de eetkamer teruggetrokken, terwijl zij in de woonkamer al kibbelend de begrafenis hadden geregeld. De kerk stond vol bloemen, alsof het een trouwerij was. Geen chrysanten. Jenni hield niet van chrysanten. Tom ging zitten, ging staan, knielde en bad, zonder daarbij aan degene te denken die in de kist lag.

Hij zag Robert MacIntyre zitten, het hoofd gebogen, geplaagd door staatszorgen of stil verdriet. En Lucy, achter in de kerk, samen met Gary. Lucy. Ze had nog steeds de tas met verdovende middelen.

Maar dat was geen probleem, ze konden niet met hem in verband worden gebracht. Hij moest wel met haar praten. Hij moest met al die vreemden hier praten. Later. Na vandaag.

Toen de dienst was afgelopen, namen ze hun last weer op de schouders. De kist was zwaar en belachelijk groot voor het slechts vijfenveertig kilo zware lichaam dat erin lag.

Bij het graf, waar een licht briesje de mantel van de dominee deed opwaaien, werden naar Schotse traditie nog meer gebeden opgezegd. Volgens de kinderen had Jenni dit bij een begrafenis in Perth gezien en was ze daar zeer van onder de indruk geweest. Daarna pakten de slippendragers de touwen – mooie zwarte touwen, die aan de hendels van de kist bevestigd waren – en lieten Jenni Shackleton in het diepe gat zakken dat haar laatste rustplaats zou worden. Haar dochters gooiden rozen op de blankhouten kist, waarna degenen die dat wilden, langs het open graf konden lopen om er een handvol aarde in te gooien.

Tom knikte iedereen toe: vrienden, buren en collega's. Lucy aarzelde. Ze vond niet dat ze het recht had een laatste groet te brengen, zij die in stilte Jenni's dood zo vaak gewenst had. Ze pakte Gary's hand.

'Toe nou maar, Lucy', zei hij. 'Neem maar afscheid.'

Als verdoofd sloot ze zich bij de rij aan en pakte bij de priester een handvol aarde. Zij en Tom stonden ieder aan een kant van het graf, de ogen strak op elkaar gericht, toen het zand door Lucy's vingers gleed en ver beneden haar op de kist viel. Ze zocht in zijn ogen naar een teken van erkentelijkheid, maar zag niets. Ze liep verder. Hij keek haar niet na, maar richtte zijn blik op de volgende treurende.

De schok was zo groot toen hij de schelpvormige ogen en dat zwarte, met littekens bedekte gezicht zag, dat hij bijna viel. Bijna was hij in het gapende gat voor zich geduikeld. Zijn zoon pakte zijn arm vast. De drie zwarte vrouwen, wier rouwjurken ruisten als ravenveren, keken hem aan. Als één persoon gooiden ze aarde op de kist. Toen begonnen ze te zingen. Het klonk simpel en mooi, maar zwaarmoedig, zonder troost en zonder een belofte van eeuwig leven of een spoedige wederopstanding. Het klonk als de eenzame wind in een verlaten oord.

Het was het geluid van een dood die iedereen vreesde. Een definitieve, kille en zinloze dood. Toen ze ophielden met zingen, opende de hemel zich en viel de regen in venijnige, onbarmhartige naalden naar beneden. Iedereen zocht een plek om te schuilen. Binnen een paar minuten stond de kist in een plas water, omdat het in de kleigrond niet weg kon lopen. De aarde versmolt tot modder. De treurenden renden naar hun auto's en vertrokken. De grafdelvers gooiden haastig een zeildoek over het gat en gingen daarna verder met hun kaartspel.

Shackleton was ontdaan over het verschijnen van de drie vrouwen bij de begrafenis. Hij beefde van angst en woede toen hij met een veel te hoge snelheid naar Flamborough reed. Hij wist nog niet wat hij tegen ze ging zeggen, maar hij moest ze terugzien. Wie waren die vrouwen? Wat wilden ze?

Hij had niet in de gaten dat Vernon en een andere agent hem volgden; hij had maar één doel voor ogen: ervoor zorgen dat de vrouwen nooit weer in zijn buurt kwamen.

Shackletons auto kwam met gierende remmen tot stilstand. Alles zag er nog precies zo uit als de laatste keer dat hij hier geweest was, zelfs de vuile matras lag nog steeds buiten voor de pub. Er lagen twee dronkaards op te slapen, hun blikjes bier binnen handbereik. Hij sprong uit de auto en rende naar de flat.

Nee, dit kon niet kloppen. Hij keek naar de rest van het flatgebouw. Ja, hij wist zeker dat het hier was. Maar de tuin was weg. Het enige wat hij zag was een kale lap grond met onkruid en afval. Voor alle deuren en ramen zaten metalen platen. De muren waren beschilderd met graffiti.

Shackleton zag een oude, zwarte man uit de kroeg komen. Hij riep hem.

'Waar zijn de mensen gebleven die in deze flats wonen?'

De man keek hem met gele ogen aan.

'Er wonen geen mensen. Niet meer sinds de brand, jaren geleden. Ik zal het nooit vergeten. Grote brand, er zijn mensen bij omgekomen. Niet pluis. Ze willen de boel afbreken. Te veel ratten en kakkerlakken. Te veel gebeurd. Er woont niemand meer nu.'

Daarna liep hij weg.

Opeens dook Vernon achter hem op.

'Is alles goed met u, meneer?'

Shackleton schrok.

Vernon had zijn baas nooit eerder zo bang gezien. Hij werd erdoor verrast.

'Ik ben op zoek naar iemand. Naar de mensen die hier woonden. In deze flat. Ik moet met ze praten.'

Vernon keek hem verbaasd aan, als een hond die een bevel niet had begrepen.

'Dat kan niet kloppen, meneer. Dit flatgebouw staat al heel lang leeg. Die ouwe man had gelijk, er was een brand. Drie vrouwen zijn daarbij om het leven gekomen. Drie zwarte vrouwen. Maar dat was voor uw tijd. Die brand heeft toentertijd nog voor heel wat ophef gezorgd. De recherche dacht aan brandstichting uit rassenhaat, maar uiteindelijk bleek het een omgevallen kaars of zo te zijn geweest. En er deden geruchten de ronde over voodoo en satanisme, maar niemand geloofde die. Het was gewoon een ongeluk. Er woont nu niemand meer hier.'

Shackleton rende naar de dichtgespijkerde deur, bonsde erop en schreeuwde dat hij binnengelaten wilde worden. Toen hij zag dat de metalen plaat voor het raam verbogen was, trok hij eraan en keek door het gebroken raam naar binnen. Er bewoog zich niets in de duisternis.

Vernon waagde het zijn hand op Shackletons arm te leggen en hem naar zijn auto terug te brengen. Hij gaf zijn collega een seintje, liet Tom instappen en ging zelf achter het stuur zitten. Shackleton protesteerde niet, maar keek wel achterom toen ze wegreden. Op de plek waar de tuin was geweest, stond een man. Een politieagent. Toen de auto de hoek omreed, zag Tom dat het Geoffrey Carter was.

Vernon probeerde zijn baas zo goed en zo kwaad als het ging te kalmeren. Hij peinsde er niet over te stoppen en wilde hem zo snel mogelijk thuis afleveren.

Shackleton bleef maar herhalen dat hij Geoffrey Carter had gezien. En dat de zwarte vrouwen bij de begrafenis waren geweest, en gezongen hadden. Vernon had vanmorgen nog gezegd dat Tom volgens hem op het punt van instorten stond De arme man had tenslotte zijn vrouw verloren.

Shackleton verdween een aantal weken. Lucy stond iedere dag naar hem uit te kijken, maar hij kwam niet thuis. De kinderen waren ook vertrokken. Die hadden niet in het huis willen blijven wonen waar hun moeder zo tragisch aan haar eind was gekomen. Chloe had zich over haar broertje Jason ontfermd en hem meegenomen naar India om daar troost te vinden in de leer der reïncarnatie.

Het huis was leeg. Lucy ging er ook niet meer naartoe; het joeg haar angst aan.

Uiteindelijk kon ze er niet meer tegen en belde ze zijn mobiele telefoon. Afgesloten.

Ze probeerde niet in paniek te raken en belde Janet.

'Ik wilde alleen weten of ik het huis moet blijven schoonmaken. En de planten water moet blijven geven.'

Janet was niet erg behulpzaam.

'Als meneer Shackleton wil dat u dat blijft doen, laat hij me dat wel weten.'

'Nou, misschien kan ik hem beter zelf bellen. Heb je een nummer waar ik hem kan bereiken?'

'Helaas niet, maar ik zal zeggen dat u gebeld hebt als ik hem weer spreek.'

Lucy legde de telefoon neer. Ze was wanhopig nu en verlangde ernaar hem te spreken, hem aan te raken. Het werd een obsessie, een die alleen door afwijzing kon ontstaan. Hij had het nummer van zijn mobiele telefoon veranderd. Waarom had hij haar dat niet verteld? Hoe moest ze hem nu bereiken? Hij had haar nodig. Hij móést iemand nodig hebben, en dat kon alleen zij zijn.

Op een middag kon ze zich niet langer inhouden en belde ze zijn kantoor weer. Hij nam zelf op. Lucy was even van haar stuk gebracht. Waar was Janet? Eén uur. Lunchen.

Het verbaasde haar hoe normaal zijn stem klonk.

'O, hallo. Ik… eh… Ik heb geprobeerd je te bellen. Ik verwachtte niet dat je zelf zou opnemen.'

Het verontschuldigende lachje.

'Een goede baas neemt de telefoon voor zijn secretaresse op. Misschien moet ik dat vaker doen.'

Ze voelde de hoop weer oplaaien. Misschien was de intimiteit er toch nog.

'Is alles goed met je?' vroeg ze zacht

Het antwoord klonk formeel. Beleefd.

'Ja, prima. Dank je, Lucy. En hoe gaat het met Gary?'

Het begon nu bij haar te borrelen.

'Goed. Nou ja, eigenlijk niet. Hij moet een paar dagen in het ziekenhuis opgenomen worden... Maar... ik bedoel... Ik heb me zorgen om je gemaakt.'

Het leek alsof hij niet gehoord had wat ze had gezegd.

'Sorry, ik moet ophangen. Ik heb een vergadering.'

Lucy hoorde de wanhoop in haar stem. Hij had haar weer zover gekregen dat ze ging smeken.

'Ik zou het leuk vinden je weer te zien. Als je wilt praten, ik... eh... ben tot het weekend alleen, dus...' Haar stem stierf weg, ze hoopte dat hij haar te hulp zou komen.

Hij reageerde echter alsof hij een journalist aan de lijn had aan wie hij uitlegde waarom hij niet beschikbaar was: hij moest een landelijke antimisdaadstrategie op papier zetten, waarin het regeringsbeleid ten aanzien van recidivisten nauwkeurig beschreven werd.

Toen hij zweeg om even adem te halen, zei Lucy: 'Dan is dit dus het afscheid.'

Het antwoord kwam snel.

'Nee, nee. Dit is geen afscheid.'

Lucy was verbaasd dat zijn stem zo krachtig had geklonken.

'Nou, ik ga je niet ieder halfjaar bellen om te horen hoe de regering het probleem van recidivisten denkt aan te pakken.'

Hij was overrompeld door de defensieve toon van haar stem.

'Maar we hadden het toch over...'

Lucy viel hem in de rede. Eindelijk was ze kwaad, gepikeerd.

'Zie ik je nou nog of niet?'

Stilte.

'Waarschijnlijk niet.'

Lucy was nog nooit zo kwaad en tegelijk zo kalm geweest als nu.

'Nou, neem afscheid dan.'

Shackleton had er een hekel aan iets op te geven wat van hem was. Zijn stem klonk zacht en aarzelend toen hij weer begon te praten.

'Tot ziens.'

Lucy's stem was krachtig en luid.

'Tot ziens.'

Toen ze de telefoon neerlegde, hoorde ze hem nog net op tedere toon zeggen: 'Pas goed op jezelf.'

Maar het was te laat. Lucy staarde naar de telefoon. De behoefte om terug te bellen was net iets minder sterk dan de wens om vrij te zijn. Maar even later kreeg ze alweer spijt. Ze stak haar hand uit naar de telefoon.

Op dat moment zag ze buiten een witte bestelwagen stoppen. Een man in een spijkerbroek stapte uit en tilde een houten paal uit de laadbak. Hij liep ermee, als Jezus met het kruis, naar het tuinhek van Shackletons huis. Daar haakte hij een bordje met TE KOOP aan de metalen dwarsbalk. Nadat hij gecontroleerd had of de paal stevig vast stond, liep hij terug naar zijn wagen en reed weg.

Lucy had zich niet verroerd. Ze had zelfs nauwelijks ademgehaald. Ze pakte haar tas en rende naar het huis. Terwijl ze naar de sleutels zocht, viel de inhoud van de tas op de stoep. De sleutel paste niet. Hij wilde niet draaien. De sloten waren vervangen. Ze leunde tegen de deur, begon te huilen en zakte ineen, met het hoofd op de knieën.

Dezelfde houding als die waarin Jenni gestorven was.

Nadat Shackleton met Lucy gesproken had, was hij weer aan het werk gegaan: zijn team samenstellen, politici ontmoeten en zijn eerste intentieverklaring voorbereiden. Pas nadat hij heerlijk gedineerd had in het Athenaeum dacht hij weer aan haar.

MacIntyre was ook uitgenodigd en nu zaten ze aan een lage tafel in de bar oude cognac te drinken en de herfstgeur op te snuiven van een groot boeket lelies dat een prominente plaats innam in de verder sober en mannelijk ingerichte ruimte.

Hun gastheer, die bekendstond om zijn droge humor en een gemakkelijk leventje leidde dankzij het recht, wat niet hetzelfde was als gerechtigheid, had de buitengewone gave zijn gasten zo op hun gemak te stellen dat ze, al of niet onder invloed van alcohol, loslippig werden.

Shackleton noch de Dwerg was dronken, maar ze voelden zich meer ontspannen in elkaars gezelschap dan in het verleden. Jenni kon met haar aanwezigheid geen roet meer in het eten gooien.

Ze voerden een geanimeerd gesprek en sneden verschillende onderwerpen aan, waarna MacIntyre zei: 'Hoe gaat het eigenlijk met die buurvrouw van je? Heet ze niet Lucy?'

Shackleton was zo van zijn stuk gebracht dat hij niets kon zeggen. Plotseling kreeg hij het warm. Hij voelde zijn gezicht en oren gloeien. Verdorie, hij bloosde. Dit bracht hem in verwarring, misschien had hij te veel gedronken. Ja, dat moest het zijn. Hij zette zijn glas neer.

De Dwerg sloeg hem geamuseerd gade. Hij had Tom Shackleton nooit eerder zo ontdaan gezien.

'Ik vond het leuk haar te ontmoeten. Ik vond haar heel...' Hij zweeg, draaide zijn cognac in het glas rond en zocht naar het juiste woord. '...lief. Klopt dat, Tom? Is ze lief?'

Hij had zich daarbij zo ver naar Shackleton toe gebogen dat hij de haartjes op de vuurrode huid van zijn jukbeenderen kon zien.

'Ik heb geen idee. Zo goed ken ik haar niet. Ze is, ze was een vriendin van Jenni.'

De Dwerg glimlachte nu. De alcohol maakte hem jolig. Hij was in wat Lizie zijn kat-met-bolletje-wol-bui noemde.

'Is dat zo? Ik had de indruk dat jullie' – hij haalde adem – 'iets hadden met elkaar.'

Shackleton keek MacIntyre aan en verbaasde zich over de olijke uitdrukking op diens gezicht. Het kostte hem moeite om de woede niet in zijn stem te laten doorklinken.

'Hoe kom je daar in godsnaam bij?'

De Dwerg haalde zijn schouders op, leunde achterover en keek Shackleton aan met de ondeugendheid van een kobold.

'O, zomaar. Maar ze is wel verliefd op je.'

Shackleton kneep zijn handen dicht en onderdrukte een lach. Het was een totaal ongepaste reactie, maar de Dwerg vond het prachtig. Hij genoot ervan om te zien hoe mensen reageerden als ze in verlegenheid werden gebracht. Dat was veel interessanter dan woede of boosheid.

'O, voor ik het vergeet, we moeten ons binnenkort over de budgetten buigen. Die knijpstuiver van Financiën begint weer moeilijk te doen. Nog een glas cognac?'

MacIntyre ging nu hij zijn lolletje had gehad staan en liep naar de bar om zich bij de gastheer te voegen. Het bulderende gelach van de mannen kwam Shackleton tegemoet. Hij wist dat ze niet om hem lachten, maar voelde zich weer als die keer op het schoolplein toen hij uitgelachen werd en pas in de gaten kreeg waarom toen zijn moeder hem een tik gaf omdat zijn broek gescheurd was, zodat zijn afgedragen hemd en onderbroek te zien waren. Sindsdien gaf groepsgelach hem een ongemakkelijk gevoel.

Hij wilde gaan staan, maar was er niet zeker van of hij in staat was om weg te lopen. Hij moest meer gedronken hebben dan hij zich gerealiseerd had.

Die verdomde Lucy ook. Waarom kon ze hem niet met rust laten? Ze had hem tot een afscheid gedwongen. Er een punt achter gezet. Dit zou het begin van een leven zonder overbodige emotionele bagage moeten zijn. Maar waar was de opluchting?

Hij ging staan. Nee, hij had niet te veel gedronken; het waren zijn emoties die hem vergiftigden. Het laatste restje gevoel van iemand die tot dusver een emotionele geheelonthouder was geweest.

Met een smoes over werkdruk nam hij afscheid en hij liet zijn gedachten pas weer de vrije loop toen hij buiten was. Hij liep het plein over naar zijn auto en keek achterom naar het grote, gouden beeld van Pallas Athene boven op de pilaren voor de ingang van de club. De godin der wijsheid.

Hij vroeg zich af wie de godin der domheid was, want haar had hij vannacht nodig.

Zijn chauffeur deed de deur van de auto voor hem open.

'Nee, bedankt. Ga maar. Ik ga lopen.'

De man keek hem sceptisch aan, wenste hem een prettige avond en reed weg.

Het was koud. Hij trok zijn witte regenjas aan, de jas die Jenni bespottelijk en veel te Humphrey Bogart-achtig had gevonden, en liep de trappen af naar de Mall. De gebouwen waren in het maanlicht duidelijk te zien toen hij in het park langs het oorlogsmonument liep, met links van hem het lege paradeterrein van de Horse Guards.

De koplampen van een voorbijrijdende auto beschenen de achterkant van Downing Street. De pelikanen op de rotseilandjes in het meer, die hij bij zijn eerste bezoek voor zwanen had aangezien, lichtten wit op. Het 'Hans en Grietje-huisje' tegenover het kantoor van het kabinet zag er betoverend uit.

En hij miste Lucy.

Hij ging op de lage reling langs het gras zitten, met zijn rug naar Whitehall en zijn gezicht naar het rustige leven in het park, en nam voor het eerst sinds het telefoontje de tijd om aan haar te denken.

Ondanks alle verwarring en schuldgevoelens realiseerde hij zich nu vooral, hoewel te laat, dat hij haar miste. Hij miste haar echt. Hij voelde niet Jenni's afwezigheid, maar die van de warme, lieve Lucy.

'O, Lucy. Lucy, Lucy, Lucy.'

Een Canadese gans die opgeschrikt werd door Shackletons uitingen van liefdesverdriet, begon te gakken.

Op hetzelfde moment kwam er een taxi de hoek om die met zijn oude, sputterende dieselmotor de rust van dit romantische tafereel verstoorde. Shackleton hield hem aan. Als hij meer dan twee versnellingen had, kon hij de trein van elf uur misschien nog halen.

De gedachte aan Lucy alleen thuis en de nawerking van goede wijn en cognac hielden Shackleton overeind tot hij haar voordeur had bereikt.

Toen sloeg de twijfel toe. De aanblik van zijn huis, de herinneringen, zijn dwaze gedrag. Wat was hij aan het doen? Waarom was hij gekomen? Hij wist het niet. Nee, dat was niet waar. Hij was gekomen om te praten. Lucy was de enige met wie hij kon praten. Ze was een deel van hem. Hij ging op de stoep zitten. Als zij een deel van hem was, dan was ze het enige wat goed aan hem was. Hij wilde dat, na alles wat hij had meegemaakt, niet ook nog verliezen.

Hij herinnerde zich dat hij tijdens een van hun warme, stille nachten samen op haar vraag naar hoe groot zijn genegenheid voor haar was, had geantwoord: 'Als we allebei vrij waren, zou onze relatie er heel anders uitzien.' Zoals altijd een vaag antwoord dat op verschillende manieren geïnterpreteerd kon worden. Maar nu wilde hij dat hun relatie er anders uitzag. Goed, ze waren niet allebei vrij, maar ze konden praten, en misschien plannen maken voor de toekomst, als Gary... als Gary... Shackleton riep zichzelf tot de orde. Jenni had hem geleerd dergelijke destructieve gedachten toe te laten. Niet doen. Ga terug naar Londen. Het monster Hoop had zich zelden aangediend; nu was niet de tijd om het toe te laten.

Maar hij moest er wel aan toegeven. Lucy was de enige die hem nog kon redden van het niets dat hem dreigde te verzwelgen. Zij had hem in haar armen genomen en verteld dat hij leefde. De zwarte vrouwen hadden gezegd dat hij alleen door het hout verslagen kon worden. Met Lucy, en door zorgvuldig de splinters te vermijden, zou hij een nieuw leven kunnen opbouwen, een gelukkig, rustig leven, zoals andere mensen hadden. Hij lachte hardop. Ja, dat was het. Lucy vormde de sleutel tot het leven.

De voordeur achter hem ging open. Als een schuldbewuste schooljongen kwam hij overeind.

'Kan ik u helpen?'

De vrouw die dit vroeg was in de veertig en had donkerblond gepermanent haar. Ze droeg rode lippenstift en had blauwe oogschaduw op, zonder het effect daarvan te verzachten met mascara of eyeliner. Ze droeg een donkerblauwe jurk die alleen vrouwen die een hekel aan mode hadden, mooi vonden, en gemakkelijke schoenen die overal bij pasten, behalve bij iets wat glamour uitstraalde. Ze zag er ontzagwekkend uit, typisch Engels, en leek een eeuw te laat geboren.

'Mijn naam is Shackleton. Sorry dat ik zo laat nog aanbel. Ik wilde alleen even kort...'

Ze was er zo aan gewend om andermans zinnen af te maken dat ze hem niet liet uitspreken.

'Binnenwippen. Ach, nu zie ik het pas. U bent die nieuwe misdaadpaus. U hebt aan de overkant gewoond. Lucy heeft het wel eens over u gehad.'

'Is Lucy…'

'Ja. Komt u binnen. O, ik zal me eerst even voorstellen. Mijn naam is Christine, Christine Stroud. We wilden net een beker warme chocolademelk gaan drinken.'

Shackleton volgde haar de gang in. Zijn hart ging als een razende tekeer. Hij had zich in jaren niet zo gevoeld. Of had hij zich nog nooit zo gevoeld bij het vooruitzicht een vrouw te zien?

Het huis was kleiner en rommeliger dan hij het zich herinnerde, maar hij was hier ook al zo lang niet geweest.

Christine klopte in het voorbijgaan op de deur van de voorkamer.

'Bezoek voor je', riep ze, terwijl ze zelf doorliep naar de keuken en naar Shackleton gebaarde dat hij naar binnen kon gaan.

Hij stond te trillen op zijn benen, het zweet brak hem uit en hij werd kortademig. Die aanvallen van kortademigheid waren gekomen na Jenni's dood. De dokters wisten niet waardoor het kwam. Gewoon stress, zeiden ze, het was de reactie op haar dood. Wat de oorzaak ook was, hij stond nu, als een roker die net een hoge, steile trap had beklommen, te hijgen.

De deurknop ging stroef en maakte te veel geluid toen hij hem omdraaide en de kamer binnenging. Hij werd meteen overvallen door de warmte. Het was benauwd in de kamer, de radiator draaide op volle toeren en er hingen zware gordijnen voor de ramen.

Toen zag hij waarom.

Niet Lucy maar Gary was in de kamer, in bed met drie kussens in zijn rug, waardoor hij half zat en half lag. Zijn urinezak hing naast hem, aan een haak aan het bed.

'Sorry, ik dacht…'

Hij wilde het huis uit vluchten voordat Gary zijn hoofd naar hem kon omdraaien. Maar Gary draaide zijn hoofd niet om. Hij sliep. Zijn ademhaling was regelmatiger en dieper dan die van Shackleton.

Christine kwam de kamer in met een dienblad.

'Kom verder. Gaat u zitten. Ik zal Gary's beker even afdekken. Hij heeft zijn medicijnen al ingenomen, maar normaal valt hij nooit zo gauw in slaap.'

Shackleton verroerde zich niet.

'Maar blijft u gerust. Misschien wordt hij zo weer wakker. Hij vind het vast leuk dat u er bent.' Ze liet haar stem dalen tot die van een jager die zijn jachthond instrueert. 'Ik denk dat hij eenzaam is nu Lucy er niet is. Hij mist haar verschrikkelijk.'

Shackleton wist zo gauw niet wat hij moest zeggen.

'Bent u familie?'

Hij had net zo goed kunnen vragen: 'Bent u voorstander van het opheffen van de anglicaanse kerk?'

'Goeie god, nee, ik ben verpleegkundige, meneer Shackleton. Lucy vraagt mij altijd te komen als ze weg moet. Niet dat ze vaak weg is, ze is zo'n engel. Maar ze moest er een paar dagen tussenuit om bij te komen. Ze heeft kortgeleden iemand verloren die haar erg dierbaar was en dat heeft haar nogal aangegrepen. Maar dat hoef ik u' – met de nadruk op 'u', waarbij ze haar blauwbeschaduwde ogen even opensperde – 'natuurlijk niet uit te leggen.'

'Nee.'

'Dan zal ik nu alleen laten. Als u iets nodig hebt, dan ben ik in de keuken.'

Ze zette het dienblad naast het bed. Shackleton liep naar het bed en keek naar Gary.

'Je kunt het beter opdrinken voordat er een vel op komt.'

Gary zei het zonder zijn ogen open te doen, hoewel hij de uit-drukking op Shackletons gezicht graag had willen zien. Het geluid van een beker warme chocolademelk die omviel, was zijn beloning. Toen deed hij zijn ogen wel open en draaide hij zich om naar Shackleton.

'Geeft niks. De engel des doods ruimt het wel op.'

Shackleton zag er verloren uit.

'Zuster Stroud. Ik noem haar de engel des doods. Iedere keer als ze komt, vertelt ze me hoe weer een van haar patiënten het tijdelijke met het eeuwige heeft verwisseld. De volgende keer ben ik waar-schijnlijk aan de beurt. Zo... en hoe gaat het met je?'

'Goed... Goed. Prima. Ik was net thuis, controleren of alles in orde was.'

'Dat had Lucy toch voor je kunnen doen? O, nee... dat is waar ook, je hebt alle sloten laten vervangen.'

Shackleton nam de uitdaging niet aan.

'Sorry dat ik zo laat nog langskom. Misschien kan ik beter een andere keer terugkomen.'

'Als Lucy er is, bedoel je.'

'Ja, het zou natuurlijk ook leuk zijn om Lucy weer te zien. Hoe gaat het met haar?'

De toon van beleefde onverschilligheid in zijn stem irriteerde Gary mateloos.

'Hoe het met haar gaat? Tja, daar vraag je me wat, Tom. Ze is verliefd op een andere vent, eentje die net een nieuwe baan heeft gekregen en verhuisd is. Ze neigt naar zelfmoord, zou ik haast zeggen, alleen is zelfs Lucy niet zo gek om voor zo'n lamzak een eind aan haar leven te maken. Een lamzak van de ergste soort, zo een die midden in de nacht aanbelt omdat hij denkt dat haar man in het ziekenhuis ligt. Helaas voor hem was er geen bed beschikbaar en bezoekt Lucy de historische plaatsen en ondiepe waterpoelen van Hastings.'

Shackleton zag eruit als een geslagen hond. Gary was blij met het effect dat zijn woorden op hem hadden.

'Ik weet niet wat je bedoelt.'

Gary ontplofte bijna, en terwijl de woorden uit zijn mond rolden, realiseerde hij zich dat hij het, door de sfeer van beleefdheid die altijd om invaliden heen hing, gemist had om iemand eens ongenadig op zijn lazer te geven. Nee, niet iemand. Tom Shackleton.

'Vuile lafbek dat je bent. Durf je zelfs niet toe te geven dat je met haar naar bed bent geweest? Maar ja, voor jou was het ook geen affaire. Ze was gewoon iemand bij wie je je frustraties kwijt kon, iemand die je ego streelde. Waarom ben je teruggekomen? Om ervoor te zorgen dat ze niet al te slecht over je denkt? Want je hebt haar nu immers niet meer nodig. Je hebt je van Jenni ontdaan, en van Carter, en nu is Lucy aan de beurt. Alleen hoeft zij niet dood, hè Tom? Niet zo dat iedereen het te weten komt, in ieder geval. Nee, je hebt haar op een subtielere manier de dood in gejaagd, door haar hart te breken. Nou, zeg op, waarom ben je teruggekomen? Om een laatste nummertje te maken? Om die tas met drugs op te halen?'

Shackleton was zo verbouwereerd door de aanval dat hij niet wist wat hij moest antwoorden.

'Ach, het geeft niet, Tom. Lucy wil niet dat ik je iets aandoe, je bent veilig.' Hij wachtte even en pufte als een longpatiënt, maar vond toch de kracht om rechtop in bed te gaan zitten. 'Tot ik doodga, Shackleton. Tot ik doodga. Vergeet niet dat een getuigen-verklaring vanaf het sterfbed ook rechtsgeldig is. En toelaatbaar is als bewijs.'

Shackleton vocht terug.

'Als bewijs van wat? Ik kan met niets in verband gebracht worden. Ik zal me tegen elke beschuldiging met hand en tand verzetten.'

Gary reageerde minachtend.

'Je kunt je niet verzetten tegen iemand die dood is, en jij al helemaal niet, met al die mensen om je heen die erop zitten te wachten tot je onderuitgaat.' Nu had hij Shackleton beet. 'Vertel dus maar op: waarom ben je teruggekomen? En zeg niet om mij te zien, maar probeer voor de verandering eens de waarheid te vertellen. Wie weet, misschien bevalt het je.'

Shackleton sprak op zachte toon, maar er klonk ook een zekere uitdaging in zijn stem door.

'Ik ben teruggekomen om Lucy te zien.'

Gary's minachting was groter dan zijn woede.

'Ja, dat weet ik ook wel. Maar waarom? Waarom wil je haar zien?'

'Om haar te vertellen dat ik van haar hou.'

Shackletons bekentenis – het was voor het eerst dat hij de woor-den 'houden van' gebruikte in verband met een ander mens – bleef tussen hen in liggen als het ei van een roodborstje. Klein, fragiel en mogelijk voorzien van nieuw leven.

Gary overwoog zijn woorden in stilte en hakte toen met veel plezier op Shackleton in.

'Genoeg om met haar te trouwen? Genoeg om haar in de schijn-werpers te plaatsen? Genoeg om te doorstaan wat jullie te wachten staat als bekend wordt dat je haar van haar gehandicapte man hebt afgepikt nog voordat je eigen vrouw koud in het graf lag? Kun je je voorstellen wat de roddelbladen met haar zullen doen? En wat ze met jou, de teflon hoofdcommissaris en nu uitverkoren misdaad-paus, zullen doen?' Gary wachtte even, maar hij was nog niet klaar. Toen hij weer verder sprak, klonk zijn stem zacht, bijna als gefluister.

'Hoeveel hou je echt van haar, Tom? Ik hou zoveel van haar dat ik voor haar zou sterven, als ze dat zou willen. Ik meen het. Als ze voor jou kiest, zal ik jullie niet in de weg staan.' Hij begon te lachen, wat ongepast leek maar toch volkomen natuurlijk en oprecht vrolijk klonk. 'Staan? Als dat zou kunnen. Maar ik meen het echt, Tom. Er is echter wel één voorwaarde aan verbonden. Je moet haar vragen. En haar alles vertellen, en dan bedoel ik ook echt alles, alle dingen waar ik alleen maar naar kan raden. En laat haar dan een keuze maken.'

'Dat kan ik niet doen.'

'Waarom niet? Omdat je zou kunnen verliezen? Ik dacht het niet.'

Gary schrok toen hij tranen in Shackletons ogen zag glinsteren. 'Nee. Nee.'

Buiten was het geblaf van stadsvossen te horen, die zich in de stille straten veilig waanden, terwijl ze tussen geparkeerde auto's speelden en door lege rioolbuizen renden, wat het geluid van hun geblaf nog versterkte.

In het gevecht tussen de beide mannen was een moment van rust aangebroken, maar Gary was niet van plan zich te ontspannen. Hij wist dat hij Shackleton klein had gekregen, maar bleef op zijn hoede.

Toen Shackleton opkeek, had hij nog steeds tranen in zijn ogen, maar hij was wel in staat om iets te zeggen.

'Ik wil haar niet kwetsen.'

Gary begon smalend te lachen.

'Daar ben je een beetje laat mee. Weet je eigenlijk wel wat je haar hebt aangedaan, kloot...'

'Ja, ik ben een klootzak. Ik weet het.'

Gary was woedend nu, maar genoot ervan.

'O, nee... je komt er niet van af met een beetje zelfmedelijden en een mea culpa. Daar ben je misschien in het verleden mee weggekomen, maar nu niet. Of denk jij soms dat toegeven dat je een klootzak bent je van elke verantwoordelijkheid ontheft. Nou, niet dus. Je moet er spijt van hebben, Tom. Genoeg spijt om te willen veranderen. En ik bedoel daarmee niet uithuilen en opnieuw beginnen, maar zo veranderen dat het de ander genoegdoening geeft.'

Gary was er nu zeker van dat Shackleton verslagen was. Het gevoel van triomf dat hij zo lang had moeten ontberen, had de smaak van pure whisky. Hij liet zich duizelig van euforie terugvallen in de kussens.

Shackleton ging staan, boog zich gevaarlijk ver over Gary heen en duwde zijn vuisten in het matras.

'Ben je klaar? Mooi. Dan is het nu mijn beurt om te zeggen wat ik ervan vind. Lucy blijft alleen bij je omdat ze zich schuldig voelt. Als jij gezond was, als jij en ik gelijk waren, wie zou ze dan kiezen? Nou? Wie denk je, Gary? Als er met gelijke wapens werd gevochten en er geen emotionele chantage werd gepleegd, dan zou ze bij je weggaan. Heb ik gelijk of niet?'

Gary wendde zijn hoofd af.

Shackleton probeerde zijn stem zo aannemelijk en overtuigend mogelijk te laten klinken. 'Als je echt van haar houdt, denk je daarover na. Want wat heb je haar te bieden? Nou?' Hij gaf Gary een lichte tik op zijn borst. 'Dit?' Hij tilde de urinezak op, zodat Gary die kon zien. 'Dit?' Hij pakte de scheerspiegel en hield die voor Gary's gezicht. 'Dit?' Hij ging zitten. 'Het verschil tussen jou en mij is dat ik weet dat ik een klootzak ben en dat jij denkt dat je een heilige bent. Maar zal ik je eens wat vertellen. Als jij Lucy veroordeelt tot een leven van kwijl wegvegen en je zien wegkwijnen, dan ben je een grotere klootzak dan ik.'

Hij ging staan en liep weg van het roerloze lichaam in het bed. De verleiding om zijn handen om die magere nek te leggen en aan te drukken was erg groot.

'Nog een beker warme chocolademelk, heren?'

Zuster Stroud zei het op hetzelfde moment dat ze op de deur klopte en binnenkwam. Ze was zich totaal niet bewust van de gespannen sfeer in de kamer toen ze de lege bekers op het dienblad zette, een afkeurend gemompel liet horen over de gemorste chocolademelk, die ze met papieren zakdoekjes opveegde, en met een vrolijke knipoog naar Shackleton weer vertrok.

'Wilt u de deur even voor me opendoen, meneer Shackleton? Eén keer morsen is genoeg. Vindt u ook niet?'

In een wolk van Yardley-lavendelzeep en -talkpoeder liep ze de kamer uit.

Shackleton bleef bij de deur staan.

Gary kon hem niet zien.

'Ben je er nog, Tom?'

'Ja, ik ben er nog.'

'Ga eens naar de piano.'

Shackleton keek naar de verzameling flesjes, de doosjes met pillen en poeders en vacuümverpakte slangen en apparatuur en liep er langzaam naartoe. Toen hij bij de piano stond, zag hij dat het een Steinway was. Hij wist dat het een beroemde naam was, maar daar hield het mee op. Als iemand hem verteld had dat het een merk koelkast was, had hij het ook geloofd.

'Er moet een groen flesje bij staan. Ja, dat is het.'

Shackleton wilde het pakken.

'Nee. Nog niet.' Gary duwde zichzelf overeind en probeerde zijn pyjamajasje dicht te trekken. Daarna richtte hij zijn aandacht weer op Shackleton. 'Kalmeringsmiddelen. De fles die ernaast staat, die grote, plastic fles…'

Shackleton pakte de fles.

'Ja, die. Slaaptabletten. En de doosjes met coproximaltabletten: pijnstillers. Je voelt vast wel waar ik naartoe wil. Of niet, Tom? Of verveel ik je? Dit is mijn voorstel. Jij geeft mij die pillen, alle pillen, en ik neem ze in.'

'Nou moet ik je er wel voor waarschuwen dat het de vorige keer dat ik me van kant wilde maken, mislukt is. Maar dat had je al begrepen, je bent niet voor niks politieman. Maar met z'n tweeën moet het wel lukken. Als jij denkt dat Lucy beter af is zonder mij, en begrijp me goed, ik vind dat je gelijk hebt, dan neem ik ze in. Ik kan me alleen niet voorstellen dat jij haar gelukkig kunt maken. Je hebt tenslotte nog nooit iemand gelukkig gemaakt, Tom. Zo is het toch?'

Shackleton moest toegeven dat hij volkomen gelijk had. Hij had altijd zijn uiterste best gedaan om een sfeer van ongelukkigheid om zich heen te creëren, om indringers op een afstand te houden. Om te voorkomen dat iemand zag hoe onbetekenend hij was. Maar Lucy was anders. Ze kende hem. Ze begreep hem. Ze had beloofd hem nooit te zullen kwetsen. Het hoopvolle jongetje van toen stond oog in oog met de hopeloze man van nu, en tussen hen in bevond zich een onoverbrugbare kloof van ervaringen.

'Geef me de pillen, Tom. Geef Lucy wat ze echt wil.' Gary stak zijn hand uit, wat zoveel inspanning kostte dat zijn arm ervan begon te trillen. 'Of ben je bang? Bang om een oude vriend te doden?'

Shackletons antwoord was vlak en emotieloos.

'Ik heb mannen gedood die meer mans waren dan jij, Gary.'

'Kom op, dan, misdaadpaus. Kom op. Je hebt alles wat je wilde hebben. Neem dit ook maar. Het is niet moeilijk…'

De duivel keek Shackleton aan door de ogen van Gary. Nee, het zou inderdaad niet moeilijk zijn. Waarom zou hij het niet doen? Hij zou vervolgd kunnen worden. Dan zou hij gewoon zeggen dat Gary hem gevraagd had de flesjes bij hem neer te zetten. En de doppen? Die had hij eraf gehaald voor het geval Gary ze zelf wilde innemen, zodat hij de engel des doods er niet mee lastig hoefde te vallen.

Shackletons hersens werkten snel, de gedachten flitsten door zijn hoofd.

Hij zag Lucy's gezicht voor zich. Ze keek hem met angstige ogen aan, alsof ze zijn bescherming zocht en gerustgesteld wilde worden. Een golf van emoties sloeg door hem heen, iets wat hij nooit eerder had ervaren. Die emoties waren zo sterk dat hij niet wist of ze genot of pijn veroorzaakten.

Shackleton pakte de flesjes met pillen van de piano en bracht ze naar Gary.

Hij zette de flesjes op het tafeltje naast zijn bed en haalde de doppen eraf.

Het ging allemaal zo gemakkelijk. Zo eenvoudig.

Toen trok hij langzaam het tafeltje naar zich toe, zo ver dat Gary er net niet meer bij kon.

Gary beefde, was bijna aan het einde van zijn krachten, maar leek een bezeten man toen hij naar Shackleton opkeek.

'Durf je niet, Tom? Kun je het niet zonder dat Jenni je ballen vasthoudt?'

Shackleton liep weg, het huis uit, terwijl hij nog steeds Gary's stem hoorde.

Hij rende bijna terug naar het nu in duisternis gehulde treinstation en ging op een muurtje zitten. Rillend. Zwetend. Buiten adem.

Vanuit de schaduwen van het stationsgebouw riep een sjofel uitziende jongeman hem toe: 'Heb je wat kleingeld voor me?' Naast hem lag op een stuk karton een oude hond te slapen.

Shackleton zocht automatisch in zijn jaszak naar wat geld en haalde twee munten van een pond tevoorschijn. Hij liep naar de zwerver toe. Zijn hand beefde toen hij hem het geld gaf. De jongeman was duidelijk onder invloed: doffe blik in de ogen, verwijde pupillen, en hij praatte enigszins met dubbele tong.

'Bedankt. Prettige avond nog.'

Shackleton ging op zijn hurken naast hem zitten.

'Heb je een sigaret voor me? Ik rook normaal niet, maar vanavond…'

De hond keek verbaasd op: het gebeurde niet vaak dat hun iets gevraagd werd. De hond legde zijn kin op de knie van de jongen, terwijl die vanonder zijn deken een pakje Marlboro tevoorschijn haalde waarin sigaretten zaten van verschillende merken, en twee verdacht uitziende zelfgerolde sigaretten. Shackleton koos een Benson & Hedges, de jongen een van de zelfgerolde sigaretten. Ze staken ze aan met een blauwe wegwerpaansteker, die de jongen in zijn vuile hand hield. Shackleton zag dat hij op zijn nagels beet.

'Bedankt.'

De rook smaakte vies maar gaf hem vrijwel meteen een gevoel van genot toen die in zijn bloedbaan terechtkwam.

'Bedankt.'

'Alles goed met je?'

Shackleton aaide de hond over zijn oren en inhaleerde een tweede portie vies smakende rook.

'Ja, ik geloof het wel. Ik heb vannacht tenminste niemand vermoord.'

De jongen bleef er kalm onder.

'Da's altijd een goeie manier om de dag te beëindigen.'

Ze rookten in stilte.

Shackleton tikte aan zijn sigaret nog voordat er as aan zat en genoot van het ritueel en het gezelschap.

'Vertel me eens', zei hij, terwijl hij naar de overkant van de weg staarde. 'Als iemand jouw hond zou vermoorden om bij je te kunnen zijn, zou je dan van die persoon kunnen houden?'

'Nooit van zijn leven.'

'En als je nou niet wist dat die persoon het gedaan had?'

'Kom nou. Dan zou ik dus met een moordenaar en een leugenaar opgescheept zitten. Nee, dan heb ik liever mijn hond.'

De hond, die wist dat er over hem gepraat werd, keek van de een naar de ander, als een doofstomme die probeert te begrijpen wat er gezegd wordt.

'Goeie keus', zei Shackleton. 'Het probleem is alleen dat ik nu, omdat ik hem niet vermoord heb, het gevoel heb dat hij mij vermoord heeft.'

Dit sprak de jongeman wel aan en hij begon te lachen. Hij had al dagen niet gelachen en het voelde goed.

'Dat is niet best. Hoe heet-ie? Dan zullen de hond en ik hem even op zijn nummer zetten.'

Shackleton begon ook te lachen. Niet dat hij het zo grappig vond, maar zijn spieren trokken zich als vanzelf samen en begonnen pijn te doen.

'Hij heet Keith. Gary Keith.'

De jongeman begon nu onbedaarlijk te lachen om een beeld dat hij voor zich zag. Proestend begon hij het aan Shackleton uit te leggen.

'Dan is-ie dus ook een houten klaas. Net als ik…' Waarna hij een dansende marionet nadeed en telkens zei: 'Klepperdeklep. Klepperdeklep.'

De beide mannen vonden het prachtig. Ze konden geen woord meer uitbrengen. Shackleton was slap van de lach, hield zijn buik vast en wreef de tranen uit zijn ogen.

Uiteindelijk lukte het hem te zeggen: 'Waarom? Waarom is hij een houten klaas?'

De jongeman wilde zijn kennis graag met hem delen.

'Omdat "houten klaas" mijn bijnaam is en hij net zo heet als ik: Keith', zei hij, met moeite zijn lachen inhoudend. '"Keith" is namelijk een oud Schots woord voor hout.'

Shackleton lachte niet meer.

Op maandag regende het. Een saaie, grijze dag.

Lucy was aan het scrabbelen met Gary toen om twaalf uur het journaal begon. Geen van tweeën sloeg er veel acht op toen de presentator zei: 'Vandaag begint Tom Shackleton aan zijn taak als de nieuwe antimisdaadcoördinator van Engeland, ook wel misdaadpaus genoemd. Er werd aangenomen dat meneer Shackleton hoofdcommissaris van een van de grootste politiekorpsen van het land zou worden, maar de minister van Binnenlandse Zaken, Robert MacIntyre, zei tijdens een persconferentie...'

Lucy had geen belangstelling voor de rest. Ze zag alleen Tom en MacIntyre achter een rij microfoons zitten. Shackleton glimlachte en beantwoordde rustig en behoedzaam de vragen. Hoe was het mogelijk? De man die in haar armen had liggen huilen. De man die gezegd had... Ja, wat eigenlijk? Niet veel, niets concreets. Alleen de emotie van het moment had geteld. Niet de toekomst. Niet de werkelijkheid. Daarna volgde een film waarin te zien was hoe hij zijn nieuwe kantoor betrad. Vlak bij Whitehall, vlak bij New Scotland Yard. Ver weg. Uit het oog. Uit het hart.

Gary zei niets. Wat viel er ook te zeggen? Lucy was uit Hastings teruggekomen en vastbesloten geweest niet meer aan Shackleton te denken. Gary had de zuurstok, die ze voor hem meegenomen had, aangenomen, haar op de wang gekust en gevraagd of ze het leuk had gehad. Ja, had ze gezegd, de zeelucht had alle spinnenwebben weggeblazen. Daarna was ze de keukenkastjes gaan uitsoppen. Het is tijd voor een grote schoonmaak, had ze gezegd. En Gary had gezegd dat ze waarschijnlijk gelijk had.

Ze was aan de beurt: 'zeiker' met de 'k' op een plek die driedubbel scoorde.

Hij voegde er de 'd' aan toe toen het zijn beurt was.

Lucy dacht terug aan haar kindertijd. Overbodig. Getolereerd. Ze dacht aan wraak, aan de kranten. Aan uit de school klappen: seks, drugs en de misdaadpaus. Maar welke bewijzen had ze? De tas met drugs? Wat bewees die? De tas was verdacht, maar pleitte niet tegen hem.

Ze had een handvol water voor een oase aangezien. Was het beter iemand bemind te hebben en te verliezen, dan nooit iemand bemind te hebben? Nee. Dat nooit. In ieder geval nooit weer.

Gary wilde iets zeggen, maar kon niets bedenken dat niet triomfantelijk zou klinken.

'Gary?'

'Mmm?'

Hij probeerde vaag en afwezig over te komen.

'Ik wil je iets vertellen.'

'Lucy, dat hoeft niet.'

Hij keek haar aan en verwachtte weer die gekrenkte, kwetsbare blik in haar ogen te zien, maar die was er niet meer.

'Gary, heb ik het woord "deurmat" op mijn voorhoofd staan?'

Ze leek van zwart-wit naar kleuren te zijn overgeschakeld. Hij overwoog zijn antwoord zorgvuldig.

'Nee. Nu niet meer.'

'Misschien moet ik mijn verhaal aan de kranten verkopen: "Ik was Tom Shackletons voetveeg". Ik zou er een fortuin mee kunnen verdienen. O, Gary…' Ze sloeg haar handen voor haar gezicht, alsof ze zojuist een ongeluk had zien gebeuren. 'Hoe kon ik zo stom zijn, en zo ongelooflijk wreed. Het spijt me zo.'

Gary knikte en durfde niets te zeggen uit angst dat zijn stem zou overslaan. Het was voorbij. Deze keer was het echt voorbij. Maar als er nu wel een bed beschikbaar was geweest in het ziekenhuis? Als Lucy niet naar Hastings was gegaan? Maar er was geen bed vrij geweest en ze was gegaan. God bestond dus toch.

Ze speelden verder.

'Luus? Zet de radio eens aan, wil je? BBC 3. We wagen het er gewoon op.'

Lucy kwam plichtsgetrouw overeind en zette de radio op de gevraagde zender. De zoete klanken van klassieke muziek, die ze al zo lang niet meer gehoord hadden, stroomden de kamer binnen.

'O, wat is dit mooi', zei Lucy, terwijl ze weer ging zitten en op de zangerige, delicate tonen van de muziek haar hoofd mee bewoog. 'Hoe heet het ook alweer? Ik vergeet dat steeds.'

Gary was er niet zeker van of hij het haar kon vertellen. Het was zo volmaakt. Zo duidelijk een teken van boven, vanuit de bewolkte hemel.

'Sheep May Safely Graze.'

De schoonheid van de muziek ging door hen heen als door een huis waarvan de deuren en ramen waren opengezet om de frisse zomerlucht binnen te laten.

'Ik heb zitten denken, Luus.'

Ze keek op. Waren haar ogen even licht van kleur als die van hem?

'Ik vind dat we dit huis moeten verkopen en naar een kleiner huis moeten verhuizen dat aangepast is voor invaliden. En jij zou weer moeten gaan werken. We beginnen opnieuw.'

Lucy wilde niets liever dan opnieuw beginnen en dan deze keer elegant, mooi en meedogenloos zijn. Maar toen zag ze Jenni weer voor zich, zoals ze gestorven was, voorovergezakt. Misschien toch maar niet.

'Waar ga je heen, Luus?'

Gary, die nooit eerder had laten merken hoe bang hij was haar te verliezen, raakte plotseling in paniek toen ze resoluut opstond. Ze had een beslissing genomen, maar hij had er geen idee van of hij er deel van uitmaakte.

'Naar de keuken. Ik ga theezetten. En volgens mij staat er nog een Battenburg-cake in de kast.' Ze durfde hem voor het eerst in jaren weer eerlijk en open aan te kijken. 'Gary?'

Hij zag de ernstige blik in haar ogen. Nee, dacht hij, ik heb alles gedaan wat in mijn vermogen lag, ik heb geen verweer meer. Van een volgende klap kom ik niet meer overeind.

'Mag ik thuiskomen?'

'Ja. En dat werd tijd ook. Ik heb het gevoel alsof ik met een zombie heb samengewoond.'

Ze begonnen allebei te lachen. De opluchting aan het eind van een donkere, angstaanjagende tunnel.

'Ik kan nog steeds niet geloven hoe stom ik ben geweest.'

Gary glimlachte toen hij zei: 'Nou, we zijn hem kwijt. En we hebben er niets aan verloren.'

Alsof ze net wakker waren geworden en ontdekt hadden dat boemannen niet bestonden.

Lucy dacht terug aan de afgelopen maanden, waarin ze veranderd was in iemand die ze verafschuwde. Aan haar zelfvernedering, het aanbidden van een nepidool, en aan Gary's geduld. Shackleton was haar grote liefde geweest. Maar Gary was haar ware liefde.

Ja, ze zouden verhuizen en ze zou weer gaan werken, haar talent en haar hersens weer gaan gebruiken. Weer mens worden. Haar zelfrespect terugkrijgen. En ze zouden nog lang en gelukkig leven, en elkaars handicaps ontzien.

Ze schudde haar hoofd.

'Nee, we hebben er niets aan verloren.'

'O, en Luus... Ik mag meedoen aan het cannabisprogramma. Ik begin volgende week. En wat nog belangrijker is, misschien ook aan het stamcelonderzoek...' Hij zweeg om de brok in zijn keel weg te slikken. 'Het zou natuurlijk op niets kunnen uitlopen...'

Lucy onderbrak hem en was dolenthousiast.

'Maar ze kunnen tegenwoordig wonderen verrichten. En zeg nou zelf, wie niet in wonderen gelooft, is geen realist.'

'Ik hou van je, Lucy.'

'Niet half zoveel als ik van jou hou, Gary. En bedankt. Bedankt dat je me niet hebt laten vallen.'

Ze lachten nu, ze lachten en huilden.

Lucy ging op het bed zitten en ze omhelsden elkaar en kusten elkaar onhandig, waar ze alleen maar meer om moesten lachen.

'O, Lucy, alles komt goed.' Hij duwde haar iets naar achteren om haar aan te kunnen kijken. Hij wist dat hij het niet moest doen, maar kon de verleiding niet weerstaan, zoals een moordenaar het niet kan laten naar de plaats van de misdaad terug te keren. 'Luus, wees eens eerlijk, en wat je ook zegt, ik zal je er niet minder om liefhebben. Als je had moeten kiezen... wie zou je dan gekozen hebben? Hem of mij?'

Lucy aarzelde niet.

'Jou.'

Ze keek hem zo open en eerlijk en vol overtuiging aan dat hij zijn ogen moest neerslaan. Hij had gewonnen. Hij had eindelijk gewonnen.

Lucy ging theezetten en dacht eraan hoe ze veranderd was. Ze zou altijd van Shackleton blijven houden zoals hij was geweest, maar hij was een vreemde geworden. Hij had haar afgewezen en daarmee was het patroon doorbroken.

Ergens was ze hem dankbaar dat hij haar had laten gaan.

Die nacht sliep Tom Shackleton alleen in zijn nieuwe flat in Londen. Hij had alles, hij was succesvol en had de top bereikt. Hij werd niet meer geplaagd door demonen of door herinneringen verleid.

Maar er waren geen vrienden met hem meegereisd naar boven. Leven was existeren geworden en soms had hij het zo koud dat hij smachtte naar wat warmte.

Naast zijn bed, op het kale tafeltje, onder de lamp, lag de trouw-ring die Lucy hem gegeven had, en als hij ontwaakte uit de nacht-merries die hem achtervolgden, warmde hij de drie gouden ringen in zijn handen. Van al zijn trofeeën de enige die uit liefde geschonken was. Hij hield de ring dan, als een kind, stevig vast en hoopte dat de slaap gauw zou komen.

De slaap der doden.

Dankwoord

Dank aan Sue Clough, Don Randall, Giles Smart,
Crispian Strachan, Rosemary Davidson, Mary Tomlinson,
Caroline Dawnay, Nigel Newton en alle medewerkers van
Bloomsbury, David Parfitt en Saint Jude, zonder wie...